Karl Reuter

Vom Scholaren bis zum jungen Reformator

Studien zum Werdegang Johannes Calvins

Neukirchener Verlag

Der erste Teil dieser Arbeit erschien 1963 mit dem Titel
»Das Grundverständnis der Theologie Calvins. Unter Einbeziehung
ihrer geschichtlichen Abhängigkeiten« als 15. Band der Reihe
»Beiträge zur Geschichte und Lehre der Reformierten Kirche«.

© 1981
Neukirchener Verlag des Erziehungsvereins GmbH,
Neukirchen-Vluyn
Alle Rechte vorbehalten
Der Schreibsatz erfolgte unter Aufsicht des Autors
Druck und buchbinderische Verarbeitung: Breklumer Druckerei Manfred Siegel
Printed in Germany
ISBN 3-7887-0652-x

CIP-Kurztitelaufnahme der Deutschen Bibliothek

Reuter, Karl:
Vom Scholaren bis zum jungen Reformator: Studien
zum Werdegang Johannes Calvins / Karl Reuter. –
Neukirchen-Vluyn: Neukirchener Verlag, 1981.
  ISBN 3-7887-0652-x

In einer anderen als der zunächst geplanten Gestalt erscheint nun
der zweite Teil meines Unterfangens, das sich mit dem Grundverständnis der Theologie Calvins befaßt. Zwar hatte mich zunächst Rechtfertigung und Prädestination bei Calvin in ihren geschichtlichen
und sachlichen Zusammenhängen, auch Christi Person und Heilandstum
bei ihm unter denselben beiden Gesichtspunkten beschäftigt. Aber
Nachgedanken zu Alexandre Ganoczys Buch "Le jeune Calvin etc." kri-
stallisierten sich bei mir zu der Vorstellung heraus, es sei notwendig, auch in umfassenderen, vorwiegend theologie- und frömmigkeits-
geschichtlichen Studien dem Werdegang Calvins bis zum Jahre 1538/
1539 nachzuforschen.

Um über das in der Artistenfakultät des Collège de Montaigu, einer
Anstalt der Sorbonne zu Paris, auf den jungen Calvin übergegangene
Bildungsgut noch größere Klarheit zu gewinnen, als es auch im vorliegenden Buch geschieht, bleibt Wichtiges noch zu tun übrig. Vorliegende Studien nehmen sich über den Quellennachweis hinaus aber
auch einer Deutung Calvins an. Sein Werdegang von der Artistenfakultät bis in die Zeit des jungen Reformators wird gelegentlich im
Durchblick hin auf den gereiften Reformator dargestellt. So mag je
und dann hervortreten, worauf dieser Werdegang hinausläuft.

Die Lücken in der durchgearbeiteten Literatur haben ihren Grund
in meinem vorgerückten Alter. Aufs Ganze gesehen, bin ich mir bewußt, vielfach einen nicht immer gewöhnlichen Weg gegangen zu sein.
Ich war bemüht, Calvin mit Fleiß abzuhorchen. Das Ergebnis meiner
Studien, so prononciert es jeweils auch vorgebracht worden sein mag,
soll um so mehr der weiteren Erörterung der anfallenden Fragen dienen.

Dem Verlag danke ich sehr, daß er das Erscheinen des Buches möglich machte. Herzlichen Dank gebührt auch meiner Frau, die das Ma
nuskript anfertigte und das Zustandekommen der Reinschrift für den
Druck sorgsam mit unter ihre Obhut nahm.

Mönchengladbach, im Herbst 1980   Karl Reuter

Inhalt

Die allgemein überlieferte Zielsetzung des Bildungswesens an den
Artistenfakultäten

Es ist aller Anlaß zu dem Versuch gegeben, der Bildung nachzugehen,
die Johannes Calvin vor allem während seines etwa vierjährigen Aufenthaltes in der Artistenfakultät des Collège de Montaigu in Paris
empfing. Die theologische Fakultät dort hat er nicht besucht und
sich darum auch keinem systematischen Studium der scholastischen
Theologie unterzogen. Er verließ die Anstalt 1528 mit dem Grad
eines Magisters der freien Künste, um in Orléans sein juristisches
Studium zu beginnen. Um so mehr drängt die Frage, welche Bildung der
Scholar Calvin in Paris empfing und wie sie sich bei ihm späterhin
auswirkte. Es gilt darüber hinaus, den verarbeiteten und insofern
auch erkennbar bleibenden Beziehungen der theologischen Grundkonzeption des jungen Reformators zur Theologie und Frömmigkeit vor allem
des späteren Mittelalters und nicht zuletzt Augustins, sowie denen
zum zeitgenössischen Humanismus und, ganz wesentlich für den jungen
Rechtsbeflissenen, zur Antike selbst nachzuspüren[1]. Vorab ist also
die Frage wichtig, was Calvin der Artistenfakultät in Montaigu wohl
verdankt haben mag.

Die Artistenfakultäten haben im ganzen Mittelalter Kirche und
Theologie gegenüber nie eine wirklich selbständige Stellung einge-
nommen. Die in ihr gelehrten freien Künste, aus der Antike als "die
Künste eines freien Mannes" herübergenommen, umfaßten das mehr formale Trivium der Grammatik, Dialektik oder Logik und Rhetorik und
das wesentlich reichere Quadrivium der Arithmetik, Geometrie, Astronomie und Musik. Nicht eine Einführung in die Wissenschaft der Theologie, wohl aber eine auf sie hinarbeitende, verschieden gründliche
Unterrichtung über die elementaren Kenntnisse des Glaubens war Mutter, Haupt und Ziel der Künste[2]. Daher blieb der Zusammenhang der
"göttlichen und menschlichen Dinge", wie schon Cicero von einem solchen sprach[3], also die Einheit der Wahrheit, beibehalten[4].

Nicht eigene Forschung, sondern die Treue zum Überkommenen wurde
gepflegt. Dabei konnten an einer einzigen Artistenfakultät viele Magister, zwar Vielseitigkeit beweisend, aber doch oft genug der
Gründlichkeit entbehrend, alle sieben Künste lehren und über sie
schreiben. Jeweils erhoben sich auch Stimmen, die eitler Gelehrsamkeit gegenüber echte Weisheit mit Demut gepaart wissen wollten[5].
Der reformgesinnte und fromme Johann Gerson ist hier ein Beispiel.
Aber auch Johann Major am Collège de Montaigu empfand später ähn-

lich. Immer aber geht durch die Artistenfakultäten, wenn auch manchmal auf noch so mangelhafte Weise, das Bemühen in den Dienst der Autoritätsfürchtigkeit vor der Kirche und in den einer, wenn auch oft noch so schematischen, auf die Lehre der Kirche zugeschnittenen historischen, moralischen und nicht zuletzt allegorischen Schriftinterpretation, sowie in den einer religiös-sittlichen Erziehung der Scholaren zu stellen. Calvin behauptet später noch, die freien Künste seien herrliche Gaben Gottes[6], bemerkt aber auch aus bewundernswerter Sachkenntnis heraus, daß ihre größte Blüte "bei den heidnischen Völkern"[7] der Antike festzustellen sei[8].

Die spätmittelalterliche Differenzierung der Künste und deren streng
restaurative kirchlich-theologische Ausrichtung am Collège de Montaigu

Zur Zeit des Scholaren Johannes Calvin hatte der Lehrbetrieb an den
Artistenfakultäten bereits begonnen, differenzierter und der kirchlichen Lehrautorität gegenüber gelockerter zu werden. Schon die Artistenfakultät im Collège de la Marche, das Calvin ein Jahr lang unter Maturin Cordier besuchte, ist ein Beweis für Johann Majors Klage
in der Widmung seines Sentenzenkommentars von 1530 an "den Schwaben"
Johann Major Eck, den gewiegten Gegner Martin Luthers, in Paris sei
eine Studentenschaft anzutreffen, die, Luthers Gedanken nachgehend,
sich rüstig mit der Hl. Schrift beschäftige und darüber die scholastische Begriffsbildung vernachlässige. Mit Bedauern stellt er fest,
daß selbst die Sorbonne dem Rechnung getragen und ihren Lehrbetrieb
leichter faßlich gestaltet habe. Auch er selbst habe damals die Ein-
streuung physikalischer Beispiele aus dem Lehrvortrag "ausgepflügt".
Es hatte nicht nur eine Schwächung der die abendländische Christenheit so lange Zeit schon durchziehenden Querverbindungen und ein Er-
starken des Nationalbewußtseins, sowie eine gesellschaftliche Um-
schichtung infolge des Erwachens eines seiner selbst bewußt gewordenen Bürgertums eingesetzt, weil ein individuelles Lebensgefühl in
das universale Gliedbewußtsein der Menschen an der kirchlichen und
weltlichen Ordnung eindrang. Auch und besonders der westeuropäische
Humanismus, ohne sonderliche Wertschätzung mittelalterlicher Philosophie und scholastischer Theologie, führte überall da, wohin sein
Einfluß reichte, christliche, wenn auch selbst schon mit Reminiszen-
zen griechisch-römischer Herkunft oft verschiedenartig durchwobene,
Theologie zwangsläufig in die Auseinandersetzung mit der an Erasmus
und nicht zuletzt an der Antike selbst orientierten religiösen Lebensphilosophie. Sie schloß sich, weil mehr diesseitigen Worten zugewandt und eine "affirmative"[9] Konzeption christlicher Theologie
anzweifelnd, mit veränderten Bildungs- und Erziehungszielen zusammen. Die Unterrichtsmethode einer echten Lektüre der alten Lateiner
und des selbständigen Erzählens und Unterhaltens in den alten Sprachen hat denn auch der Knabe Johannes Calvin anfangsweise bei Cordier, einem Schüler zunächst des Erasmus, gelernt[10].
Anders lagen die Dinge in der Artistenfakultät des Collège de Montaigu, in die Calvin 1524 übersiedelte. Sie war im Anschluß an die
Zeit, in der Siger von Brabant, im krassen Gegensatz gegen die von
Thomas von Aquino gelehrte Staffelung innerhalb einer ontischen Ein-

heit von natürlicher und übernatürlicher Welt, von Natur und Gnade, das Auseinanderklaffen von vernünftiger Überlegung und christlichen Wahrheiten, von Wissen und Glauben ins Feld führte, 1314 von fünf Gliedern einer begüterten Familie aus einer kleinen Stadt der Auvergne gegründet worden. Sie verfolgte das Ziel, junge Menschen zu gebildeten, rechtgläubigen und frommen Gliedern der Kirche zu erziehen, die sich dann dem Studium der Theologie, sowie dem des kanonischen Rechtes widmen sollten. 1402 wurden die von da an für die Anstalt gültigen Statuten erlassen, von dem Fraterherrn Johann Standonck, zugleich wohl auch unter dem starken Einfluß der verschärften Franziskanerregel der Minimenkongregation erneuert, jedoch von 1513 an gemäßigter gehandhabt[11]. Im Jahre 1483 hatte das Domkapitel von Notre-Dame in Paris Standonck an die Spitze des berühmten Collège de Montaigu daselbst berufen. Unter seinen Auspizien war dann der im Geist der Augustiner-Chorherren der Windesheimer Kongregation erzogene Schotte Johann Major (John Mair) an diese Anstalt gezogen worden, hatte dort nach einer Unterbrechung seiner Tätigkeit zum zweiten Mal von 1525 bis 1532 gelehrt und weit über Paris hinaus Einfluß gewonnen. Er war nicht nur scholastischer Theologe terministischer Denkstruktur, sondern hatte, nach seinen einschlägigen Schriften zu urteilen, auch in der Artistenfakultät unterrichtet. Ob auch noch zur Zeit des Aufenthaltes Calvins an dieser Anstalt, wird kaum unbedingt sicher auszumachen sein. Jedenfalls erschienen seine "Quaestiones logicales" in Paris 1528, seine "Octo libri physicorum cum naturali philosophia etc." dort 1526, während die "Inclitarum artium ac sacre pagine... libri quos...in luce emisit" schon aus dem Jahre 1516 stammen. Man geht in der Annahme nicht fehl, daß der Geist Majors, dieses also der Via moderna und Devotio moderna zugetanen Scholastikers an der ganzen Anstalt herrschte, als sie der junge Calvin als Scholar besuchte.

Der Überlieferung gegenüber differenzierter treten an der Artistenfakultät in Montaigu die verschiedenen Sparten des Bildungsweges hervor. Vom Trivium kamen wahrscheinlich Grammatik und Sprachlogik, Logik und Dialektik, dazu Rhetorik, vom Quadrivium Mathematik und Arithmetik, Physik und Astronomie, dazu Ethik und Psychologie in Frage[12]. Das Schwergewicht aber lag auf der zur terministischen Erkenntnislehre ausgebauten Sprachlogik und auf einer zur Widerlegung der vielen Häresien befähigenden, die Rechtgläubigkeit erhärtenden Dialektik. Deren Ausartung in "Sophisterei" ging freilich selbst Johann Major zu weit; denn er wandte sich gegen sie. Doch lernten die Scholaren in Montaigu aus den Vorlesungen ihrer Magister nicht nur spezifiziertes Wissen und geistiges Können. Sie wurden ganz selbstverständlich auch in die "Anfangsgründe"[13] der kirchlichen Lehre "eingeweiht". "Kompendien", die dazu dienten, hatten Hugo von Straßburg, Johannes Fidenza Bonaventura und manche andere

verfaßt[14]. Die in Montaigu vertretene Richtung war durch den erwähnten tonangebenden Major, wie denn Paris überhaupt als Hochburg des
Franziskanertums galt, neuscotistisch und zugleich antipelagianisch,
philosophisch aber ockhamistisch ausgerichtet. Seine vor allem franziskanischen Gewährsmänner nennt Major selbst in der schon erwähnten Widmung seines Sentenzenkommentars von 1530. Zunächst erklärt
er, daß er diesen in einem Latein geschrieben habe, das sich dem
Wunsch seiner Hörer nach besserem Stil anpasse. Dann aber stößt man
auf die sehr bemerkenswerten Sätze: "Las ich über das vierte Buch
der Sentenzen, so strömten die Hörer zahlreicher zu mir, während
ihre Zahl auffallend gering war, wenn ich zum ersten Buch der Sentenzen die Schriften meines Landsmannes Johannes Duns, des Enylän-
ders Wilhelm Ockham oder des Gregor von Rimini vorlas". Das geschah
zwar in den scholastischen Vorlesungen der theologischen Fakultät.
Es war aber, von allem anderen abgesehen, eine Eigentümlichkeit der
franziskanisch orientierten Bildungsstätten, die Artistenfakultät
denkbar eng an das Studium der Theologie zu binden. Um so erklärli-
cher mag es erscheinen, wenn auch in Montaigu die zwar nicht scholastische, aber doch der Kirchenlehre entsprechende religiös-sitt-
liche Unterweisung der Scholaren im Verein mit der nicht zu übersehenden strengsten geistlichen Disziplin und Beichtstuhlpraxis dazu diente, die Scholaren der Artistenfakultät zu durchaus rechtgläubig gebildeten, allen Häresien gegenüber restaurativ gesinnten,
autoritätsfürchtigen Gliedern der Kirche zu erziehen. Zudem befruch-
tete das Zusammenleben von Lehrern, gleich welches Grades, und Studenten oder Scholaren eines Kollegs die Einstimmigkeit in der wissenschaftlichen, philosophischen, theologischen Richtung. Die Aufsicht über die streng geschlossene Lebensform des Kollegs, zu dem
Calvin gehörte, lag Peter Tempête ob. Meister im Theologischen, sowie in den Künsten war der überragende Major, der 1532 endgültig
in seine Heimat Schottland zurückkehrte. In der Unterweisung im Terminismus ihm zur Seite ging Antonius Coronel. Aber die streng gehü-
tete Tradition stand im Begriff, sich, trotz der Wendung zur logischen und theologischen Fragestellung Ockhams, zum nicht mehr überzeugenden und darum um so unholeukubaichen Traditionalismus zu ver-
härten. Immerhin war die Absicht der Stifter des Collège de Montaigu bis dahin durchgehalten worden: Ziel der Unterweisung der Zöglin-
ge des Gymnasiums war deren Einsatz für die Erneuerung der Kirche.
Aber als restaurative Idylle fiel die Anstalt dem Umbruch der Zeit
zum Opfer.

Die Verarbeitung des philosophischen Erbes der Artistenfakultät in
Montaigu in der reformatorischen Konzeption Calvins

An einer Reihe von Punkten läßt sich aufzeigen, welche manchmal wesentlichen philosophischen und ins Theologische hinübergreifenden
Elementarerkenntnisse sich Johannes Calvin in der Artistenfakultät
zu Montaigu erwarb und in die seit 1539 dann als Weisheit gekenn-
zeichnete Konzeption reformatorischer Theologie oft kritisch hin-
einverarbeitete. Für den Ausgang dieses Unterfangens ist aber auch
schon die Erstausgabe der Instituio heranzuziehen, doch mit dem Bedachtnehmen darauf, daß erst die Zweitausgabe damit beginnt, die
Selbständigkeit des Genfer Reformators der Wittenberger Reformation
gegenüber prononciert hervortreten zu lassen.

3.1
Der Terminismus als Denkstruktur Calvins

Es unterliegt keinem Zweifel, daß Calvins Weise, die Dinge zu erkennen, durch den Terminismus geprägt ist. Major selbst und die von
ihm ausdrücklich genannten Gewährsmänner, der "rechtsgerichtete Nominalist"[15] Gregor von Rimini und der nach links ausschlagende Kon-
zeptualist Wilhelm von Ockham, sowie Majors Kollege an der Artistenfakultät in Montaigu, Antonius Coronel, verbürgen die Tatsache, daß
Johannes Calvin in der Logik der Sprachformen mit all ihren Folge-
erscheinungen geschult wurde. Dieselbe Art von Erkenntnislehre wurde auch auf deutschen Boden verpflanzt. In Wien lehrte sie Johannes
Buridan, in Heidelberg Marsilius von Inghen, in Tübingen Gabriel
Biel, in Erfurt zur Zeit des jungen Luther Bartholomäus Arnoldi von
Usingen, ein Schüler Biels[16]. Was hier die Entmachtung der nach
überlieferter Auffassung metaphysischer Erkenntnisse fähigen Vernunft angeht, so mußte Calvin den Wittenberger Reformator von vornherein verstehen, obschon beide andererseits doch auch wieder von
einer so entgegengesetzten Gnadenlehre herkamen: Antipelagianismus
dort, Pelagianismus hier.

Die Erstausgabe der Institutio zeigt, wie bei Calvin die termini-
stische Logik[17] nach ihrer erkenntnistheoretischen Seite die der
Metaphysik für mächtig erachtete Vernunft außer Kraft setzte. "Gottes Geheimnisse können haargenau so, wie sie uns zum Heil gereichen,
weder in sich selbst, noch, so sagt man gewöhnlich, in ihrem eigentlichen Wesen erkannt werden". Darum müssen wir unser eigenes Vermö-

gen, es heiße Fühlen, Begreifen oder Scharfsinn, unter uns lassen
und uns ganz allein an die uns Gottes freiem Ermessen bekundete
Wirklichkeit seines Wortes halten. Dieses allein macht einleuchtend,
läßt erscheinen, setzt gegenwärtig, legt eingehend dar, was es mit
Gott, nun aber ausdrücklich gerade mit seinem Handeln und seinen
Verhaltensweisen im allgemeinen, insbesondere aber in Sachen unseres Heiles auf sich hat[18].

Das Daß oder Dasein Gottes ist dem jungen Reformator, wie seinen
Zeitgenossen gemeinhin, unbezweifelbar. Aber am Was Gottes übernimmt sich die spekulierende Vernunft, weil sie es in ihrer religiösen Anmaßung ermitteln zu können bloß vermeint; denn sie ist weder eine Nebenbuhlerin Gottes, noch nimmt sie eine dienende Ehren-
stellung unter Gott ein. Das in Gottes Wortoffenbarung zu Tage tretende Wie[19] Gottes ist gerade das, was rein praktisch für Leben und
Heil im wahrnehmenden, zuversichtlichen und von gewisser Überzeugung getragenen Glauben zu umfangen notwendig ist. In dieser empirischen Linie, und das im ständigen Gegenüber Gottes, hat sich Calvin immer gehalten. Der Terminismus leitete ihn dazu an, einerseits
die Verborgenheit des Seins oder Wesens Gottes in eine verphiloso-
phierte Weltenentrücktheit hinein in der Ferne zu halten, andererseits seine offenbaren Verhaltensweisen mit denen er sich der Menschen, insbesondere aber seiner Erwählten, annimmt, als Sache "ge-
wissester Erfahrung"[20] und eines in ihnen voller Sicherheit zur Ruhe kommenden Glaubens[21] darzustellen.

3.2
Die Auswirkungen der Suppositionstheorie

Calvin hat in der Artistenfakultät gelernt, daß die Aussage eines
Satzes dessen Subjekt lediglich "mit" meine und darum mit diesem
nicht "univok" sei, also nicht gleichlaute, sich mit ihm nicht dek-
ke. Dieser philosophische Satz geht, von einem entsprechenden Vorkommen in der Stoa abgesehen, auf den byzantinischen Neuplatoniker
Michael Psellos und dessen späteren abendländischen Vertreter Petrus Hispanus, den nachmaligen Papst Johannes XXI, zurück und besagt, daß, auf Gott angewendet, erkenntnistheoretisch ein Zugang zu
ihm keinem Menschen geöffnet werden könne. Schon 1536 stößt hier die
theologische Konzeption Calvins an diejenige Klippe, über die er
nie Herr geworden ist. Gewiß, für ihn kam ein Verständnis Gottes
als höchsten Seins und höchster Güte nicht in Frage. Aber er drang
auch nicht ganz durch bis zu dem "in Christus" offenbar gewordenen
innersten Herzen Gottes, wie es sich gleichzeitig um der bleibenden
Unverkürztheit willen sowohl des Gesetzes, als auch der Gnade Gottes
nach dem Evangelium von Christus seinem vollen Wesen nach als heilige Liebe dem Sünder gegenüber erschließt und schenkt[22]. Eklatantes

Beispiel hierfür ist, daß Calvin zugleich auch nach dem Vorgang
Bernhards von Clairvaux, die aus der menschlichen Erfahrung gewonnene Vorstellung vom Vater-Sohn-Verhältnis in einem lediglich möglichst vollkommenen Sinne auf Gott anwendet. Dieses gleitet aber in
den Rang der unverdienten Ermessensfreiheit einer freilich eminent
sittlichen "Väterlichkeit" Gottes ab, die als vorgeschichtlich-ewi-
ge Entscheidung, gleichzeitig aber als in der geschichtlichen Heilsstiftung durch Christus vor sich gegangenes Geschehen einen gläubigen Erwählten zwar gegenwartsmächtig zuinnerst anwandelt, aber
die menschenunähnliche Einmaligkeit der Sünderliebe Gottes nicht
zur vollen Geltung kommen läßt. Die Suppositionstheorie erlaubte
Calvin schon 1536 nur eine im Bereich des "Äquivoken" sich bewegende Aussage über Gott.

3.3
Theologie als Realwissenschaft

Wenn denn nun schon der Terminismus die Vernunft, also auch dem werdenden Reformator gemäß, für unfähig erklärte, theologische Gehalte
durch "Syllogismen" zu "eruieren"[23], wie es schon 1536 heißt, dann
lag es bei diesem Ausgang von einer philosophischen Grundbildung
ockhamistischer Richtung nahe, bei der einfachen Gegebenheit der
Gottesoffenbarung der Hl. Schrift - unter gleichzeitiger Berücksichtigung, nicht aber gleichwertiger Ausmünzung der Kirchenväter -
einzusetzen, sie allein als schlechthin feststellbare und zureichen-
de Wirklichkeit, als Wahrheit für Heil und Leben eines Menschen und
als Maßgabe für dessen Gliedschaft an der Kirche zu betrachten. Bei
ausgiebiger Zurhilfenahme der philologischen Mittel der humanistischen Bildung, vor allem der Paraphrasen des Erasmus, entwickelt
der zum Reformator gewordene Calvin die Theologie als Realwissenschaft von einmaligem Rang. Er will wahrnehmen, erforschen, feststellen, ordnen, darlegen, bezeugen, verteidigen, die einzelnen
Stücke in ihrem Gewicht gegeneinander abwägen, einem jeden von ihnen
den ihm angemessenen Ort im Ganzen geben, die gebotene sach- und
sinngemäße Struktur aufzeigen und so das Thema durchführen, das seine theologische Konzeption beherrschen soll: die Allseitigkeit und
möglichste Vollständigkeit der Bezüge und Beziehungen zwischen Gott
und Mensch aus der gläubigen und frommen Existenz eines Menschen
Gott gegenüber[24]. Insofern ist der Calvin schon von 1536 um den Ent-
wurf einer empirisch orientierten reformatorischen Theologie bemüht,
wie sie dem Wirklichkeitscharakter sowohl der durch die Hl. Schrift
in die Menschenwelt hinein ergangenen Selbstbekundung Gottes, als
auch dem durch die Hl. Schrift und den Geist Gottes gewirkten, die
Gegenwartsmächtigkeit der göttlichen Heilsstiftung bei sich wahrnehmenden[25] und gewiß überzeugten Glauben Rechnung trägt. Es bahnt sich

8

die entsprechende Kennzeichnung der gesamttheologischen Konzeption
schon 1536 solchergestalt als Weisheit an: Gott hat aus der einem
Menschen "völlig verborgenen Philosophie Gottes " nur dasjenige
kundgetan, "was er notwendigerweise wollte"[26]. Die Erkenntnis dieses
so kundgemachten Wortes Gottes macht dann auch den Inbegriff des
Dienstes der Pastoren der Kirche an diesem Wort aus. Dabei ist Lehre vor allem dem jungen Reformator zufolge weniger nach der Seite
der rationalen Lehrgesetzlichkeit zu interpretieren als nach derjenigen der existentiellen Heilserkenntnis, geistlichen Fruchtbarkeit
und kirchlichen Einstimmigkeit[27].

3.4

Der Satz vom Widerspruch und dessen Anwendung auf das Gebiet der
Theologie

Weil die Denkstruktur des Scholaren Calvin im Gymnasium montis acuti sprachlogisch geprägt wurde, bekam er auch die so wichtige Bedeutung mit, die dem Satz vom Widerspruch hier beigemessen wurde.
Die Lehrbücher Majors und Coronels[28] beweisen es. Dieser Satz eröffnet die unendliche Denkmöglichkeit zu allen nicht kontradiktori-
schen Satzaussagen[29]. Diese rein abstrakte Möglichkeit aber verlei-
te dazu, mit geeignet erscheinenden theologischen Themen ein logizi-
stisches Gedankenspiel anzustellen. Angewendet auf den Schöpfungs-
willen Gottes, führt der Satz zu der denkmöglichen Fülle aller nicht
kontradiktorisch erscheinenden Arten von geschöpflichen Wesen. Angewendet auf die Gegenwart Christi im Sakrament des Altars, läßt er
unendlich viele nicht kontradiktorische Variationen der Allenthal-
benheit und damit der Gegenwärtigkeit Christi überhaupt offen. Und
wiederum angewendet auf die unendlich vielen möglichen Variationen
des Verhältnisses der "inneren Benennung" eines Christen zu seiner
"äußeren Benennung" durch Gott[30], läßt er keine Heils- und Glaubensgewißheit zu. Schließlich angewendet auf den Heischewillen Gottes,
führt er zum Zweifel an dem, was denn Gott zu Recht wolle. In diesen und anderen Fragen mehr handelt es sich um den rein philosophisch zustande gekommenen Gedanken von der "absoluten Macht"[31]
Gottes, der nur irrtümlich mit der religiös und fromm und echt theologisch zu verstehenden Allmacht Gottes in Verbindung gebracht wurde. Die eine aus der als unendlich angenommenen Zahl offenstehender
Möglichkeiten "angeordnete Macht"[32] Gottes aber liegt in aller Wirklichkeit vor in der Hl. Schrift, den Kirchenvätern und den aus der
Tradition erhobenen und kirchlich sanktionierten Lehrsätzen. Calvins
theologische Konzeption entstand nicht zuletzt aus dieser die tho-
masische Einheit der Hierarchie des übernatürlichen Seins mit seinen
natürlichen Erscheinungsweisen aufspaltenden ockhamistischen Erkenntnislehre, die, auf Gott angewendet, ihn zum Gott der Willkür

macht. Dieser gegenüber stützt sich Calvins Konzeption schon 1536 eindeutig auf die einfache Gegebenheit der einen, letztlich allein gültigen göttlichen Offenbarung, nun aber, reformatorisch gesehen, ausschließlich der Hl. Schrift und das keinem Zweifel Raum gebende, gegenwärtig gläubige "Umfangen" des in Christus verwirklichten Heils. Der rein formale Satz vom Widerspruch wird von dieser empirisch sich orientierenden Theologie nicht akzeptiert, bleibt für sie aber hintergründiger Gegenstand der Auseinandersetzung und führt zum Axiom der Theodizee.

3.5
Die Verläßlichkeit Gottes

Um der unantastbaren Heiligkeit und eminenten Sittlichkeit Gottes, um der Unanklagbarkeit seines Verhaltens und Handelns willen weist Calvin, der junge Reformator, den Gedanken an ein Willkürhandeln Gottes also entschieden ab. In der Erstausgabe der Institutio schon heißt es, wir müßten von Gottes Glaubwürdigkeit oder Verläßlichkeit[33] so stark überzeugt sein, daß als bereits geschehen und erfüllt zu erachten sei, was er in seinem Wort ausspricht. Diese Verläßlichkeit Gottes wird also schon 1536 mit genau den Ausdrucksmitteln gekennzeichnet, die schon die Antipelagianer von Thomas von Bradwardine und Gregor von Rimini an verwendeten: Gott kann nicht lügen, trügen oder gar selbst getäuscht werden oder getäuscht worden sein[34]. Wie nachdrücklich Calvin dieses Axiom der Theodizee auf dem Hintergrund des von der terministischen Erkenntnislehre möglichen, aber nur rein theoretischen Satzes von einem Willkürhandeln Gottes auch späterhin ausspricht, wird noch dargetan werden. Calvin bekämpft diesen ockhamistischen Gedanken bezeichnenderweise nicht im Rückgang auf Thomas von Aquino, sondern mit den Mitteln der terministischen Logik selbst durch Bezeichnungen, die Gottes Verhaltensweisen[35] für "höchst geordnet"[36] oder auch "höchst gerecht" erklären[37]. Es gibt keinen theoretischen Vorbehalt im Blick auf die Verläßlichkeit der Kundmachung Gottes von sich selbst durch die Hl. Schrift. Schon 1536 zielt die Behandlung der Verläßlichkeit Gottes nicht nur auf die Verbürgtheit des Heils, sondern auch auf die Gewißheit des Glaubens ab[38]. In dieser zweiten Hinsicht aber wird der Boden der mittelalterlichen Theologie auch nominalistischer Richtung und auch, wie ausgesprochen werden soll, der des biblizistischen Humanismus gleicherweise verlassen.

3.6
Die Dialektik

Wie in der Artistenfakultät von Montaigu die Dialektik gleichrangig

neben der Sprachlogik oder Erkenntnislehre betrieben worden zu sein
scheint, so bediente sich der junge Reformator ihrer als wissen-
schaftlicher Methode. Er nimmt sie aber nicht in den Dienst für ab-
strakt bleibende Denkmöglichkeiten. Schon der vom Geist augustinisch-
devoter Frömmigkeit erfaßte Major hatte in der nominalistischen Über-
steigerung der scholastischen Methode "Sophistik" sehen wollen. Calvin seinerseits lehnt dann die scholastisch arbeitende Theologie
überhaupt ab und wendet sich den wirklichen und lebendigen Bezügen
und Beziehungen von Gott und der Menschenseele, dem Gegenseitigkeits-
verhältnis von Gottes- und Selbsterkenntnis zu. Ihm diente die Dialektik, zu der er schon von Natur neigte, dazu, das "christliche
Religionswesen" in möglichst sinngemäßer Ordnung darzustellen. Er
zergliedert Sachverhalte, greift in Frage kommende Aussagen, Definitionen, Lehren, Thesen, Themen auf, zieht deren Elemente ans Licht
und nimmt sie kritisch unter die Lupe, nicht um sie zerblättert sich
selbst zu überlassen, sondern um das Analysierte reformatorisch-
augustinisch neu zu orientieren, umzugestalten, auszuweiten und zu
einem Ganzen des "christlichen Religionswesens" sinnvoll zu fügen.
Für diese besondere Aufgabe bedient sich der junge Reformator des
dialektischen Verfahrens. Er will den Nachweis für die Stichhaltigkeit der aus der Hl. Schrift gewonnenen Erkenntnisse und der im hermeneutischen Zusammenhang sich ergebenden Wahrheit führen. Er beabsichtigt, die Art der polaren dialektischen und vor allem auch der
dialogischen Bezüge und Beziehungen zwischen Gott einerseits und
einem Gläubigen und Frommen, aber auch dem ganzen Menschengeschlecht
und der Welt andererseits fremden oder auch stillschweigend selbst
gemachten Einwendungen gegenüber kontroverstheologisch zu erhärten.
Der natürliche Scharfsinn seines schnell schaltenden Verstandes
stellt sich von selbst dabei in diesen Dienst. Das ungültige scheidet er vom Gültigen, den Irrtum von der Wahrheit, den Zweifel vom
Unaufgebbaren. Nicht ein denkerischer Absolutheitsanspruch wird geltend gemacht. Aber es bleiben in Betracht gezogen sowohl die Autorität des aus der Hl. Schrift zu rechtfertigenden reformatorischen
Heilsverständnisses, als auch die dieses bestätigende Erfahrungen
des Glaubens. Nicht auf Begriffe kommt es entscheidend an, sondern
auf die Evidenz der inhaltlich sichergestellten Inbegriffe.

Damit ist über die Frage der dialektischen Methode hinaus auch
schon jene andere nach der Dialektik der theologischen Sache bei dem
jungen Reformator gestellt. Gibt es diese bei ihm? Er läßt Gottes
"Handeln" [39] und des Menschen Handeln, wo er nicht vom Determinismus
des Kausaldenkens Gebrauch macht, als zwei in ihrem je eigenen Gewicht anzuerkennende Wirklichkeiten unverbunden nebeneinander bestehen. Wenn es sich denn nun schon dabei nach Calvins Auffassung nicht
um Paradoxien handeln darf, so liegen doch jedenfalls von ihm nicht
in Erwägung gezogene Diskrepanzen vor, wie sie denkerisch nun einmal

nicht ins Lot zu bringen sind. Ihm schwebt von Anfang an das der devoten Mystik und wohl auch der stoischen Gelassenheit verdankte Ziel wohl ausgeglichener Verfaßtheit nicht nur des Lebens, sondern noch mehr des "christlichen Religionswesens" insgesamt vor. Hand in Hand mit dem von ihm selbst nie aufgegebenen Ziel geistlicher Ausgewogenheit des Christseins geht seine auf theologische Ausgewogenheit angelegte Konzeption "unserer Weisheit". Das Trachten nach ihr tritt im dritten Buch der Letztausgabe der Institutio besonders hervor, insofern sie, wie weiter unten dargetan werden soll, als geistlich begründete theologische Denkstruktur in dessen Einteilung eingreift, ohne mit dieser identisch zu sein[40]. Diese auf Gleichgewicht aller einzelnen Teile im theologischen Ganzen bedachten Denkweise Calvins entspricht es auch, wenn er sich die paradoxe Aussage Luthers über einen Christenmenschen, er sei Gerechter und Sünder zugleich, nicht zu eigen macht. Dem Glauben, der die Rechtfertigung "empfängt", wird gleichzeitig die Wiedergeburt zu einem neuen Leben solchergestalt zuteil, daß er nur noch, wenn auch noch so schmerzliche, Reste von Sünde aufweist. Weiter: aus väterlich wohlwollender Ermessensfreiheit heraus verzichtet Gott seinen Gläubigen und Frommen gegenüber auf die Anwendung der "ganzen Strenge des Gesetzes" und behandelt sie mit "schonender Milde", und zwar immer "in Christus": vorzeitlich-ewige Erwählung und in der Zeit vor sich gegangene Heilsstiftung erscheinen, falls Calvin diese jener nicht unterordnen will, diskrepant, weil aus gleichzeitig denkerisch nicht vereinbarer Herkunft. Schließlich verrät den Widerwillen gegen theologische Paradoxien auch die Beobachtung, daß der Tod trotz seines anerkannt großen Ernstes deutlich in das Licht mehr einer Überführung in das "künftige Leben" der "seligen Ruhe im ewigen Reich Gottes" tritt. Calvin, ein Meister der Dialektik, verschmähte es aber auch nicht, sich in den bei ihm so bemerkenswerten Komperativen auszudrücken, wenn er etwa von der "gesunderen" Lehre spricht, wo man die allein und unbedingt zu beteuernde "gesunde" Lehre erwartet. Eine in der theologischen Sache begründete Dialektik suchte er zu meiden. Die theologische Ausgewogenheit blieb sein letztes Ziel[41]. Gerade dieser aber diente dann doch auch wieder die von ihm mit Fleiß angewandte dialektische Methode.

4

Das Vorkommen von Wesensmerkmalen augustinischer und bernhardinischer Herkunft, sowie ehedem mystischer Frömmigkeit schon in der
Erstausgabe der Institutio

4.1

Das Verständnis des Angenommenseins

In der Erstausgabe der Institutio muß dem Leser auffallen, wie oft
Calvin vom Angenommensein und Angenommenwerden redet, nicht zuletzt
von dem durch den Hl. Geist aus der Glaubenszuversicht kommenden, an
sich dem absoluten Urteil Gottes seinem Gesetz entsprechend nicht
standhaltenden Werke der Gläubigen. Das gilt in dreifacher Hinsicht.

Der erste Gesichtspunkt ist augustinisch. Gott nimmt solche Werke
an, die er selbst im Wiedergeborenen schafft und in denen er deshalb
seine eigenen Werke erblickt und sie deshalb auch vor sich gelten
läßt. Darum machen sie uns auch "nicht aus sich" bei Gott angenommen,
lieb[42] oder liebenswert[43]. Unsere Gerechtigkeit wird nicht als solche
uns zugut von Gott für angenommen erachtet, sodaß er uns für wirklich
heilig, rein und unanklagbar ansähe. Nur sofern von Gott gegeben und
mit Danksagung empfangen, gelten sie bei ihm also als angenommen[44].

Ein anderer Gesichtspunkt tritt hinzu. Ein Mensch gilt auf Grund
des um der Zurechnung der Gerechtigkeit Christi willen ergehenden
göttlichen Urteils seiner Annahme bei Gott und hinsichtlich seiner
zwar aus der Wiedergeburt entspringenden und von Tag zu Tag je mehr
und mehr[45] zunehmenden, gleichzeitig aber immer noch mit Ernst zu
wertenden Sündenresten behafteten bleibenden guten Werke als angenommen bei Gott. Sein freies wohlwollendes Ermessen liegt solcher Annahme zugrunde, die als seine Vorentscheidung über Person, Verhalten und Handeln eines Menschen der Heilsstiftung durch Christus vorangeht, dann aber doch auch durchaus mit um seinetwillen geschieht.
Insofern erhält auch die Gerechtigkeit Christi, obwohl in sich schon
von alleiniger Vollkommenheit, bei Calvin das Vorzeichen ihres Angenommenseins von Gott[46] und wird uns unter diesem Gesichtspunkt zugerechnet; auf diese Weise "steht sie für uns". Christi Heilsstiftung, die Glaubenszuversicht[47] und die aus der Erneuerung eines Menschen fließenden guten Werke werden in der Richtung verstanden, daß
sie keinen Wert in sich selbst haben, sondern in dem vorgeordneten
Angenommensein bei oder durch Gott.

Dem entspricht weiterhin der weite Spielraum der Ermessensfreiheit,
der den Verhaltensweisen Gottes bei seinem Heilshandeln an Menschen

von Calvin zugeschrieben wird. In "verzeihender Milde", angesichts
seiner Güte und seines geneigten Willens "nimmt uns der barmherzige
Gott mildiglich in seine Gnade auf"; denn er vergibt uns durch Erlaß
unserer Sünden und lebt und regiert in uns dazu durch die Gnade seines Hl. Geistes zur Gesamtheit eines Gott geheiligten und geweihten
Lebens. Zum Glauben aber gehört recht eigentlich das Zutrauen zu
Gottes Gefallen, den Werken der Gläubigen gewogen und geneigt zu
sein[48]. "...welche ein Gehör dafür haben, daß sie von Gott in seiner
väterlichen Lindigkeit unter Absehung von der strengen Durchführung
des Gesetzes, vielmehr noch angesichts der Befreiung von der ganzen
Härte des Gesetzes angesprochen werden, die werden heiter und hoch-
erfreut sich dem, der sie ruft, stellen und als Führer folgen"[49].
Gerade die aus dem freien, wohlwollenden Ermessen Gottes hervorgehende "Annahme" ist ein wichtiger Grund dafür, daß in der Erstausgabe der Institutio die Rechtfertigung[50] durch den Glauben nicht die
reformatorisch zu erwartende Rolle spielt. Es zeigt sich 1536 schon
deutlich, daß der Heilsstiftung durch Christus und dem sie zuversichtlich annehmenden Glauben eine Urentscheidung über die Teilnahme eines jeden einzelnen Menschen am Heil Gottes vorausgeht: sein
und seiner Werke Angenommensein[51].

Wie erklärt sich, theologiegeschichtlich gesehen, diese allen anderen theologischen Aussagen voraufgehende Aussage über die Urentscheidung des Angenommenseins eines Menschen und seiner Werke bei
Gott? Duns hatte der Kirchenlehre als Ausweis ihrer Gültigkeit das
Vorzeichen der Akzeption gegeben; nicht an sich schon gilt die katholische Heilslehre, sondern allein um der sie in Kraft setzenden
besonderen Akzeptation Gottes willen. Unter den kontradiktorisch
sich nicht ausschließenden unendlichen Möglichkeiten von Heilsord-
nungen hat Gott aus seiner freien Willensentscheidung heraus gerade
diese eine Kirchenlehre als alleingültig angeordnet. Solchem Gedanken der Akzeption folgt auch Ockham und spitzt ihn insofern weiter
zu, als er den philosophischen Gedanken eines Willkürhandelns Gottes
disputiert und die Akzeptation um so mehr als Gottes frei ergehende
Annahme nun auch auf den Heilsstand eines jeden einzelnen Menschen
in dessen unwiederholbarer und unmittelbarer Individualität und Personhaftigkeit anwendet. Wie oft spricht später dann auch Calvin
von "jedem einzelnen". Gerade angesichts dieses ihres personhaften
Selbstandes im Gegenüber Gottes sind sie und ihre Werke uranfänglich
akzeptiert. "Angenommen" bedeutet also auch für Calvin, daß der Anlaß für Gottes Heilsstiftung durch Christus und für die Heilsverwirklichung an je einem einzelnen Menschen aus dem freien Belieben
Gottes fließt, das er, unter Abgrenzung gegen ein Gott zugedachtes
Willkürhandeln, in jedem Fall axiomatisch aus dem Theodizeegedanken
heraus für gerecht und unter Benutzung auch vor allem mystischer
Vorstellungen sogar für "väterlich" erklärt.

Calvin zog über Augustin und besonders auch noch über Gregor von Rimini hinaus eine antipelagianische Folgerung, die ausgesprochen reformatorischen Charakter trägt. In das Angenommensein bei Gott spielt die Lehre von der Gnadenausrüstung hinein, die unter den Nominalisten verschieden erscheint. Der insbesondere von Duns, Ockham, Biel und den ihnen mehr oder weniger nahestehenden nominalistischen Scholastikern vorgetragenen Gnadenlehre gegenüber, für die die Ausstattung mit einer über die eingegossene Gnade hinausgehenden aktualen Gnadenhilfe infolge der verschieden stark zur Geltung gebrachten Freiheit des menschlichen Willens zu einer Art "Schmuck" oder "Zier" verblaßte, vertritt Calvin schon 1539 ausdrücklich eine auch noch über Bradwardine, Gregor und Major hinausgehende Vorstellung von der Alleinwirksamkeit der das Leben eines Wiedergeborenen ausstattenden Gnade, die nicht nur das Verdienst, sondern auch das Wort Verdienst vor Gott ausschließt. Aber auch die Erstausgabe der Institutio ist dieses reformatorisch vollendeten Augustinismus vollauf Zeuge.

4.2
Die Heilsordnung nach Römer 8,30

Dieser Bibelstelle wird 1536 von Calvin[52], wie vor ihm von den spätmittelalterlichen Antipelagianern immer wieder als Hauptstelle von prädestianischer Bedeutung besondere Beachtung geschenkt. Sowohl für jene Theologen, alsdann auch für Calvin wird die Unterscheidung zwischen Erwählten und Verworfenen konsequent durchgeführt, wenn auch für Gregor von Rimini und Johann Major diese doppelte Unterscheidung Gottes theoretisch in Beziehung zur "absoluten Macht" Gottes gesetzt wird. Der Gedanke, der bei den erwähnten Antipelagianern - aber nicht nur bei ihnen - so häufig mit der Erwählung verbunden wird, tritt bei Calvin ebenfalls schon 1536 auf: der himmlische Vater hat die "in Christus Erwählten" zur Gleichgestaltung mit dessen Leiden und zum Teilhaben an dessen Leben vorherbestimmt[53]. Dabei ist immer wohl zu beachten, daß gerade der spätere Calvin unter Verwendung des scotischen Individuationsprinzips die Kirche für das Volk, die Zahl, die Herde der Erwählten[54] und nicht für die erwählte Gemeinde ausgibt. Später wird er also diesem Prinzip noch deutlicher durch den immer wiederkehrenden Hinweis auf "jeden einzelnen" Ausdruck geben, ohne damit die Gliedschaft der Erwählten an der Gemeinde auch nur entfernt unbedacht zu lassen. Beide Seiten hat er, der Dialektiker, jede für sich und in ihrem gleichzeitigen Beieinander sehen wollen.

Calvin bezeichnet, seinen Gewährsmännern folgend, die Heilsordnung von Römer 8,30 als eine solche der Barmherzigkeit und Weisheit[55] Gottes und bleibt so bei einem "unangreifbar" bleibenden und damit unbefragbaren Beweggrund für Gottes Ermessen stehen. Ein Urteil aber, das Gnade ausspricht, kann ja nur angesichts der Übertretung eines von

Gott als unbedingt verbindlich erlassenen Gesetzes ergehen und zu einer Auffassung von Rechtfertigung führen, die rein forensisch ist. Zu einer solchen ist es bei Calvin später dann nur soweit gekommen, daß er die juridische Rechtfertigung als "Annahme" interpretierte, damit sowohl bei dem augustinischen[56], als auch bei dem reformatorischen Heilsverständnis einsetzte und den augustinisch verstandenen vorgeschichtlichen Heilserlaß mit der reformatorisch zu interpretierenden geschichtlichen Heilsstiftung in einem einzigen Heilsgeschehen bei einander halten zu können vermeinte. Die Diskrepanz aber bestand fort.

4.3
Die besondere Gnadenhilfe Gottes und die geistliche Wiedergeburt

Von 1539 an fügt Calvin seiner Institutio nicht ohne Voraufgang in deren Erstausgabe[57] den Gedanken von der "Aufhilfe" durch die "besondere Gnade Gottes" ein, und zwar an zwei Stellen, die es mit der Auseinandersetzung über den freien Willen zu tun haben[58]. Die entscheidenste Stelle lautet: "Es besteht nunmehr also kein Streit darüber, daß bei einem Menschen nur dann die freie Willensentscheidung[59] zu guten Werke ausreicht, wenn ihr durch die Gnade (Gottes) aufgeholfen wird, und zwar durch die besondere Gnade, welche allein die Erwählten durch die Wiedergeburt erlangen"[60]. Wie auch aus der vorangehenden Stelle hervorgeht, handelt es sich bei Calvin, wie bei den Antipelagianern schlechthin, um die Gnadenausrüstung eines Menschen, insbesondere seines Willens zu einer dem natürlichen freien Willen unmöglichen Erfüllung des Willens Gottes, insofern als, im Unterschied von den äußerlichen Verhaltensweisen etwa in staatsbürgerlichen Verhältnissen, welche ohne weiteres der freien Entschließung eines Menschen unterliegen und das Reich Gottes nicht betreffen, die "wahre Gerechtigkeit" auf die "besondere Gnade Gottes und die geistliche Wiedergeburt" zurückgeht. Einzelheiten werden später an ihrem Ort zur Sprache kommen.

Hier sei nur folgendes gesagt: Calvin gesellt, augustinisch denkend, die "besondere Hilfe" der Gnade Gottes, wie er sie bei den Spätantipelagianern vorfand, und die "geistliche Wiedergeburt", wie sie sowohl von Augustin, als auch aus der Mystik Bernhards[61] auf ihn überkommen war, einander bei. Mit beiden Auffassungen kann er unter dem beherrschenden Einfluß Majors und bei der weiten Verbreitung von Schriften Bernhards in der Devotio moderna anfangsweise im Collège de Montaigu durchaus vertraut gewesen sein. Freilich hatte er sich von dem Gedanken der Eigenbewegung des von Gott einmal umgeschaffenen Willens, wie sie bei Bernhard keineswegs ausgeschlossen zu werden braucht, zugunsten des Gedankens einer ständigen Aktivierung des erneuerten Menschen durch den Hl. Geist oder durch Christus gelöst.

Eine Ausweitung der Beschäftigung mit Augustin hat zweifellos zwischen der Erst- und Zweitausgabe der Institutio stattgefunden. So lag es denn nahe, daß der ehemalige, durch die Anfangsgründe der antipelagianischen Richtung der katholischen Kirchenlehre und die bernhardinisch-devoten Frömmigkeitsübungen in Montaigu hindurchgegangene, dann auf dem Weg über den humanistischen Biblizisten und auch Juristen zum reformatorischen Christen und Theologen gewordenen Calvin die Lehrmeinungen des Lombarden vorab, aber auch die von Kirchenvätern, anderen Scholastikern und mystischen Theologen über die Frage nach dem freien Willen an Augustin maß. Gerade bei diesem Kirchenvater spielt somit der Gedanke einer Veränderung der sündigen Verfassung eines Menschen durch den Hl. Geist seine ganz besondere Rolle. Es entsteht also das Bild, daß, wie die Antipelagianer seit Bradwardine das ständige Einwirken des göttlichen Willens auf den menschlichen "allein durch die Gnade" zur wirklichen Erfüllung der Gebote Gottes für unentbehrlich hielten und jene Gnadenausrüstung mit der Taufgnade[62] nicht verwechselt haben wollten, auch Calvin die "geistliche Wiedergeburt", ähnlich wie Augustin und Bernhard, nicht mit der Taufe als dem "sichtbaren Wort" gleichsetzte. Im übrigen läßt der allgemein gehaltene Schluß von Inst. II, 2,6 darauf schließen, daß dem ehemaligen Scholar in Montaigu die "neuerlichen Sophisten", zu denen dann auch Ockham und Biel samt seinen Schülern gehören würden, doch fremd geblieben sind. Hingegen beruft er sich auf die "gesunder denkenden Scholastiker" älterer Herkunft[63], obschon er auch ihre Auffassung vom freien Willen nicht teilt[64]. Es handelt sich also schon 1539 bei Calvin um die aus der augustinischen Schule der Spätantipelagianer hervorgegangene, einen Menschen von Grund auf erneuernde geistliche und sittliche Gnadenausrüstung zur Entscheidungs- und Handlungsfreiheit nach dem Wort Gottes.

4.4
Der Geist Gottes und das geistliche Leben bei Calvin, Augustin und Bernhard

Betrachtet man die Jahre des Scholarentums Calvins an der Artistenfakultät in Montaigu nicht als eine Zeit lediglich des Erlernens oder gar Paukens bloßer "Fächer", sondern ebenso auch sowohl der selbstverständlichen Unterrichtung in den Anfangsgründen des Katholizismus franziskanischer Richtung in Verbindung mit der sie beherrschenden antipelagianischen Richtung, als auch der mit dieser einhergehenden geistlichen Einübung nach den strengen Regeln bernhardinisch-devoter Frömmigkeit, so liegen in der Tat die Wurzeln der augustinischen Denkweise des jungen Calvin und werdenden Reformators in dem Bildungsziel, das an diesem Gymnasium verfolgt wurde. Es war der seiner Kirche zuverlässig ergebene, den Häresien abholde, ein frommes Leben führende junge Katholik. Damit war aus dem Scholar freilich noch kein Scholastiker geworden. Jedoch gab Johannes Major, der bekannte Lehrer an der artistischen und theologischen Fakultät zugleich, auf beiden Gebieten den Ton an. Sein Einfluß reichte weiter, als gemeinhin angenommen wird, auch in den Bereich der deutschen Länder. Johann Major Eck war ja ein Gesinnungsgenosse des Johann Major und mit Gregor von Rimini, wie er auf der Leipziger Disputation 1519 bewies, durchaus vertraut.

Schon in der Erstausgabe der Institutio hatte Calvin eine Lehre abgewiesen, deren Kernsatz er in ihr häufiger anführt: ein Mensch könne, "wenn er tut, was in ihm ist" Verdienst und ewiges Heil erwerben. Schon Hieronymus, der von Erasmus am meisten geliebte Kirchenvater, hatte sich dahingehend ausgedrückt[65]. Gnadenlehren, die entsprechend in verschiedenem Grade pelagianisierten, hatten dann auch unter den nominalistischen Scholastikern des ausgehenden Mittelalters zu häufigen Kontroversen geführt. Calvin verneint, getreu der Überlieferung der spätmittelalterlichen Antipelagianer und in dem dann nur der Reformation Luthers eigenen vollen Umfang, daß wir heilwirkendes Tun, das Gesetz erfüllendes Verhalten und Handeln und schließlich ewiges Leben "aus rein natürlichen Kräften"[66] haben können. Damit ist Augustin[67] in die Reformation hineingehoben. Der junge Reformator führt schon 1536 die Absage an das von ihm zitierte "Ockham'sche Schlagwort"[68] von dem "der tut, was in ihm ist"[69], bis zum letzten Ende durch. Er bestreitet, daß es auf des Menschen Seite irgend etwas Heilswichtiges, einschließlich der theologischen Tugenden Glaube, Hoffnung und Liebe[70], geben könne, das dem Urteil Gottes standhält[71]. Man wird es als durchaus zutreffend hinstellen müssen, daß Calvin im Bildungsganzen der Artistenfakultät in Montaigu in die erste und nachhaltige Berührung kam mit dem Augustinismus sowohl der antipelagianischen Nominalisten, als auch Bernhards, wie ihn die frommen Fraterherren, handschriftlich oder schon gedruckt, mit weitergaben.

Bis zur Erstausgabe der Institutio hatte sich Calvin fraglos die Kenntnis einiger Schriften Augustins selbst angeeignet, zu denen vor allem der "Traktat über das Johannesevangelium" und die Schrift "Von der Beharrung" gehört[72]. Vielleicht fand er bei du Tillet, gewiß aber doch in Basel Augustinschriften vor. Für seine umfangreichen Erörterungen über die freie Willensentscheidung und das neutrale je nach Gut oder Böse sich neigende Willensvermögen des Menschen überhaupt in der Zweitausgabe seines Werkes hat er sich bereits so sehr in Augustin vertieft, daß ihm dieser Kirchenvater der endgültige Maßstab für eine Antwort auf jene Frage wurde.

Es kommt hinzu, daß auch der franziskanische Voluntarismus, der nicht ohne eine entsprechende Augustinüberlieferung zu denken ist, mit dahin wirkte, daß Calvin bei der Behandlung der freien Willens-

entscheidung die Frage nach der Handlungsfreiheit des Menschen in
den Vordergrund stellt, sofern der tätige Wille nämlich auf den
Glauben, die Liebe zu Gott, die Liebe zum Nächsten, das Trachten
nach Heiligkeit und Gerechtigkeit abzielt, sobald ein abtrünniger
Mensch geistliches Leben durch die Gnade der Wiedergeburt zurücker-
langt[73]. Daß solche Gnadenausrüstung zu einem entsprechenden Verhalten und Handeln nur mit der völligen Absehung von Würdigkeit und Verdienst auf Seiten des Menschen Hand in Hand gehen kann und allein
in der Barmherzigkeit Gottes begründet liegt[74], ist für den Calvin
schon von 1536 in der folgerichtigen Ausweitung der antipelagianisch
verstandenen Gnadenausrüstung zum entscheidenden Gesichtspunkt geworden. Die Frage nach dem Vermögen eines schuldbedrängten Sünders,
durch Satisfaktionsleistungen seine Schulden abzubüßen, tritt in
diesem Zusammenhang zurück. Vordergründig wird 1539 die Frage, wie
ein in sich selbst verderbter Mensch zu einem gegen Gott echt, wirklich und willig gehorsamen Willen kommt.

Die Antwort darauf zieht sich bereits durch die Institutio von
1536 allenthalben hindurch, ohne jedoch in ihr schon im Zusammenhang
erörtert zu werden. Es handelt sich um die Frage nach dem Wirken des
Geistes Gottes und dem, was als geistlich zu gelten hat. Vorab bezeichnet Calvin das gesamte Wesen Gottes als Vater, Sohn und Geist
als geistliches Wesen[75]. Das bedeutet aber, daß körperliche Dinge,
wie sie etwa bei den Sakramenten dem Augenschein dargeboten werden,
nur "gewissermaßen analog" zu geistlichen Dingen in Beziehung gesetzt werden dürfen[76]. Auf keinen Fall untermengt Gott seinen Geist
mit Dinglichem. Insofern muß auch der Gottesdienst ausschließlich
"geistlichen" Charakter tragen und ist Christus auch im Himmel zu
suchen und deshalb "geistlich" anzubeten[77]. Taufe und Abendmahl sind
"Symbole"[78], "Figuren"[79], denen freilich jene Verheißung unzertrennlich beigegeben worden ist, daß der, der die Sakramente gläubig annimmt, gleichzeitig "geistlicherweise" Nahrung zum Glauben und geistlichen Leben empfängt[80]. Damit wird zum Ausdruck gebracht, daß das,
was geistlich genannt wird, seine Benennung vom Hl. Geist herleitet
und über die Unkörperlichkeit und Unsichtbarkeit Gottes hinaus[81]
immer sowohl dessen Ehrfurcht gebietende Weltentrücktheit, als auch
sein unausgesetzt in diese unsere Welt herein ergehendes lebendiges
Handeln durch seinen lebendigen und heilsmächtigen Geist geschieht,
er werde ausdrücklich genannt oder nicht. Das heilsmächtige Regiment
Gottes besteht aber für den vorliegenden Zusammenhang darin, "daß er
durch seinen Hl. Geist uns in Bewegung setzt und regiert und so in
allen seinen Werken die Schätze seiner Gütigkeit und Barmherzigkeit
in Erscheinung treten läßt"[82].

Calvin hat, wie Augustin und Bernhard, die Eigentlichkeit des Hl.
Geistes darin gesehen, daß er, wie der Sohn vom Vater, nun seinerseits von beiden das Leben hat, es insofern auch selbst ist, die

Dreieinigkeit als Band umschlingt und Leben, insbesondere aber heilsmächtiges Leben schenkt. Alle drei Theologen beziehen sich für die Unkörperlichkeit und Heilsmächtigkeit dieses Lebens auf Joh. 20, 22[83]. Mit dem "symbolhaften Einhauchen" geht für Calvin nach der genannten Bibelstelle die "repräsentative" Beschenkung mit der Gnade, mit der ganzen lebendigen Kraft[84] des Geistes einher, und das um so mehr, als der Leib Christi nach dessen Auferweckung ein Vermögen zur Überwindung aller körperlichen Widerstände besitzt[85]. Geist und Leben, Leben und Heil gehören schon nach Augustin und dann auch nach Bernhard unzertrennlich zusammen[86]. Mit großer Liebe wird auch das lebendige "Sich-Regen"[87] dieses Geistes betont, der das gereinigte Gewissen aufleben läßt, sodaß es für einen Geistbegabten zum Schöpfen aus dem Lebensquell kommt und er so selbst zum Quell wird, zu einem Strom, der aus dem Innersten eines solchen Menschen hervorfließt[88]. Ohne des Abendmahls zu gedenken, spricht Augustin von einem Essen und Trinken geistlicherweise, bei dem wir in Christus bleiben und ihn bleibend in uns haben. Wir empfangen ihn also als heilsmächtiges ewiges Leben, das wir nicht aus uns selbst haben[89].

Schon 1536 durchzieht auch Calvins Institutio ein spürbarer Hauch dieses Lebensstromes. Durch das Ausgießen seiner "Gnaden" regt sich der Geist Gottes kräftig nach Königsart[90]: um Gnaden der Gewogenheit Gottes handelt es sich[91], um geistliche Gnaden, um Gnaden des Geistes. Durch ihn werden die Herzen angewandelt und belebt, mit seinen Segnungen, augustinisch ausgedrückt, "bewässert", getränkt, mit Gnaden und Kräften ausgerüstet. Ebenso kann Christus selbst als Heiligung und Born lebendigen Wassers in Betracht gezogen werden[92]. Die Taufe schon führt den Trost mit sich, daß mit der in Christus vor sich gehenden Ertötung unser selbst ein ebenfalls in ihm neues Leben seinen Einzug hält. Und beim Abendmahl werden uns Christus und in ihm die Schätze der himmlischen Gnade öffentlich dargeboten, aber eben doch als "Gnaden des heiligen Geistes"[93], wie denn auch auf die Gnaden in der Mehrzahl, den Geist Gottes und den Inbegriff dessen, was als geistlich zu bezeichnen ist, bereits 1536 vom werdenden Reformator häufig zurückgegriffen wird[94].

Was hat es nun nach der Institutio von 1536 mit dem geistlichen Leben auf sich, wenn man also Augustin und Bernhard als die für Calvin zunächst einmal nächstliegenden literarischen, geistlichen und theologischen Quellen heranzieht? Bernhard hat eine hohe Meinung von den Ordensangehörigen als den Weinreben, deren ganzes Innere u. a. den Geist des Heils aufsprießen läßt; Gütigkeit, Wissen und Zucht wird dabei gelernt[95]. Davon abgesehen, kennen Augustin und Bernhard den harten Gegensatz von Fleisch, böser Lust, Schmutz, dem Gesetz der Sünde, dem Tod und dann von dem Teilhaben an jenem anderen Leben, wo man Gott innewohnt und die Köstigung und Sättigung genießt, die

Christus verheißt[96]. Denselben Gegensatz legt Calvin später in teilweise übersteigerter Diktion dar[97]. Aber schon 1536 findet man den deutlichen Hinweis darauf, daß es des Hl. Geistes Sache sei, wenn wir in den Wegen des Herrn (Gottes) wandeln. Das sieht Calvin durch die Gemeinschaft mit Christus ermöglicht, "in dem wir alle himmlischen Schätze und Gaben des Hl. Geistes besitzen, die uns zum Leben und Heil führen"[98].

Anders als in der gängigen Scholastik, die den Hl. Geist fast ausschließlich in den Spekulationen über die Dreieinigkeit zu berücksichtigen pflegt, erhält er also für Augustin und Bernhard als Urheber, Erhalter, Förderer, Träger des geistlichen Lebens ungewöhnliche Bedeutung. Augustin nennt die nach dem Geist Geborenen Liebhaber des Himmelreiches und Christi, Verehrer Gottes aus freien Stücken[99]. Bernhard erwähnt die Auferbauung des Glaubens, die Ausrüstung zum Leben, den geübten Verstand, das von Gott in Pflicht genommene Handeln als umwandelndes Werk allein des Geistes der Wahrheit[100]. Unter ausdrücklicher Bestreitung der Rechtfertigung eines Menschen aus seinen Werken gelangen nach Calvin der Institutio von 1536 zufolge "alle, die aus Gott sind", zur Wiedergeburt, zur neuen Schöpfung, zur Neuheit des Lebens, und zwar durch den Geist, sodaß 1539 dann von einer geistlichen Wiedergeburt gesprochen wird, die, unter Ablehnung des wiedertäuferischen Irrtums, nicht mit einer Versetzung in den Stand der Unschuld verwechselt werden darf[101]. Nicht erst 1543 zieht dann Calvin auch Augustin für sein Verständnis der Wiedergeburt heran[102]. Schon 1536 tritt der augustinische Gedanke hervor, daß es sich bei den guten Werken um Früchte der Gnadenausrüstung durch den Geist handele, die "uns" aus reiner gnädiger und göttlicher Freigebigkeit geschenkt werden. Eigens durch die aktuale Gnade, gleichbedeutend mit der jeweils eingreifenden Kraft und Handlung des Geistes, treibt an, erhält aufrecht, läßt "sich regen"[103] und macht lebendig Gott insbesondere alles, was zur Erlangung des Heils dient[104]. Die Gnadenlehre Augustins, die die spätmittelalterlichen Antipelagianer auf den Plan rief, hat auch Calvin nur im Zusammenhang mit der "Unbezwingbarkeit des Willens"[105] gesehen, der der geistlichen Entbindung zu neuer Entscheidungs- und Handlungsfreiheit bedarf, wenn anders die Vergebung der Sünden nicht unglaubwürdig sein soll.

Es hat schon seine geschichtlich unvergessene Bedeutung, wenn Augustin zwischen dem sichtbaren Sakrament und seiner Kraft unterscheidet[106] und daraus folgert, daß das "himmlische Brot" im Gegensatz zum Manna geistlich zu essen sei[107]. Essend das Brot, das vom Himmel kam, nämlich Christus, sollen wir leben; denn Christus ist das Leben, das ewige Leben, ist Speise und Trank, die beide diejenigen unsterblich und unverderblich machen, die hier annehmen. Augustin nennt diesen ganzen Vorgang auch ein Leben-Wollen der Gläubigen vom Geist

Christi[108]. Das alles ist weder seinsanalog, noch mystisch, noch
spiritualistisch zu verstehen. Vielmehr: Gott hat das Leben, das er
selbst ist, dem Sohn gegeben, damit auch er es uranfänglich sei; der
Sohn aber hat sich dieses Lebens durch die Fleischwerdung entkleidet, befreite die der Sündenstrafe des immerwährenden Todes ausgelieferten Menschen, indem er um der Vergebung ihrer ererbten und eigenen Sünde willen starb[109]. Damit stiftete er ein neues Heilsleben
der Wiedergeburt[110], an dem er, der nunmehr Heils- und Lebensmächtige, den Erwählten so Anteil gibt, daß es bei dem Gebenden und den
Nehmenden unter verschiedenen Umständen doch dasselbe Leben ist. Das
gilt schlechthin. Taufe und Abendmahl haben es in der Weise mit diesem neuen Heilsleben zu tun, als jene beiden diesem als bekräftigen-
de Verheißung unabtrennbar zur Seite gehen und es aus dem unversieg-
baren Born alles vom Vater und vom Sohn durch den Geist herüberströ-
menden Lebens nicht verdinglicht darreichen, wohl aber geistlicherweise zu dessen heilsmächtiger intelligibler Schau leiten. So Augustin.

Man wird den geschichtlichen Zusammenhang zutreffend erfassen,
wenn man in Betracht zieht, daß Calvin durch den Augustinismus Majors, mit dem er bei der Unterweisung in den "Anfangsgründen"[111] der
katholischen Kirchenlehre in Montaigu gewiß doch Fühlung bekam, zu
Augustin selbst weitergeführt wurde. Das betrifft auch das Verständnis des Einheitlichen, was den Geist Gottes und das, was als geistlich zu gelten hat, mit dem Leben, insbesondere dem durch Christus
gestifteten und in ihm gegenwärtig vorhandenen heilsmächtigen Leben,
umfaßt. Die Bezugnahme auf die Selbigkeit des uranfänglichen dreieinigen Lebens des Vaters, des Sohnes und des Hl. Geistes wird von Calvin 1536 fast ebenso stark betont wie von Augustin. Der werdende Reformator kann aber auch sagen, Christus sei "von allen Gnaden des Hl.
Geistes durchströmt"[112]. "Heil und Leben samt allem uns Zugedachten"
lassen wir auf Christus beruhen, den "wir", auf ihn gestützt und in
ihm ruhend, durch Glauben besitzen[113]. Allein, während bei Augustin
und in dem Beschluß der Synode von Mileve 416, den die Antipelagianer
des späten Mittelalters für ihre Gnadenlehre regelmäßig in Anspruch
nehmen, die Rechtfertigung sowohl die Vergebung begangener Sünden,
als auch die Meidung künftiger Sünden durch die "besondere Gnadenhilfe Gottes" umfaßt, wird von Calvin die forensische, gleichzeitig
in die unbefragbare Souveränität Gottes hinein gehobene, Rechtfertigung von dem ihr entsprechenden geistlichen Leben ebenso scharf unterschieden, wie in die Ganzheit des Heilsstandes doch auch wieder
unvermeidbar integriert: um der Ausschließung des Verdienstdenkens
und um der Heils- und Glaubensgewißheit willen. Der Geist Gottes
wird als ein solcher der Enthüllung, der Wahrheit, der Weisheit und
des Lichtes hinsichtlich aller Heilsgaben bezeichnet[114]. In alledem,
was nach dem Wort Gottes zur Vollständigkeit unseres Heils gehört,

wirkt der Hl. Geist gegenwartsmächtig in das Innerste des Menschen allseitig hinein[115].

In der Erörterung des Abendmahls wird von dem Calvin schon des Jahres 1536 über Christus gesagt, er stelle sich durch seine Macht und Kraft als den Gegenwärtigen dar, sei bei den Seinen stets anwesend, lebe in ihnen, stütze, festige sie, sei in ihnen, augustinisch ausgedrückt, regsam[116] und bewahre sie nicht anders, als wenn er leiblich zugegen sei[117]. Nur "analog zu den körperlichen Dingen" geschieht bei der Sakramentsverwaltung ein "Kräftigen, Beleben, Aufheitern", ein geistliches Weiden der Seelen[118], worauf schon Augustin hinwies. Solchergestalt wird das Brot auch als geistliche, liebliche und süße Speise für diejenigen bezeichnet, denen Christus sich als "ihr Leben" eröffnet[119]. Die Taufe tritt unter denselben Gesichtspunkt. Calvin verknüpft das Wort des Lebens und das Wasser der Taufe: "...wir sind der Barmherzigkeit Gottes entsprechend "heil"[120] geworden durch das Band der Wiedergeburt und die Erneuerung kraft des Hl. Geistes"[121]. Christus und die als wirksam berufenen Erwählten gehören als eine einzige lebensvolle "Substanz"[122] zusammen.

Hier unterscheidet Calvin zwei Begriffe von Substanz. Wird sie als sakramentale Anwesenheit der Körperlichkeit Christi interpretiert, so lehnt er sie als Verdinglichung von Göttlichem und Geistlichem ab. Wird der Begriff aber gebraucht, um das ununterbrochene Leben Christi in den Seinen vermöge seiner Kraft, Mächtigkeit und Wirkung auszudrücken[123], so stimmt er dem bei[124]. Man sieht, wie Calvin, genauso wie Augustin, den Hl. Geist und das, was als geistlich anzusprechen ist, vor aller Spiritualisierung und Mystifizierung bewahrt haben will. Statt dessen hat hier eine mehr oder weniger starke Übertragung aus dem Bereich des Biologischen auf die Vorstellung von Leben, Wiedergeburt und wachsender Heiligung, vom Einstrom der den Willen erneuernden Gnadenausrüstung und der fortschreitenden Übung im Gehorsam stattgefunden. Calvin folgt weder dem rationalisierenden Zug der Sakramentsauffassung Zwinglis, noch dem mystifizierenden Einschlag derjenigen Luthers. Inbegriff des Geistlichen aber ist schon bei dem mit dem Augustinismus der antipelagianischen Nominalisten bekannt gewordenen Calvin das Leben des dreieinigen Gottes, insbesondere das durch Christi Tod gestiftete heilsmächtige Leben, das sich bei den erwählten Gläubigen und Frommen gegenwartsmächtig und bis in die selige Unsterblichkeit zukunftsträchtig auswirkt. Ist es notwendig, noch einmal zu betonen, daß bei Calvin diese Vorstellung von einem geistlich wesenden und sich regenden Leben spätestens in die Vorbereitungszeit der Institutio von 1536 fällt? Sein Rechtsstudium, seine intensiven biblizistischen im Zusammenhang mit seinen humanistischen Studien vermittelten ihm keine Fühlung mit Gedanken der augustinischen Antipelagianer. Es kommt hierfür so, wie die Dinge überschaubar sind, anfänglich nur die Zeit des Scholarentums in der Artistenfakultät in Montaigu in Frage.

4.5

Autoritätsfürchtigkeit und christlicher Gehorsam

Schon in der Erstausgabe der Institutio tritt die Doppelseitigkeit des Christseins eines Menschen ständig in die Erscheinung. Von Anfang an steht für den werdenden Reformator außer Zweifel, daß die durch den Geist Gottes bei einem Sünder hervorgebrachte Wiedergeburt im weiteren Sinne des Wortes einesteils die reine Nominierung, die Vergebung, die zugerechnete Gerechtigkeit Christi, die Versöhnung, den Frieden und also die Sohnesannahme, anderenteils die Gnadenausrüstung, die Lebenserneuerung, die Heiligung und einen autoritätsfürchtigen, puritanischen Gehorsam umfaßt, der, an der Hl. Schrift ausgerichtet, Gott, dem Herrn, und Christus, dem vom Himmel her sein geistliches Regiment führenden Versöhner und König, aufrichtig ergeben ist[125]. Es liegt klar zutage, daß Calvin im Unterschied von der gesamten katholischen Überlieferung die Rechtfertigung im Anschluß an Luther als rein forensisches Handeln Gottes auffaßt, das allerdings dessen voraussetzungslos freies Ermessen, sein rein wohlwollendes Annehmen eines Menschen nicht erst am Horizont erscheinen läßt. Ebenso klar ist aber auch, daß unter energischer Abweisung der gegen Luther, dessen Name nicht genannt wird, vorgebrachten antinomistischen Beschuldigungen, Calvin seinerseits vor der Vernachlässigung eines aufrichtigen "Strebens nach Frömmigkeit"[126] oder vor der Verachtung "guter Werke" mit aufgehobenem Finger warnt und durch ein kühnes "Wir" eine Einigkeit der reformatorischen Bewegung in der vorliegenden Frage anpeilt[127].

Man wird hier philosophiegeschichtlich den Quellort des Frömmigkeitslebens bei Luther und Calvin berücksichtigen müssen, um dessen nicht unbedeutende Verankerung in der verschiedenen theologischen Konzeption beider Reformatoren recht einzuschätzen. Luthers Lehrer, Bartholomäus Arnoldi von Usingen, von Gabriel Biel bedeutend beeinflußt, und Jodokus Trutvetter, der sich in Wittenberg dem Nominalismus zuwandte, vertreten beide, wenn auch unter verschiedenen philosophischen Umständen die ockhamistische Logik. Aber nur jenem stand Luther in Erfurt wirklich eine Zeitlang näher, und so mag sich sein zeitweiliges Verhältnis zum Nominalismus erklären, das aber schon in Wittenberg nicht mehr ausdrücklich hervortrat. Nur ist deutlich, daß Luther in Erfurt die Gnadenlehre der nominalistischen Linken kennen lernte, für die, weil der Mensch "aus rein natürlichen Kräften" Verdienste für die ewige Seligkeit erwerben könne, die augustinisch verstandene Gnadenausrüstung durch die "besondere Hilfe" Gottes nur noch eine Art von Gott zugestandenen Schmucks sein konnte. Dazu kam aber vor allem, daß Luther sich nicht in der Lage fand, durch Genugtuungswerke, die das Bußsakrament vorsah, den Frieden seines Gewissens vor Gottes Tribunal zu finden. Anders Calvin. Seinen religiösen Werdegang im Collège de Montaigu wird gewiß die streng augustinische Gnadenlehre des Antipelagianers und Neuscotisten Johann Major mit beeinflußt haben. Sie besagt, daß den Handlungen eines Christen, auch wenn er "in der Gnade existiert", nicht dieserhalben schon von der unmittelbaren und "besonderen Gnadenhilfe" des freimächtigen Willens Gottes zum Vollbringen von wirklich Gutem "aufgeholfen" werde. Durch die rechtsgerichteten Nominalisten, wie denn Major einer war, und durch die dem Franziskanertum keineswegs so fremde bernhardinisch-devote Frömmigkeit wird also bei Calvin im Bildungsgang der Artistenfakultät anfänglich eine Berührung mit dem Augustinismus der Antipelagianer zustande gekommen sein. Hinzu kommt der autoritäre und kirchenrechtliche Anspruch der päpstlich-priesterlichen Kirche, wie er von dem Scholaren Calvin während seines Bildungsganges in Montaigu Besitz ergriff. Autoritätsfürchtigkeit durchzog dann auch sein späteres reformatorisches Verhältnis zur Hl. Schrift. Ihrem, genauer gesagt, reformatorisch-augustinischem Verständnis hingegeben, wollte er allein der göttlichen Gnadenausrüstung, nicht aber dem freien Willen ein Leben in ungescheuter Gottesverehrung und eifrig fortschreitender Frömmigkeit verdankt wissen. Daß Gott dem Versagen des gefallenen Menschen mit dieser seiner von dem Geschehen bei der Taufe wohl zu unterscheidenden "besonderen Gnadenhilfe" seines "heilenden" Willens oder auch, augustinisch ausgedrückt, der "medizinellen Gnade" zu dem Werk jeweils aufhilft, das er selbst fordert, weil er es fordern will und muß: an diesem vollkommenen Angewiesensein auf Gott hat der werdende Reformator zäh festgehalten und es so zur Geltung gebracht, daß man ihn keineswegs zuletzt deshalb für den hervorragendsten Augustinisten des Zeitalters der Reformation halten muß. Eine besondere Aufgabe bestand deshalb für ihn darin, diesen Augustinismus mit der Reformation ins Benehmen zu bringen.

Schon aus der Erstausgabe der Institutio läßt sich erkennen, daß Calvin eine strenge Autoritätsfürchtigkeit in allen Dingen der christlichen Lebensführung dem Wort Gottes und dem "Zepter" des Regimentes Christi gemäß am Herzen lag[129]. Darum das Dringen auf Gehorsam[130], auf Gefolgschaft[131], auf die Ausführung der Gebote Gottes aus erneuertem Herzen um Christi willen[132], auf das einfache Innehalten der Gebote[133], auf das Gehorchen und Dienen[135] schlechthin. Der Begriff der Pflicht spielt stark hinein[136]. Die Notwendigkeit der Ermahnungen und Aufmunterungen[137] wird auf der ganzen Linie nicht aus dem Auge gelassen. "Die Schrift unterläßt keine Art von Ermahnung", nämlich mit dem Ziel von Belohnung, Gewinn oder Vergütung: nicht im Sinne von Verdienst, sondern in dem des Ausgleichs für das Kreuztragen eines Christen[138]. "Das ganze Leben der Christen muß ein Trachten nach Frömmigkeit sein"[139]. Interpretiert Major die "Moralphilosophie" als "praktische Wissenschaft", nämlich als Gottes heischenden Willen, als "regulierende Erkenntnis" und als "Direktiven" für das Verhalten eines Christen[140], so hängt diese Wendung zum "Praktischen" in der Theologie mit der Gesamtauffassung der Theologie als praktischer Wissenschaft bei Duns nahe zusammen. Dem Neuscotisten Major hatte die Frage schwer zu schaffen gemacht, ob im Christenstand eines Menschen dem Willen oder dem Intellekt der Vorrang gebühre. Er neigt dazu, Alexander von Hales und "viele mit ihm", unter ihnen besonders Duns Scotus, den "Thomisten" vorzuziehen, und beruft sich auch auf Anselm, für den im Reich der Seele der Wille die Königin sei. Im übrigen leuchte den meisten auch nicht ein, daß ein dem Intellekt beimessender, bloß urteilbildender Akt zur Hervorbringung eines Willensaktes ausreiche. Auch hier folgt Major Alexander und den "vielen anderen". Es kann z. B. der Verzicht auf einen Akt des beschaulichen Lebens durch ein "entgegenstehendes Gebot" zum Handeln gefordert werden[141]. Die Frage aber, ob dereinst im himmlischen Vaterland das Schauen Gottes "intensiver" sei als das dem Willen eingehende und liebende Umfangen, läßt er unentschieden. Eine solche Unschlüssigkeit hindert aber nicht daran, bei Major und dem von ihm ins Auge gefaßten Gewährsmännern eine theologische Konzeption zu erkennen, die es auf die Praktizierung von christlicher Religion und Moral und vor allem auf die voluntaristische Beanspruchung eines Menschen auf Grund der Erneuerung seines Willens und durch die aktuale Gnade absieht.

Galt der bei Calvin von vornherein in Erscheinung tretende Zug zur Autoritätsfürchtigkeit des nach seiner Selbstbeurteilung "für sein Alter allzusehr verhärteten" bis zur "unerwarteten Wende" seines Lebens den Einrichtungen der ihm angestammten Kirche, so fortan bei wachsender geistlicher Gelehrigkeit Gott als König, Richter, Gesetzgeber und Erlöser, der die Ausübung der Gottesverehrung und Frömmigkeit seinen Geboten unterwirft[143], wie sie aus seinem Willen, seiner Machtvollkommenheit, seinem einmal ausgesprochenen und festgestellten Belieben hervorgehen[144]. Christlicher Gehorsam beugt sich für ihn nunmehr allein unter die "Autorität des Wortes Gottes"; seinem Willen gilt es zu gehorchen[145]. Gewiß kennt Calvin schon 1536 von Luther her die angesichts der Sünde des Menschen unausbleibliche bittere Verurteilung und Verdammung von dessen "fleischlicher Freiheit" durch das tötende Gesetz[146], das zur Vergebung in Gottes Barmherzigkeit und in jene Versöhnung hineintreibt, die es nur bei Christus gibt und die alle Arten menschlicher Wiedergutmachung Gott gegenüber ins Unrecht setzt[147]. Eine den ausgesprochen augustinisch orientierten Prägungen mittelalterlicher Theologie eigene, oft ins Sakramentale gewendete Redeweise aufnehmend, spricht Calvin von Gott als Arzt hinsichtlich der Versöhnung, von Christus als Heilsmittel unserer Wunde, vom Heilen, Heilwerden, Heilgewordensein und Heilsein[148], nun aber für ihn: allein durch den Glauben[149]. Genau an dieser Stelle weist Calvin auch der Buße ihren Platz an; denn sie wird als Wiedergeburt im weiteren Sinne des Wortes, d. h. als Abwaschung durch die Vergebung der Sünden, als aus der Taufe durch den Glauben sprießende geistliche Frucht, als Eintritt in die Erkenntnis Christi aus schmachtendem Hungern und Dürsten heraus gekennzeichnet[150]. Nicht Sakrament, nicht Ursache des Heilsstandes, ist sie doch jenes große und schmerzliche Wahrwerden vor Gott, ohne daß es keinen Heilsstand gibt.

Autoritätsfürchtigkeit und christlicher Gehorsam prägen auch nach der "unerwarteten Wende" das Leben Calvins und weitesthin den Charakter seines Schrifttums. Allein, man darf dieses Urteil nicht pressen und muß darum nach zwei Seiten den Blick richten. Im übrigen ist es nicht immer gut und oft nicht gerechtfertigt, den Unterschied zwischen Hochscholastik und Spätscholastik so vereinfacht zu sehen, daß dabei die Spätscholastik zum Sündenbock für den Ausbruch der Reformation gemacht wird. Die Frage würde ungeschichtlich sein, wie die Dinge gelaufen wären, wenn man es sowohl bei Luther als auch bei Calvin mit einer Verbindung zur thomasischen Scholastik zu tun hätte; denn nicht das, was hätte geschehen können, wenn etwas anderes geschehen wäre, steht zur Frage, sondern das, was wirklich vor sich ging.

So ist denn zunächst festzustellen, daß Calvin von einer solchen Prägung "unserer" Herzen für den Gehorsam gegen das Gesetz weiß, daß unser Wille einzig darin besteht, auf jede Weise Gottes Ruhm zu vermehren[151]. Calvins Reden vom menschlichen Willen ist in der Erstausgabe der Institutio sparsam. Er mochte nach der Auseinandersetzung zwischen Erasmus und Luther über "die freie Willensentscheidung" nicht schon 1536 zu einer so weit ausholenden eigenen Erörterung dieses Themas im Stande sein, wie sie die Zweitausgabe seines Hauptwerkes auszeichnet. Soviel ist sicher, daß nach der Art Augustins und der spätmittelalterlichen Augustinisten an die Stelle des freien Willens die durch die "besondere Gnade Gottes" oder die "geistliche Wiedergeburt" befreite Entscheidungs- und Handlungsfreiheit getreten ist. Anders ausgedrückt: der Hl Geist hat die Führung übernommen[152]; geistliche Freiheit ist in die erschreckten Gewissen eingekehrt, hat sie aufgerichtet und vom Joch des Gesetzes befreit, sodaß der befreite menschliche Wille dem Willen Gottes freiwillig gehorcht[153]. 1539 heißt es dann als Ergebnis vorangegangener Erörterungen, daß die Freiheit der Willensentscheidung eigens vom Willen abhängt, zumal die Wahl[154], die ein Mensch trifft, mehr Sache jener als die des Intellekts sei[155], den als erleuchteten Calvin zur Orientierungshilfe in der jeweiligen Situation des Willens keinesfalls ausschließt. Dieser Voluntarismus ist bei Calvin aber emotional durchseelt, und zwar so, daß "in summa wir nichts aus uns selbst wollen, sondern sein (Gottes) Geist in uns will, der uns zuinnerst lehrt, das lieben zu lernen, was ihm (Gott) gefällt, aber unbedingt zu verabscheuen, was auch immer ihm mißfällt"[156]. Calvin folgt, wie sich vor allem später zeigt, dem auf die intelligible Gottesschau hinauslaufenden gehorsamen Zustimmungsglauben bei Augustin[157] nicht, obschon jene dem diskursiven Denken des Intellekts fernsteht. Das liegt darin begründet, daß schon Augustin den Menschen lieber von der Seite der geistigen Sinne[158], als von der der Vernunft oder des Verstandes[159] betrachtet. Das tut Calvin freilich auch.

Er sieht das Gottesverhältnis eines Gläubigen also durchaus nicht intelligibel[160], sondern aus der gesamten emotional bewegten geistlichen Verfassung eines erwählten Gläubigen und Frommen in dessen durch die ständige Aktualität des Hl. Geistes zu verwirklichende, zeitliche und ewige Bestimmung seines Lebens hineingetrieben. Liegt schon im unentwegten Impuls des geistlichen Fortschritts, nämlich des "Von-Tag-zu-Tag-je-mehr-und-Mehr", ein nicht zu übersehender Charakterzug nicht nur der bernhardinisch-devoten Frömmigkeit, so hat Calvin nicht anders als mit denselben Worten[161] dieselbe Übung im unentwegten geistlichen Fortschritt der Heiligung und des Frömmigkeitseifers[162] in den Bereich des reformatorischen Bekenntnisses herübergenommen. Mehr noch: das Gewahrwerden, Wahrnehmen, Fühlen, Empfinden[163], das innere Berührt-, Angewandelt- und Bewegtwerden[164] des Herzens[165], das schon in der Erstausgabe der Institutio einen so breiten Raum einnimmt, stellt sich als Mitgift der mittelalterlichen mystischen Theologie und Frömmigkeit überhaupt dar und kann bei dem späteren Calvin eine ganz gelegentliche Gleichsetzung mit dem Glauben erreichen. Dieses in die reformatorische Konzeption von Theologie, von "christlicher Religion" und "Weisheit" eingerichtete Verständnis von Frömmigkeitsübung wird nirgendwo anders als in den Jahren seines Scholarentums im Collège de Montaigu entstanden sein. Vor dem Sensualismus aber und dem aufs Theologische übergreifenden philosophischen Skeptizismus, die beide als Gefahr der ockhamistischen Schule überhaupt drohten, wurde er dann als reformatorischer Theologe dadurch bewahrt, daß er einen erwählten Gläubigen und Frommen mit all seinen geistlichen Widerfahrnissen und Erfahrungen samt der ihnen anhaftenden seelischen Sinnenhaftigkeit grundsätzlich und streng an die Gegebenheit der Selbstbekundung Gottes in seinem Wort, an Christus und das Evangelium von ihm im unablässigen personhaften Gegenüber Gottes selbst verwiesen sah. Nur angesichts dieser als allerverbindlichst erscheinenden Polarität von Gott und einem in dem "christlichen Religionswesen" Existierenden konnte die nur noch Gott allein geschuldete Autoritätsfürchtigkeit des christlichen Gehorsams gefordert und erwartet werden.

4.6
Die Verhaltensweisen Gottes

Man brauchte nicht gerade in den Distinktionen, den Quästionen und den anderen logizistischen Manipulationen der nominalistischen Scholastik zu Hause zu sein, um der an einer Artistenfakultät wie in Montaigu obwaltenden Denkungs- und Sinnesart, von Gott zu reden, zu folgen. Die Verhaltensweisen Gottes, wie sie in der Erstausgabe der Institutio von Calvin beschrieben oder auch nur geläufigerweise benannt werden, lassen immer wieder erkennen, wie humanistisch die mittelalterliche Gotteslehre durchflochten war und wie es nur der Vertrautheit des Studenten Calvin mit dem zeitgenössischen Humanismus und vor allem der Antike selbst bedurfte, um die Verhaltensweisen Gottes um so mehr in einem entsprechenden Licht zu sehen.

Die Barmherzigkeit als Beweggrund Gottes für seinen Umgang mit einem Sünder steht in der Institutio von 1536 voran[166]; sie sieht von jeder Möglichkeit eines ihn vor Gott empfehlenden Vorzuges ab, anerkennt kein Verdienst, sondern schenkt Vergebung, Erlaß, Verzeihung[167] der Sünden[168], wird also ganz "umsonst", rein "freiwillig" oder gar "verschwenderisch"[169] geschenkt. Vor allem aber begegnet Gott einem in den Sohnesstand wirksam berufenen Erwählten mit "verstehender Milde"[170]: "angesichts seiner Gütigkeit und seines gnädigen Willens nimmt er uns mildiglich[171] in seine Gnade auf..."[172]; oder: "der allermildiglichste Herr (Gott) hat sich also selbst zu unserm Erlöser gemacht und wollte uns wirklich so erlöst haben"[173]. Gütigkeit, Wohlwollen, Gewogenheit, Gunsterweis zeichnen ihn aus[174]. Geneigt, günstig gesinnt, leutselig, lind, sanft, nachsichtig, ohne Kargheit erweist er sich[175]. Letzter Beweggrund aller seiner Verhaltensweisen aber ist die aus seinem Allerinnersten[176] kommende Väterlichkeit[177]. Ausdrücklich mehr noch: Gott ist "aller Väter weitaus bester und huldvollster Vater"[178].

Alle diese Kennzeichnungen von Verhaltensweisen Gottes gehen ihrem ursprünglichen Sinngehalt nach nicht aus der mitten in der Menschengeschichte gestifteten und nur hier die Sünderliebe Gottes bekundenden Versöhnung durch den Tod Christi und damit auch nicht aus der Selbstbindung des Vaters Jesu Christi an die angesichts auch der Sünde der Gläubigen bleibende Heilspädagogie von Gesetz und Evangelium hervor, sondern setzen statt der Gnade im Gericht ein Erbarmen aus wohlwollender Ermessensfreiheit voraus. Die von Ewigkeit her gewährte souveräne und die um des Todes Christi willen gewährte Gnade umschlingen sich aber bei Calvin schon in der Erstausgabe der Institutio gegenseitig[179]. Eine Diskrepanz wird offenbar. Die Spur führt aber auch zu Augustin[180], von da aus zu den spätmittelalterlichen Antipelagianern und, wie sich noch zeigen wird, zum Imperatorethos Senecas.

Im Hintergrund der Aussagen Calvins über Gottes Verhaltensweisen mag eine anfängliche Abneigung gegen die These von der "absoluten Macht" Gottes stehen. Ihr läßt er, wie seine Gewährsmänner, den Stachel dadurch genommen werden, daß er aus jenen Verhaltensweisen das Licht einer unantastbaren Heiligkeit und eminenten Sittlichkeit Gottes und seines "allergeordnetsten" und allergerechtesten Handelns hervorleuchten sieht. In dem Vater-Sohn-Verhältnis Gottes zu den Seinen gewinnt er seinen "herzinnigsten" Ausdruck. Den Antipelagianern ist die Vorstellung von Gott als Familienvater[181] durchaus geläufig, und Calvin schon 1536. Es erscheint geboten, für die Vorstellung von Gott und seinen Verhaltensweisen bei Calvin bis auf das immer auch streng religiöse Bildungsziel der Artistenfakultät in Montaigu zurückzugehen, das einem ockhamistischen Willkür-Gott gegenüber dessen Verläßlichkeit verteidigen mußte. Das entsprach durchaus der augustinischen Intention des das Collège de Montaigu beherrschenden Geistes Majors. Als Parallele dazu muß man aber auch den Seneca-kommentar Calvins "Über die Milde" in Betracht ziehen, der, auf dem Hintergrund des "Il Principe" Machiavellis und vielleicht auch des Vorgehens des Königs Franz I. den humanistisch-biblizistisch oder gar schon reformatorisch Gesinnten gegenüber gesehen, auch und gerade für den Fürsten das Erfordernis der sittlichen Vertretbarkeit seines ermessensfreien Handelns nach Maßgabe der "verstehenden Milde" geltend macht. Im übrigen gehörte Seneca, wie auch Virgil und Cicero, zu den Standardschriftstellern der Artistenfakultäten, sofern sie auf ihren guten Ruf Wert legten.

4.7
Das Auftauchen von Merkmalen mystischer Theologie und Frömmigkeit in der Erstausgabe der Institutio

Schon die Anwendung der Vorstellung von der Herzinnigkeit des Vater-Sohn-Verhältnisses auf die Beziehungen eines erwählten Gläubigen und Frommen zu Gott geht auch auf Bernhard und die bernhardinisch-devote Frömmigkeit zurück, deren Einübung an Hand einschlägiger Schriften Pflicht der Scholaren in Montaigu war. Entsprechende Ausdrucksmittel benutzt Calvin schon in der Erstausgabe der Institutio. Es ist ein ungutes Verfahren, sie zu übergehen. Hier kann nur vorweg schon ausgesprochen werden, daß die Affektenlehre der Antike, wie sie sich durch die mystische Frömmigkeit und Theologie des Mittelalters je nachdem modulierte und fortpflanzte, auch Calvins theologische Konzeption durchströmt. Affekt ist ein Berührt-, Angewandelt-, Bewegt- und Getriebenwerden des "inneren Herzens", ein "Empfinden" der väterlichen Treue Gottes aus der Innigkeit des entsprechenden Vater-Sohn-Verhältnisses heraus. Calvin stellt das Willens- und Gefühlsleben unter die Herrschaft des Wortes Gottes und läßt es erfüllt werden von "wahrer Frömmigkeit"[182]. Es ist Gottes "Lieblichkeit", die er in "seinem" Christus an den Tag bringt. Doch kommt es erst aus der Erkenntnis der eigenen Armut heraus zum anfänglichen "Wohlgeschmack"[183] der "Lieblichkeit" der göttlichen Barmherzigkeit; "lieblich" ist der Name Gottes, "lieblich" der Trost im Abendmahl[184]. Dem entspricht jener geistliche "Wohlgeschmack" der Gläubigen an der göttlichen Gütigkeit und Barmherzigkeit, am Geist Christi. Aber Calvin warnt auch in der Antwort an Sadoleto vor "den vielen heute, die dafür angesehen werden wollen, als hätten sie einen Geschmack an Gott empfunden, aber ein entsprechendes Bekenntnis vermissen lassen"[185].

Es handelt sich bei Calvin nicht um die intellegible Schau göttlicher Verhältnisse, sondern um die emotionale Bewegtheit des Vater-Sohn-Bezuges und der entsprechenden Vater-Sohn-Beziehungen in ihrer vollendeten Herzinnigkeit, wie man sie bei Bernhard findet. "Es mag die Seele sich wohl vorstellen, wie sie aus väterlicher Bewegtheit geliebt wird, und sich von demselben Geist angewandelt fühlen, wie auch der Sohn"[186]. Diesem einen Beispiel aus Bernhard lassen sich zahlreiche anreihen, die von der frommen Bewegtheit des Geistes und Herzens eines Gläubigen zeugen[187]. In dem Gedanken, daß der Geist Gottes die Emotionalität eines Menschen erneuert und sie immerfort bewegt, steht Calvin Bernhard näher als Augustin. Beiden aber folgt er dann doch auch wieder, wenn er wahrnimmt, daß das Herz nach der allseitigen ungetrübten[188], sicheren[189] Ruhe in Gott und all seinen geschichtlichen Verhaltensweisen und unmittelbaren Beziehungen verlangt[190]. Nur hierin, nicht aber in denkerischen Schlüssen, vielmehr im Anschluß an die Diktion des Erasmus besteht "die ganz geheime und verborgene Philosophie", die es nicht zuletzt auch mit Christus und der Hoffnung auf ihn zu tun hat[191]. "Der sich zum Opfer brachte und unsere Verdammung auf sich nahm, tat es, um uns mit seinem Wohltun zu durchströmen"[192]. Aber das Aktiv bricht mindestens so stark zu Gott gehorsamen Handeln hervor, wie das Passiv auf die Ruhe in allem Heil Gottes hinweist. Gleichwohl sind auch die Fortgeschrittensten, wie es immer wieder den Wiedertäufern entgegengehalten wird, noch immer weitestens entfernt vom Ziel, lieben jedoch Gott aus lauterer herzinnigster Bewegung und müssen "auf dem Weg des Herrn (Gottes)" eifrigst ihre Folgerungen ziehen[193]. Autoritätsfürchtigkeit und Gehorsam gegen Gott ist für Calvin ohne dieses große Feuer[194] und diese brennende Liebe[195] nicht denkbar[196]. Die Wärme des Glaubens und der Hingabe an den Gehorsam gegen Gott als Wirkung des Geistes Gottes haben ihren unverkennbaren Quellgrund in der von bernhardinischem und devotem, aber auch, wie sich noch zeigen wird, franziskanischem Geist durchströmten und auch rigorosen Seelenführung im Collège de Montaigu. Der Affekt als "notwendiger Antrieb"[196] ist derjenige passenden Handelns und passender Lebensführung[197].

4.8

Die Auffassung vom Bußsakrament unter Major im Collège de Montaigu

Am Ende seiner Auseinandersetzung über das "falsche" Sakrament der
Buße kommt Calvin schon 1536 auf dessen Auffassung als "zweiter Planke nach dem Schiffbruch" zu sprechen, insofern nämlich, daß, "wenn
jemand das in der Taufe empfangene Kleid der Unschuld durch Sündigen
vernichtet hat, er es durch die Buße wiederherstellen kann". Major
führt diese Lehrmeinung als diejenige des Lombarden an und lehnt sie
ab. Calvin tut dasselbe mit den Worten: "Als ob durch eine Sünde die
Taufe zunichte gemacht würde und ein Sünder, so oft er seine Sünde
bedenkt, nicht eher gerade von jener (d. h. der Taufe) her wieder
Mut faßt, sich aufrafft und die Zuversicht stärkt, er werde die Vergebung der Sünden erlangen, wie sie ihm in der Taufe verheißen
ist"[198]. Die Ablehnung des Bußsakramentes als zweiter Planke wird
von Major im Zusammenhang der Frage nach der Kontinuität des Gnaden-
standes behandelt. Das wird weiter unten noch dargestellt. Hier genügen darüber hinaus folgende Hinweise auf das geistliche Leben in
einem Collège wie Montaigu.

Neben dem Schuldkapitel, das nach mönchischem Vorbild in Montaigu
in Übung stand, war das Bußsakrament als eigentliches Hauptsakrament
der kirchliche Mittelpunkt seelsorgerlicher Einflußnahme auf die
Scholaren. Es stand natürlich auch besonders in Montaigu als geistliches Erziehungsmittel im Dienst einer restaurativen Erneuerung der
Kirche, der Lehre und des Lebens. Es war ein entscheidender Ort der
geistlichen Zwiesprache. Zudem hatte Johann Standonck, wie schon sein
geistlicher Vater Geert Groote, eine der geistlichen Pflege des inneren Menschen zugewandte Predigttätigkeit entfaltet[199]. Durch ihn,
der der devoten Frömmigkeitsbewegung zugetan war und durch Franz von
Paula, dem Stifter der Minimenkongregation mit verschärfter Franziskanerregel, wohl auch franziskanische Anregungen in sich aufgenommen
haben mochte, wurden den Scholaren und Studenten, wie es gleicherweise auch anderenorts wohl war, Messe, Vesper und Stundengebet zur re-
gelmäßigen Pflicht gemacht. Nach Standoncks Tod wurde nur eine leich-
te Milderung der strengen Statuten vorgenommen und päpstlich geneh-
migt. Was Calvin hier zu seiner eigenen Scholarenzeit über die geistliche Zucht hinaus an fleißig gehörten Predigten in sich aufgenommen
haben mag, fällt unter die Unwägbarkeiten der Einflüsse auf den so
Heranwachsenden. Aber es müßte doch sehr merkwürdig sein, wenn nicht
jedenfalls von den Fraterherren abgeschriebene und später gedruckte
Schriften vor allem Bernhards, des Thomas von Kempen und anderer
Geistesverwandter auch von Calvin zu den vorgeschriebenen geistlichen
Übungen benutzt worden wären. Es wird nicht viel anders hergegangen
sein als in anderen, vor allem franziskanischen, Anstalten gleich
strenger restaurativer kirchlicher und auch geistlicher Richtung.

Inbegriff und Sinn der jähen Wende im Leben Calvins

5.1.

Die Frage nach dem Vorverständnis

Man darf nicht in den Fehler verfallen und seinsanalogisch eine be-
grifflіche Vereinfachung oder gar Vereinerleiung der Vorgänge an-
streben, die Calvin je bei sich und dann auch bei Paulus und etwa
bei Naëman mit "Konversion", d. h. Wende, Umkehrbewegung, Umkehr
oder Buße, Handeln aus gebesserter Einsicht bezeichnet. Das Vorverständnis, mit dem der spätere Calvin der "jähen Wende"[200] seines eigenen Lebens begegnet, kennt keine dem menschlichen Ergehen und seinen geistlichen Widerfahrnissen und Erfahrungen übergeordnete, ontisch geladene "allgemeine" oder "zeitlose" Wahrheit. Seine Lebenswende versteht er ebensowenig als eine aus der entsprechend überge-
ordneten Gattung denkgerecht hergeleiteten Spezies, wie er auch keine durch oft nur angenommene Gründe und Gegengründe durchgehechelte
logizistische Verpflichtung des Konkreten in die Welt der Abstrakten
kennt. Vielmehr wird für Zustandekommen und Inbegriff der Lebenswende eines Menschen allein der wirksam berufende und neuschaffende persönliche Wille Gottes vorausgesetzt. Er ist es, der bei einem Menschen ein existentielles, heilsmächtiges, lebenskräftiges, ge-
schichtsträchtiges Widerfahrnis des Christwerdens zustande bringt.
Calvins Vorverständnis von Wende oder Umkehr des Lebens liegt ganz
offensichtlich im scotisch-ockhamistischen Personverständnis und Individuationsprinzip begründet. Danach hat die Wende je eines "einzelnen" Menschen, ähnlich seinem Dasein schlechthin, seinen Grund
allein in einem unwiederholbaren und unmittelbaren schöpferischen
Akt des jeweiligen souveränen Willens Gottes. Insofern ist für die
geistliche Wende im Leben eines Menschen gerade das jeweils gnädige
Handeln Gottes "typisch". Solches Da-, Hier- und Sosein trägt "Wahrheit" also nicht als Verständnis von "allgemeiner", "zeitloser" Mächtigkeit an Sein und Güte in sich. "Wahrheit" ist hier vielmehr kairologisch als ein der Selbstbekundung Gottes in der Hl. Schrift ge-
mäßes Widerfahrnis von innewohnender Gültigkeit zu verstehen, wie
es von einem in ihr fortgehend Existierenden weder bewiesen, noch
ihm bestritten, umsomehr aber von ihm als wirklich und wahrhaft gültig bezeugt und geltend gemacht werden kann und muß.
Die scotische Individuation und die ockhamistisch zugespitzte Personhaftigkeit der menschlichen Existenz haben sich bei Calvin kräftig

durchgesetzt. Die schöpferische Person Gottes und die geschaffene
Person des Menschen stehen in polaren, rein personhaften Beziehungen
zueinander. In der Folgerichtigkeit solchen Personseins eines Menschen aber liegt, daß dieser, vermöge seiner Existenz im Gegenüber
Gottes, jeweils nur von diesem personhaften Gegenüber, aber von keiner allgemeingültigen Begrifflichkeit her zu bestimmen ist. Sinn und
Bestimmung, die Gott dem Leben je eines Menschen gibt, die Wende zur
Gelehrigkeit in den Dingen des Heils, in die er ihn stellt, die göttliche Sendung, zu der er ihn bereitet, und das künftige ewige Ziel
der Seligkeit, zu dem Gott ihn führt, bewegen sich in personhafter
Polarität von Gott und Mensch. Die Personhaftigkeit eines Menschen,
der so die je gegenwärtige unmittelbare Wahrnehmung von sich selbst
als einem Ich im Gegenüber Gottes macht, gilt nicht zuletzt auch
Calvin als unaustauschbar und nur aus dem schöpferischen Willen Gottes ableitbar. In der Freiheit der Entscheidung und des Handelns nun
wird ein Mensch, wie er denn durch die Mitgift der alle einzelnen
Sünden aus sich hervortreibenden Personsünde verderbt ist, erst dann
wieder erfunden, wenn ihn Gott, Christus und, in der trinitarischen
Willenseinheit mit beiden, der Hl. Geist durch die geistliche Lebenswende hindurch zu einem "neuen Menschen" umbenannt und "umgestaltet"
hat. Auch angesichts dieses Vorverständnisses wird Theologie von
Calvin als "Religionswesen"[201] mit der Unerläßlichkeit seiner Ausübung verstanden. Es handelt sich hier um die Gesamtheit der personhaften, unabtretbaren und unmitteilbaren "einzelnen" Bezüge und Beziehungen zwischen Gott und je einem Menschen, die nach den beiden
Seiten der Gottes- und Selbsterkenntnis eines Gläubigen und Frommen
ins Leben gerufen werden. Seit der Institutio von 1539 nennt Calvin
den Inbegriff dieser Doppelseitigkeit Weisheit[202], während er ihn,
vielleicht auch in Anlehnung an das melanchthonische Verständnis der
Wittenberger Reformation, 1536 Lehre genannt hatte. Aber darüber
wird später zu handeln sein.

Aus diesem Vorverständnis dessen, was es mit der "jähen Wende" in
Calvins Leben auf sich hat, wird begreiflich, daß er weit davon entfernt ist, Gottes Vorgehen und Umgehen mit einem Menschen einer
geistlichen "Schematisation" unterworfen zu sehen. Er versteht die
von Gott herbeigeführte Wende eines jeden jeweils in Frage stehenden
Menschen als die gerade ihm und nur ihm in eigener Person zugedachte
wirksame Berufung in einen neuen Stand und eine neue Verfassung seines Lebens im Gegenüber Gottes mit all den dazu gehörenden polaren
Beziehungen, und zwar samt der Sendung an die "verlorenen Schafe"[203]
und der Bestimmung zum Dienst in einer nach dem reformatorischen
Verständnis von Wort und Evangelium Gottes konstituierten Kirche.

Für das Vorverständnis der "jähen Wende" im Leben Calvins ist aber
auch die Bedeutung zu erfragen, die es hat, wenn Calvin schon 1538
auf Gottes Vorgehen mit einem zu bekehrenden Erwählten die Formu-

lierung anwendet von "gleichsam einem universalen Typus derjenigen
Gnade, welche der Herr (Gott) täglich bei unser aller Berufung zu
Tage treten läßt"[204]. Nun bildet nach Römer 8, 30 bei allen Antipelagianern bis auf Calvin selbst die wirksame Berufung neben der Erwählung, aus der sie hervorgeht, neben der Rechtfertigung und ewigen
Verherrlichung und neben der besonderen Gnadenausstattung zur christlichen Lebensführung jenen bestimmten Typus unter den Gnadenerweisen
Gottes, demzufolge "täglich" Menschen von Gott aus der oft "wild"
sich gebärdenden Aufsässigkeit gegen ihn wirksam heraus- und hinein-
berufen werden in eine entsprechende geistliche Solidarität. In solcher Hinsicht bekundet sich dieser Typus göttlicher Gnadenerweisun-
gen "gleichsam" als universal angesichts der einen und einzigen Ordnung, nach der Gott je einen Menschen zur Gemeinsamkeit des Heils
und ewigen Lebens wirksam beruft, er heiße nun Paulus, Naeman oder
sei Calvin selbst. So beruht denn dieses Gemeinsame nicht auf der
Fülle an göttlichem Sein oder auf einer "ewigen Wahrheit" an der jeder Berufene teilgewinnt. Nicht ontologisch, sondern kairologisch
ist dieser "Typus" von Gnade zu verstehen, weil er eine Art des jeweils voraussetzungslos freien und unbefragbaren Willens Gottes ist,
die Berufung eines Menschen zum Heil und ewigen Leben in die Tat umzusetzen, demnach ihr Eintreten samt dessen Sinn und Ziel, also im
wahrsten Sinne des Wortes, zu zeitigen[205]. Darum wird auch z. B. die
Bekehrung[206] des Paulus als "historia", d. h. als einmaliges Geschehn-
nis und die Kunde von diesem behandelt. Es gibt aber auch für den
antipelagianischen Nominalisten Calvin keine "Historie" ohne gleich-
zeitige Verflechtung in jenes geschichtliche Vorher und Nachher,
das sowohl dem unmittelbaren Eingreifen der "täglich" neu sich erweisenden Vorsehung und Erwählung Gottes vorbehalten bleibt, als
auch durch die Orientierung aller Berufenen an der für allein gültig
erachteten Manifestation Gottes, der Hl. Schrift, kontinuierlich
sich durchsetzt. Die Gemeinde Gottes ist der geschichtliche Ort,
an dem Gott unser aller Berufung zu Tage treten läßt.

Schließlich wirkt in das Vorverständnis von geistlicher Lebenswende bei dem jungen Reformator ein aus der terministischen Erkenntnislehre sich ergebender empirischer Gesichtspunkt wesentlich hinein.
Eine durch diskursives Denken zu erreichende Weltentrücktheit Gottes
gilt ihm als unmöglich[207], auch wenn er metyphysische Bestimmungen
Gottes überlieferungsgemäß anerkennt[208]. Aber auch den "neuerlich von
den Papisten und Mohammedanern fabrizierten Gott"[209] lehnt er ab. Er
will lediglich das von Gott in seinem eigenen Wort und Evangelium
bekundete und von ihm innegehaltene Vorgehen mit allen "einzelnen"
durch ihn in die Umkehrbewegung ihres Lebens gebrachten Menschen anerkennen. Die geistliche Lebenswende führt er auf ihre einfache Tat-
sächlichkeit zurück, wie sie kraft göttlicher Herkunft und Autorität
die dargelegte Wirklichkeit, Wahrheit und Verbindlichkeit in sich

selbst trägt. Alle geistliche Existenz findet sich Gott selbst gegenüber gültigerweise nur in solcher Wirklichkeitsbezogenheit vor.
Darum ist Glaubenserkenntnis zwar immer Zuversicht, Überzeugtheit
und Hoffnung, aber, wie Calvin nach 1536 den Akzent mit der ihm naheliegenden Einsicht setzt, wahrnehmende Erkenntnis, die sich dem
Gläubigen im Gegenüber Gottes kraft des Hl. Geistes unmittelbar auf-
drängt und in gerade diesem ihrem Dasein den Charakter der Gewißheit trägt. Das geistlich Zwingende und Verbindliche, weil Wahre
und Gültige, ist also sowohl im Bereich der in der Menschengeschichte vor sich gehenden Selbstenthüllung Gottes hinsichtlich seiner offenbar gewordenen Verhaltensweisen und seiner Heilsstiftung durch
Christus, als auch in der Gewißheit des Glaubens zu suchen, die auf
der durch den Hl. Geist zustande gebrachten Gegenwärtigkeit der
Heilsmächtigkeit Christi beruht. Geistliche Lebenswende will nach
Calvin empirisch verstanden werden.

5.2
Die jähe Wende im Leben Calvins

Aller Wahrscheinlichkeit nach erreichte der junge Calvin am Gymnasium montis acuti in Paris im Frühjahr 1528 mit dem schon damals nor-
malen Alter von 19 Jahren das Bildungsziel der freien Künste, also
erst das der Vorschule der speziellen scholastischen Philosophie,
mit der das Studium der Theologie begann. Vorab war der Scholar in
der für seine bleibende Denkstruktur so entscheidenden ockhamistischen Logik und Erkenntnislehre und in der Dialektik gründlich durch-
gebildet worden. Nicht zu vergessen sind die Anfangsgründe[210] der
kirchlichen Lehre als das besondere religiöse Bildungsziel gerade an
dieser Anstalt: die der hier geltenden theologischen Richtung entsprechende, im übrigen streng restaurativ gepflegte Gläubigkeit und
Frömmigkeit eines gebildeten jungen Katholiken. Major, selbst an der
theologischen und der Artistenfakultät bis 1532 mit Unterbrechung
tätig, wie dies seine Schriften auch ausweisen, hatte in Béda die
"überaus wachsame und gelehrte Leitung" des Collèges gelobt[211]. Auch
Majors unter den Antipelagianern wohl am mildesten vorgetragener
Augustinismus wurde doch zugleich gesteuert von einem leidenschaftlichen Kampf gegen Luther und seine Anhänger, gegen Erasmus, gegen
Wiclif und Huß[212]. Seine Lehrtätigkeit also doch auch am Gymnasium
und die unvermeidliche persönliche Einflußnahme auf die Scholaren
nicht zuletzt angesichts ihres Zusammenlebens mit den Dozenten in
den Konvivien förderte die restaurative Erneuerung der Kirche[213].
Hier also wurde die später von Calvin "als hartnäckig, wohl auch
störrig, vor allem aber aus der Ehrerbietung herrührende Ergebenheit
gegen die Kirche"[214], wurde die reaktionäre Gesinnung und Betätigung
seiner katholischen Rechtgläubigkeit grundgelegt, die er 1557 rück-

schauend als "für sein Alter allzu verhärtet"[215] kennzeichnet.

Nun bekennt Calvin, daß er von seinem Vater Gerhard "vom Studium der Philosophie zurückbeordert und für das Studium der Rechte bestimmt" worden sei. Was ist hier mit dem Studium der Philosophie gemeint? Aus dem Bildungsgang der Artistenfakultät kann ihn der Vater nicht herausgerissen haben, da dieser von Calvin mit der Erlangung des Lizentiaten oder Magisters der Künste bereits abgeschlossen worden war. Hat dann aber Calvin in Montaigu noch die allerersten Anfänge der also als eigentlich zu bezeichnenden Philosophie, nämlich derjenigen der scholastischen Theologie[216] mitbekommen, die sein Vater so sehr bald unterbrach? Calvins Worte von 1538 müssen festgehalten werden, daß "er, seiner Erziehung von Kindesbeinen an entsprechend, immer den christlichen Glauben bekannt, sich auch von jeher nicht an eine andere Richtung dieses Glaubens gehalten habe als die, welche damals allenthalben galt"[217]. Den Grund für dieses Verhalten findet er nachträglich in Unkenntnis und Irrtum; denn das Wort Gottes, das dem gesamten Volk Gottes "gewissermaßen als Fackel mußte vorangetragen werden, sei ihnen weggenommen oder doch jedenfalls verdunkelt" worden. Die Überzeugung "aller" habe darin bestanden, daß es besser sei, wenn nur wenigen "die Erforschung der himmlischen und verborgenen Philosophie" übertragen würde und die übrigen Menschen mit ihrem "plebejischen" Laienverstand sich dem Gehorsam der Kirche unterwürfen[218]. Mag hier auch das Verständnis der Philosophie einen gewissen erasmischen Klang verraten, ihre von ihm verworfene Gestalt kennzeichnet Calvin ohne Zweifel als "hohle Philosophie" und "reine Sophistik", als "scholastische Theologie" und "eine Art geheimen Zaubers"[219]. Wann oder wo sonst als gerade in Montaigu hätte sich Calvin mit einem Studium von Philosophie mindestens anfangsweise abgegeben, das ihn bis an die Grenze religiöser und doch wohl auch theologischer Verstocktheit führte, wie sie durch seine starre Autoritätsfürchtigkeit von der angestammten Kirche genährt wurde?

Die jähe Wende seines Lebens hat Calvin als eine solche zur "Gelehrigkeit"[220], zur Belehrbarkeit, zur Bereitwilligkeit, in einer anderen Schule zu lernen, bezeichnet, als es die war, aus der er hervorgegangen war. Gelehrigkeit ist ein ganz besonders von Erasmus verwendeter Ausdruck, steht auch in enger Verbindung mit der von ihm zuerst "evangelisch" genannten Buße, Wende, Umkehrbewegung, Bekehrung. Diesen Zusammenhang bemerkt man auch schon 1536 als belegbar bei Calvin[221]. Bei Erasmus kennzeichnet Gelehrigkeit vor allem die bereitwillige Aneignung humanistisch-biblizistischen Bildungsgutes. Bei Calvin meint sie zunächst einmal einen schrittweisen Bildungsgang sowohl in dieser Richtung, als auch, damit vielfach verbündelt, in derjenigen von Lehrauffassungen der Wittenberger Reformation. Als bessere Einsicht und ein Handeln aus ihr[222] wird die Wende oder Buße von Erasmus, vordem oft schon auch von Bernhard dann von Faber

Stapulensis[223] und schließlich häufig auch von Calvin selbst bezeichnet. Für ihn begann sich mit der Wende zu der in Frage stehenden Gelehrigkeit ein ganz anders gearteter Bereich christlichen Bildungsgutes aufzutun, das ihm mehr und mehr zu denken gab und seinen Werdegang zu einem reformatorisch gesinnten Christen einleitete. Er gewann "irgendeinen Wohlgeschmack an der wahren Frömmigkeit"[224], wie
er später auch Joachim Westphal gegenüber von dem "Beginn eines Auf-
tauchens aus den Finsternissen des Papsttums und von dem Aufkommen
zunächst eines zarten Wohlgeschmacks der gesunden Lehre" sprach[225].
Das kann nur in der Zeit seit 1528 nach dem Verlassen des Collège de
Montaigu sich zugetragen haben, als er sich in Orléans und später in
Bourges den vom Vater gewollten Rechtsstudien unterzog. Er trat zu
Melchior Volmar und einem humanistischen und biblizistischen Fragen
zugewandten Freundeskreis in Beziehung und hörte auch ein anderes
Urteil über Erasmus und Luther, als es sich in Montaigu bei ihm so
tief eingewurzelt hatte. Wann nun genau angesichts seiner "allzu
hartnäckigen Verhaftung an die abergläubischen Einrichtungen des
Papsttums" und seines zunächst einmal "leidenschaftlich entschlosse-
nen Widerstandes" gegen eine Lösung aus der bei ihm so festgefahre-
nen Autoritätsfürchtigkeit von der angestammten Kirche[226] die ganz
"unerwartete Wende zur Gelehrigkeit" über ihn kam, ist bis heute
nicht eindeutig auszumachen, sondern zeitlich nur einzukreisen. Calvin gibt ja auch keinen Bericht, vielmehr Kunde von einem Widerfahrnis voller Verbindlichkeit und spricht ein Bekenntnis aus. Dazu gehört aber auch die Auslassung von 1539 Sadoleto gegenüber, daß er
sich nur höchst mühselig zu dem Geständnis habe bringen lassen, daß
er sein ganzes derzeitiges Leben in Unwissenheit und Irrtum verbracht
habe. Nicht zuletzt habe er auch schwere Bedenken gehegt, der Autoritätsfürchtigkeit vor der "Majestät" der angestammten päpstlich-priesterlichen Kirche abzusagen, schließlich aber doch sich zu der Einsicht belehren lassen, daß diese Befürchtung "überflüssig" sei[227].
Gelehrigkeit gibt es da, wo ein rechtes Verhältnis von Lehrern und
Schülern besteht. Das gilt nach Calvin von Paulus nach der unerwartet
einsetzenden Wende seines Lebens[228], aber auch von Calvin selbst. Er
hat sich doch augenscheinlich zunächst eine geraume Zeit der Gelehr-
rigkeit in der humanistisch-biblizistischen, auswahlsweise auch wohl
reformatorischen Gestalt des "christlichen Religionswesens" beflissen. Für das Höchste hält er später, sich vor die Füße Christi zu
werfen, um jene "reinere Gestalt[229] des Wissens"[230] in sich aufzu-
nehmen[231], das sich mit allem Recht christlich nenne, und zu dem ge-
diegenen "Urteil" zu gelangen. Nur eine friedsame, sanfte, milde[232]
Gelehrigkeit, die mit Bescheidenheit und sogar mit dem "Prinzip der
Demütigung"[233] gepaart sei, helfe zur Unterwerfung aller Sinne: nicht
nur unter Christus, sondern auch unter die ihm folgenden Lehrer. Man
hängt dann an ihrem Mund[234]. Calvins Auffassung von der mit ihm ganz

unversehens vor sich gegangenen Wende zu seiner Gelehrigkeit, die es nicht mit der "spekulativen Lehre"[235] der Scholastik zu tun hat, sondern praktisch den Lauf des Lebens lenkt und uns dem Gehorsam Gottes entsprechend "bildet", ist ganz Erasmus abgelauscht. Vulgata, Scholastik und auch Schriftverständnis und Kirche waren die wesentlichen Zankäpfel zwischen der Sorbonne und dem Humanisten und seinen Schülern. Mit der "Beugung"[236] z. B. hinsichtlich des "eisernen Nakkens" des Paulus[237] unter das Joch Christi beginnt recht eigentlich alle Gelehrigkeit, soweit sich deren Echtheit an dem freiwilligen Wachsen in geistlicher Einsicht erprobt[238]. Menschen, deren begabter Geist nicht ausgebildet wird, entarten[239], sagt der junge Reformator. Dem späteren Calvin ist "christliche Religion" immer auch Sache der Durchbildung und Ausübung, der legitimen Gottesverehrung und Frömmigkeit geblieben. Schließlich schlug bei ihm "die von Luther hervorgebrachte ganz andere Gestalt von Lehre" durch[240], wie er Sadoleto gegenüber bekennt.

Calvin erbrachte seine Gelehrigkeit also ein "schrittweises" Zunehmen in der reinen oder oft genug auch komparativisch als "reiner" charakterisierten Lehre des Evangeliums und der Frömmigkeit[241]. Auch im Blick auf Paulus spricht er von einem "Nacheinander der göttlichen Lenkung"[242]. Immer wieder bringt er die Vergleichbarkeit des verlassenen Bekenntnisses mit dem bei wachsender Einsicht und Überzeugtheit schließlich neu aufgenommenen Bekenntnis zum Ausdruck, ohne daß er das so gewonnene reformatorische Kirchen- und Heilsverständnis aufs Spiel zu setzen gedenkt. Seinen humanistisch-biblizistischen, theologischen, geistlichen, kirchlichen Bildungsgang sieht er durch einen steigenden Eifer im Fortschreiten gekennzeichnet[243]. In diesem Sinn gibt er auch dem Gedanken vom "eingewickelten Glauben", freilich erst 1559, reformatorischen Sinn und vergißt nicht, dazu ausdrücklich zu bemerken: "Wir werden täglich niedergeworfen, um zur Bescheidenheit erzogen zu werden"[244]. So sind selbst die Vollkommenen immer noch Schüler Christi, werden an die Weisheit eines ununterbrochenen, allmählich ansteigenden Voranschreitens gewiesen und so in der Bescheidenheit erhalten[245].

Allein, auf dem Weg eines Menschen von der Wende zur Gelehrigkeit bis hin in die Gewißheit des Heilsglaubens nimmt Calvin eine gewisse Markierung vor, die in der Unterschiedenheit des vorangehenden und dann folgenden Verhaltens Gottes begründet liegt. Vorerst ist es nämlich der "geheime Zügel der Vorsehung Gottes", der Calvins bisherigen "Lebenslauf"[246] in eine andere Richtung wendete; bei Paulus ist es, im Blick auf sein vorheriges Wüten gegen Christus und die ihm Angehörigen, die "wundersame und verborgene "Macht" Gottes", wie sie auch "biegsamer", "weicher", dem "Willen zum Gehorsam geneigter" macht[247]. Dieser Anfang aller eben doch nur "vorbereitenden" Maßnahmen, die nach Calvin diejenigen "Vorbereitungen, die sich die Sophisten einbilden"[248], durch die Vorherbestimmung zunichte machen, erscheint ausschließlich als freimächtige Heimsuchung[249] der "ziellos Umherirrenden" durch Gott mit der Absicht, "die schroff ablehnenden Anwandlungen unseres Herzens umzustimmen und sie so für ihn als gelehrig zu erachten"[250]. Es soll nicht von der Hand gewiesen werden, daß auch die Bezeichnung "allgemeine Gnade" Gottes in dieser Richtung zu verstehen ist. Ein zur Gelehrigkeit Bekehrter ist eben "noch nicht ein Schüler Christi"[251]; denn der Gelehrigkeit folgt das heilsmächtige "Belehrtwerdenmüssen" erst noch nach[252].

Dieses heilsmächtige Belehrtwerden führt Gott also erst kraft seiner "Barmherzigkeit ohnegleichen"[253], seines "Wohlwollens"[254], von dem Calvin besonders gern im Hinblick auf die Beschenkung mit dem Heil spricht, kraft seiner "väterlichen" Verhaltensweisen überhaupt durch, immer aber aus "rein umsonst gewährter Huld"[255]. Calvin ist der Gedanke fremd, daß der erwähnte Markierungspunkt, der mit der jähen Wende zur Gelehrigkeit ja garnicht zusammenfällt, für einen genau bestimmbaren späteren Zeitpunkt auszumachen sei. Doch bringt die an Klarheit, Eifer und Zielstrebigkeit gewinnende Umorientierung in aller von Gottes heilsmächtigen Verhaltensweisen hervorgebrachten geistlichen Wirklichkeit bei einem Menschen die Gewißheit des Heils und des Glaubens mit sich, wie sie im nachhinein oder doch auch gleichzeitig immer auch "wahrgenommen" wird. Nicht durch den Intellekt, sondern mit den von Gott eingeschlossenen geistigen Sinnen[256], d. h. mit dem wahrnehmenden Denken, dem bereitwillig annehmenden Wollen, mit den diesen ganzen Vorgang begleitenden "Affekten" eines Menschen in seiner Ganzheit, begonnen, wird dieses Ziel erreicht, es werde das Wirken des Geistes Gottes hierfür ins Feld geführt oder nicht. Calvin wird die "Historia"[257] von des Paulus "Bekehrung" nicht haben kommentieren können, ohne die eigene Lebenswende vor Augen zu haben. Die Diktion[258] in den entsprechenden Ausführungen besagt hier viel. Aber Calvin beobachtet auch den Unterschied: nicht alle gebärden sich zuvor so wütend gegen das Evangelium wie Paulus[259]. Die Gelehrigkeit eines Menschen steht aber in jedem Fall unter der Verheißung, daß er durch das Wort Gottes und das Evangelium kraft des Geistes Gottes wirklich ausreichend belehrt werde und dabei die Heils- und Glaubensgewißheit erlange. Darüber hinaus währt jene Gelehrigkeit lebenslang. Insbesondere bedürfen ihrer die Pastoren sowohl bei der Hinführung der Seelen zu Christus mit sanfter Hand, als auch bei der Abwehr von Machenschaften, die, woher sie auch immer kommen mögen, es darauf anlegen, Gottes Werk zu hindern[260].

Im Vorwort zum Psalmenkommentar will Calvin über Sinn und Inbegriff der Wende seines Lebens, für deren wahre Wirklichkeit überzeugend sich engagierend, eine Erklärung abgeben. Die Wende trifft ihn unerwartet mitten in der tüchtigen Beschäftigung mit der Rechtswissenschaft. Ihrem Hergang und Fortgang kann man an der angeführten

Stelle drei Phasen abgewinnen. Man muß dabei im Auge behalten, daß
Calvin keinen biographischen Beitrag, keinen Bericht bringt, sondern
eine Art Legitimation seiner reformatorischen Sendung ausspricht.

Die erste Phase: "Und zwar fürs erste nämlich, ungeachtet dessen,
daß ich den abergläubigen Einrichtungen viel zu hartnäckig verschwo-
ren war, als daß ich aus solchem zähen Schmutz leicht hätte herausge-
zogen werden können, zwang er (Gott) mich, der ich angesichts des Alters allzu verhärtet geworden war, durch eine jähe Wende ganz zur Gelehrigkeit. Und so entbrannte ich, mit einem Geschmack an der wahren Frömmigkeit vertraut geworden, zu einem solchen Eifer, vorwärts
zu dringen, daß ich den übrigen Studien, so wenig ich sie auch auf-
gab, doch lässiger nachging". Die unerwartete Wende zur Gelehrigkeit
leistete also in allmählich wachsender Klärung und Reifung einen
geistlichen Bildungsgang ein, der erst durch die Verkettung humani-
stisch-biblizistischer und reformatorischer Gedanken hindurch zum
Fußfassen im reformatorischen Bekenntnis als solchem führte. In der
rechtswissenschaftlichen Fakultät zu Orléans bis 1533 immatrikuliert,
zwischendurch die Rechte auch in Bourges studierend und seit 1531 an
dem ein Jahr vorher von Franz I. gestifteten "Kollegium der königlichen Lektoren" alte Sprachen, Philologie und Literatur sich erarbei-
tend, scheint er spätestens um die Jahreswende 1533/1534 die volle
Klarheit des reformatorischen Bekenntnisses erreicht zu haben.

Die zweite Phase: "Noch war kein Jahr vergangen, als die, welche
nach jedem Stück der reinen Lehre Verlangen trugen, zu mir, als dem
Neuling bis dahin und einem Anfänger, des Lernens wegen häufig kamen. Nun bin ich von Natur schüchtern und habe immer die Verborgenheit und ungestörte gelehrte Arbeit[261] geliebt, auch damals nach
Schlupfwinkeln getrachtet. Aber diese wurden mir so wenig gewährt,
daß jeder entlegene Ort für mich zu einer Art öffentlicher Schule
wurde". Inbegriff der Lehre, in der er so unterwies, kann kaum etwas
anderes als das vorwiegend reformatorische Bekenntnis sein.

Die dritte Phase: "Schließlich, während ich diesen Plan hatte, mich
unerkannt gelehrter Tätigkeit[262] zu widmen, trieb mich Gott auf mancherlei Weise hin und her, ohne mir auch nur einmal Ruhe zu gönnen,
bis ich schließlich, entgegen meiner Natur, ans Licht gezogen wurde.
Und so gab ich den Plan auf und setzte mich nach Deutschland ab, um
in irgendeinem entlegenen Winkel mich der literarischen Studien[263]
zu erfreuen, die mir lange versagt worden waren". In Basel gibt Calvin dann 1536 die - eine reine Vermutung - schon in der kurzen Schon-
zeit in Angoulême bei du Tillet, der im Besitz einer sehr reichhalti-
gen Bibliothek war, vorbereitete Erstausgabe der Institutio heraus.

Angesichts des Lebensganges Calvins, bis ihn Farel 1536 in Genf mit
beschwörenden Worten in seinem Gewissen traf und ihn dort für sein
ganzes folgendes Leben festhielt, ist die Frage zwar müßig, ob der
junge, in sein reformatorisches Wirken, Kämpfen, Leiden und Siegen

nunmehr einmündende Gelehrte ein noch viel selbständiger durchgear-
beitetes und in seiner Gefügtheit noch überzeugender wirkendes Ganzes
einer "Summa sapientiae" entwickelt hätte, wenn nicht die Gemeinde
Genf soviel von seiner Kraft verzehrt hätte. Immerhin: die Frage kann
sich nahelegen, sofern dann noch deutlicher zum Ausdruck hätte kommen
können, daß Calvin immer doch mehr als bloß der größte Schüler Luthers oder ein "Mann der zweiten Generation" war. Er war der eigentliche jüngere Weggenosse Luthers, des Bahnbrechers der Reformation.

5.3
Wahrheit und Verbindlichkeit der reformatorischen Sendung

Hiervon wird man schon reden müssen, wenn anders man dem Selbstzeug-
nis Calvins und der in ihm enthaltenen Verbindlichkeit zum öffentlichen Bekennen stattgeben will. Er sagt später über Ezechiel: "...mit
brennendem Verlangen umfing er die Lehre und machte für sich persönlich in der Schule Gottes Fortschritte, sodaß dann auch sein Werk von
öffentlicher Fruchtbarkeit war"[264]. Inbegriff auch der Wende im Leben
des Paulus war es, wie er 1538 sagt, öffentlicher Zeuge für den Sohn
Gottes zu sein[265]. Überhaupt gilt für Calvin auch schon in dem Ant-
wortschreiben an Sadoleto, daß der Mensch nach allen Seiten seines
persönlichen Geistseins[266] durch Gottes Gebot zum Bekenntnis der
Frömmigkeit gefordert wird[267]. Worin ist aber die Gültigkeit der hier
gemeinten Sendung zu suchen? Nicht in "biographisch-historischen"
oder "autobiographischen" Merkmalen[268], obwohl die Sendung ein geschichtlicher Vorgang ist. Nicht in ihrem Berichtscharakter, obwohl
über Geschehenes zutreffende Aussagen gemacht werden. Nicht in der
"prophetischen Kennzeichnung einer theologischen zeitlosen Wahrheit"[269], obwohl eine in göttliche Sendung einmündende prophetische
Betroffenheit des Berufenen im personhaften Gegenüber Gottes sich
deutlich abzeichnet. Es kommt nach Calvin auf das Widerfahrnis der
den Geist des ganzen Menschen[270] nach und nach ergreifenden Wende
hinsichtlich des klar erfaßten und zur Gewißheit gewordenen Woher und
Wohin an, so daß es dem Gewissen eines in die reformatorische Richtung Gewiesenen nicht mehr geraten erscheint, gegen Gottes vorsehende
Macht und heilsmächtiges Wohlwollen anzugehen. Erprobt "allein" an
der Hl. Schrift, verpflichtet es zum öffentlichen Bekennen. Auch Paulus erwähnt, so Calvin 1538, die "Historia" von der Wende seines Lebens, um Agrippa und seiner Begleitung klar zu machen, wie Gott der
Urheber alles dessen bei ihm sei, was die Juden als Sakrileg und Apo-
stasie verdammten. Die Aufzählung der Umstände dieses Widerfahrnis-
ses bei Paulus stellt dessen göttliche Herkunft unter Beweis[271]. Die
wahre Wirklichkeit dieses Hergangs aber schließt dessen Gültigkeit im
Gegenüber Gottes in sich. Innerhalb der an dieser Stelle vor sich gehenden polaren Beziehungen zwischen Gott und einem Menschen tun sich

Inbegriff und Sinn, tut sich die göttliche Legitimation der reformatorisch verstandenen Sendung auf.

Calvin hat in diese Sendung ihren um Gottes, seines Wortes und Evangeliums willen streng verpflichtenden Öffentlichkeitscharakter für hineingebunden erachtet. Er war selbst durch eine ausgesprochen hartnäckige Voreingenommenheit gegen das reformatorische Bekenntnis, eine angeborene Neigung zur Menschenscheu und zur Ungestörtheit gelehrter Arbeit[272] hindurch unter mancherlei Kämpfen zu puritanischer Gesinnung in der Auffassung von Kirche, Heil und christlicher Lebensführung hindurchgedrungen. "Nikodemit" war er nicht gewesen. Einen verwerflichen Vorbehalt der öffentlichen Verehrung des allein wahren Gottes gegenüber wollte er auch seitens des Načman nach 2. Kön. 5, 18 f. nicht zugestehen. Wohl habe Naěman die seinem König geschuldeten Obliegenheiten zu erfüllen gelobt, sich aber nicht von der heimlichen Absicht leiten lassen, jenem seit seiner Lebenswende[273] von ihm erkannten Gott die insbesondere doch nun auch öffentlich geschuldete Verehrung zu verweigern. Durch diese deutliche Unterscheidung zwischen den dem König geschuldeten Pflichten und dem Gott geschuldeten öffentlichen Bekennen wollte Calvin den von ihm so benannten, in einen vagen biblizistischen Humanismus sich hüllenden "Nikodemiten" Frankreichs unter der "Tyrannei" Franz I. Die Ausflüchte abschneiden[274]. In einer Predigt aus dem Jahr 1562 noch spricht er von seinen eigenen "furchtbaren Nöten"[275] in jener Zeit unter dem Zwang, "nur ja nicht das Wort zu sagen", weil dann die Gegner der "wahren Gläubigen" in Frankreich das "passende Mittel" hätten finden können, die reformatorisch Gesinnten "zu vertilgen"[276]. Sie fanden es erst zu späterer Zeit, merkt Calvin vielsagend an, als es für sie zu spät war. Als Calvin 1535 mit du Tillet in Basel Zuflucht fand, hatte er das genaue Gegenteil von dem im Sinn, was die Nikodemiten taten. Wäre in Frankreich seine reformatorische Gesinnung entdeckt und er zum öffentlichen Bekennen gezwungen worden, so hätte er sein damals entschlossen geplantes literarisches Eintreten für die Reformation voraussichtlich mit seinem Tode besiegelt. Es spricht die große Wahrscheinlichkeit dafür, daß er Frankreich verließ, um öffentlich und also schriftstellerisch mit dem reformatorischen Verständnis christlicher Lehre und Frömmigkeit hervortreten zu können und sein Leben nicht in feigem und fruchtlosem Schweigen hinzubringen.

Calvin hielt also dafür, wollte er nicht verleugnen, daß er seinen Landsleuten und seinen Zeitgenossen insgesamt das Bekenntnis der reformatorischen Wahrheit des Heils schuldig sei. Daß bei ihm aber dabei zunächst nicht von einer Mehrzahl von Wahrheiten im lehrgesetzlichen Sinne die Rede ist, hat folgenden Grund. Wahrheit tut sich auf, wird erhellt in den polaren vorsehenden und folgends heilsmächtigen Bezügen und Beziehungen, die Gott mit je einem Menschen knüpft und die in dieser ihrer Wirklichkeit als letztgültige habituale und ak-

tuale Verhältnisse zu gelten haben. Wahrheit solchergestalt ist für
Calvin zunächst einmal rein personhafter Natur, beruht auf der unbedingten Verläßlichkeit Gottes, sieht es auf den Glauben und Gehorsam
je eines Menschen ab und gestattet ihre Vergegenständlichung nur, sofern es sich um ihre, der wahren Wirklichkeit nachgehende, geordnete
Darstellung handelt. Lehrsätze werden für Calvin nicht geoffenbart,
sondern aufgrund der Selbstbekundung Gottes in der Auseinandersetzung
mit anderen Lehrmeinungen formuliert. Sie haben jedenfalls grundsätzlich keine philosophische Struktur. So wird denn auch nach Calvin
Einblick in die Personhaftigkeit jener polaren Bezüge und Beziehungen
nur durch die Hl. Schrift gewährt, weil sie die Gültigkeit eines Ein-
greifens Gottes in Menschenleben und Menschengeschichte bekundet. In
Übereinstimmung damit aber wird bei je einem Erwählten auch die Wende zur Gelehrigkeit in der Folge sowohl die Gewißheit des Heils und
die durch den Geist gewirkte intuitive und affektive, zuversichtlich
hoffnungsvolle Glaubenserkenntnis zu Stande gebracht, als auch die
Bewirkung der Hingabe an Gott. Der Inbegriff theologischer Wahrheit
hat es immer mit der jeweilig auf die Hl. Schrift ausgerichteten und
insofern legitimen Gegenseitigkeitsbeziehung von Gott und einem Menschen zu tun und macht das reformatorische Vollverständnis von Wahrheit, also auch dasjenige Calvins, aus. Es ist bei aller Normativität
existentiell zu deuten.

Die personhafte Sonderung eines jeden Menschen, die darin besteht,
daß er von Gott immer nur als einer für sich behandelt wird und in
Gottes Gegenüber, auf sich gestellt, auch in allen Beziehungen zur Umwelt nur sich selbst zu verantworten hat: diese seine unabtretbare
Identität mit sich selbst in jenem Gegenüber Gottes, dem er sein Dasein, Hiersein und Sosein und solchergestalt auch sein Heil und alle
seine ihm entsprechende Zukunft verdankt[277], lüftet für Calvins Begriffe den Schleier über dem, was als wahre Wirklichkeit jedem Gläubigen und Frommen gerade an seinem Heil gewiß ist. Es macht das öffentliche Bekenntnis zur unumgänglichen Pflicht. Dabei muß er es den
durch Gott gezeitigten persönlichen und geistlichen Vorgängen als un-
widerruflichen Begebenheiten anheimgestellt sein lassen, mitten in
der Kontinuität von Geschichte und Menschenleben jeweils einen, wenn
auch nur den allergeringsten, Anfang einer Wende herbeizuführen. Eine
gewisse Vergleichbarkeit mit dem Vergangenen wird in Calvins Diktion
häufig genug ausgesprochen[278]. Gleichwohl entscheidet hier nicht die
bloße Tradition, sondern die aus dem personhaften Gegenüber Gottes,
seines Wortes und Evangeliums neu geborene, ganz bestimmte Vorfindlichkeit eines Gläubigen und Frommen vor Gott, die seinem Gewissen
Auftrag und Sendung mit ganz bestimmter Zielsetzung zur unausweich-
baren Verbindlichkeit macht.

Der geistliche Bereich von Umkehr, Lebenswende und Buße in der theologischen Konzeption Calvins

6.1

Geschichtliche Rückverbindungen

Die vorangegangenen Erörterungen erbrachten für Calvin u. a. ein Verständnis seiner eigenen "Konversion", nach dessen Beziehung zu dem Sinn von Umkehr[279] und Buße[280], wie er ihn ja auch lehrgerecht ausspricht, man wird fragen müssen. Es heißt 1539: "Mit der Buße wird die Umkehr zu Gott verbunden, und zwar nicht als etwas Verschiedenes von jener, vielmehr sollen wir wissen, was es mit der Einsicht zu richtigem Handeln[281] auf sich hat"[282]. Dieser Vorgang der geistlichen Wende oder Umkehr wird von Gott bewerkstelligt oder gezeitigt, um sich bei einem Wiedergeborenen als Umkehrbewegung lebenslang fortzusetzen. Wiederum aber auch ist es die Bekehrung zu Gott, die uns nicht nur der Herrschaft Satans entreißt, sondern auch mit der freiwillig gewährten Vergebung der Sünden beschenkt[283]. Keiner unter den Gewährsmännern Calvins hat diesem Verständnis von Buße und Umkehr einen solchen Nachdruck verliehen wie Bernhard. Umkehr ist für den Zisterzienserabt nur möglich, wenn Gottes Wille und seine im Menscheninnern laut rufende Stimme vorangeht[284]. So nur wird die Seele in Stand gesetzt, alles Böse unter hartem Streit zu verurteilen und von sich fernzuhalten[285]. Aber es wird auch "auf liebliche Weise" der Wille zum Lieben und Betrachten der himmlischen Dinge hingeleitet. Der Trost geistlichen Aufatmens kehrt ein. So wird denn nach Bernhard nicht nur durch Abwendung vom Bösen, sondern auch durch ein Tun des Guten sogar das Heil erlangt. Buße ist Umkehrbewegung zu Gott oder zu Christus als dem Bräutigam der bekehrten Seele; denn mit der "ersteren" Gnade der Buße wird die Abwendung vom Bösen vollzogen, die zweite hingegen muß angenommen werden, um würdige Früchte der Buße zu bringen. Wesentlich ist das Verständnis solch fortschreitenden Bußlebens als Inbegriff der Frömmigkeit[286]. Die Imitatio bringt dann, bei aller Predigt- und Unterrichtstätigkeit der Fraterherren, ein Bernhard ähnliches introvertierteres Einüben des Bußlebens durch andachtsvolles Versenken in das Bild Jesu und den demutsvollen Nachvollzug seines Lebens[287]. Der spätere Calvin dann hält die Buße oder das Bußleben für das "Hauptkapitel der Frömmigkeit"[288]. Man braucht für ihn nicht erst auf Bucer hinsichtlich dieses Verständnisses von Frömmigkeit zurückzugreifen[289], weil der Fraterherr Standonck, der

im Collège de Montaigu für die Zukunft der Anstalt eine Ordnung
strenger Exerzitien und Formen des Zusammenlebens hinterlassen hatte, die, ganz aus dem Geist Geert Grootes geboren, ohne die Bußge-
stalt bernhardinischer Frömmigkeit undenkbar ist[290].

6.2
Der geistliche Bereich von Lebenswende, Umkehrbewegung und Buße in
Calvins theologischer Konzeption allgemein

Es fällt nicht leicht, die Verbindungslinien innerhalb des geistlichen Lebensbereiches von Lebenswende, Umkehr und Buße in den von Calvin gemeinten lebendigen Beziehungen und deren Ordnung zueinander
richtig zu erfassen. Was hier darzustellen ist, liegt, wie bei Calvin überhaupt, abseits abstrakter Begrifflichkeiten, steckt aber den
Inbegriff eines geistlichen Lebens- und Erkenntnisbereiches nach allen jeweils in Frage kommenden Seiten ab, um ihn zugleich doch auch
wieder zu öffnen. Unter dieser Voraussetzung hält der junge Reformator jedenfalls nach seinem Dafürhalten, wie er sich selbst beschei-
det, folgende "Definition" von Buße[291] für möglich: sie sei "die
wahrhaftige Wende unseres Lebens zu Gott, nehme ihren Ausgang von
der aufrichtig ernsten Furcht vor Gott und bestehe in der Ertötung
unseres Fleisches zusamt dem alten Menschen und in der Verlebendigung durch den Geist"[292]. Damit umgrenzt er den so weiten Bereich des
geistlichen Lebens; denn Buße "interpretiert" er des weiteren als
jene Ertötung unser selbst, die sowohl uns teil gibt an Christus,
seinem Heil und Reich, als auch noch zutreffender auszusprechen erlaubt, daß sie "das Leben eines Christenmenschen" meine, und zwar als
"eine immerwährend sich mühende Übung in der Ertötung des Fleisches,
bis es schließlich[293] ganz zugrunde geht"[294]. Im Unterschied vom lutherischen Verständnis der Verlebendigung als aufrichtenden, freud-
vollen Trostes für einen zuinnerst verängstigten und verwirrten Sünder[295] will Calvin auch und gerade die geistliche Verlebendigung
eines Menschen aus seiner Wiedergeburt im engeren Sinn herleiten und
sowohl als den Anfang eines Lebens für Gott, als auch den fortschreitenden Eifer in heiligem und frommem Leben betrachtet wissen[296]. Die
christliche Frömmigkeit faßte er schon seit 1539 als das Bußleben
einer unentwegt fortschreitenden Umkehrbewegung zu Gott und dabei als
die zuinnerst bewegte Verfassung eines zu Gerechtigkeit und Heiligkeit erneuerten Lebens auf, dem es unablässig nachzutrachten gelte.
Im Gegensatz zur "gesetzlichen Buße", die ohne Heilshoffnung in der
Verzweiflung ende, bezeichnete er Anfang und Fortgang der Umkehrbewegung zu Gott durch die Glaubenszuversicht als "evangelische Buße"[297]. Nicht erst des Erasmus, sondern schon Bernhards Sprachschatz
konnte ihn sehr wohl gelehrt haben, Umkehrbewegung, Buße und ein
"Handeln aus gebesserter Einsicht"[298] als Wechselbegriffe zu gebrau-

chen und lehrmäßig darzustellen.

Calvin kennt von Luther her die in die Begnadigung durch Gott hineinführende dialektische Heilspädagogik des Zehn-Gebote-Gesetzes so genau, daß er Augustin tadelt, weil er das Strafamt des Gesetzes vernachlässige[299]. Er weiß aber auch über den "Kontritionismus" in der subjektivierten Gestalt Bescheid, wie er sich besonders bei den nominalistischen Franziskanern, wie etwa bei Johann Major, unter einem gewissen Abbröckeln des Bußsakramentes herausgebildet hatte, und interpretiert jenen nun seinerseits als ein völlig unverdienstliches, an kein Sakrament mehr gebundenes, für einen Sünder im Blick auf sein Sündersein und Sündetun notwendiges und schmerzliches Wahrwerden vor Gott, ohne welches es denn durch diesen selben Gott auch keine forensische Rechtfertigung oder göttliche Akzeptation gibt.

Allein, es gehört zu den besonderen Eigentümlichkeiten des jungen Reformators, daß er die Lebenswende von ihren Anfängen an in lebendiger Umkehrbewegung sich nach den drei Seiten der legitimen Gottesverehrung, des denkbar innigen persönlichen Teilhabens am Heil in Christus durch den Glauben und schließlich sowohl der bußfertigen Frömmigkeit, als auch der Liebe zum Nächsten sich bewähren sieht. Diese Frömmigkeit wird aber begründet, umfangen, begleitet und abgeschirmt gehalten durch die forensische, als umsonst ergangene Annahme "interpretierte" Rechtfertigung, und zwar gegen jedes Wiederaufleben der Heilspädagogie des Gesetzes im Leben eines Gerechtfertigten, wenn er durch sein Sündigen Gottes Zorn und Strafe neu herausfordert. An die Stelle der sich jeweils erneuernden Gerichtssituation hinsichtlich des Widerspiels von Gesetz und Evangelium tritt bei einem wirksam berufenen Erwählten, wiederum eine Besonderheit Calvins von großer Reichweite, das voraussetzungslos freie, immer aber wohlwollende Ermessen der "väterlichen" Verhaltensweisen Gottes. Zwar gilt es Calvin als große Beschwernis, was der sündigende Gläubige als Geistwesen[300] und als Seele[301] zuinnerst in seinem Herzen[302] angesichts des Versagens seines Willens und dessen Wollungen[303] unter heftigen Schmerzen wahrnimmt; aber die als solche gewiß reformatorisch verstandene Rechtfertigung schneidet den Eintritt des verklagenden und verurteilenden Gesetzes in den Heilsstand eines Gläubigen und Frommen ab.

Indessen zeigt Calvin, wie die ständige Umkehr- und Bußbewegung eines Christen zu Gott hin in seinen ganzen Heilsstand lebendig einbezogen ist. Freilich behandelt er[304] den Schrecken vor dem Zorn Gottes, ohne noch durch das Widerspiel von Gesetz und Evangelium beseitigt werden zu müssen, nicht als Straf-, sondern als Züchtigungsgericht[305]. In der Bußfrömmigkeit eines Gläubigen nimmt bei Calvin die Furcht vor Gott jenen Platz ein, wie ihn schon Bernhard beschrieben hatte. Der Zisterzienserabt hatte sich auf die allgemeine Erfahrung berufen, daß einen Menschen in den Anfängen der Bekehrung die Furcht vor Gott überkomme[306], und auch die Imitatio stimmt darin mit ihm überein[307]. Für den Fortgang der Frömmigkeit aber gebührt sowohl nach Bernhard, als auch nach Calvin Gott als Herrn fromme Furcht, ihm als Vater fromme Ehre und Liebe. 1559 stellt Calvin endgültig dann diese "Furcht Gottes als Prinzip der Buße" hin[308]. Von der erwähnten endgültigen, zur Verzweiflung führenden Gerichtsfurcht ist bei Calvin dann nur noch hinsichtlich der Verworfenen die Rede. Sonst spricht er seit 1539 außer von Buße etwa von dem Mißfallen an uns selbst, durch das uns Gott zu sich rufe[309]. Dieses dient im höchsten Grad dem geistlichen Fortschritt, nimmt dann einen weiten Raum auch in Calvins Gebeten ein und ist Merkmal eines unentwegten Bedachtnehmens auf Buße, sofern ein wirkliches Teilbekommen an Christi Tod und Leben eingetreten ist[310]. Für das Mißfallen eines Gläubigen an sich selbst und den Fortgang der Umkehrbewegung seines Bußlebens aber kommt Calvin ein an der heidnischen Antike orientiertes, durch die christliche Frömmigkeit und Theologie hindurch fortgepflanztes Ethos des Maßhaltens in den Sinn, das vor seiner seelischen Überforderung an bußfertiger Niedergeschlagenheit warnt. Auch in diesem Zusammenhang bemüht Calvin Bernhard für sich. Daneben aber tritt der andere Gedanke auf, daß Gott es sich von Gläubigen, die seinen strafenden Zorn herausgefordert haben, gefallen lasse, daß sie diesem durch kniefällige Buße zuvorkommen.

Calvin drängt, hierin durchaus antistoisch, allenthalben auf die geistliche Bewegtheit der Subjektivität eines Gläubigen nach allen Seiten seiner frommen Affekte[311] und auf das zuinnerst sich geltend machende Gewahrwerden[312] aller Heils- und Lebensmitteilung Gottes. Das geschieht aber dadurch, daß Gottes Geist unsere in seine Heiligkeit "eingetauchten" Seelen mit neuen Gedanken[313] ebenso wie mit neuen inneren Anwandlungen[314] "tränkt", sodaß sie "mit Recht für neu gehalten werden können"[315]. Damit kein Zwiespalt zwischen der inneren Verfassung und den äußeren Werken eines Frommen entsteht, muß die "Umwandlung"[316] eines Menschen zutiefst in seiner Seele vor sich gehen[317]. Es handelt sich um die Wahrhaftigkeit christlicher Lebensführung, an der Calvin so sehr gelegen ist. Auch hier wieder ist der Hinweis auf den Antiintellektualismus der mystischen Frömmigkeit und Theologie angebracht. Wie der Beginn der wahren Sündenerkenntnis bei einem Menschen, dem jungen Reformator zufolge, auch den Anfang eines rechten Hassens und Verwünschens der Sünde mit sich bringt[318], so umfaßt, wie es gelegentlich heißt, seine Gesamtumkehr[319] zu Gott als wesentliches Stück sogar den Glauben[320]. Die eigene Wende im Leben Calvins mag zu dieser Gedankenordnung wesentlich beigetragen haben. Gleichwohl pflegt er sonst den Glauben der Buße weder unter- noch einzuordnen.

In vier hauptsächlichen Beziehungen befindet sich die jähe Wende zur geistlichen Gelehrigkeit Calvins in Richtung auf das, was er seit

1539 über das Bußleben eines Christen also ausführlich dargelegt.

Die Umkehr zu Gott gehört zum "Scopus des Evangeliums", wie denn "das Evangelium Christi" alle zu solcher Buße ruft, die, im engeren Sinn betrachtet, hinwieder an die Umkehr unlöslich gebunden ist. Mit der Vergebung der Sünden zusammen bildet sie "die Summe des Evangeliums" und wird darum auch, im Unterschied vom ethisierten Begriff des "Evangelischen" bei Erasmus, als "evangelisch" bezeichnet[321]. Was aber die Buße rückfälliger Sünder angeht, erhärtet Calvin 1560 in einem Schreiben an Ambrosius Blaurer aus der Hl. Schrift auch für sie die Hoffnung auf die Verzeihung Gottes. Als Gnade gibt sie sogar Menschen voll verstockter Verachtung Gottes nicht auf[322].

Nach Calvin ist es die Regel, daß es der Glaube ist, der das Bußleben als Umkehrbewegung zu Gott oder auch zum Gehorsam gegen ihn aus sich gebiert und seinen bleibenden Quell bildet. Doch wehrt er sich gegen die "träumerische" Vorstellung von einem zeitlichen statt logischen Nacheinander und will die unlösliche, in der Sache wohl zu unterscheidende, nicht aber durcheinander zu mengende Gleichzeitigkeit beider gewahrt wissen[323]. Bußbewegung als geistlich erneuerte, fortschreitende Bewegtheit des Lebens wurzelt eben in der umsonst gewährten Versöhnung, sowie der Vergebung und der umsonst zuerkannten Gerechtigkeit, des weiteren in der aus Gottes Barmherzigkeit durch Christus zustande gebrachten Heilsstiftung von Begnadigung, Begnadung und ewiger Erbschaft. Die also im Glauben wurzelnde und mit ihm einhergehende Frömmigkeit Buße zu nennen, geht ohne weiteres auf Bernhard, kann aber gleichzeitig auch auf die erste der Thesen Luthers von 1517 zurückgehen.

Die mit der Buße zunehmend sich bahnbrechende geistliche Lebenserneuerung hat, nach der "Interpretation" Calvins, die Wiederherstellung des Bildes Gottes im Menschen und eine entsprechende Neuheit des Lebens zum Ziel[324]. Sie vollzieht sich nach den beiden Seiten der Ertötung des Fleisches und der Verlebendigung durch den Geist. Des näheren handelt es sich um die Tilgung unserer in die Aufsässigkeit gegen Gott verkehrten Veranlagung, um die Verleugnung unser selbst und die Erneuerung der Denkungsart nach Geist und Herz durch den Hl. Geist. Buße, Lebenswende, Erneuerung und Umwandlung, also Wiedergeburt im engeren Sinne und alle diese auf eins hinauslaufenden Vorgänge der einen durch den Geist Gottes hervorgebrachten habitualen Frömmigkeit und ihrer durch denselben Geist aktivierten Handlungsweisen, meinen dasselbe wie die Ausrüstung zur Heiligung und deren Verwirklichung. Doch bleibt auch in einem Wiedergeborenen bei aller Unantastbarkeit seines Lebens ein Zunder des Bösen, der ihn seine Schwäche immer besser erkennen lehrt und zum dauernden Streit herausfordert[325]. Christenleben ist, wie schon nach Erasmus, so nach Calvin, bei diesem aber doch unter der Voraussetzung der bereits eingetretenen Heils- und Glaubensgewißheit, Kriegsdienst.

Wie Bernhard, so drängt auch Calvin von Anfang an auf ein geistliches Fortschreiten. Diese Vorstellung wurzelt in dem neuplatonischen Denken von der Notwendigkeit der Überbrückung der Kluft zwischen dem weltentrückten Gott und dem ins Diesseits gebannten Menschen. Die Gnade des Hl. Geistes wirkt in der Richtung jener zunehmenden Überbrückung, sie tötet und erneuert, bringt unter Gottes Führung ein fortschreitendes Besserwerden der ewigen Seligkeit entgegen, ein immer reicheres "Einströmen" der Fülle seiner "Gnaden"[326], sodaß Calvin schon 1536 von solchen zu sagen weiß, die "schrittweise", "von Tag zu Tag je mehr und mehr" auf dem Weg Gottes weit vorangekommen sind[327]. Gott selbst, so heißt es dann 1539 in der Erörterung der Buße, tilge durch langsam angehende Fortschritte bei seinen Erwählten die Verderbnisse des Fleisches[328]. Doch weist Calvin eine von den Wiedertäufern angenommene, mit der Wiedergeburt sich einstellende Vollkommenheit "als Wahn" scharf zurück[329]. Allen Erscheinungen christlichen Bußlebens aber mißt er geistlichen Bildungswert bei. Es handelt sich um ein "Herangebildetwerden" zu gewissenhafterem Gehorsam durch Demut, Buße, Kreuztragen und Selbstverleugnung, um Fortschritte in der "Schule Christi", und zwar keineswegs nur um solche des Wissens und der Klugheit, sondern auch um die der Standhaftigkeit und Tapferkeit[330]. Gern bezieht Calvin die geistliche Charakterprägung eines Christen in dessen gesamte Bußfrömmigkeit mit ein[331]. Eine dem reformatorischen Heilsverständnis angepaßte Lebensform, nicht ohne die Verwendung überkommener bernhardinisch-devoter Züge, lag ihm am Herzen.

Der Inbegriff der Lebenswende Calvins vom Katholizismus zur Reformation

7.1

Die Frage nach den "Anfangsgründen"

In einer Erwiderung an Jakob Sadoleto vom 1. September 1539 ließ sich Calvin unter Anrufung Gottes so aus: "Die Anfangsgründe aber, in die ich eingeführt worden war, waren von der Art, daß sie mir weder über die Deiner Gottheit darzubringende Verehrung hinlänglich Aufschluß gaben, noch den Weg zur sicheren Hoffnung des Heils dartaten, noch auch mich für die Pflichten des christlichen Lebens richtig ausbildeten"[332]. Calvin legt diese Worte einem reformatorisch Gesinnten in den Mund, der sie für die anderen Gleichgesinnten ausspricht, und meint mit ihnen nicht zuletzt sich selbst. Was aber von den "Anfangsgründen"[333] zu halten ist, die sich ein Scholar der Artistenfakultät zu erwerben pflegte, wenn er das dreieinhalb- oder vierjährige Studium an ihr als nunmehr gebildeter Katholik abschloß, wurde schon früher gesagt. Bezieht man den ganzen Rahmen der ins Autoritäre abgeglittenen Autorität der Kirche mit ein, die, besonders an einer so streng rechtgläubig geleiteten Anstalt wie Montaigu, der Unterweisung, Erziehung und Einübung in den Hauptstücken katholischer Lehre und mönchisch gearteter Lebensordnung den nötigen Nachdruck verlieh, so wird man nicht im unklaren darüber gelassen, woher die ausgeprägte Autoritätsfürchtigkeit Calvins vor der angestammten Kirche kam.

Vorher werden in derselben Schrift aber auch die reformatorischen "Anfangsgründe" genannt, wie sie sich als göttliches und geistliches Bedachtnehmen und Einüben dem werdenden Reformator Genfs darstellten. Es heißt: "Die allerersten Anfangsgründe, mit denen wir in der Frömmigkeit solche zu unterweisen pflegen, welche wir als Schüler für Christus gewinnen wollen, bestehen in folgendem. Sie sollen sich nicht leichthin und nach eigenem Belieben irgendeine neue Verehrung Gottes zurechtmachen, sondern über eben diese allein rechtmäßig Bescheid wissen, wie sie denn von Uranfang mit seiner (Gottes) Zustimmung ausgeübt worden ist. Wir führen nämlich das Zeugnis des heiligen Prophetenwortes an[334]: Gehorsam ist hervorragender als jedwedes Opfer. Schließlich üben wir uns auch auf jede Art und Weise darin, mit der Richtschnur Gottes, die wir aus seinem Mund haben, zufrieden zu sein und allen nachträglich erdachten Arten von Gottesvereh-

rung den Abschied zu geben"[335]. Die Auslegung zu Ap. gesch. 22, 16 f.
bestätigt, was es bei Calvin mit diesen Anfangsgründen auf sich hat.
Ohne Zweifel hat Ananias Paulus "mit den Anfangsgründen der Frömmigkeit zuverlässig bekannt gemacht", sodaß dieser mit wahrem Glauben
einsah, daß die Erlösung in Christus verwirklicht worden sei. Tauft
Ananias ihn dann, so deshalb, weil das "Symbol des Wassers" die Süh-
nung allein durch das Blut Christi nicht im mindesten verdunkeln
darf. Gleichwohl dürfen die Sakramente nach dem Verständnis des Calvin von 1538 doch auch wieder "ihre Wirkung und Frucht" nicht ein-
büßen[336].

7.2
Der Inbegriff des Woher und Wohin der Lebenswende Calvins

7.2.1
Erster Teil

Die katholischen und reformatorischen "Anfangsgründe" lassen ganz
wesentlich das Urteil erkennen, das Calvin gewann sowohl über die
Kirche, aus der er schied, und über deren Lehre und Einrichtungen,
als auch über jene Gestalt, Lehre und Frömmigkeit in der Kirche
Genfs, die unter des jungen Reformators Wirken im Entstehen begriffen war. Hier soll vornehmlich die Tragweite seiner Äußerungen bis
in die Zeit der Jahre 1538/39 in Betracht gezogen werden. Dann mag
sich folgendes Bild ergeben.

7.2.1.1
Die Frage nach der Gottesverehrung

Für Calvin steht zunächst immer wieder im Vordergrund die durch das
Gebot Gottes bestimmte Gestalt von Verehrung Gottes in ihrer umfassendsten Weite. Was die Kirche und ihren Kultus angeht, liegt dem
Urteil Calvins die Art einer Gottesverehrung zugrunde, die den Auffassungen Gregors und Majors von der Denk- und Weltentrücktheit Gottes entspricht, sie aber darüber hinaus in der Richtung auf einen
theologischen Puritanismus wie selbstverständlich auswertet. Vor allem aber hat ihn das zweite Gebot nach biblischer Zählung aufge-
schreckt gegenüber einer Gottesverehrung und Frömmigkeit, die angesichts der Unkörperlichkeit, Unsichtbarkeit, Erhabenheit, Weltentrücktheit und Unverfügbarkeit Gottes über alle Zeitlichkeit und Räum-
lichkeit, Veränderlichkeit und Vergänglichkeit hinaus die unausbleibliche Folge, ja auch Forderung Gottes selbst außer Acht ließ,
daß von dessen Verehrung und heilsmächtiger Gegenwart in der Kirche
alles Sinnenhafte, Vorstellbare, Bildhafte und Zufällige ferngehal-
ten werden müsse[338].

Es erweckt auch den Anschein, als begänne für Calvin an dieser
Stelle die eigentliche, dem Wort und Gebot demütig sich "unterwerfende" Gelehrigkeit eines bislang seiner Gläubigkeit und Frömmigkeit
bewußten und "hartnäckigen" Katholiken. Doch ist hier ein Unterschied zwischen ihm und Luther immer bestehen geblieben. In das Gott
geschuldete "Fürchten, Lieben und Vertrauen" bei Luther schiebt sich
bei Calvin nachdrücklich die Gott zukommende öffentliche Verehrung
nach dem Verständnis der ersten Tafel der Zehn Gebote ein[338]. Zur
Zucht in dieser wahren Gottesverehrung[339], zur brennenden, ganz hingegebenen Liebe an sie, zum flammenden Eifer in ihr[340] läßt sich
"reiner" Glaube und "wahre Herzensfrömmigkeit" "gern"[341] verpflichten[342]. "Wenig theologisch" nennt er es Sadoleto gegenüber, dem Heil
und Trachten eines Menschen nach dem künftigen Leben den Vorrang vor
der "Regel" der einen "gültigen"[343] Gottesverehrung[344] zu geben[345].
Den eudämonistischen Ausgang des irdischen Lebens kann man nicht
verdienen.

Unerbittlich bleibt Calvin dabei, daß seine Lebenswende zur Abkehr
von der Blindheit und Unwissenheit führte, mit der auch er hartnäk-
kig der "Eitelkeit des Bilderdienstes" ergeben gewesen war[346]. Den
"frömmigkeitswidrigen Zeremonien", der "fälschlichen Auffassung von
Frömmigkeit", der "Befleckung des so heiligen Tempel Gottes... durch
fremde und ruchlose Bräuche"[347], dem ganzen "magischen Brauchtum"[348]
hat er abgesagt. In leidenschaftlichem Kampf bezieht er Stellung gegen "die Duldung von Dingen, die bei der Gottesverehrung nicht im
geringsten geduldet werden dürfen"[349]. Mit seinem Übergang nach Basel bekannte er sich öffentlich und endgültig zum Abschied von dem
"heidnischen Wesen"[350] der Kirche, die er damals verließ. Er hatte
in ihr den "hochheiligen"[351] Namen Gottes durch "größte Lästerung"[352]
entweiht empfunden und erkannt. Die Herstellung des goldenen Stiers
durch Aaron auf Drängen der Israeliten ist ihm Beleg dafür, wie Menschen Gott im Bild "mit eigenen Augen" anzuschauen begehren[352]. Ähnlich auch erblickt er, in recht drastischen Ausdrücken oft sich
überschlagend, "Aberglauben voller Entartung" in dem von ihm als
heidnisch behandelten Kult der päpstlich-priesterlichen Kirche
Roms[353]. Calvin meint sich selbst doch wohl mit, wenn ihm das Woher
der in Frage stehenden Lebenswende zunächst einmal im Licht von Irrtum und Unwissenheit erscheint[354]. Bei den von ihm so benannten Nikodemiten aber findet er angesichts der besseren Erkenntnis, die sie
im Vergleich mit den vorangegangenen "Irrtümern ihres bisherigen Lebens" gewonnen haben, ein Mißverhältnis und nennt dessen bewußte und
beschönigte Beibehaltung Heuchelei[355]. Das Woher der Kirche, aus der
Calvin und die mit ihm reformatorisch Gesinnten des europäischen
Westens kommen, kennzeichnet er als Beschmutzung alles dessen, was
in der Verehrung Gottes als heilig zu behandeln ist[356]. Die Abkehr
vom "Schmutz", den man bei der in Frage stehenden Lebenswende hinter

sich läßt, beginnt nach seinem Dafürhalten angesichts 2. Kor. 3, 5 einer Lieblingsstelle schon der spätmittelalterlichen Antipelagianer, mit der schlechthinnigen Absage eines Menschen an sein vermeintliches eigenes Vermögen zum geistlichen Weisesein und "Denken aus sich selbst"[357].

Es gehört zu den eigentlich doch nicht zu übersehenden Eigentümlichkeiten des Woher und Wohin der theologischen Konzeption Calvins von Anfang an, daß die Gott angemessene geistliche Verehrung, Religion und Frömmigkeit als Klammer aller Aussagen erscheint, die über das "christliche Religionswesen" und dessen unaufgebbare öffentliche Ausübung gemacht werden müssen. Es ist bekannt, wie sich Erasmus in der Vorrede zu den Paraphrasen des Neuen Testaments mit allem Nachdruck für die Aufhebung der Unterscheidung von Priestern und Laien einsetzte und den letzteren ein ebenbürtiges Anrecht an eine biblische Heilserkenntnis zuerkannt wissen wollte. Calvin ist in diese Fußstapfen getreten, unterscheidet sich freilich von den Humanisten durch seine "affirmative"[358], reformatorisch gesinnte Theologie und macht geltend, daß Gott nur so in uns wohne, daß er uns nicht durch die der kirchlichen Überlieferung entsprechende Handauflegung der Priester regiere, sondern "unmittelbar"[359] durch seinen Geist[360]. Dieser ist es, der durch seine lebendige Wirkkraft und sein Werk, nicht zuletzt auch bei den Sakramenten, den Glauben beginnt, bewahrt und vollendet, der auch das Gesetz wirkungskräftig in das Herz schreibt[361].

In der Erstausgabe der Institutio ist häufiger noch von einer Mehrzahl der Gnaden die Rede[362], später spricht Calvin von der Gnade oder Gabe des Hl. Geistes schlechthin nur in der die "doppelte Gabe" der Begnadigung und Begnadung gleichzeitig umfassenden Einzahl. Der Akzent wird dann auf die rein freiwillige Übermittlung alles dessen gesetzt, was dem Heilsstand und der Gott verehrenden Ausübung der "Religion" dient. Sowohl das Ergreifen der Barmherzigkeit Gottes in Christus und der Gaben und "Gnaden" des Hl. Geistes durch den Glauben, der sich dabei auf das Wort Gottes stützt[363], als auch die gesamte Frömmigkeit gründet im Gehorsam des Glaubens. Gott kann darum nur so verehrt werden, heißt es später, daß er seinem Volk Lehre und Vorschrift darüber gibt, was zu tun sei, also allein auf Grund des uns geoffenbarten Willen Gottes[364]. So werden wir denn nur durch die erste Tafel des Gesetzes zuinnerst zur Frömmigkeit und zur Verehrung dessen, der alleiniger Gott ist, in Geist und Wahrheit angeleitet[365]. Das "wahre Religionswesen" bewahrt die Zucht, verabscheut den ganzen Schwarm der Götzendiener, heiligt und muß selbst auch als hochheilige Verehrung[366] Gottes vorschriftsgemäß erhalten bleiben[367].

7.2.1.2
Das Geistsein Gottes

Bei der Frage nach dem Woher und Wohin der Lebenswende Calvins wird
man sich um eine Erschließung des Wortes "spiritual" bemühen müssen. Es gibt im Deutschen kein Wort, das dem Inbegriff jenes gerecht
werden könnte. Im Sprachgebrauch Calvins ist es komplex und nach meh-
reren Seiten offen. Zunächst versteht er, der schon bei Augustin an-
zutreffenden theologischen Aussage getreu, darunter Gottes Unkörperlichkeit, seine sinnenfällige und seine denkerische Unerfaßbarkeit,
schließlich im besonderen scotischen Verständnis Gottes Unendlichkeit: er umfaßt alles, ohne doch selbst umfaßt werden zu können[368].
Major sagte, es könne ihn "aller Himmel Himmel" nicht fassen[369].
Seiner Schöpfung gegenüber befindet sich Gott auch nach Calvin in
einer vollendeten Andersartigkeit, aber doch so, daß alles Geschaffene um seiner Geschöpflichkeit willen von ihm abhängig und auf ihn
angewiesen bleibt. An Stelle von "Bildern und Büchern für Laien",
wie sich Calvin im Anschluß an Luther ausdrückt, hat Gott die "prophetische und evangelische Lehre", die "Predigt seines Wortes als die
für alle gemeinsam bestimmte Lehre in aller Öffentlichkeit dargelegt"[370]. Mit der Unerlaubtheit aller bildlichen Vorstellung und
Darstellung Gottes verband Calvin aber zugleich Gottes geistige Personhaftigkeit. Er übernimmt diese in ihrer ockhamistischen Zuspit-
zung, ohne doch dem Gedanken eines Willkürhandelns Gottes, dem er
das Axiom der Theodizee entgegensetzt, auch nur theoretisch zuzustimmen.

Für Calvin ist ebenso wenig wie vordem schon für Luther der Sub-
stanzbegriff auf Gott anwendbar, weil beide auf verschiedene Weise
und in unterschiedlich bleibender Stärke vom Ockhamismus herkamen.
Calvin mußte Luther darin durchaus verstehen. Doch zeigt sich an dem
Sakramentsverständnis Calvins schon 1536 im Unterschied von demjenigen Luthers, daß er mit der geistigen Personhaftigkeit Gottes auf
der ganzen theologischen Linie Ernst zu machen entschlossen ist. Allein, diese trägt nicht, wie bei Erasmus, den Charakter der "Gegen-
leiblichkeit" und "Gegenfleischlichkeit"[371]. Diese Kategorien sind
trotz allem keine angemessene Deutung der geistigen Personhaftigkeit
Gottes, weil sie diese vergeistigen. Auch die vereinfachte Formulierung "Geistesmetaphysik" wird man in Calvins theologische Konzeption
nicht einführen dürfen, wenn auch anzumerken bleibt, daß dieser Bezeichnung eine gewisse Neigung zu modalisierenden Ausdrucksweisen[372]
anhaftet, die ihren letzten Ursprung in der mystischen und sakramentalen Verdinglichung des Hl. Geistes haben dürften, ohne diese bei-
zubehalten. Der Vergegenständlichung entnommen, tritt bei Calvin als
Wesenszug der geistigen Personhaftigkeit Gottes hervor, daß er
schlechthin Leben[373] ist und als solcher nicht nur Leben ins Dasein

ruft, sondern auch vor allem in den Tod von in Sünden verlorenen
Menschen hinein heilsmächtiges Leben stiftet.

Hier wandelt Calvin schon in der Erstausgabe der Institutio in
den Fußstapfen Augustins. Ebensowenig ist von der Hand zu weisen,
daß er schon frühzeitig zur Einübung in ein geistliches Leben angehalten wurde, das den in die Devotio moderna herübergenommenen Auffassungen Bernhards entsprach. Man kann also mit gutem Grund voraus-
setzen, daß der Scholar Johannes Calvin an der Artistenfakultät in
Montaigu in die "Anfangsgründe" einer nicht nur scotistisch, sondern
auch augustinisch, weil antipelagianisch ausgerichteten Kirchenlehre eingeführt und hier einem Leben in der asketisch-mystischen Er-
fahrungswelt nicht nur des Thomas von Kempen, sondern auch der von
den Fraterherren so fleißig abgeschriebenen, später auch gedruckt
vervielfältigten und weitest verbreiteten Schriften Bernhards "unterworfen" wurde.

7.2.1.3
Calvin und Augustin

Es handelt sich in der Erstausgabe der Institutio nicht um eine
bloß literarische Benutzung vor allem von Augustins "Traktat zum
Evangelium des Johannes"[374], sondern schon um ein eindeutiges Hineingenommensein in den von dem Kirchenvater ausgegangenen Lebens-
strom, der zum Teil begrifflich eingefangen, vielmehr oft noch als
wirkliche und wirksame Lebensfülle wahrgenommen werden kann. Man darf
dem vorweg so Ausdruck verleihen: Gott ist Geist und Leben. Er ruft
das Leben ins Dasein. Tod ist aber nicht das Ende des Daseins, also
kein Nichtsein, sondern ein Erstorbensein, insbesondere das geistliche Erstorbensein für Gott in der Todverfallenheit der "Masse des
Verderbens". Weil Gott also Geist und Leben ist, ruft er durch seinen Geist zu neuem geistlichen Leben durch die Wiedergeburt. Er, der
Born des Lebens allein, wird aber keinem diskursiven Denken zugänglich, weil dieses weder hinter die räumliche und zeitliche, noch
hinter die todverfallene Welt zu greifen in der Lage ist. Calvin hat
nicht nur den von seinen spätmittelalterlichen augustinischen Gewährsmännern, vorab doch wohl von Major, überkommenen Antipelagianismus bis zu seinem letzten Ende durchgeführt, sondern auch das geistliche Leben eines aus Gott durch den Hl. Geist zu erneuertem Dasein
erweckten Menschen hoch eingeschätzt. Man wird kaum bestreiten können, daß der erste Anstoß hierzu von der Artistenfakultät in Montaigu ausgegangen ist und einen solchen Niederschlag im Leben des jungen
Calvin und anschließend des Reformators fand, daß ein inneres Be-
schäftigtsein und eine damit einhergehende literarische Befassung
mit Augustin schon vor 1536 sicher ist.

Für Augustin gilt Wiedergeburt als göttlicher Akt, der geistli-

ches Leben im Unterschied vom natürlichen "vom Himmel her", "seitens
des Geistes", "unsichtbarerweise" hervorbringt[375]. Es gehört zum Inbegriff der unkörperlichen Personhaftigkeit Gottes, daß er heilsmächtiges Leben ist. Mit der entsprechend heilsmächtigen Erweckung
eines sündig Verlorenen zum Prozeß der Wiedergeburt kraft der "medizinellen" oder "heilenden" Gnade beginnt nach Augustin die an dieser
so entscheidenden Stelle freilich von vornherein ethisierte Existenz
eines in das neue spirituale Leben versetzten Erwählten. Calvin
nennt schon 1536 Christus selbst das "Heilmittel"[376] und vergißt
auch ebenso die "heilende" Gnade nicht.

Calvin brachte in die auf das reformatorische Bekenntnis hinauslaufende Wende seines Lebens eine dieses bis an sein Ende bewegende
augustinische Denkungs- und Gesinnungsart mit. Dem Kirchenvater zufolge "bewegt"[377] heiliger Geist das geistliche Leben eines Wiedergeborenen bis in das ewige Leben hinein. Man muß ihm zufolge freilich den geistlich verlebendigenden "intelligiblen" Glauben gewonnen haben, der den bloßen mit Christus vereinigenden Zustimmungsglauben überbietet[378] und in die Auferweckung der Seelen und die Unveränderlichkeit des ewigen Lebens ausläuft[379]. Bei wem aber "die Seele
seiner Seele" jene intelligible Gottesschau ist, der wird "um des
Lebens des Geistes willen" auf ewig nicht sterben[380]. Man wird hier
freilich feststellen müssen, daß der junge Reformator den Zustimmungsglauben entschlossen abgelehnt und, statt sich der Gottesschau
hinzugeben, in die reformatorische Weise zu glauben eingegangen ist.
Der mit aus der Duns'schen und Ockham'schen Denkweise hervorgegangene Reformator sah die Polarität von Gott und Mensch auf der Seite
des Menschen bei größter Innigkeit doch rein personhaft als Glaubenszuversicht an. Nicht die Gottesliebe, sondern das reformatorische Glauben bestimmt die Neuheit des Gottesbezuges und der Gottes-
beziehungen. Doch kennt solches Glauben dann auch eine Liebe zu
Gott.

Nun läßt sich nicht leugnen, daß bei dem werdenden Reformator von
1536 jener augustinische Gedanke keinesfalls gestrichen werden darf,
daß Christus und sein Heil sich bei dem Wiedergeborenen schlechthin
als wieder erweckter geistliches Leben auswirkt. Die augustinische
Diktion samt der Sache[381] liegt schon in der Erstausgabe der Institutio vor. Wort und Verheißung Gottes, dazu das Sakrament "speisen",
"nähren", "weiden", "bewahren", "schützen" die Seelen, unsern Glauben, unser Leben "geistlicherweise"[382]. Was aber die Sakramente im
Zusammenhang der Wiedergeburt und des geistlichen Lebens angeht, so
hat Calvin sich jenes Verständnis Augustins zu eigen gemacht, daß
die Taufe erst durch den Glauben die Wiedergeburt wirke[383], wobei
er vorübergehend den Wiedertäufern gegenüber auch den Kinderglauben
für möglich und heilsnotwendig erachtet haben mochte[384]. Erst das
zum Wasser hinzutretende Wort macht die Taufe zum Sakrament, zum

"sichtbaren Wort", wie Augustin sagt[385] und es dann "Wort des Glaubens" oder zum Glauben nennt. 1536 übernimmt Calvin die Bestimmung
des Sakramentes als "sichtbares Wort"[386]: Sakramente sind also "Teile des Wortes Gottes"[387]. Von da aus bekämpft er dann ein Verständnis des Sakramentes im Katholizismus, nach dem es erst um seines
priesterlichen Vollzugs willen wirksam wird. Für Calvin ist charakteristisch, daß sich Augustin, die augustinisch-bernhardinisch-devote Mystik und der Augustinismus der spätmittelalterlichen Antipelagianer mit dem reformatorischen Bekenntnis kritisch solchergestalt
vermählt, daß er von da aus gegen die üblichen Einrichtungen des
Katholizismus und dessen Lehrer und Lehren leidenschaftlich vorgeht.
Thomas, thomasisches und thomistisches Denken haben an seiner theologischen Wiege nicht Pate gestanden.

Wer die Spiritualität Gottes, das Wirken seines Geistes und das
geistliche Leben eines gläubigen Erwählten ins Auge faßt, muß nach
Augustin unvermeidlich auch das geistliche Leben der Kirche bekennen.
Er läßt eine Liebe zur Kirche erkennen, die Calvin fremd ist, weiter eine Liebe zum Himmelreich, zu Christus und zu Gott selbst als
Zeichen für eines sündigen Menschen neue "Geburt gemäß dem Hl.
Geist" und schließlich eine neuplatonisch durchzogene Sehnsucht nach
dem ewigen Leben, das aber Christus selbst ist[388]. Augustins Vorstellung geht dahin, daß Gott und "die Kirche aus ihrem Inneren heraus"[389] die Wiedergeburt eines Erwählten hervorbringen: jener als
Vater, diese als Mutter. Allein: birgt zwar die Kirche eine geistlich gebährende Macht in sich, so ist diese gleichwohl nicht ihre
eigene Lebensmacht. Dennoch lebt sie in einer letztlich nicht so
ganz klar ersichtlichen Partnerschaft als geistliche Mutter zu Gott
als Vater. Ihren geistlichen Fundus aber machen die im einzelnen
nicht auszählbaren, zum geistlichen Leben wiedergeborenen Erwählten
aus, die der sichtbaren Kirche, deren weitere Merkmale für den vorliegenden Zusammenhang außer acht bleiben können, in dieser Welt ihre lebensnotwendige und lebensmächtige göttliche Kontinuität bis hin
zu ihrer Vollendung im ewigen Reich Gottes verleihen. Erst 1559, also in der Letztausgabe der Institutio, legte auch Calvin der Kirche
den Namen Mutter für diejenigen bei, für die Gott der Vater sei[390].
Der "Eingang ins Leben" im umfassendsten geistlichen Sinn des Wortes
geht für ihn dementsprechend allein so vor sich, daß die Kirche "uns"
in ihrem Mutterschoß empfängt, gebiert, an ihren Brüsten nährt, um
"uns" schließlich unter ihrer erzieherischen Wartung und Leitung bis
in das ewige Leben zu bewahren.

Daß Calvin aber schon seit 1536 wesentliche Beziehungen zu der
spiritualen Seite im Kirchenverständnis Augustins unter der grundlegend kritischen Voraussetzung des reformatorischen Kirchenverständ-
nisses in dieses mit hineingenommen und zeitlebens beibehalten hat,
mögen folgende abschließende Erwägungen zeigen.

1) Die "heilige katholische Kirche" ist für Calvin die "Gesamtzahl" oder "das Volk" der Erwählten und wird nicht als "auserwählte
Gemeinde"[391] bezeichnet. Sie werden zur Kirche einzeln hinzugezählt,
um diese in sich zu ergänzen[392], in Christus geeint und bilden den
"mystischen Leib Christi". Er ist ihr Haupt, Führer, Oberster[393],
und durch ihn sind sie gleichbeteiligte Brüder[394]. Woran? Am Heil,
weil es dieses außerhalb der Kirche und der Gemeinschaft der Heiligen nicht gibt. Ein Zug gesellschaftlichen Denkens taucht hier auf.
Es muß sich nämlich nicht nur jeder an seinem Teil als Glied der katholischen Kirche glauben; als "Sozietät" zeichnet sie sich auch
durch ein wechselseitiges Teilhaben an allen Heilsgütern aus. Es handelt sich um den gegenseitigen geistlichen Dienst ihrer Glieder, der
Gläubigen.

2) Für den werdenden Reformator ist die Kirche, wie schon für Augustin, der alleinige Ort des Heils, der Vergebung der Sünden, infol-
gedessen "die Angel", in der sich das Heil bewegt. Dieses gibt Calvin Anlaß, in der Sprache der Mystik von der "Lieblichkeit" der
Barmherzigkeit Gottes in Christus und dem "Wohlgeschmack" an ihr zu
reden, und läuft darauf hinaus, daß die Gläubigen sich mit der sicheren Zusage solcher Vergebung und des seligen Heils getrösteten. Das
Teilhaben an diesem Heil kommt aber, anders als bei Augustin, weder
durch den Zustimmungsglauben, noch durch die eingegossene Gottesliebe, sondern allein durch das letztgültig bleibende Verhältnis und
jeweilige Verhalten der Glaubenszuversicht zustande.

3) Die in der "heiligen katholischen Kirche" geltende "Ordnung"
des Heils wird nach Calvin, wie nach allen Antipelagianern, durch
Römer 8, 30 bestimmt. Jedoch mit folgendem Unterschied auch schon
von Augustin und dem Konzil von Mileve 416. Der Inbegriff der Rechtfertigung wird nicht in der Kuppelung von Vergebung und geistlicher
Ausrüstung zur "Vermeidung künftiger Sünden", sondern ausschließlich
in der formalen Nominierung eines Sünders als eines Gerechten erblickt. Aber das prädestinatianische Kirchenverständnis Augustins
und die antipelagianische Heilsordnung hat Calvin in einen reformatorischen Puritanismus kritisch hineingehoben.

4) Für die erwählten Glieder der Kirche kennt Calvin eine zwiefache Art von Gewißheit. Die erste, um deren Feststellung angesichts
der unaufgebbaren Verläßlichkeit Gottes[395] auch die Kirche bemüht
war, aus der er schied, erblickt er nun auch seinerseits in der
Heilsgewißheit, wie sie durch Gottes Weisheit, aber auch Verläßlichkeit[396] in der Gewährung seiner Verheißungen und in Christi Bewahrung vor jedwedem Zusammenbruch zuverlässig "abgestützt"[397] ist. Mit
dieser Heilsverbürgtheit muß sich für ihn aber die zweite, jene so
unentbehrlich wichtige Glaubensgewißheit vermählen, die sich allein
auf Christus stützt und in ihm ruht[398], ihn "besitzt"[399] und solchergestalt zur unverlierbaren Sohnesannahme bei Gott kommt. Diese Glau-

bensgewißheit unterscheidet sich von der mystischen Erlebnisgewißheit dadurch, daß sie in einem kontinuierlichen Existieren im Glauben als einem personhaft-polaren Verhältnis und Verhalten im Gegenüber Gottes lebt.

5) Calvin unterscheidet zwischen den Kennzeichen eines gläubigen
Erwählten und denen der Kirche. Jene setzen sich zusammen aus dem
Bekenntnis des Glaubens, einem beispielhaften Leben und der Teilnahme
an den Sakramenten[400], diese, wie sie der reformatorisch instituier-
ten Kirche eigen sind, in der reinen Predigt des Wortes Gottes und
dem Hören auf dieses, sowie in der Verwaltung der Sakramente entsprechend der Einsetzung durch Christus, wie sie ja "Teile des Wortes" sind. Man übergehe aber nicht jenes Hören auf das Wort, das
Calvin in das in der institutionellen Kirche zu predigende Wort einbezieht[401]. Dem Kirchenverständnis des werdenden Reformators fehlt
das Amtliche, Anstaltliche, aber keinesfalls der Gedanke der prädestinatianischen Heilsordnung und der geistlichen Erziehung und
Bildung.

6) Als Calvin im Januar 1535 in Basel deutschen Boden betrat, hatte er den Bruch mit der päpstlich-priesterlichen Kirche Roms vollzogen. Das Woher und Wohin seiner Lebenswende ist in dieser Beziehung
eindeutig vor allem in dem Abschnitt "Über die falschen Sakramente"[402] und durch die "Antwort auf den Brief Sadoletos"[403] von 1539
gekennzeichnet. Die Verdinglichung und Versichtbarung alles dessen,
was Gott, sein Heil, die Mitteilung des Heils an einen Menschen und
dessen Ausrüstung mit der Kraft und Gnade[404] des Hl. Geistes angeht,
ist abgetan. Darum gibt es schlechthin keine menschliche Verfügbar-
keit über die Gesamtheit des Heils und keine kanonische Jurisdiktion
über die Glieder der Kirche. Das Grundwesen der Kirche ist spiritual,
sofern alle Beziehungen des Heils und im engeren Sinne diejenigen
der Wiedergeburt sich zwischen den rein personhaften Verhaltensweisen Gottes und dem ebenso personhaften zuversichtlichen und überzeugten Glauben eines wirksam berufenen Erwählten abspielen, und
zwar in Christus durch den Hl. Geist[405]. Die beiden von Christus ein-
gesetzten Sakramente[406] "bezeugen" als Taufe die "Reinwaschung" und
als Mahl der Eucharistie die "Erlösung"[407]. Die sie einschließende
Gesamtheit des Wortes Gottes konstituiert die Kirche vollständig.
Auch ihre Ordnung.

7.2.1.4
Die Spiritualität des Lebens der Wiedergeborenen

Die Spiritualität Gottes, vermöge deren er Menschen aus ihrer geistlichen Erstorbenheit zu geistlichem Leben wiedererweckt, sie darin
erhält und bis zum ewigen Leben hindurchrettet, bedarf schon für den
werdenden Reformator des näheren Zusehens.

Geistlich wird die Verbindung[408] mit Gott und Christus genannt.
Von Anfang an heißt es, daß wir auf diesem unser "Leben und Heil"
beruhen lassen und daß auf diese lebendige Weise auch die bräutli-
che Verbindung der Kirche mit Christus bestehe[409]. Ihren Ausdruck
findet sie in der "geheiligten", "reineren Gestalt von Lehre", die
Luthers Schrift- und Heilsverständnis in Umlauf brachte. Der Herr
(Gott) bringt auch die Frucht schaffenden "Gnaden", deren Mehrzahl
nur 1536 erscheint, und die "geistliche Kraft" mit sich. Von hier
aus gesehen, ist zu der gesamten Fülle des "Heils und Lebens" Christi menschlicherseits nichts hinzuzutun. Seine "Reinheit" führt immer ein vollauf lebendiges Dasein darin, daß seine Lebenskraft[410]
in den Seinen sich regt[411], sie stützt, stärkt, bewegt, bewahrt. Die
ganze Lebenskraft auch der Sakramente ruht in dem Wort Gottes, das
als Form den körperlichen oder "fleichlichen" Elementen eingeprägt
ist. Es gilt unbedingt, "am Munde des Herrn zu hängen", auf sein
Wort zu horchen, nicht aber, sich teils an den "lebendigen Gott",
teils an ein Schattenbild von ihm zu halten. Auf das "Wort des Lebens" kommt es in jedem Fall an. Die Taufe bestätigt das vorweg[412].
Man wundert sich nicht, wenn Calvin, erfüllt von dem was Augustin in-
telligiblerweise und Bernhard in der vorwiegenden Hervorkehrung der
emotionalen Bewegtheit der Seele zum Ausdruck bringt, anfangsweise
schon 1536[413] und später so häufig, nun auch seinerseits ein "Hinübergießen", "Einfließen", "Herüberströmen" der lebendigen Heils-
und Lebensmächtigkeit Gottes sowohl ohne deren erasmische spirituali-
stische Verflüchtigung, als auch ohne deren sakramentale Verdinglichi-
chung für die wirksam berufenen Erwählten aussagt. Geist ist für
Calvin immer auch Leben[414].

Auch die Kirche als Herrschaftsbereich Christi wird von Calvin
schon 1536 geistlich genannt. Unerläßlich ist dabei, daß sich der
Geist auf das Wort Gottes stützt, mit dem als Zepter Christus die
Gemeinde regiert[415]. Geistlich wird dieses Regiment weiterhin auch
deshalb genannt, weil es zuinnerst in der Seele eines Menschen an-
setzt und obwaltet, das Gewissen zur öffentlichen Frömmigkeit und
Gottesverehrung zurüstet und den von ihm erfaßten Menschen auf das
Ziel des ewigen Lebens ausrichtet[416]. Gleichzeitig aber wird ein
Mensch nach Sinn, Bestimmung, Auftrag und Sendung durch jene lebendige Wirkkraft zur Geschicktheit für ein Handeln ausgerüstet, als
dessen Urheber und bleibender Alleinwirker Gott selbst bezeichnet
wird. Schließlich erkannte Calvin in etwelchem Unterschied von Luther dem staatsbürgerlichen neben dem geistlichen Regiment einen solchen Bereich der Ordnungs- und Verwaltungsbefugnis zu, in dem zwar
der Schutz der Menschenwürde[417] obenan zu stehen hat, nicht aber eine
staatliche Eigenverantwortung, die sich dem Miteinander beider Re-
gierungsbereiche unter dem, wenn auch verschiedenen, Gehorsam gegen
Gott zu entziehen geeignet wäre[418].

Den Hl. Geist, den ehedem Bernhard "das unlösliche Band der Dreieinigkeit" nannte[419], rückt gewiß auch Calvin in dasselbe Licht,
doch nicht ohne, wiederum Bernhard verwandt, nachdrücklich fortzu-
fahren, daß Christus als zweite Seinsweise der Dreieinigkeit in der
Person und Kraft des Mittlers eben doch zu uns, und zwar nicht ver-
geblich, gekommen sei[420]. Der Empfang des Geistes bringt nämlich die
Geschenke geistlicher Begabung, die geistliche Fruchtbarkeit, also
göttliches Leben, mit sich[421]. Zu diesem Zwecke[422] ist ja der erstor-
benes Leben neu gebärende Geist vom Vater und dem Sohn hervorgegangen[423]. Auf dem Weg über augustinische Gedanken nicht minder als auf
dem über die Einübung in der bernhardinisch-devoten, nachweislich,
wie sich zeigen wird, auch franziskanisch durchsetzten Frömmigkeit
in Montaigu dürfte Calvin mit großer Wahrscheinlichkeit dem Geist
Gottes als dem Wirker der Wiedergeburt und der Bedeutung dieser
selbst für die Existenz eines Christen auch als gereifter Reformator
für immer auf der Spur geblieben sein. Die bloße Verwandtschaft mit
Bucer dürfte hier noch keine Abhängigkeit sein.

Allein, der reformatorisch gewordene Calvin behandelt die geistliche Habitualität der Wiedergeburt eines Menschen in ihrem engeren
Sinne und die diese zur Neuheit der Lebensführung aktivierende Wirk-
samkeit des Hl. Geistes als um der Vollständigkeit des Heilsstandes
willen zwangsläufigen Parallelgang zur Nominierung eines Sünders als
eines Gerechtfertigten[424]. Die Wende seines Lebens hat ihn dahin gebracht, gerade auch diesem wohl unterschiedenen, zugleich aber unauf-
löslichen Junktim als dem "andern Weg des Heils"[425] zugetan zu sein.
In der Erstausgabe der Institutio spricht er freilich lieber von der
Vergebung der Sünden und insofern dann auch von der forensischen Zurechnung der Gerechtigkeit Christi, dem Frieden, der Versöhnung[426].
Die Rechtfertigung solchergestalt als Freispruch und die Wiedergeburt ihrerseits samt der Heiligung aber gehen aus der Kraft und dem
Handeln eben des Hl. Geistes auf den Gläubigen und Frommen über, in
ihn ein[427]. Doch pflegt Calvin die zweite Seite des Junktims weit
häufiger und sehr viel nachdrücklicher hervorzuheben: ein Erbe Augustins und der mystischen Theologie des Mittelalters, insbesondere
Bernhards. Darüberhinaus aber tritt die Zuordnung vom Wort Gottes,
das "des Glaubens Gegenstand und Ziel"[428] ist, und vom Geist Gottes
und Christi, tritt auch die "Analogie des Glaubens"[429] bei Calvin
bewußt, voll beabsichtigt und klar schon 1536 zu Tage. Das Wohin seiner Lebenswende wird bei aller gewahrten Kontinuität mit der voraufgehenden Geschichte mittelalterlicher Theologie und Frömmigkeit auch
in dieser Hinsicht für die Spiritualität der christlichen Existenz
durchaus klargestellt.

Die Spiritualität des Lebens der Wiedergeborenen erscheint bei
Calvin also schon von vornherein in die Gesamtkonzeption der "Weisheit" oder des "christlichen Religionswesens" eingeordnet. Das gilt

vor allem für die zweite Seite des Junktims von gewisser Heilshoffnung und geistlich erneuerter Lebensführung. Die "Kraft" oder Leitung, die der Hl. Geist selbst ist oder die er ausübt, hat es mit
keiner "spekulativen Theologie" und keinem "Disputieren über Gott"
zu tun[430]. Die "Anfangsgründe" oder "Elementarerkenntnisse"[431], die
Calvin in der Erstausgabe der Institutio darzubieten unternimmt,
zielen vielmehr auf die "wahre", "heile" Frömmigkeit, auf das wahre
Religionswesen und dessen Ausübung, auf ein "Bedachtnehmen" auf diese und ein Bemühtsein[432] um Frömmigkeit ab[433]. Ist darin Calvin auch
mit Bucer verwandt, der 1530 die Theologie als "nicht theoretisch
oder spekulativ, sondern als "aktiv und praktisch" kennzeichnete, so
redet Calvin doch nicht von einem "gottförmigen"Leben, wie es der
Straßburger[434] und auch schon Faber und andere Theologen vor allem
der mystischen Reformfrömmigkeit taten. Nur in den Schranken der
Autoritätsfürchtigkeit gibt es für Calvin jene gesunde und "reinere"
oder auch reine Lehre, die sich durch eine spirituale Fruchtbarkeit
auszeichnet[435]. Der Geist der Fraterherren hatte Bucer in der La-
teinschule zu Schlettstadt ähnlich umfangen wie Calvin in der Artistenfakultät des Collège de Montaigu, doch mit dem nicht zu übersehenden Unterschied, daß Bucer über die Theologie der Dominikaner,
Calvin hingegen über den Augustinismus vor allem der Antipelagianer
und über Augustin selbst den Weg zum humanistischen Biblizismus und
zur Reformation ging. Bucer gegenüber aber hat Calvin sowohl die
Folgerichtigkeit, Klarheit, umfassende und ausgewogene Verarbeitung,
sowie die Freiheit vom Versuch diplomatischer und irenischer Zuge-
ständnisse voraus, als auch die die Rationalität des Geistesverständ-
nisses hinter sich lassende Spiritualität christlicher Existenz im
reformatorisch-augustinisch-bernhardinischen Vollsinn des Wortes.

7.2.1.5
Calvin und Bernhard von Clairvaux

In der Tat hat die Erstausgabe der Institutio ihre Beziehungen zu
bernhardinischer Frömmigkeit. Es darf hier als bekannt vorausgesetzt
werden, daß Major, wie er selbst berichtet, durch Béda mit Standonck, dem Reformer des Collèges de Montaigu, bekannt gemacht und
als Lehrer sowohl der theologischen, als auch der Artistenfakultät
an diese Anstalt berufen wurde. Standonck, selbst Fraterherr, teil-
te eine hervorragende Zuneigung zur Religiosität Bernhards. Major
schätzte jenen, seinen Protektor, hoch und war selbst in dem Geist
der Augustiner-Chorherren der Windesheimer Kongregation erzogen worden. Es gehört im einzelnen zu den Unwägbarkeiten dieser Zeit des
jungen Calvin in der Artistenfakultät in Montaigu, daß ihm außer den
Schriften des Thomas von Kempen und anderer Geistesverwandter mindestens Blütenlesen aus Bernhards Schriften zur frommen Durchbildung

seiner selbst und zur Herstellung von "Rapiarien" in die Hand möchten gegeben worden sein[436]. Nach Lage der Dinge gibt es keinen trif-
tigen Grund, den bernhardinischen Einschlag seiner nach der Ordnung
der Anstalt geregelten Frömmigkeitsübungen in Abrede zu stellen.
Hier sind aber auch nebst Augustin die Wurzeln für die spirituale
Auffassung christlichen Lebens und dessen emotionale Bewegtheit, wie
sie schon in der Erstausgabe der Institutio hervortritt, zu suchen.

Was nun den Zisterzienserabt angeht, so ist die Tätigkeit des Hl.
Geistes in der Wiedergeburt und dem geistlichen Leben der "Söhne
Gottes" von hoher Bedeutung[437]. Dieser Geist nimmt mahnend, bewegend,
lehrend von unserer Seele Besitz, setzt ins Werk[438] Zerknirschung,
Verdemütigung, Vergebung, hilft unserer Schwachheit auf, ist ein
Geist des auf Frömmigkeit ausgerichteten Wissens, wandelt, wie dann
durchgehends auch schon in der Institutio von 1536 zu lesen ist, immer auch die menschliche Emotionalität[439] an, verleiht geschenkweise
die Liebe zu Christus und haßt an seinem Teil Schmutz und Sünden[440].
"Gesetzt den Fall", so äußert Bernhard, "ich wäre nicht als Kind des
Zornes geboren, so wäre ich auch nicht der Wiedergeburt teilhaftig
geworden, noch hätte sie mir genützt"[441]. Sie[442] wird mit der Bekehrung gleichgesetzt, die Heiligung bringt[443]. Geistliches Leben,
nicht zu verwechseln mit bloß geistlichem Gedankenaustausch[444],
stellt ein ganz persönliches Wandeln in der Neuheit des Geistes Gottes dar und äußert sich notwendig in vielfältiger geistlicher Fruchtbarkeit. So auch Calvin: "Von denen, die aus Gott sind, sagen wir,
daß sie zur neuen Kreatur wiedergeboren werden"[445]. Wohnt und regiert
doch Christus in uns durch "die Gnaden seines Hl. Geistes"[446].

Von Bernhard wird der Geist Gottes sodann auch "richtiger Geist"
genannt, weil er das Richtige zu bedenken anleitet[447]. Ihm und dem
werdenden Reformator zufolge "lehrt und führt" der Geist die "Söhne
Gottes" zuinnerst[448]. Die Diktion bei beiden Männern stimmt auffallend überein. Der Hl. Geist gilt als Geist der Einsicht[449], und kann
nach einer gelegentlichen Bemerkung Bernhards jeweils auch mehr den
Verstand erleuchten als den Affekt entflammen. Es heißt sogar einmal, daß er durch den Glauben einem Menschen den ewigen Vorsatz Gottes von seinem künftigen Heil enthülle, ohne daß sich Bernhard dabei den augustinischen Gedanken von der Erwählung nun unbedingt zu
eigen macht. Er ist eben in seiner glänzenden Rhetorik längst nicht
immer theologisch zu fassen[450]. Aber es wird doch mit dem ganzen
Nachdruck des biblisch sich bindenden Mystikers ausgesprochen, daß
alles, was es mit dem Heil und geistlichen Leben eines Menschen auf
sich hat, durch den Geist "eingegossen werde"[451]. Eben diese Vorstellung beginnt sich auch in der Erstausgabe der Institutio auszu-
breiten[452], um dann später völlig geläufig zu werden. Vor allem aber
kehrt Joh. 20, 22, ein in der augustinischen Strömung mittelalterlicher Frömmigkeit fortgepflanzter Vers, auch bei Calvin wieder[453].

Es handelt sich in diesen bei Bernhard und Calvin allermeist augustinischen Aussagen darum, daß der Geist Leben ist und in den geistlich erstorbenen Menschen hinein Leben geschenkweise "eingießt",
"einströmen", "hinüberströmen" läßt. Lebt doch die Seele von der
"Einsicht ihrer inneren Wahrheit" als "geistlicher Speise". "Ohne
Zweifel", so Bernhard, "ist das Leben des Geistes Gerechtigkeit,
weil der Gerechte aus Glauben lebt"[454], - freilich: sofern er damit
zugleich dem lieben Gott mit sich selbst hingebender Liebe ver-
gilt[455]. Die "Summe des spiritualen Exerzitiums" aber erblickt Bernhard in der weisen Ordnung unserer gegenwärtigen Dinge, in bitterem
Bedenken der vergangenen, in der sorgfältigen Vorsorge der künftigen[456]. Auch wenn er der sakramentalen Übermittlung geistlichen Lebens, doch längst nicht immer, den Vorrang gibt, so tritt doch recht
deutlich zu Tage, wie einig sich Augustin, Bernhard und Calvin darin sind, daß kraft der Spiritualität Gottes und seines Geistes dieser Geist Leben ist und auf unsichtbare Weise geistliches Leben
einem Menschen zuinnerst vermittelt, wie viele Verschiedenheiten
auch sonst vorliegen mögen. Es ist der Erwähnung wert, daß die theologische Konzeption Calvins von der "christlichen Religion" oder
"Weisheit" jene deutliche und warme Spur einer religionsgeschicht-
lich bedeutenden Strömung durchzieht, die aus dem Born neuplatonischer Mystik quillt, ohne jedoch selbst als Mystik angesprochen werden zu können; denn es handelt sich um die denkbar innigste geistliche Anwandlung der menschlichen Seele in ihren personhaft bleibenden Beziehungen zu Gott in Christus durch den Hl. Geist. Begriffe
und Begriffsbestimmungen sind ihm Werkzeuge, die die Gegebenheiten
der Selbstbekundung Gottes in seinem Wort und die der Gesamtheit des
geistlichen Lebens auseinanderlegen, entfalten, fügen und ihnen den
von ihm gemeinten Sinn geben, aber keine hohlen Lehrformeln sind.
An die Stelle der selbstmächtigen und metaphysikfreudigen Vernunft
ist der neues Leben schaffende und aktivierende Geist Gottes getreten. Gottes Spiritualität verdient eher Anbetung als denkerisches
Durchstöbern der tiefen Geheimnisse der Dreieinigkeit Gottes[457]. Sie
erwirkt heilige Zugehörigkeit zu ihm und eine nie sich legende heilige Unruhe christlichen Lebens. Aus der Spiritualität Gottes bricht
durch seinen Geist hervor der helle Strahl wahrnehmender Erkenntnis
des Heils, eine den geistlich erstorbenen Menschen zuinnerst umschaf-
fende Erneuerung und dessen Herz zur Gewißheit des Glaubens anwan-
delnde Macht. Hier wird man angesichts des Woher und Wohin der Lebenswende Calvins mit Imponderabilien zu rechnen haben.

7.2.2
Zweiter Teil

Die "Anfangsgründe", in die Calvin, wie es nicht anders sein kann,

in der Artistenfakultät des Collège de Montaigu eingeführt worden
war, eröffneten ihm nach seinem eigenen Geständnis keinen Zugang zu
einer Gewißheit der Heilshoffnung[458]. Durch diesen Anspruch macht
er auf ein zweites Woher und Wohin der jähen Wende seines Lebens
aufmerksam.

7.2.2.1
Die Frage nach der Gewißheit des Glaubens

Major lehrte den "wahren, festen und gewissen" Zustimmungsglauben
und fand ihn solchergestalt in seinem Gegenstand, in seiner Beziehung auf das von ihm Erkannte begründet. Der Glaubensgegenstand kann
aber deshalb nicht ins Wanken geraten, weil er sich auf das kirchlich autorisierte Verständnis der Hl. Schrift, auf die Kirchenväter,
vorab auf Augustin, und auf die kirchliche Tradition verläßt[459].
Deutlich hat Major die objektive Verbürgtheit einer Mehrzahl von
Glaubenswahrheiten im Sinne, wie sie auf dem philosophischen Hintergrund der absoluten Macht Gottes als tatsächlich "angeordnete" Heilsordnung ihre Verläßlichkeit und Gültigkeit besitzt. Allein, diese
gegenständlich fixierte Heilsverbürgtheit genügt dem werdenden Reformator in dieser Begründung so nicht. Im Unterschied von Altgläubigen, zudem auch von Bucer und Melanchthon, lehnt er den Zustimmungsglauben, auch der Hl. Schrift "allein" gegenüber, strikt ab.
Sein Herz hängt immer auch an den anthropologischen Verumständungen
des Glaubens, und zwar schon 1536 an dem, was er ein allergewissestes
Erfahren der Barmherzigkeit Gottes nennt, sofern wir diese mit fe-
stem Glauben annehmen und in ihr sicher ruhen, auch zweifelsfrei von
dem guten Willen Gottes überzeugt und von der gewissen Erwartung erfüllt sind, er werde die Verheißungen der "heiligen Schriften" an
uns erfüllen[460]. Zugleich aber läßt er gegenüber dem philosophischen
Gedanken der absoluten Macht Gottes, vor allem dem kritischen Satz
der späten Stoa gemäß, daß höchstes Recht höchstes Unrecht sein könne, die einfache Gegebenheit des Wortes und Evangeliums Gottes auf
dessen unantastbar heilige und eminent sittliche Verläßlichkeit gegründet sein; doch mit dem Unterschied von der Kirche, aus der er
schied, will er ausschließlich das "Wort Gottes als Gegenstand und
Ziel des Glaubens" behandelt wissen[461]. Major hatte ausgesprochen:
"Bei den Weisen bestand kein Zweifel darüber, daß Gott angesichts
der festgesetzten und angeordneten Regelung nicht täuschen könne"[462].
Damit hatte auch er sich auf das Axiom der Theodizee zurückgezogen.
Calvin stimmt schon 1536 mit ihm darin überein.
Über diese feste und gewisse Überzeugtheit, die "allergewisseste"
Zuversicht des Heils, das in personhafter Polarität sich bewegende
Annehmen und Empfangen der Barmherzigkeit Gottes gegen "uns" und das
"Umfangen" seines Christus samt allen seinen Heilsverheißungen wird

zu unserm "sicheren"[463] "Besitz"[464]. Es handelt sich um ein "Erfahren"[465] und Feststellen "bei uns selbst", um ein "Sicherwerden" und "Innesein" der Vergebung der Sünden, "elementar bedingt" sowohl durch die Erleuchtung unserer "geistigen Sinne" zusamt der "Versiegelung unseres Herzens", als auch durch die volle Versicherung unseres Gewissens durch das Zeugnis des Hl. Geistes, wie dieses alles denn das denkbar innigste Teilhaben des Glaubens an Christus mit sich führt. An diesem einem Gläubigen also unmittelbar zur Geltung gebrachten Bewußtsein von seinem geistlichen Existieren im personhaften Gegenüber Gottes geht für Calvins Begriffe das Gegenstandsdenken der Scholastik, ihrer sophistischen Spekulationen und ihrer formalen Dialektik vorbei. Jenes Teilhaben kann eben nur von einem Betroffenen selbst als bei ihm daseiend behauptet werden. Es kennzeichnet das Wohin der Lebenswende Calvins, nämlich die "Öffnung des Weges zu einer Erwartung des Heils, die Gewißheitscharakter an sich hat"[466]. Begrifflich ist diese geistliche Existenz weder zu beweisen, noch zu bestreiten, noch für eine denkerisch argumentierende Vernunft evident.

Die erste Ausgabe der Institutio läßt nicht anders als der umfangreiche, leidenschaftlich beschwörende Brief an Sadoleto erkennen, daß es sich für Calvin sehr vordergründig um die Anwandlung der menschlichen Subjektivität durch die Gewißheit des Glaubens handelt, und zwar immer nur im unaufgebbaren personhaften Gegenüber Gottes und des von ihm als unwandelbar verbürgten Wortes. Dabei wird z. B. das reformatorische, seit 1539 ganz deutlich in die unumschränkte Vollmacht Gottes hineingehobene, Verständnis der forensischen Rechtfertigung zur vollen Geltung gebracht. Weil dem jungen Reformator aber ein ausgesprochener Hang zur Lehrgesetzlichkeit noch weithin fehlt, insofern als er sich kontroverstheologisch noch nicht wie später so herausgefordert sieht, spricht er zwar herkömmlicherweise häufiger von der Vergebung der Sünden und von deren persönlicher Gewißheit im Glauben, rechnet jedoch Christi Blut und Gnadengerechtigkeit zum Inbegriff des von Gott zuverlässig verbürgten Heiles[467]. Gewiß wußte auch die altgläubige Theologie und nicht zuletzt die Mystik der Calvin angestammten Kirche von einer immer wieder neu sich einstellenden religiösen Erlebnisgewißheit, aber die von Calvin gemeinte Gewißheit der Heilserwartung und Glaubensgewißheit blieb ihm fremd. Sie gehört zum reformatorischen Wohin der Lebenswende des jungen Calvin.

7.2.2.2
Das vollmenschliche Beteiligtsein eines Menschen an seiner Glaubensgewißheit

Ohne hier schon näher darauf einzugehen, sei doch ausgesprochen,

weil für das folgende wichtig, daß bereits der werdende Reformator
den Menschen als personhafte "Seele" oder personhaftes "Geistwesen"
versteht, sofern dieses keineswegs immer mit dem menschlichen Intellekt einfach gleichbedeutend ist. Zwar schließt sich Calvin von Anfang an der von den Alten überlieferten Anschauung von der Dichotomie der Seele an und gliedert sie in Geist und Herz[468]. Es ist die
Frage, wie er den Glauben und seine Gewißheit an diesen beiden "Seelenvermögen" beteiligt und wie er ganz besonders weiterhin, unter
bewußter Berücksichtigung des vollen Menschseins des Menschen, die
Akzente setzt, wenn es sich um die Einbeziehung der "Affekte" handelt. Geht Gott mit einem Menschen heilsmächtig vor, so nur durch
den Glauben, den er ihm schenkt, damit er vor ihm in den entsprechenden polaren Bezügen und Beziehungen zu ihm erfunden werde. Dieser
Glaube aber hat sein Wesen sowohl in der Erleuchtung der "geistigen
Sinne" zum Durchblick durch die in der Hl. Schrift vorliegende, geschichtlich kundgegebene Wahrheit Gottes, als auch in der Versiegelung dieser Wahrheit im Herzen, für die auch die Versicherung des
Gewissens hinsichtlich der Vergebung der Sünden in Betracht gezogen
wird[469]. Das alles tut Gott aber durch seinen Leben schaffenden
Geist.

Dieser wohnt in "uns", um zunächst uns und unsere geistigen Sinne
zum Lernen und vollkommenen Erkennen dessen zu "erleuchten", welch
ungeheuer reiche Fülle göttlicher Gütigkeit wir in Christus "besitzen"[470]. Seit 1539 interpretiert Calvin das, was es mit dem Glauben
auf sich hat, in hervorragendem Sinne als Erkenntnis, und zwar als
wahrnehmendes Erkennen[471]. Aus geschichtlicher Rückschau heraus muß
man hier für den Inbegriff der Erleuchtung schon Augustin und dann
vor allem doch Bonaventura[472] nennen. Doch kennt Calvin keine über
die dem Glauben eigene Erleuchtung hinausgehende intelligible Gottesschau. Vielmehr ruht Glauben für ihn anfänglich schon 1536 letztgültig in der unmittelbar gegenwärtigen Heilsmächtigkeit der ehedem
geschichtlich "manifestierten" Heilsstiftung Gottes solchergestalt,
daß er hinsichtlich seines wirklichen Daseins Evidenz und Gewißheit
in sich selbst trägt.

Sodann legt der Calvin schon von 1536 ein entscheidendes Gewicht
darauf, daß bei der Versiegelung des Heils in den Herzen und Gewissen die menschlichen Affekte angewandelt, durchseelt, bewegt und in
eine erneuerte Triebrichtung gesteuert werden. Er mißt der Aufrichtigkeit christlichen Verhaltens und Handelns große Bedeutung zu, sofern er es nicht an den "äußeren Werken", sondern an deren "innerster Bewegtheit durch das Herz", also am Einklang von Außen und Innen, orientiert sein läßt: ein anthropologisches Erfordernis aus
theologischer Sicht. Nicht die Wirkung, sondern der Beweggrund entscheidet. Ohne aus einer gewissen Fairneß heraus Luthers Namen zu
nennen, nimmt er gegen den der Reformation von ihren Gegnern gemach-

ten Vorwurf des Antinomismus so Stellung, daß er die im Christenstand zum guten Handeln bewegenden Triebkräfte um so energischer hervorkehrt[473]. Es ist auch hier wieder der Geist Gottes, der die Herzen zur Liebe gegen Gott und den Nächsten entzündet, sie zum bewegten Eifer[474] in der Verbreitung des Ruhmes und der Heiligung des Namens Gottes reizt und auch das Gebet aus den Anwandlungen des Herzensinneren hervorgehen läßt. In den Herzen der Gläubigen regt sich voller Leben, regiert dieser Geist. Von ihm bewegt und beseelt, verlangen die Frommen danach, dem Willen Gottes zu gehorchen, und machen tatsächlich auch in seinem Gesetz "von Tag zu Tage je mehr und mehr" Fortschritte "zum Besseren"[476].

Seit der griechischen Antike hat die Affektenlehre eine lange, bunte Geschichte durchlaufen. Bei Calvin erscheinen die Affekte, wie schon bei Bernhard und vor allem in der Devotio moderna[477], von den Viktorinern zu schweigen, aus dem Zutrauen zur Führungskraft des Intellektes herausgelöst. Statt dessen ist es, wie bekannt, die von Gott und seinem Geist bewirkte Wandlung von Herz und Seele, die eines Menschen "innere Affekte"[478] "durchwühlt", im einzelnen erschreckt, befriedet und ihn nach der bekannten doppelten Seite seines Geistes und Herzens mit neuen Gedanken und Anwandlungen vertraut macht[479]. Scheint Calvin auch die Glaubenszuversicht und Gläubigkeit eines Christen 1536 noch nicht so ausdrücklich von der Bewegtheit durch die Affekte angewandelt werden zu lassen, so läßt er doch das Empfangen und Umfangen des Heils emotional durchseelt sein. Nur unter Einbeziehung dieser besonderen seelischen Dimension in das Widerfahrnis seines Heiles ist ein Mensch an seiner Heils- und Glaubensgewißheit vollmenschlich beteiligt.

Die Beobachtung ist von geschichtlich nicht zu unterschätzender Bedeutung, daß Johann Major aus Haddington in Schottland der menschlichen Emotionalität einen für rein scholastische Begriffe ungewöhnlichen Einfluß auf den Glauben eines Christen zugesteht. Sein Werdegang[480] erklärt das. In der Widmung des zweiten Buches seines Sentenzenkommentars von 1510 an Natalis Béda spricht er ihm gegenüber aus, daß "ich durch Dich und Deinen Einfluß unserm Lehrer Standonck aus Mecheln zugeführt worden bin. Dessen Name erinnert mich daran, daß ich mir dabei nicht wenig verdanke. Ich habe es schon hochgeschätzt und schätze es noch, im Schatten eines so befähigten und großen Mannes meinen Studien obzuliegen[481].... unter den Theologen, die er damals zuerst einzusetzen begonnen hatte, bin ich ein Jahr lang Dein Kommilitone gewesen, bin anschließend in das Amt eines Regens der Künste und in eine andere Scholarengemeinschaft[482] berufen worden und habe in dieser fünfzehn Jahre unter ihm und Dir verlebt"[483]. Von großem Interesse ist also, daß Major bei seinem ersten Aufenthalt zu Paris in der Artistenfakultät des Collège de Montaigu lehrte und sowohl beim ersten, als auch beim zweiten Aufenthalt, wie

schon angeführt, entsprechende Lehrbücher herausgab. Der Schluß
liegt nahe, daß er seit 1525 wieder auch in der Artistenfakultät un-
terrichtete. Er, wie bekannt, im Geist der Augustiner-Chorherren zu
Windesheim erzogen, war also in eine nachhaltig enge Verbindung zu
dem Fraterherrn Standonck und der den Insassen des Collège de Montaigu auferlegten strengen Lebensform der vornehmlich bernhardinisch-
devoten Frömmigkeit eingetreten, wie sie, nach gewissen Erleichte-
rungen seit 1513, dort geübt wurde. Was Wunder, wenn an einer so
wichtigen dogmatischen Stelle, wie dem Glaubensbegriff, wohl eine
Verbundenheit mit der franziskanischen Tradition in Lehre und Frömmigkeit bei Major zutage treten mochte, wie denn, auch abgesehen
davon, der junge Calvin zugleich unter Coronel in die "Anfangsgründe" eines ebenso restaurativen, wie frommen Katholizismus nachdrücklich eingeführt wurde. Beachtet man diese geschichtlichen Zusammenhänge zusamt den Imponderabilien, die sie noch in sich bergen, so
läßt sich verstehen, daß mit dem jungen Reformator aus Lehre und Leben der angestammten Kirche in das Wohin seiner Lebenswende und also
in das reformatorische Bekenntnis hinein gewisse Verumständigungen
mit hinübergingen und eingearbeitet wurden. An dieser Stelle soll
folgendes hervorgehoben werden.

1) Von Major wird der Glaube durchaus als Zustimmungsglaube gelehrt. Ihn will er zunächst auf die "topische" Beweisführung stützen, die ihm die Belegstellen aus der Hl. Schrift und den Kirchenvätern, besonders aus Augustin und den spätmittelalterlichen Antipelagianern darreichten. Ganz wesentlich ist aber sodann, daß er diesen Glauben angetan sein läßt mit frommer Anwandlung im allgemeinen
und mit den "Affekten", den fromm durchseelten Antrieben, im einzelnen. Die denkerische Rechthaberei wird gerügt. Man liest, daß die
topische Beweisführung und die besagten Ausweitungen von menschlicher Emotionalität "zur Hervorbringung des Glaubens genügen" und
derjenige nicht schon zum Häretiker gestempelt werden dürfte, bei
dem sich "sophistische Beweisgründe" gegen einen Gegenstand des Glaubens einschleichen. Ein Theologe werde gleichwohl in der beschriebe-
nen doppelten Weise zum Glauben und zur Abwehr solcher "Quälgeister"
instand gesetzt.

2) Major traut weder dem Intellekt, noch dem Willen das Vermögen
zu, rein aus deren eigener Natur heraus zum Zustimmungsglauben zu
kommen, tritt als Antipelagianer in die Polemik gegen Wilhelm von
Ockham und Robert Holkot ein, läßt mit deutlich antiintellektuali-
stischem Akzent die von einer Art "besondere Hilfe Gottes" ins Leben gerufene "fromme Affektion" die letzte Wirkursache für den Zustimmungsglauben sein und solche Affektion schließlich für "einen
Akt des Willens, d. h. aber für den Willen selbst" lediglich "supponieren". "Eine große Affektion steckt im Willen".

3) Major will auch die Beziehung der "festhaftenden, gewissen und

klaren" aktualen Glaubenserkenntnis hinsichtlich der geoffenbarten
Wahrheit noch über die Verehrung des "höchsten Gottes" hinaus sicher-
stellen, und zwar für die Zeit der Pilgerschaft der Christen hier
und hinsichtlich ihres künftigen Vaterlandes[484]. Auch hier kündet
sich stillschweigend ein Luftzug aus augustinisch-franziskanischer
Richtung an.

4) Ungezwungen fällt der Blick bei solcher Erwähnung Majors auch
auf Bonaventura. Auf ihn, den bedeutendsten Vertreter der älteren
Franziskanertheologie, sei hier aufmerksam gemacht. Der "Erleuchtung" der geistigen Sinne zur intelligibel "erschauten" Weisheit Gottes gesellt er den notwendigen Übergang der schauenden Erkenntnis in
Tätigkeit bei, der Erleuchtungen in affektbewegte Frömmigkeit. Das
bloße Wissen etwa vom "menschgewordenen Gott", auch das Hören ohne
das Tun genügt nicht zur Weisheit. Wie die Kenntnis des ewigen Gottes sich in Schau vollendet, so das Hören im Gehorchen, und zwar solchergestalt, daß dabei das Verlangen und der Eifer eines Weisen sich
allein auf Gott emporrichten. Sowohl der von Gott in Anspruch genommene Wille, als auch die besondere Dimension der menschlichen Emotionalität erhalten bei Bonaventura starke Akzente. Beide Erscheinungen,
die auch Major in seiner Art später aufweist, sind aber traditionel-
le Eigentümlichkeiten der franziskanischen Theologie und Frömmigkeit
schlechthin. Nimmt Bonaventura auch eine gewisse positive Stellung
zur Metaphysik ein, so hält er doch auch wieder dafür, daß nach
Maßgabe der Vernunft über den Glauben keine Streitgespräche geführt
werden können[485]. Abgesehen von der verschiedenen Stellungnahme bei
den Franziskanertheologen zur Metaphysik, die bei Major durch den
Terminismus bedingt wird, tritt die verwandte theologisch-anthropo-
logische Akzentsetzung hervor. Diese franziskanische Akzentsetzung
auch schon bei dem jungen Reformator Calvin, betrifft vor allem die
Beteiligung des Willens und der Affekte an der geistlichen und theologischen Existenz eines Christen, sowie die Skepsis aller metaphysischen Erkenntnis gegenüber, die er mit Major teilt, und verdient
eine bisher nicht aufgebrachte Beachtung. Aus diesem Bereich einer
theologisch in Anspruch genommenen Anthropologie kommt Calvin her.
Dabei sei aber auch Bernhard nicht vergessen.

Die Gesamtkonzeption der Theologie des jungen Reformators als
christlicher Religion und 1539 als "unserer Weisheit" bezieht also
die anthropologische Fülle der vollmenschlichen Anwandlungen eines
Gläubigen und Frommen mit ein. Die vielfältigen Bezüge und Beziehungen, die Gott mit einem solchen knüpft, und die Weise eines solchen
zu glauben und zu gehorchen sind angewandelt, durchseelt und bewegt
vom geistlichen Wahrnehmen[486] und rufen auch jene Affekte hervor[487],
die, im Einvernehmen mit der durch Gott, sein Wort und seinen Geist
erleuchteten Erkenntnis, den erneuten Willen zum rechtmäßigen Verhalten und Handeln bewegen. Der Glaube kann, jedenfalls bei dem spä-

teren Calvin, sogar ganz gelegentlich einmal auch schlechthin in dem
Bewußtsein sich aufdrängenden "Sensus", dem seelischen oder geistigen Gewahrwerden geistlicher Vorgänge, bzw. der heilsmächtigen
Selbstbekundung Gottes bestehen. Nicht nur die objektive Verbürgtheit des Heiles durch Gottes Verläßlichkeit[488], sondern nicht minder die in der menschlichen Subjektivität im unausweichlichen und
verbindlichen Gegenüber Gottes sich zur Geltung bringende "beständi-
ge Gewißheit und völlige Sicherheit"[489] verhilft einem Christen zum
Besitz einer "festen Stütze", läßt ihn "festen Fuß fassen" und "sich
lehnen"[490] auf die Heilshoffnung nach reformatorischem Verständnis.
Solches "Bei-sich-selbst-gewiß-Haben" bedeutet aber zugleich stille
Ruhe in Gott und in sich selbst[491]. Schon 1536 gab Calvin dem Wohin
der Glaubensgewißheit, wie sie die Subjektivität eines Christen
vollmenschlich anwandelt, das besagte feste geistliche und theologische Ziel, das die altgläubige Lehre und Frömmigkeit nicht gab. Darum: der Glaube wogt nicht hin und her, kennt keinen Wechsel, wird
nicht drüber und drunter geworfen, kennt kein Zweifeln, schwebt nicht
in Ungewißheit, ist kein Verzweifeln"[492].

Auch der überlieferte Sprachschatz der Mystik beginnt bei Calvin
schon 1536 zur Geltung zu kommen, wenn er die "Wonne", das "Kosten",
den "Wohlgeschmack"[493] an der Gütigkeit und Barmherzigkeit zum Ausdruck bringt, kraft deren Gott in Christus mit uns handelt und uns
zu der Kenntnis und Wonne auch an der "Lieblichkeit" des "geistlichen Trostes" und des Lebens Christi in der Speise des Herrenmahles
führt[494]. Mit all diesem Empfinden, Wahrnehmen, Erfahren ist der
Glaube also angetan. Die unabwendbar vollmenschlich sich zur Geltung
bringende Wirklichkeit innerster Widerfahrnisse, die ohne die bernhardinisch-devote und augustinisch-franziskanische Frömmigkeit und
auch Theologie kaum denkbar ist, macht die von Gott, Christus oder
dem Hl. Geist gewirkte Glaubensgewißheit erst gegenwärtig bewußt.
Das Woher und Wohin der jähen Lebenswende Calvins hat diese anthropologischen Verumständungen einer ansonsten reformatorisch unterschiedenen geistlichen und theologischen Existenz eines Menschen
kontinuierlich beibehalten und im nachhinein ausgeweitet.

Für die vollmenschliche Beteiligung eines Menschen an seiner Glaubensgewißheit ist für Calvin schon 1536 auch das Gewissen von großer
Bedeutung. Für die Frage nach dem Woher und Wohin seiner Lebenswende
ist bei ihm, gleich Luther, die Syntheresis, d. h., ein dem Menschen
nach seinem Fall verbliebener, wenn auch geringfügiger Rest von Neigung zum vermeintlich unbezweifelbar Guten, kein Raum. Erst in der
nachreformatorischen Theologie, z. B. in den "Gewissensfällen" des
Amesius[495], taucht diese Vorstellung wieder auf. Calvin hält sich
allein an das, was es für seine Begriffe mit dem Gewissen als solchem auf sich hat. Dieses stellt nach ihm zwar eine auch dem gefallenen Menschen innewohnende unentrinnbare, letztinstanzliche Verbind-

lichkeit dar, die ihre inhaltbedingte gültige Norm aber erst allein
im Gegenüber der Hl. Schrift als der Selbstkundgebung Gottes erhält,
und zwar hinsichtlich sowohl der Beziehung von Gesetz und Evangelium, als auch derjenigen von Evangelium und Gesetz im Blick auf die
vollmenschliche Beteiligung eines Christen an seiner ganzen geistlichen Existenz.

Das Gewissen gilt nicht als selbständiges, eigenes Gerichtsforum,
sondern als Zeuge vor dem Gerichtsforum Gottes für unsere Schuldigkeiten ihm gegenüber, insbesondere aber für das anklagende und auf
ewige Strafe erkennende Gerichtsamt des Gesetzes, weil es uns, über
das "natürliche Gesetz" hinaus, erst so die bei uns fehlende Erfüllung unserer "Pflichten", also unsere Verschuldungen zum "Bewußtsein" bringt und Gott als gerechten Richter von Übeltaten erkennen
läßt[496]. Dieser heilspädagogische Dienst des Gesetzes im Widerspiel
mit dem Evangelium hat in den Gewissen der schon Gläubigen freilich
keinen Platz mehr, weil sie sowohl allein auf den, der Christus ist,
schauen und ihre Zuversicht auf die forensische Rechtfertigung von
Gott setzen, als auch das Christenleben von der Knechtung unter das
Gesetz für bereit halten[497]. Ohne diese doppelte Befreiung vom Gesetz, wie es um seiner Unerfüllbarkeit willen ohne Heilsgewährung
nur knechten kann und das in Gottes wohlwollendes Ermessen einmündende Vater-Sohn-Verhältnis nicht aufkommen läßt, sieht Calvin die Glaubensgewißheit in Gefahr. Christliche Freiheit ist da, wo Gott in den
Menschen des gestillten und befriedeten Gewissens wohnt, in ihnen das
Gute wirkt und durch seinen Geist die Führung übernimmt[498].

Aber der Calvin von 1536 sichert die Glaubensgewißheit noch durch
weitere Hinweise ab. Die Freiwilligkeit des Gehorsams gegen "die Regel des göttlichen Wortes" bringt nur der Hl. Geist hervor. Nur insofern muß auch das ganze Leben des Christen "ein gewisses Bedachtnehmen auf Frömmigkeit sein"[499]. Weil Calvin aber weiß, daß auch die
Gerechtfertigten und im Stand der christlichen Freiheit Lebenden immer noch, wenn auch im verringerten Maß, Sünde haben und Sünde tun,
darum läßt er Gott auch in seiner "väterlichen Lindigkeit" nicht
mehr die "ganze Rigorosität des Gesetzes" gegen sie handhaben, sie
vielmehr darauf trauen, daß ihr Gehorsam und ihre Wohlwilligkeit
trotz aller Anfechtbarkeit bei Gott angenommen sein werde. Dem Wohin
der forensischen Rechtfertigung gesellt sich hier das Woher der aus
der wohlwollenden Ermessensfreiheit stammenden Verhaltensweisen Gottes bei, die die Beeinträchtigung der Glaubensgewißheit durch eine
immer wieder von strafwürdigen Verschuldungen überführende Heilspädagogie des ungeschmälerten Gesetzes bewußt vermeiden[500]. Man kann
das für die "Söhne Gottes" in ihrem undialektischen Verhältnis zu
Gott genau so bei Bernhard angesichts dessen Verdeutlichung durch
die Vorstellung vom menschlichen Vater-Sohn-Verhältnis und auch in
der sonstigen theologischen Literatur des Mittelalters lesen. Bei

Calvin setzt sich diese wohlwollende, stets als unbedingt heilig
und eminent sittlich ausgegebene, dem Imperatorenethos Senecas folgende Freimacht Gottes gegen die als willkürlich interpretierbare
philosophische "absolute Macht" ab und bildet mit der forensischen
Rechtfertigung ein forensisch-souveränes Junktim, weil diese, durch
Christus gestiftet, die Gläubigen kraft ihrer gegen das verklagende
und verdammende Gesetz einmal für immer heilsmächtig abgeschirmt
hält. Solche doppelte Sicherung der Glaubensgewißheit steht in der
Reformation einzig dar, zeigt aber den prädestinatianischen Augustinismus und die ockhamistische Logik als die theologiegeschichtliche
Richtung an, aus der Calvin herkam. Gott selbst läßt einen einmal
Gerechtfertigten durch sein freies und frei bleibendes Wohlverhalten
ununterbrochen an der Glaubensgewißheit teilhaben, in die er ihn unter Anwandlung von dessen vollmenschlichen Emotionen gegenwärtig
heilsmächtig versetzte. Calvin entging der Ausbeulung seiner Konzeption in der Richtung auf das, was man Bewußtseinstheologie nennen
kann, dadurch, daß er die in das Bewußtsein vorstoßende vollmenschliche Beteiligung eines Menschen an seiner Glaubensgewißheit nicht
im mindesten aus ihrer strengen Polarität zur Erwählung durch Gott
und aus seiner geschichtlichen Heilsstiftung durch Christus, sowie
zu der gegenwartsmächtigen Gemeinschaft mit ihm vermöge des Hl. Geistes löste.

7.2.2.3
Calvin und das Religionsgespräch auf dem Regensburger Reichs-
tag 1541

In der Ausgabe der Institutio von 1543 kommt Calvin auf Theologen zu
sprechen, die er Semipapisten nennt. Er meint damit einige katholische Ireniker, die an den Wiedervereinigungsversuchen der Kirchen,
insbesondere in Regensburg, teilnahmen. Caspar Contarini war hier
päpstlicher Legat. Durch Calvins Teilnahme an den Religionsgesprä-
chen in Hagenau 1540, Worms 1540 bis 1541 und Regensburg 1541 gewann
er einen Einblick in die Verhandlungen der getrennten Kirchen, in
die Schwierigkeiten, die gegenseitigen Absichten herauszufinden, in
das Hin und Her des Ringens um möglichst allseitig befriedigende Formulierungen und das schließliche Scheitern dieser Bemühungen nach
dem Regensburger Gespräch an der Ablehnung sowohl durch Luther, als
auch durch Papst Paul III. Die nachfahrende Urteilsbildung Calvins
hat ihren Niederschlag dann in der Institutio von 1543[501] gefunden
und zeigt, woran ihm insbesondere gelegen war.
   Contarini kam nach Regensburg, wohl vorbereitet durch das Enchiridion Johann Groppers von 1538[502], gegen das Bucer und Capito keine
wesentlichen Einwendungen vorgebracht hatten. Allein, Contarini war
noch mit einem anderen Buch bekannt gemacht worden, nämlich der In-

stitutio Calvins von 1536. Er schreibt an Gropper: "Mir ist noch
ein anderes Werk in die Hände geraten, geschrieben von einem jungen
Mann namens Johannes Calvin, das den Titel trägt 'Institutio religionis christianae'. Es ist ein Buch von einer üppigen und üblen Gelehrsamkeit, das mir unmittelbar im Gegensatz zu dem Plan des in
Frage stehenden Werkes[503] verfaßt zu sein scheint. Es behandelt nämlich nicht nur denselben Stoff, sondern verfährt auch in derselben
Reihenfolge, indem es den Dekalog, das Herrengebet usw. auslegt.
Aber es weicht sehr ab. Auch ist nach meinem Urteil gegenwärtig noch
kein Werk erschienen, das mehr dazu angetan wäre, den Geist zu ver-
seuchen: so sehr ist das Gute mit seinem Gift vermischt"[504]. Dieses
Urteil über Calvins Institutio von 1536 brachte Contarini also 1541
auf das Religionsgespräch mit. Man geht darum mit der Annahme kaum
fehl, daß die Stellung des päpstlichen Legaten zu den anderen reformatorischen Teilnehmern im stillen entfernt nicht so verhärtet war,
vor allem nicht zu Bucer und Melanchthon, die ihren Gesprächspartnern in Regensburg in den Formulierungen der Rechtfertigung so nahe
kamen.

Die Basis der Denkweise vor allem Groppers und Contarinis war der
Thomismus, und Melanchthon galt, Stimmen aus dem reformatorischen
Lager zufolge, nicht nur aus natürlicher Neigung, sondern auch aus
seiner humanistischen Bildung heraus als "Kompromißler". Dazu hatte
er den Namen, einer erwachenden protestantischen Scholastik die Wege zu ebnen. Calvin aber hatte er angelegentlich für die Teilnahme
am Regensburger Gespräch empfohlen, sodaß Bucer und dieser "gelerte
Franzoße"[505], vom Rat der Stadt Straßburg entsandt, diesem Gespräch
beiwohnten[506]. Jedoch sicherte sich Calvin in der Auseinandersetzung
mit den römischen Vergleichstheologen dann 1543 im nachhinein gegen
die "allerverseuchteste Philosophie" ab, "die einige Semipapisten
heute in ihren Winkeln zurechtzuschmieden beginnen"[507]. Den Hintergrund dieser scharfen Worte scheint bei ihm sowohl die begriffliche
Manipulierung einer allseitig möglichst befriedigenden Formel für
das Verständnis der Rechtfertigung auszumachen, als auch die bei den
römischen Gesprächspartnern zu Tage getretene thomistische Rückver-
sicherung der von ihnen vorgetragenen Anschauungen und Formulierungen. Gegen die Thomistische Scholastik brachte er seinem gelehrten
Herkommen nach einen inneren Widerstand mit. Woher sonst sollte es
kommen, daß er z. B. auch in der Frage nach der göttlichen Vorherbestimmung der Gnade und den Verdiensten "in seinen katholischen
Gegnern dieses seiner Meinung nach semipelagianische Ergebnis schon
tatsächlich vor sich" hat[508] und die vom Aquinaten sorgfältig einge-
bauten augustinischen Sicherungen gegen eine die prädestinatianische
Ersturächlichkeit Gottes in allen Dingen verletzende Ausweitung
des Verdienstdenkens schon 1539[509] nicht in Betracht zog?
Wie stellt er sich aber zu dem, was den römischen Irenikern als

Glaube galt, angesichts seiner eigenen Vorbetonung der gewissen Heilshoffnung, also der Glaubensgewißheit in dem für ihn unaufgebbaren Gegenüber Gottes, seines Wortes, Evangeliums und Heils? Er will festgestellt haben, daß jene Unterhändler die "in den Schulen überlieferte krasse Unwissenheit" als unzeitgemäß nicht mehr aufrecht erhalten konnten und statt dessen auf die "Erfindung" eines "mit Unglauben vermischten Glaubens" verfielen[510]. Was war aber in Regensburg vor sich gegangen? Nach Lage der Dinge mußte man sich zunächst darin einig sein, daß der Glaube sich in der Weise des Gegenstandsdenkens auf die Wahrhaftigkeit der Verheißungen Gottes in seinem Wort stütze und, sie umfassend, vollkommen und zweifelsfrei verbürge. Die Vergebung der Sünden und die Erneuerung des Willens sind dem Menschen durch die Hl. Schrift und in Christus demnach als objektiv sicher gestellt und dulden darum, wie auch Major ausführte[511], keine Bedenken, kein Wanken und Schwanken[512]. Aber wann empfängt ein Mensch diese verheißende doppelte Gabe? In der Kindertaufe? In einem mit ihr verbundenen oder, wie auch schon Erasmus meinte, in einem als ihr voraufgehend angenommenen Kinderglauben? Die Frage bleibt ungelöst[513]. Nach Calvin, der in dieser Richtung 1536 vorübergehend zu entsprechenden Zugeständnissen bereit sein mochte, können beide Gaben schließlich doch nur von einem seiner selbst bewußten Herangewachsenen empfangen, "ergriffen" werden. Aber die häufige Verwendung des Begriffs der Verheißung oder ihrer Mehrzahl in den Paraphrasen des Erasmus zum Neuen Testament hatte nicht nur bei Luther und Calvin, sondern auch bei den römischen Gesprächspartnern, soweit sie humanistischen Einflüssen stattgaben, Schule gemacht.

In diesem Zusammenhang gehört dann auch der Gedanke an eine Ergänzung des Zustimmungsglaubens durch die Glaubenszuversicht[514] zu diesen Verheißungen, wie sie vornehmlich Luther am Herzen lag und wie sich ihr Gropper und Contarini anpaßten. Entscheidend aber bleibt, daß von den römischen Teilnehmern am Regensburger Gespräch, zumal sie sich auch durch den erasmischen Glaubensbegriff bestärkt fühlen mochten, dem Glauben der Charakter der "Heilstugend"[515] stillschweigend und wie selbstverständlich belassen wurde. Dem so ethisierten Glauben legten sie eine eigene Regungsfähigkeit bei, die auch Bucer nicht zurückwies, ein Streben nach Gott und guten Werken, auch eine Beeindruckbarkeit durch Christus, ein Dürsten nach ihm und Verlangen nach dem Heil, nach dem Erwerb der "Unbeschuldbarkeit"[516], schlechthin also eine natürliche Disposition für geistliche Vorgänge bei einem Menschen[517]. Entsprechend kennt Contarini auch einen auf die Rechtfertigung vorbereitenden Glauben, der noch ohne die nach katholischem Verständnis erforderliche Liebe ist[518]. Es mußte für Calvin entscheidend sein, daß in Regensburg die Frage ungeklärt blieb, ob die Gewißheit der Heilshoffnung auf der dem Menschen innewohnenden und ihn verändernden oder ob sie auf der zugerechneten Gerechtigkeit

Christi beruhe, zumal jene dann doch die Voraussetzung für diese
und der Mitwirkung des Willens anbefohlen blieb[519].

Dieser sowohl auf die Verbürgtheit des Glaubensgegenstandes fest-
gelegte, als auch zugleich semipelagianische und ethisierte Fiduci-
alglaube stand dem Verständnis des Glaubens bei Calvin als "gewisser"
Heilshoffnung und also als Glaubensgewißheit stracks im Wege. Calvin
hielt in seinem endgültigen Urteil 1543 den Glaubensbegriff bei den
römischen Gesprächspartnern insofern mit Unglauben untermengt, als
er einer immerfort wechselnden Blickrichtung verfalle und mit einer
entsprechend wechselnden inneren Verfassung der Gläubigen einhergehe. Bald bestehe aller Anlaß, in Christus guter Heilshoffnung zu
sein; bald gebe es Zeiten, während derer die Gläubigen von der Unwürdigkeit aber auch aller in Christus dargebotenen Heilsgüter und
der Verdientheit der eigenen Verdammung voller Furcht und Zweifel
durchdrungen seien[520]. An der einschlägigen Stelle kommt Calvin auf
die Rechtfertigung des Sünders garnicht zu sprechen, wohl aber auf
jene Glaubensgewißheit eines Gläubigen, Christus wirklich unentwegt
in sich wohnend zu haben[521]. Das Wohin der Lebenswende Calvins ist
seit 1543 umso deutlicher.

Gleichwohl ist in Betracht zu ziehen, wie sich die Absicht der Regensburger Vergleichsformel in Sachen der Rechtfertigung zum Verständnis der Rechtfertigung bei Calvin verhält. Weil Gropper in seinem Enchiridion und seinerseits auch Contarini, jedenfalls auf Grund
seiner Kenntnis dieses Buches seit 1540, eine "doppelte Rechtfertigung" lehrten, die dann auch das Regensburger Buch wiedergibt, darum waren beide Parteien gezwungen, sich mit dieser zu befassen.
Melanchthon hatte ausgesprochen, Rechtfertigung sei ein Wort der Ge-
richtssprache. Groppers Enchiridion stimmte dem zu[523]. Allein, in
der "ersten" Rechtfertigung wurde dann aber Vergebung, Versöhnung,
gnädige Annahme bei Gott[524], Anrechnung der Gerechtigkeit Christi
und zusammen damit Gerechtmachung, geistliche Veränderung, Erneuerung, Wiederherstellung, Verlebendigung[526], Wiedergeburt zu Söhnen
Gottes als insgesamt einziger Akt Gottes erblickt[527]. Als Zeitpunkt
des Eintritts dieser doppelten Rechtfertigung galt vorwiegend die
Taufe[528], weil die römischen Vertreter sakramental dachten. Nicht
zuletzt auch deshalb mochte Contarini auf die "initiierende", die
"eingegossene"[529], die "geschaffene" Gerechtigkeit schon bei der
Formulierung der "ersten" Rechtfertigung nicht verzichten, die sogar ein Anteilgewinnen an der göttlichen Natur zuließ[530]. Für Contarini und Gropper lag hier der Vorton.

Inbegriff der "zweiten" Rechtfertigung ist nach Gropper, der Contarini in der Auffassung von der doppelten Gerechtigkeit wohl bestärkt haben mochte[531], die "Rechtfertigung der Werke des Glaubens",
die durch den Eifer der Gläubigen zunehmend gefördert werden und im
künftigen Leben ihre Vollendung finden[532]. Einerseits rechtfertigt

hier der Glaube, dem auch die Liebe eigen ist, die Werke auf Grund
ihrer Verdienstlichkeit, und ergänzt solchergestalt ein Mensch dieses Glaubens die geschenkte Gnade[533]. Andererseits wird unter Verwendung augustinischen Gedankengutes die Würdigung der Verdienste
aus umsonst gewährtem göttlichen Wohlwollen abgeleitet, sofern sie
also nicht an sich, sondern nur "zugestandenermaßen" als verdienstlich zu betrachten sind[534]. Die sündliche Begier der Gläubigen aber
wurde in Anlehnung an Luther als gegen Gottes Gesetz gerichtet erachtet und ein Mensch durch dessen Heilspädagogie zu Christi Vergebung oder Freispruch geführt, währenddem der Heilige Geist, um auch
mit Bucer zu reden, zum frommen Leben und dessen "Unanklagbarkeit"[535]
vor Gott ausrüste: ansonsten bleibe nur die Verzweiflung übrig. Die
von den Gläubigen nur teilweise erfüllte Gerechtigkeit hingegen bedarf nach Gropper und Contarini für ihre von Gott anzuerkennende
Vollkommenheit aber auch noch der "Ergänzung" oder "Auffüllung" durch
die Gerechtigkeit und das sog. "ganze Verdienst" Christi[536].

Calvin schrieb von Regensburg aus am 29. April 1541 an Farel, daß
Contarini die reformatorischen Gesprächspartner unterzukriegen vor-
habe, aber am 11. Mai, daß nach einem Kampf über die Rechtfertigung
eine Formel [537] aufgestellt wurde, die durch gegenseitiges Entgegenkommen den reformatorisch Gesinnten wohl unerwartet viel zugestehe,
dennoch aber den Wunsch nach deutlicher Erklärung zurücklasse. Das
war von dem Calvin, dessen Stellung Gropper und Contarini aus der
Erstausgabe der Institutio ja bekannt war und der auch in einem Brief
an Bucer schon vom 12. Januar 1538 dessen zugleich nominierend und
effektiv interpretierte Rechtfertigung scharf angegriffen hatte, im
Augenblick sehr milde ausgedrückt. Schon 1536 hatte er ausgeführt,
daß Christi Gerechtigkeit Glaubensgerechtigkeit sei und ihren Grund
nicht in uns selbst habe, sondern durch göttliche Gültigkeitserklärung uns angerechnet und nur solchergestalt zu unserm Besitz werde[539]. Hier ist für den Akzeptationsgedanken, durch den Calvin später die Rechtfertigung ausdrücklich "interpretieren" wird, schon der
Grund gelegt. Er ist augustinisch-ockhamistischen Ursprungs. Für Calvin ist Rechtfertigung ja sowohl forensisch, als auch souverän gesehen, reine Begnadigung; mit ihr hat man das Heil ganz. In ihr ruht
die unzerstörbare Glaubensgewißheit. An ihr scheitert darum auch der
Ergänzungs- und Auffüllungsgedanke, der aus dem Bereich unbedingter
Geltung in den der Quantität des Teils-teils hinein abfällt.

Die Glaubenszuversicht bleibt bei Calvin also nicht bei der bloßen
Verbürgtheit des Heils und dem Verdienst Christi als solchem stehen:
sie würde es so nur mit einem "Christus, der fern steht", zu tun haben , antwortet der junge Reformator den Semipapisten. Glaubenszuversicht im Sinn von Glaubensgewißheit[540] ist aber des "Wohnens
Christi in uns" bewußt und bedenkt es[541]. Dem entspricht, daß seine
Gerechtigkeit gerade "deine Sünden" bedeckt, gerade "deine Verdam-

mung aufhebt", gerade "deine Unwürdigkeit Gott nicht mehr vor die
Augen kommen läßt"[542]. Christus ist mehr als das "Anhängsel" einer
kontinuierlichen Verbindung mit uns[543]. Er wächst nämlich durch eine
gewisse wunderbare Gemeinsamkeit "von Tag zu Tag je mehr und mehr"
zu einem Leib mit uns zusammen, bis er schließlich geradezu eins[544]
mit uns wird[545]. Die Glaubensgewißheit die dieses Einssein zum Inbegriff hat, kann wohl mit erschütternden Zweifeln der schlimmsten
Art "untermischt" werden[546], nicht aber mit "Unglauben" "gemischt",
wie die päpstlichen Vertreter es wahrhaben wollten[547]; denn es liegt
in ihrem Wesen, aus der erdrückenden Wucht der Anfechtungen, die
Calvin 1559 mehr als vorher zugesteht, "ständig" wieder emporzutau-
chen[548]. Calvins Herz hängt also an dem "Christus in uns" und an seinem Geist, der in uns wohnt und Leben um der Gerechtigkeit willen
(Röm. 8, 16) ist. Sehr viel besagt die Beziehung auf Bernhard in
diesem Zusammenhang[549]. Das Woher und Wohin der Lebenswende Calvins
wird hier recht deutlich.

Den an Augustin anknüpfenden Gedanken der vorbehaltlosen Annahme[550] der von Gott gewirkten, aus dem Glauben kommenden, dennoch aber
oft bruchstückartigen Werke durch Gott selbst hat Calvin in einem
nur verwandten Sinn mit den Regensburger Unterhändlern gemein. Er
sprach ihn als "Speziallehre"[551] schon 1539 aus. Er ist Ausdruck der
Abschirmung der forensischen und souveränen Rechtfertigung gegen jeden Verdienstgedanken, möge dieser ihrer Vorbereitung oder ihrer
Vermählung mit jener im Heilsstand dienen. Das Verdienst Christi ist
Inbegriff unverlierbarer Glaubensgewißheit.

Die reformatorische Alternative zu der den katholischen Christen
immer wieder in Ungewißheit über seinen Heilsstand haltenden Frage
nach dem nie zu beantwortenden Genügen seines eigenen Betragens zu
seinem Heil, heißt bei dem jungen Reformator Glaubensgewißheit. Ist
diese aber nach ihm an keine priesterliche Vermittlung gebunden,
statt dessen vielmehr unmittelbare und nie wurzelhaft auszurottende
Wirkung des Hl. Geistes, so versteht man, daß über sie bei den päpstlichen Unterhändlern, wie schon in Groppers Enchiridion, in Regensburg Schweigen herrschte[552]. Zugleich ersieht man, wie Calvin auf
die durch den Hl. Geist zuinnerst sich mitteilende Gewißheit des
Glaubens einen Akzent setzt, wie ihn die Wittenberger Reformation
für die Inanspruchnahme der menschlichen Subjektivität für die forensische Rechtfertigung durch Gott so pointiert nicht anbrachte. Es
handelt sich bei Calvin schon 1536 nicht um ein allem Widerspiel
zum Trotz zu glaubendes, sondern um ein unbeweisbares und unbestreit-
bares, geistlich von einem Gläubigen allein bei sich selbst wahrnehm-
bares und "feststellbares"[553] gnädiges Existieren im Gegenüber Gottes, seines Wortes und Evangeliums, für das das jedenfalls wurzelhaft unentwegte Fortbestehen folgerichtig ist. Das Wohin, in das Calvins Lebenswende schließlich einmündete, war von großer persönlicher,

auch theologie- und frömmigkeitsgeschichtlicher Tragweite. Es brauchte diese Glaubensgewißheit nur aus dem Gegenüber Gottes und seiner
in Christus vollzogenen Heilsstiftung gelöst zu werden, so befand
man sich in der bewußtseinstheologischen Grundlegung einer christ-
lich-protestantischen Religion. Gerade diesen Schritt tat Calvin
nicht. Er behauptete die bleibende, streng personhafte Polarität aller Heils- und Frömmigkeitsbezüge und -beziehungen zwischen Gott und
einem in dessen Heil Existierenden auf Grund der einmaligen geschichtlich vor sich gegangenen Heilsstiftung durch Jesus Christus.

7.2.3
Dritter Teil

Es wird nicht leicht sein, diesen Teil der "Anfangsgründe", in die
Calvin, wie er von ihnen ja selbst spricht, kaum anderswo als im
Gymnasium montis acuti "eingeführt" wurde, mit dem Wohin seiner Lebenswende, d. h. mit der rechten Vielseitigkeit der vorliegenden geschichtlichen und für die theologische Konzeption Calvins bedeutenden strukturellen Eigentümlichkeiten in Beziehung zu bringen; denn
Calvin führt an Ort und Stelle[554] nicht aus, was er zunächst einmal
genauer unter den "Pflichten eines christlichen Lebens" versteht, in
denen ihn jene Anfangsgründe "wohl" oder "ordentlich" oder gar
"grundsatzgetreu"[555] hätten "bilden"[556] müssen. Den Ausgang wird man
am besten von dem diesbezüglichen Woher des dritten Bereiches seines Verständnisses vom christlichen Leben nehmen.

7.2.3.1
Die Abkehr vom Verdienstdenken

Seine Lebenswende hat Calvin zu der grundsätzlichen Auffassung geführt, daß es einem Menschen, vor allem aber einem Frommen, schlechthin nicht gebühre, vor Gott Verdienste zu haben. Diese Voraussetzung
liegt schon bei dem werdenden Reformator jedweder Frömmigkeitsübung
zunächst einmal allgemeingültig zugrunde und kennzeichnet die Got-
tesbeziehung, in der sich jene bewegt. Ein "anderer Heilsweg" ist zu
suchen als der der Werkgerechtigkeit[557]. Wie Bucer[558] hat Calvin die
Stellung bezogen, daß die Willensentscheidungen eines Menschen in
den Dingen der Frömmigkeit nicht natürlich und darum auch niemals
frei seien, so sehr der Wille rein als solcher zur vollmenschlichen
Würde eines Menschen gehöre. Hier hat Calvin den strengen Anschluß
an den Augustinismus der Antipelagianer, auch derjenigen des Johann
Major[559], beibehalten und denjenigen unmittelbar an Augustin gesucht
und ausgebaut. Von hier aus hat der werdende Reformator nächst der
grundlegenden Hinwendung zu Luther die Folgerungen gezogen. Im besonderen gilt für "die Pflichten" grundsatzgetreuer christlicher Le-

bensgestaltung:

1) Der Geist der Wiedergeburt führt keine übernatürliche Erhöhung, Zurüstung und Vollendung der natürlichen Fähigkeiten eines Getauften herbei, sondern ist Lebenserneuerung von Grund auf. Selbstliebe in ihrem euphemistischen Sinn, wie z. B. bei Bernhard, ist kein Ausgangspunkt der Liebe zu Gott[560].

2) Darum gibt es auch keine apriorische Ansprechbarkeit der "Affekte" eines Menschen in Sachen christlich-reformatorischer Frömmigkeit[561].

3) Es gibt vor Gott keine Möglichkeit, dem "catholicum theorema" entsprechend genugtuende Leistungen als Wiedergutmachung[562] durch Abbüßung zeitlicher Kirchenstrafen zu vollbringen und damit an einer, wenn auch noch so geringfügigen, Gerechtigkeit verdienstlicher Werke festzuhalten[563]. Dieses Theorem nennt der werdende Reformator Mißbrauch des Gesetzes[564]. Diesen mußte er nicht zuletzt auch bei Erasmus bezüglich der "Nachahmung Christi"[565] feststellen.

4) Vom Gesetz Gottes werden nicht nur äußere Werke vorgeschrieben oder verboten. Vielmehr zieht sich durch die ganze theologische Konzeption Calvins ein unablässiges Drängen auf den anthropologischen Einklang von Außen und Innen im Sinn der Wahrhaftigkeit eines von Grund auf Wiedergeborenen hindurch. Erst das geistlich zu nennende Gesetz bringt bei diesem den wirklichen Gehorsam ganz auch seines Geistes, seiner Seele, seines Willens im Verein mit dem äußeren Verhalten zustande[566]. Der Ausweg, Gott mit verdienstlichem Geringeren abzufinden, wird, wie auch eine bloße Gesinnungsethik, ausgeschlossen.

5) Ebenso verfallen überpflichtige Werke, die vor allem von Ordensleuten als "verbindlicher Gehorsam"[567] gegen die sog. Ratschläge gefordert werden, der Ablehnung[568]. Es gibt keine verdienstliche Sonderfrömmigkeit, wie es auch keinen verdienstlichen Gehorsam gegen kirchliche Traditionen gibt[569].

6) Es heißt, daß das Todesleiden der Märtyrer als ein den Umständen nach notwendiges dargebracht wurde, in der Sache aber nichts Überpflichtiges an sich habe und deshalb auch nicht auf andere "überfließen" könne. Auch sei es ein Irrtum, daß die sog. Heiligen anderen den Zugang zu Heilsgütern verschaffen könnten, weil sie ihn nicht einmal sich selbst hätten erwirken können[570]. Es gibt dementsprechend also keinen Verdienstschatz der Kirche[571], wie insgesamt auch keine priesterlich notwendige Vermittlung von Heilsgütern.

7) Zwischen Gott und einem nach dem reformatorischen Heilsverständnis Calvins auf den Eifer der Frömmigkeitsübung bedachten Wiedergeborenen besteht allgemeingültig kein Rechtsverhältnis: Gott kann durch niemand und nichts verpflichtet werden. Calvin hält die Mitte inne zwischen dem, Luther vorgeworfenen, Antinomismus einer "Gnadenreligion", wie es später in der Auslegung des 119. Psalms

heißt[572], und den "Wahn"vorstellungen des täuferischen Radikalismus[573]. Er denkt puritanisch, d. h.: bei einem Menschen, dessen
Rechtfertigung ansteht, spielen gute Werke, als Würdigkeit, Verdienst, Lohn, Vergeltung keine Rolle[574]. Indessen nehmen sie im Leben eines durch Gottes forensischen und souveränen Freispruch Gerechten unter derjenigen Voraussetzung eine "beherrschende Stellung"
ein[575], daß allein Christi Verdienst alle unsere Schuldigkeiten abgelöst, Gottes Zorn und Verdammung besänftigt hat[576], daß es die
Schuldverhaftung der wie Sklaven gefesselten Gewissen zu wahrer
christlicher Freiheit entbindet[577], daß es sie aus der Gerichtsfurcht
vor Gott entläßt[578], den Gewissen untrügliche Ruhe beschert[579] und
auch dem unerfüllbaren Sollen der vollen Geltung des Gesetzes für
immer Genugtuung geleistet hat.

8) "Lohn", wo er von der Hl. Schrift in Aussicht gestellt wird,
ist vorweggebene Zusage, besteht aus zuvor ergangenen "evangelischen Verheißungen"[580], ist Zuspruch der Gnade[581] und, wie es später
heißt, nur insofern Vergeltung[582], weil vorweg sichergestelltes Erbe für die zu "Söhnen" Angenommenen[583].

9) Calvin hat die Gebote[584] des Gesetzes einer noch viel größeren
Vereinfachung zugeführt, als es die Bemühungen eines Johann Gerson
und Peter von Ailli um der Einschränkung der Kasuistik willen täten.
Ob er damit auch einem bestimmten Ansatz zu neuer Gesetzlichkeit
den Boden völlig entzog, ist eine andere Frage.

10) Auch angesichts des aus Gottes voraussetzungslos freiem Ermessen seinen "Söhnen" entgegengebrachten Wohlwollens und seiner "väterlichen" Anwandlungen der Liebe und Treue[585] ist ein verdienstli-
ches Verhalten menschlicherseits ausgeschlossen. Weniger der "rechtfertigende", vielmehr der die Rechtfertigung und Wiedergeburt rein
empfangende und "umfangende" Glaube und das auf jene Väterlichkeit
sich angewiesen sehende und von ihr sich abhängig machende Gebet gebären aus sich ein den "Pflichten eines christlichen Lebens" entsprechendes frommes Verhalten und Handeln.

So hat Calvin selbst die geistliche und theologische Abgrenzung
des allgemein katholischen Erbes, in dem als christlichem Bildungsgut er in der Artistenfakultät in Montaigu unterwiesen worden war,
nach rückwärts gekennzeichnet. Nach dem Verständnis und Inbegriff
der "Pflichten einer grundsatztreuen christlichen Lebensführung",
wie sie seinen Vorstellungen eigen geworden war, ist aber nunmehr
näher zu fragen, so schwierig dieses Unternehmen sich auch anläßt.

7.2.3.2
Die christlich-reformatorischen Pflichten und der Gesetzgeber

Calvin bedient sich recht umfänglich des Begriffes der Pflicht. Weder die Aussicht auf Lohn, noch die Furcht vor Strafe sah er hier im

Spiel, vielmehr steht ihm Gottes Befehl vornean. Dieser aber erfordert, wie man schon 1536 liest, das aufrichtige Urteil und das Mitsich-zu-Rate-Gehen darüber, daß wir Gott keine Pflichtleistungen nach eigenem Belieben[586], sondern pflichtschuldige Erweisungen auferlegten Gehorsams[587] abzustatten haben. Dieser ist aber darin zu erblicken, "daß wir getan haben werden, was immer uns vorgeschrieben wird, d. h. sofern alle unsere Überlegungen und die gesamten Gliedmaßen unseres Körpers den Pflichten des Gesetzes zugewandt sind oder auch, wenn mehr als die Gerechtigkeitsleistungen[588] aller Menschen zusammen Pflicht nur eines einzigen wären"[589]. Calvin bedient sich hier des gerade in den Humanismus seiner Zeit eingegangenen Pflichtbegriffes der mittleren Stoa, wie ihn Ciceros Ethik bedeutend mit prägte, wie er aber auch der der späteren Stoa zuzurechnenden Lebensphilosophie Senecas eigen ist. Cicero und Horaz hatten überlieferungsgemäß die Pflichten des frommen Römers in diejenigen gegen die Götter und die Menschen zweigeteilt und denen gegen die Götter den Vorrang gegeben. Anders urteilt auch Calvin an seinem Teil im Blick auf die beiden Tafeln des Dekalogs von vornherein nicht[590]. Es wurde schon dargestellt, welches Gewicht gerade er der reformatorischen Gottesverehrung gibt, sodaß nunmehr die "Pflicht des Gesetzes"[591] nach seiten der "Heiligkeit", "Gerechtigkeit" und "Unanklagbarkeit"[592] eines Christen zur Frage steht. Umfang, Sinngehalt und Inbegriff dieser Pflichten haben bei dem werdenden Reformator ein hervorragendes Gewicht bekommen. Im übrigen gehörten, wie bekannt, Cicero und Seneca, in welcher Auswahl auch immer, zum Unterrichtsbetrieb einer guten Artistenfakultät. Und eine solche war die in Montaigu.

Woher rühren angesichts der Frage nach dem Woher und Wohin des jungen Reformators die doch so bestimmt sich gebenden Hinweise auf Art und Absteckung der Pflichten? Jedenfalls nicht, wie bei Zenon von Kition, dem typisch intellektualistischen Initiator der griechischen Stoa aus der Übereinstimmung des einzelnen Weisen, seiner Erkenntnis und dem ihr unmittelbar folgenden Verhalten mit dem allumfassenden Prinzip der Weltvernunft[593]. Ganz anders schon haben sie eine deutliche Beziehung zu der praktischen und im engeren Sinn stoischen Lebensphilosophie der Römer. In der späten Stoa hatte ihr Seneca Form und Norm einer die Sitten fördernden, das Ethos des Weisen gestaltenden, auch das Gewissen stark einschaltenden, monistischen Weltanschauung gegeben. Zu einer gewissen Tradition kirchlicher Ethik aber gab Ambrosius durch die Verbindung überlieferter naturrechtlicher Gedanken mit einer durch entsprechende Bibelstellen angereicherten verchristlichten Sittlichkeit den Auftakt. Ciceros Werk "Über die Pflichten" hatte ihm mit seinen Termini und deren Sinngehalt weithin gedient[594]. Zwar bringt Calvin die dementsprechende christliche Tradition mit, bezieht aber erst in zweiter Linie

einen ethischen Fragen zugewandten biblizistischen Humanismus ein,
setzt sich mit beiden auseinander und verpflanzt sie kritisch auf
reformatorisch-augustinischen Boden.

Das Sollen und Müssen[595], das Lernen und Einüben[596], das Calvin
fortgehend einschärft, ist in der Stoa vorgebildet[597], hat aber bei
dem werdenden Reformator ausdrücklich den persönlichen Gott zum Gesetzgeber, zum "Urheber des Gesetzes"[598]. An die Menschen erhebt
Gott sowohl als Schöpfer, wie denn auch als Erretter[599] auf Grund
dieses doppelten Eigentumsverhältnisses einen entsprechend doppelten Rechtsanspruch[600]. Wie schon für Bernhard ist es auch für Calvin
zudem ein lieber Gedanke, Gott sei die entsprechende doppelte Schul-
digkeit einerseits der Furcht, des Ruhms und der Ehre, andererseits
der ehrfürchtigen Liebe eines zu Gnaden angenommenen Sohnes zu zol-
len[601]. Solche zwiefach begründete Pflicht ist schon von dem werdenden Reformator weder heteronom, noch vor allem autonom[602] gedacht,
sondern als homogener Einklang gemeint, den der Geist Gottes[603] bei
den Gläubigen zustande bringt, daß hier von keiner bloß "mittelmäßigen Anwendung" des Gesetzes geredet werden darf. Vielmehr "lebt
und regiert" jener Geist in den Frommen, so daß sie das Gesetz als
"eingemeißelte"[604] Schrift in ihren Herzen haben und von dem Mut und
Verlangen getrieben sind, aus dem Gesetz des Herrn (Gott) sicherer
und besser zu lernen, wie es um den Willen des Herrn bestellt sei[605]
Solche "Unterwerfung" allein unter das Urteil Gottes, wie es Calvin
trotz allem zur Geltung bringen möchte, bezieht aber immer auch auf
die ganze Kirche[606] und damit auf die "Pflicht", ja, selbst auf die
bloß "kleinen Pflichten" eines Pastors[608]. Der schon 1536 abgefaßte
Brief an Gerhard Roussel ist bezeichnenderweise betitelt: "Über die
Pflicht eines Christenmenschen hinsichtlich der Verwaltung oder Verwerfung priesterlicher Verrichtung in der Papstkirche"[609].

Dem Gesetz mit seinen Pflichten im Neuen Bund gewann schon der
werdende Reformator keinen anderen Sinn ab als denjenigen im Alten
Bund. Darum bestritt er die Lehrmeinung, wie sie Thomas von Aquino,
dann Erasmus, Faber Stapulensis, Bucer und Melanchthon vertraten,
daß Christus ein "neuer Gesetzgeber" und "zweiter Mose", der Ein-
bringer eines besseren "evangelischen Gesetzes" sei, und nannte ihn
schon 1536 den "treuen" und "besten", dann auch den "klaren" Inter-
preten des Gesetzes[610] und insofern den "himmlischen Lehrer"[611].
Über den auch von Calvin als heilspädagogisch notwendig erachteten
Brauch des Gesetzes[612] hinaus will er immerfort den Dienst des Gesetzes an einer frommen, grundsatztreuen reformatorischen, der Hl.
Schrift, nicht aber der Vernunft verpflichteten christlich gearteten "Sittlichkeit"[613] erhärten. Er bleibt, wie auch immer, in der
Tradition seiner angestammten Kirche und hat sie doch zugleich überdies einer reformatorisch angestrebten Lebensführung einverleibt,
so daß diese trotz allem die Tendenz zur Obmacht bekommt; denn es

heißt schon 1536, das geschriebene Gesetz sei Zeugnis des Naturgesetzes, und präge ein, was wir hinsichtlich dieses zuinnerst beleh-
renden Naturgesetzes nicht genügend gelernt hätten[614], und 1539 wird
allein schon diesem die gewissensmäßige Überführung von der Unentschuldbarkeit eines Menschen zugeschrieben[615]. In beiden Gestalten
von Gesetz erblickt Calvin das "moralische"[616]. Dieses in der Hl.
Schrift explicit Dargelegte hat bei ihm zunächst einmal dieselbe
Wurzel, wie auf diese dann auch die das Ethos der aus der Gesell-
schaftstüchtigkeit des Menschen sich ergebenden Pflichten zurückgehen[617]. Allein, es darf keinesfalls übersehen werden, daß das christlich ausgerichtete Sittengesetz von Calvin in eine bestimmte reformatorische Frömmigkeitsgestalt hineingehoben wurde, um nicht zu sagen: in ein reformatorisches Ethos, das schon die Kennzeichen der
späteren Genfer Observanz erhielt.

Hier ist Anlaß gegeben, im Blick auf das Woher der Lebenswende
Calvins in Anbetracht der "Pflichten" auf die Grundlinien der Lehre
vom Gesetz hinzuweisen, wie sie die milde Scholastik eines Johann
Major bietet.

1) Die Gebote der zweiten Tafel werden von Major "moralisch" genannt und samt denen der ersten, mit Ausnahme des Gebotes der Sabbathheiligung, das als Gebot "positiver" Setzung, wie es später der
Feier des Herrentages wich, aus dem Gesetz und "Licht der Natur",
weil ihr am meisten "gleichförmig", auch unter gelegentlicher Berufung auf Aristoteles, hergeleitet[618]. Calvin meinte, wir "müßten"
allein schon als "Geschöpfe Gottes" "seinen Geboten nach ein sittliches Leben" führen[619].

2) Unter Berufung auf Matth. 7, 12 versteht Major die in Frage
stehenden neun Gebote als solche natürlichen Rechtes[620]. Das Gebot
richtiger Gottesverehrung bleibt in sie eingeschlossen[621]. Auch in
Calvins Auslegung der Bergpredigt scheint in Anbetracht der "goldenen Regel" ein Strahl gerade dieses Lichts hinein[622]. Es beleuchtet
die ewige Unveränderlichkeit der in Frage stehenden neun Gebote Gottes und ihre gleichbleibende Geltung im Alten und Neuen Testament.
Wie Christus selbst, so haben dann auch die Apostel kein neues Gesetz erlassen, sondern sind bei dem göttlichen und "ewigen" Gebot
der Liebe geblieben. Unter diesem Gesichtspunkt tut ja auch Calvin
das "allgemein verbreitete Axiom von der Vollkommenheit des evangelischen Gesetzes" ab, sofern es "das alte Gesetz in weitem Abstand
überragen" solle[623].

3) Im vorliegenden Zusammenhang kann nur darauf hingewiesen werden, welch breiten Raum bei Major die Frage einnimmt, ob und inwieweit Gott aus der ihm eigenen voraussetzungslos freien Vollmacht die
naturrechtlich "ewige" Unverbrüchlichkeit seiner Verbote oder seiner
Gebote "aufheben" oder "widerrufen" könne. Die Frage wird im Ockham'-
schen Geist in Angriff genommen. Durch den Hinweis auf biblische

Beispiele und den "Dispens", den ein menschlicher Gesetzgeber von
jener Unverbrüchlichkeit aussprechen könne, wird das Interpretations-
recht Gottes an sein eigenes Gesetz veranschaulicht[624]. Hier darf
daran erinnert werden, daß nach Calvin Gott seinen "angenommenen
Söhnen" gegenüber, wie ähnlich schon bei Bernhard und auf dem Hintergrund der Ockham'schen These von der absoluten Macht Gottes, sich
selbst von der ganzen Strenge des Gesetzes seinen in die Gnade aufgenommenen Söhnen gegenüber entbindet, ohne doch seine eigene über
alles erhabene Heiligkeit und eminente Sittlichkeit zu verletzen.

4) Das eigentlich "neue Gesetz" nach dem Verständnis Majors nahm
seinen Anfang von der allervollkommensten Liebe Christi, sofern er
sich für uns als Brandopfer[625] auf dem Altar des Kreuzes dargebracht[626] hat. Dieses allein ist das "evangelische Gesetz", das "Gesetz der Gnade", wie es schon im mosaischen Gesetz enthalten war.
Das "neue Gesetz" überliefert also "explicite", was das "alte Gesetz" bereits "implicite" enthielt. Daher war dieses Gesetz seinem
"Grundwesen"[627] nach sogar "viel gewichtiger" als das "ganz neue Gesetz", so daß das bis dahin "figürliche" lediglich der "Explikation"
bedurfte[628].

5) Die Zeremonialgesetze sind folgerecht für einen "immerwährenden[629] Bund"[630] gestiftet worden und werden um des von ihnen "Gekennzeichneten" willen "ewig"[631] genannt: sie kündigten den Messias
an[632]. Insofern finden sie dann im Neuen Bund ihre "Fortsetzung, Be-
wahrheitung und Verewigung"[633]. Hier tauchen bei Major Elemente
einer heilsgeschichtlichen Betrachtung von Altem und Neuem Bund auf.

6) Im alttestamentlichen Gesetz befinden sich nach Major im Unterschied von den entkräfteten nicht sakramentalen Zeremonien auch sakramentale. Blieb den Hebräern der Sinn der Beschneidung zwar verborgen, so brachte sie dennoch eine, wenn auch geringere, Gnade als
die spätere Taufe. Ebenso verhält sich das Opfer des Passahlammes
zur späteren Eucharistie[634].

7) Die "Judicalien", die das Verhältnis von Vorgesetzten und Untergebenen regeln und im Dienst des Friedens stehen, haben für Major
lediglich statutarischen Charakter und sind veränderlichen positiven
Rechtes, während das ihnen zu Grunde liegende Moralgesetz unveränderlich ist und "unmittelbar" durch Christus deutlicher "expliziert"
wurde[635]. Calvin unterscheidet dann einerseits schon 1536 sauber
zwischen dem auf die Seele und das ewige Leben abzielenden geistlichen und dem weltlichen Regiment, das sich auf die Gerechtigkeit als
Inbegriff bürgerlicher Gesittung ausrichte. Andererseits entfaltet
er dann aber doch auch wieder das eine "moralische Gesetz" sowohl
nach seiten der richtigen Verehrung Gottes aus "reiner" Gläubigkeit
und Frömmigkeit, als auch nach seiten der "wahren und ewigen Regel"
als "Vorschrift für die Menschen aller Völker und Zeiten"[636]. Es
wird also die unveränderliche Verbindlichkeit des Moralgesetzes als

Liebe im Sinne von Gerechtigkeit und Billigkeit im Blick auf seine
Fruchtbarkeit sowohl für das kirchliche, als auch für das bürgerli-
che Miteinander der Menschen behauptet. Der im römischen Recht be-
wanderte humanistische Jurist und der in naturrechtlichen Fragen an
der kirchlichen Überlieferung orientierte Theologe Calvin hat dann
auch später das Naturrecht, oft genug stillschweigend, vielseitig
ausgewertet[637].

8) Es ergibt sich also, daß Christus schon für Major ausdrücklich
kein zweiter Mose ist, weil der naturrechtliche Charakter des moralischen Gesetzes "ewige" Unverbrüchlichkeit hat. Es ergibt sich an
dieser Stelle für ihn aber noch nebenher, daß die beiden Testamente
durch den geschichtstheologischen Bundesgedanken, wenn auch nur anfänglich und systematisiert, angesichts der Verhältnissetzung von
vorbildartiger Verheißung und erfüllter Wirklichkeit in einer Linie
gesehen werden. Es mag im Bereich des durchaus Möglichen liegen,
wenn Calvin diese Auslassungen Majors, hinsichtlich auch des sie fördernden Prädestinatianismus aller Antipelagianer, nicht verborgen
blieben. Nicht erst die westliche Reformation bietet föderaltheolo-
gische Ansätze. Das Woher und Wohin der Lebenswende Calvins kann gerade nach ihrer dritten Seite hin nicht auf einen Generalnenner gebracht werden.

Die Frage drängt, welchen Sinn unter diesen Umständen Calvins so
strenge Berufung auf die Maßgeblichkeit allein der Hl. Schrift und
des "himmlischen Gesetzgebers" für die rechte Gestalt eines christlichen Lebens und der von jenem auferlegten "Pflichten" hat. Eindeutig macht Calvin schon 1536 ein Prüfen der Geister in der Kirche an
der "Regel des göttlichen Wortes" zur Verbindlichkeit: nur so ergebe
sich, ob sie aus Gott seien[638]. Nur so ergebe sich auch für die
Rechtmäßigkeit der christlichen Lebensführung die doch allein maß-
gebliche Rückverbindung zu den beiden Tafeln des Gesetzes, und zwar
bei Herleitung der zweiten aus der ersten. Calvin behandelt denn
auch die Furcht vor Gott und die "eigentliche" Verehrung Gottes samt
dem daraus hervorgehenden Sohnesgehorsam als jene "Pflichten der
Frömmigkeit", in denen auf alle Fälle Unterweisung[639] stattfinden
müsse, damit eine solche "geregelte" Gesittung[640] und Lebensführung
zustande komme, die von allen Geistesgaben angetan sei und Gerechtigkeit, Billigkeit und Liebe gegen die Mitmenschen zu Tage fördere.
Anders ausgedrückt: die Liebe muß unter der Reinheit des Glaubens
bleiben, heißt es 1539[641]. Also wohlgemerkt: Liebe wird immer auch
im Licht der aus der Antike überlieferten Billigkeit gesehen.

Indessen intensiviert Calvin den Gedanken der Gültigkeit des Gesetzes, seinem Verständnis der Hl. Schrift als der der aposteriori-
schen Kundgebung Gottes zukommenden höchst persönlichen Autorität
dieses Gottes entsprechend, durch die Vorstellung von der Einheit
dieser Selbstbekundung kraft seiner Macht oder Herrschaft und seines

Rechts[642], wie jene Gültigkeit schon in der Antike und im Mittelalter[643] als ewig verstanden wurde[644]. Bei Calvin, dem späteren Calvin
vornehmlich, wird dieser Gedanke in den vom "himmlischen Gesetzgeber" für die Lebensführung eines jeden Frommen hinein aufgesogen[645].
Dem entspricht dann auch die Auffassung ausgesprochenermaßen des
späteren Calvin, daß das von Gott "angeordnete", "verfügte","vorge-
schriebene", Pflichten feststellende Gesetz von des Autors Urteil,
Zuständigkeit, Maßgeblichkeit getragen wird und "unentwegte Autorität" besitzt[646]. Sie gilt für den Calvin von 1539 auch der ganzen
Kirche als solcher[647]. Das Gebiet der durch die Hl. Schrift geordneten Pflichten wird als umfassend gedacht. Die Wurzel liegt also im
Pflichtverständnis, schon des werdenden Reformators.

Bei ihm läßt sich keineswegs immer klar herausfinden, inwieweit
er die scholastisch und römisch-juristisch überlieferte naturrechtliche Vorstellung von Gesetz und Pflicht in die von ihm als maßgeblich ausgegebene, durch Gottes persönlich anordnende Autorität durch
die Hl. Schrift in eine grundsatzgetreue[648] christlich-reformatorische Lebensführung hineinhebt. Über alles stellt er den souveränen
Willen Gottes und erweist sich mit solchem Voluntarismus als Jünger
jedenfalls neuscotistischer und augustinischer Denkungsart. Den in
die gewissensmäßige Verbindlichkeit hinein integrierten und christi-
anisierten, in etwa auch hellenisch anmutenden Intellektualismus,
welchem besonders Gregor von Rimini den Rang einer urtümlichen Mitgift von verbindlicher sittlicher Erkenntnis zuerkannte, die, so
lehrt er, freilich irren kann[649], im übrigen aber mit dem "ewigen
Gesetz", d. h. mit "Gott selbst" oder "seiner Vernunft"[650], in Einklang steht[651], vertritt Calvin ganz gewiß nicht. Aber dem Nachklang
einer der apriorisch gegebenen menschlichen Selbstwahrnehmung urtümlich innewohnenden und sich in ihr zwangsläufig zur Geltung bringenden, zwar weniger auf eine nach griechischer Art theoretisierenden
Religionsphilosophie hinauslaufenden, viel eher schon auf die in rö-
mischer Denkweise das Gewissen ganz praktisch in die Verehrung eines
Gottwesens hineindrängenden religiösen Veranlagung verschafft er un-
mißverständlich Gehör[652]; und sei es oft genug auch nur im Sinn der
Überführung eines Menschen von seiner Unentschuldbarkeit. Allein,
Calvin reinigt und überhöht die "Kenntnis der Menschen von Gott, wie
sie "ihren" geistigen Sinnen von Natur innewohnt"[653], aber je durch
Unwissenheit und Schlechtigkeit "korrumpiert" ist[654], durch den für
seine Begriffe allein vollgültigen Heischewillen Gottes in der Hl.
Schrift. Für den Jünger Ockham'scher Erkenntnislehre ist dieser Wille aber weder ontisch, noch aus einem anthropologischen Apriori ableitbar, sondern positive Setzung, Gesetz, Gebot, Vorschrift, Anordnung, auch verfügtes Recht des unbefragbaren Willens Gottes. Die
zehn Gebote als ihr Inbegriff bedürfen nicht der vernünftigen Argumente, sondern binden als autoritativ ergangener nackter Befehl Got-

tes. Im übrigen hält es Calvin für verkehrt, wollte man dem bloßen Anschein folgen und Gottes "notwendigen" Heischewillen[655] zum Maßstab seines ihm nicht minder eigenen vorsehenden Geschichtswaltens machen[656]. Für den vorliegenden Zusammenhang kommt bei Calvin allein der Heischewille Gottes in Frage[657].

7.2.3.3
Die Stoa und der junge Calvin

23 Jahre alt, vollendete Calvin seinen <u>Kommentar über Senecas Schrift "Die Milde"</u>: eine in geschichtlichen Vergleichen sich bewegende philologische Studie über einen Gegenstand der politischen Ethik. Herangezogen werden die Taten und Untaten von Männern der griechischen, vornehmlich aber der römischen Antike, sowie Äußerungen von Hellenen und Römern, die einen Beitrag zum Verständnis dessen liefern, was es mit der schonenden Milde auf sich hat. Ein Vergleich mit christlicher Denkungsart wird bis auf eine ganz gelegentliche und unbedeutende Beziehung auf "unsere Religion" nicht angestellt. Die Arbeit und ihr Bekanntwerden lag, wie aus dem Briefwechsel mit Franz Daniel hervorgeht, dem jungen Calvin sehr am Herzen[658], und man hat nicht den Eindruck, daß sie schon in die Zeit fällt, zu der er "die übrigen Studien lässiger betrieb". Ungewöhnlich reich ist der durchgearbeitete Stoff, ist die Zahl der Namen, denen er eine Bedeutung für die Lösung seiner Aufgabe beimißt. In den einzelnen guten und bösen Menschen läßt die Geschichte das "Exemplarische" hervortreten[659]. Die nachfolgende Zusammenstellung macht keinen Anspruch auf Vollständigkeit, läßt aber auf die in ihr beigebrachte Fülle von geschichtlichen Beispielen aufmerken.

An Staatsmännern, Politikern, Heerführern werden herangezogen: Agamemnon, Augustus, Caligula, Cicero in hervorragender Weise, vermutlich derjenige Cinna, dem Augustus schonende Milde erwies, Messala, Marius, Periander, Plutarch, Severus, Servius, Tiverius, Lentulus, Ligarius, Nero, dazu der Militärschriftsteller Vegetius, auch Xenophon. Auf Geschichtsschreiber, deren Werke heute oft nicht mehr vollständig vorhanden sind, wird zurückgegriffen, wie es sind. Curtius, Fabius, Herodianus, Justinus, Livius, Ammianus Marcellinus, Pomponius, Pollio, Sallustius, Suetonius; auch wird genannt Tranquillus, Tacitus, Valerius, Vitruvius. Als Rhetoren und Grammatiker erscheinen Apulejus, natürlich Cicero, Isokrates, Lactantius, Priscianus, Quintilianus, Varro, vorwiegend als Rechtsgelehrte Coccejus, Ulpianus. Unter den Philosophen, insbesondere unter den Stoikern, hat sich der junge Kommentator weit umgesehen; es werden herangezogen Antisthenes, Aristoteles, Antonius (Marc Aurel), Arriannus, Cleanthes, Cato wohl eher Junior als d.Ä., Diogenes, Democritos, Epicuros, Eristratos, Macrobius, Poseidonios, Platon, Parmenides, Sokrates, Zenon von Kition als Begründer der Stoa. Auch die Dichter verhelfen zur Durchleuchtung des ethischen Aspektes der "schonenden Milde": Aristophanes, Horatius, Gellius, Homeros, Hesiodos, Juvenalis, Lucanus, Martialis, Ovidius, Plautus, Propertius, Sophokles, Statius, Tenrentius, Virgilius. Man trifft aber auch auf Vitruvius, den Baumeister unter Augustus und Verfasser von zehn Büchern "De architectura". Der junge Calvin hat auch schon Augustins "Gottesstaat" benutzt[660].

Welche Schlüsse darf man für die Einflüsse auf die Denkungsart des jungen Calvin und dann des werdenden Reformators schlechthin aus seinem Seneca-Kommentar ziehen? Er gibt ein Verständnis Senecas und der Stoa wieder, aus dem heraus nach ethischen Einflüssen auf die Vorstellung von den Pflichten eines wohlgeordneten christlichen Lebens gefragt werden muß. Ein solches bestimmtes Verständnis und dessen Einfluß liegt tatsächlich vor. Nicht Erasmus, obwohl gelegentlich erwähnt[661], sondern Wilhelm Budé wird zuerkannt, zu sein "Zier und Stütze der Wissenschaft; denn durch sein Verdienst steht heute unser Frankreich mit seiner Palme der Gelehrsamkeit hoch im Kurs, breitet sie sorgsam und in reicher Fülle aus usw."[662]. Ein ähnliches kürzeres Lob spendet der junge Calvin nur noch Seneca selbst[663]. Er scheint zur Zeit dieser Lobeserhebungen von der reformatorischen Bewegung noch so weit entfernt, daß er jenes Lob ohne Bedenken anstimmen konnte. Nächst Seneca selbst ist Cicero Hauptgewährsmann für die Auslegung. Aus Cicero und Plutarch erhebt er z. B. die Lehrmeinungen von allein acht Gelehrten über den fest bestimmten Sitz des Geistes[664] im leiblichen Dasein des Menschen[665]. Von Pflicht und Pflichten ist freilich nur ganz selten die Rede[666], weil der Vorstellungsbereich der schonenden Milde der Vorlage entsprechend in der Richtung auf das zwischenmenschlich wohlwollende Ermessen interpretiert wird. Dem entspricht weithin ein sinnverwandter Sprachschatz der Schrift Senecas, der Calvin so sehr in Fleisch und Blut übergegangen ist, daß es sich hier nicht lediglich um eine äußere Anpassung handelt.

Steht hier der ganze Ermessensbereich der schonenden Milde zur Frage, so muß dem Studenten Calvin zufolge, zuerst dem Regenten die Würde zukommen, die sich in dem Bekenntnis ausdrückt, er sei zwar an keine Gesetze gebunden[667] und ihnen nicht unterworfen, doch lebe er für sie. Für die Weisen gelte, daß nicht immer "nach höchstem Recht"[668] zu handeln sei, weil dieses, starr und unbeugsam gehandhabt, zur "Rechtsrigorosität", Grausamkeit und einer als "nicht gerechten Strenge"[669] führe und der Begrenzung durch eine jeweils bestimmte Rücksichtnahme auf das, was für die stoischen Begriffe, wie sie auch Budé verwendet, ausdrücklich als billig und gut zu gelten habe[670]. Auch einem Volk steht "ein Maß von Freiheit"[671] ebenso zu wie dem Regenten eine Großzügigkeit bei seiner richterlichen Tätig-

keit im Freisprechen und Verurteilen[672]. Es ergibt sich der Schluß,
daß sich dem Untergebenen und Abhängigen gegenüber das schon von
Aristoteles empfohlene wohl ausgewogene Verhalten zwischen zwei Extremen[673] verständnisvoller, schonender Milde gezieme, weil keine
Tugend "menschlicher" sei. In Gerechtigkeit fällt der Richter das
Urteil; aus Barmherzigkeit mildert er die Strafe. Die Waage ist das
Bild[674]. Als Idealgestalt gilt Augustus: sein Zeitalter ist das gol-
dene[675]. Allein sooft er, bekennt der junge Calvin für sich, bei He-
rodian an die Stelle des vierten Buches komme, wo von den "Riten und
Zeremonien" die Rede sei, unter denen die Apotheose der Cäsaren vor
sich gehe, könne er sich "des Lachens nicht enthalten"[676].

Die Götter werden als Beispiel für einen Regenten angeführt, wie
er jeweils Straffälligen gegenüber zu verfahren habe. Die Stelle der
Götter kann aber auch das Naturgesetz einnehmen[677]. Zwischen einem
guten und schlechten Vater wird unterschieden und das Beispiel,
kennzeichnend für einen Römer, auf das Vaterland angewendet. Auch
das Beispiel vom Bienenkönig[678] erläutert den Unterschied. "Er" hat
den Stachel gewiß nicht, um aus Raserei oder Rachsucht in seinem
Volk Schaden anzurichten: so auch nicht der Regent, der Richter, der
Erzieher, der militärische Vorgesetzte[679]. Am schlechten Vater werden also das tyrannische Wüten und dessen schlimme Folgen aufgezeigt[680], am guten hingegen wird besonders hervorgehoben, daß er für
ein Erflehen von Verzeihung zugänglich sei und dabei, was Calvin zufolge von anderen Autoren bestritten wird, die Milde im Straferlaß
liege, doch ohne daß sie deshalb zum "Asyl" für hemmungslose Rechtsbrecher werden dürfe[681].

Deutlich verlagert Calvin schon 1536 diese Art von Ethos des aus
der späteren Stoa erhobenen Vater-Sohn-Verhältnisses[682] in das Verhalten Gottes gegenüber seinen Söhnen, also den nach der Hl. Schrift
gläubig und fromm zu Nennenden, und damit in den Bereich des wohlwollenden göttlichen Ermessens im Sinne der schonenden Milde. "Diejenigen, die Söhne sind, werden von den Vätern großzügiger und edel-
mütiger[683] behandelt; denn sie zögern nicht, mit ihren nur anfänglich und halbwegs guten Werken aufzuwarten, da sie doch Schlechtes
an sich haben. Sie vertrauen nämlich darauf, daß ihre ganze innere
Bereitwilligkeit jenen angenehm[684] sei, während sie doch weniger
Vollendetes vollbrachten, als sie wollten"[685]. Hier wird das Ermessensdenken der Milde sichtbar, wie es als Strom stoischen Geistes
auch die Geschichte christlicher Denkungsart auf Calvin durchzieht
und bei ihm durch seine unmittelbar aus der Stoa herzuleitenden Einflüsse humanistischer und juristischer Gelehrsamkeit nur umso stärker zum Fließen bringt. Es wird ins Christliche gedeutet, auf den
biblischen Befund und also auf Gott angewendet und hilft zur Interpretation von dessen Verhaltensweisen. Der bei Calvin der Stoa verdankte Umfang des Ermessensbereiches schließt aber nicht nur die Be-

ziehungen Gottes zu den erwählten Gläubigen und Frommen, sondern auch die charakterbildenden zwischenmenschlichen Tugenden ein und führt zu der Erscheinung, daß sie sich mit der christlich-reformatorischen Frömmigkeitsübung überschneiden.

Die Milde gehört für den Stoiker zum wahren Menschlichsein des Menschen[686]. Beispielhaft ist das Verhalten des Augustus gegen Cinna: nicht weil er einem Befehl zufolge, sondern weil er aus Vornehmheit[687] und guter Gesinnung[688] handelte[689]. Milde ist gewissermaßen das Band menschlicher Gemeinschaft und Verwandtschaft[690]. Das Verzeihen ist ihrer würdig[691]. Sie pflegt den Frieden[692], verschafft dem Regenten größere Sicherheit, beschirmt ihn mitten in der Strenge der Verwaltung eines bürgerlichen Gemeinwesens und stellt sich damit der Duldsamkeit[693] als ein "göttliches Partikel" von Tugend dar[694]. Der Milde gesellt sich die "wahrhaft königliche Tugend" der Großzügigkeit[695], auch die der Hochherzigkeit[696] bei[697]. Der Spielraum des wohlwollenden Ermessensdenkens weitet sich aus auch auf die Huld oder Gunst[698], die Geneigtheit[699] dem Bittenden gegenüber, auf die Willfährigkeit[700], die Menschenfreundlichkeit[701], die Liebe[702], die Nachsicht[703]. Alle diese und noch andere Verhaltensweisen durchspannen dann auch schon des werdenden Reformators theologische Konzeption bereits 1536 wie ein Netz, handle es sich nun vor allem um das Vater-Sohn-Verhältnis Gottes zu den Gläubigen[704] voll "allernachsichtigsten Verzeihens" oder auch um das menschliche und das stoisch beeinflußte Verhalten eines Christen zur Welt schlechthin und im menschlichen Miteinander.

Die Strafe, für den Römer insbesondere die Todesstrafe, steht für Seneca und seinen Kommentator zwar auch im Dienst der Abschreckung, gemeinhin aber in dem der Besserung des Rechtsbrechers. Aus huldvollem Ermessen kann sie gemildert oder auch erlassen[705] werden[706]. Der Gedanke an Wiedergutmachung im Sinn von Schadensersatz, aber nicht von Sühne, klingt an[707]. Mit der Vorstellung, daß so auch Gott bei seinen Söhnen aus freiem wohlwollenden Ermessen das Züchtigungsgericht[708], nicht aber das Strafgericht ausübe, nimmt Calvin den stoischen Gedanken auf, überträgt ihn auf Gott und läßt, wie so oft, das freie wohlmeinende Ermessen Gottes sich verbinden mit dessen Verheißungen und Treue, die souverän schonende Milde mit der forensisch zu verstehenden Gnade in einem an feste Maßstäbe gebundenen Gericht. Gott will also in seiner aus freiem Ermessen hervorgehenden Huld die Besserung der Seinen und nimmt deren Abbitte an, wenn sie oder gar "weil" sie "seinem gerechten Zorn zuvorkommen": eine Calvin lieb gewordene Vorstellung von der erziehenden, großzügig[709] handelnden "väterlichen" Gesinnung Gottes. Genau diese Auffassung hat aber ihr menschliches Vorbild in dem Cäsarenethos, das er in Senecas Traktat[710] vorfand. Jenes heilsmächtige Vatersein Gottes, das, geschichtlicherweise durch Christi Heilsstiftung begründet, dem

schuldbeladenen und im letzinstanzlichen Gericht Gottes verurteilten
Sünder durch den Glauben begnadigend zugute kommt, hat bei Calvin
ganz gewiß reformatorisches Gewicht. Es wird aber überlagert durch
jene "väterlichen" Verhaltensweisen, die dem Ermessensdenken zugehö-
ren und Gott im Verkehr mit dem von ihm angenommenen Söhnen beigelegt werden. Die mit nichts vergleichbare Sünderliebe Gottes sinkt
hier herab zu jener Liebe Gottes, die durch die Vergleichbarkeit mit
dem menschlichen Vater-Sohn-Verhältnis ihre Veranschaulichung erfahren soll. Anders verhält es sich bei Calvin allerdings mit der
"Pflicht" zu jenen zwischenmenschlichen Verhaltensweisen, denen die
schonende Milde als Ausdruck des eigentlichen Menschlichseins eines
Menschen zu seinen Mitmenschen zu Grunde liegt.

Hat Calvin mit dem stoischen Pflichtverständnis auch die Vorstellung von der Erfüllbarkeit der Pflichten übernommen, wie diese denn
im Pflichtbegriff selbst enthalten ist? Nicht lediglich im Sinne der
Legalität, die sich mit der "Ehrenhaftigkeit"[711] bloß äußerlichen
Verhaltens begnügt, sondern in dem auf die "Moralität" gerichteten
Sinne, wie sie mit der "Richtigkeit"[712], einer Art von Gesinnung
einhergeht, ohne daß Calvin jedoch an eine Art von Gesinnungsethik
denkt. Wenn er mit Seneca[713] darin übereinstimmt, daß es nicht auf
den Schein, sondern auf den Gehalt der Lebensführung ankommt, so beteiligt er den Menschen, wie er für ihn als Christ in Frage kommt,
doch ungleich tiefer an der auch von ihm in Betracht gezogenen
"Richtigkeit" seiner Lebensführung und Pflichterfüllung. Schon 1536
beansprucht er für sie eigens die tiefer gehenden "Erwägungen und
allerinnersten Anwandlungen des Herzens", läßt alle Teile von Körper, Geist, Seele und Willen an der echten Erfüllung des Gesetzes
beteiligt sein und nennt nicht zuletzt auch deshalb das Gesetz
geistlich[714]. Die wirksame Berufung eines Menschen durch Gott, seine
Einpflanzung in Christus, die Wiedergeburt von Grund auf und die
Leitung durch den Hl. Geist stellen jene "hundertmal stärkere Wir-
kungskraft des Evangeliums"[715] dar, die der junge Reformator den
"frostigen Ermahnungen" der stoischen Pflichtenlehre vorzog, wie jene sich denn an die Kraft menschlicher Einsicht und Gedächtnisbil-
dung wandten. So gewiß er die Kontinuität einer geistlichen Habilitälität beim Wiedergehörenen für dessen jeweiliges Verhalten voraus-
setzte, so gewiß war für ihn die Erfüllung etwa der "Pflichten der
Liebe"[716] nicht eine aus einer entsprechenden Gesinnung als solcher
schon hervorgehende Bestätigung, sondern die fortlaufend immerfort
neu einsetzende Aktivierung der geistlichen Habitualität durch die
Aktualität des Hl. Geistes.

Es sei gestattet, an dieser Stelle die Frage nach dem Woher und
Wohin der Lebenswende Calvins über den konfessionellen Rahmen hinaus
auf jene Einflüsse der Stoa noch mehr auszuweiten, die sich in seiner Auffassung von christlicher Lebensbewältigung geltend machen.

Er hat darin einen andersartigen Anteil an der abendländischen Gei-stesgeschichte als Luther. Seit und durch Cicero hatte diese in ethischer Hinsicht eine Um- und Weiterbildung durch die beherrschend gewordene stoische Vorstellung von "Pflicht" erfahren. An die Stelle der dem Hellenen mehr eingängigen Einsicht in das "Du kannst" war das den Willen in Dienst nehmende, vorwiegend römische, aber doch schon durch Zenon von Kition eingeführte, "Du sollst" getreten[717]. Dem stoischen Gewährsmann Ciceros, diesem selbst und der späteren Stoa aber begegnete die frühere Christenheit mit der unerledigten Aufgabe, eine ihr möglichst entsprechende Lebensform zu umreißen und deren "Pflichten" aufzuzeigen. Nach Tertullians und des Ambrosius Bemühungen[718], einer Verschwägerung der sich jeweils situationsbe-dingt empfehlenden zwischenmenschlichen Verbindlichkeiten mit dem Erfordernis eines streng formalrechtlichen Verhaltens[719] einen neuen und weiterführenden Auftrieb zu geben, gilt Augustin als der eigent-liche Initiator einer gefügteren und, soweit möglich, christlichen Ethik. Auf Calvin aber kam die Pflichtenlehre nicht nur aus dieser kirchlichen Tradition und Frömmigkeit zu, sondern ganz besonders auch unmittelbar aus seinem Studium des römischen Rechtes und seiner eingehenden Befassung mit der Denkungsart vornehmlich der späteren Stoa. Er spielte sogar die Lebensphilosophie der Alten, die nur die Stoiker sein können, gegen die Sophistik der Scholastiker aus und führte schon 1536 den Dekalog und später überhaupt den gebietenden Willen Gottes im Alten Testament[720], dazu die "Radikalismen" der Bergpredigt und schlechthin der Evangelien sowohl auf das Christen-mögliche, als auch auf das dem Menschen urtümlich "eingemeißelte"[721] göttliche Gesetz, als schließlich auch auf die Gleichgestaltung mit dem Bild Gottes und Christi, nicht zuletzt beim Erdulden der Wider-wärtigkeiten des Lebens zurück. So vielgestaltig sind die disparaten Ausgangspunkte bei ihm. Aber der Reformator wollte aus der "Natur" im stoischen Sinne keine letztgültige Inpflichtnahme des Menschen abgeleitet wissen[722]: weder die Ordnung, die die Welt zusammenhält, noch, in Übereinstimmung mit dieser, die "moralische Philosophie" macht für eine christlich-reformatorische Lebensführung die notwen-digen Leitplanken sichtbar. Vielmehr ist es der zu unterscheidende Wille des einen persönlichen Gottes, der sowohl Weltordnung stiftet, als auch die vom Menschen zu verantwortende Ordnungssorge gegen sich selbst und die Mitmenschen zur Pflicht macht.

Am eigenartigsten tritt der Einbruch der Pflichtvorstellung in das christliche Verhalten beim werdenden Reformator hervor, wenn es sich um die Frage nach der Liebe handelt. Der neutestamentliche Befund[723] des Inbegriffs von Pflicht und Pflichten ist nicht einhellig und reicht vor allem nicht aus, schon des Calvin von 1536 so häufige Re-deweise von der Erfüllung frommer, insbesondere der Liebespflichten als Aufgabe gerade auch des christlichen Lebens zu rechtfertigen.

Die Septuaginta macht von dem Begriff der Pflicht nur fünfmal Gebrauch[724]. Das Wohin, zu dem die jähe Wende Calvins führte, erklärt sich aus einem reformatorisch zu interpretierenden Schriftverständnis von Pflicht und Pflichten eben doch nicht. Zwei verschiedene Begriffsinhalte von Liebe überschneiden sich jeweils oder erscheinen auch in reiner Verwendung: Liebe als autoritativ angeordnete, normgerechte und pflichtschuldige Verwirklichung der Gebote Gottes am Nächsten[725] und Liebe als Verwirklichung gesellschaftsethischer Ordnung, die dem Nächsten im allgemeinen und in der Gemeinde im besonderen sein Recht üblicher- und gebührlicherweise zukommen läßt[726]. Jenes Verständnis beruht auf der Unbedingtheit göttlicher Setzung, dieses nimmt seinen Ausgang vom Ermessensdenken, das das wechselseitige Verhältnis von Menschen nach Billigkeitsgründen gestaltet. In beider Hinsicht konnte aber auch schon Bernhard dem jungen Reformator als frommes Leitbild gegolten haben; denn es war jenem keineswegs fremd, etwa die "Pflicht, menschenwürdig zu sein", oder die "Pflichten der Liebe" durchaus traditionell als autoritatives "Gebot" zu verstehen[727]. Nach Calvin ist Liebe also Regel und Pflicht, von der ein Christ auch im schwierigsten Fall nicht entbunden werden kann[728]. So kommt es, daß Calvin schließlich die Liebe als einen Teil der Gerechtigkeit, als Gerechtigkeitsübung, als den Geboten Gottes entsprechende Pflichterfüllung, als Akt voller Sachlichkeit und um seiner erforderten emotionalen Bewegtheit willen voller Aufrichtigkeit, in letzter Absicht aber als Gott gewidmet[729] und den Nächsten und die Gemeinde auferbauend ansieht[730].

Liebeserweis als Pflichterfüllung wendet sich, wie Calvins Ausführungen verraten, den andern nicht in selbstvergessener Hingabe und also auch nicht rein um seiner selbst willen zu, sondern neigt dazu, in der Reserve der Selbstachtung des Liebe Übenden zu bleiben[731]. Das ist aber durchaus stoisch, wenn auch christlich gemeint, insofern die Gebote der zweiten Tafel zwischen eingeschoben und an ihnen christliche Liebeserweise gemessen werden. Zudem erscheint als Kehrseite aller Liebesübung der bewußte Selbstverzicht eines die Liebespflicht in Dienst und Opfer Übenden[732]. Dabei wird aber der durchaus unstoische Gesichtspunkt zur Geltung gebracht, daß wahre Liebesbewährung noch nicht schon in der Erfüllung der Gesamtheit aller einzelnen anfallenden Liebespflichten gesucht werden darf, sondern erst in der aufrichtigen Beteiligung der ganzen Person und damit ihrer jeweils vollen emotionalen Bewegtheit und Gestimmtheit[733], wie diese denn im Sinn von Freiwilligkeit nur durch die Aktualität des Hl. Geistes hervorgerufen wird. Allein der juristisch denkende Calvin stellt die Frage nach der Erfüllbarkeit der Pflichten unter einem doppelten Gesichtspunkt: dem ihrer weiten Entfernung vom gesteckten Ziel der Gebote der zweiten Tafel und dem des allernachsichtigsten himmlischen Vaters, der mit seinen Söhnen nicht nach der ganzen

Strenge des Gesetzes vorgeht[734]. Die Ermessensfreiheit Gottes[735],
die das Recht an und für sich seinen Söhnen, den Gläubigen und Frommen, gegenüber nicht auf die Spitze treibt, drängt auch bei ihnen
auf eine Erfüllung ihrer mitmenschlichen Pflichten, die aus großzü-
gigem Billigkeitsdenken denselben Verzicht der Selbstverleugnung
leistet. Das alles liegt bei dem Calvin von 1536 als ein Beitrag zu
der Frage nach dem Wohin der jähen Wende seines Lebens schon vor.

Wenn denn nun schon das stoische Ethos, in welcher Richtung und
Stärke auch immer, in die Auffassungen des jungen Calvin und werdenden Reformators von christlicher Lebensführung, sei es bestimmend
oder kritisch abgewertet, hineinspielt, so kann hier die Frage nach
der Art der Bewältigung der Widerwärtigkeiten, der Anfechtungen[736]
des Lebens, wie sie sich ihm stellen, nicht übergangen werden, auch
wenn sie nicht unmittelbar mit seiner Wende vom Katholizismus bis
schließlich hin zu den Grundsätzen christlich-reformatorischer Lebensführung zusammenhängen. Immerhin gehört die vorliegende Frage in
das umfassendere Woher und Wohin der Lebensauffassung Calvins hinein. Zwar hat sich bei ihm das Urteil herausgebildet, daß der stoisch lebende großmütige Weise[737] und die bislang nicht identifizier-
ten "neuen Stoiker" unter den Christen "heute"[738] den von Angst und
Leiden gequälten Menschen insofern nicht ernst nähmen, als sie sein
eigenes Schmerzempfinden im Leiden[739] und das Mitleiden mit anderen
überhaupt die Anwandlung durch Freude oder Trauer aus dem Seelenle-
ben auszumerzen oder von ihm fernzuhalten lehrten. Calvin erblickt
darin ein Vergehen gegen die volle Menschlichkeit[740] des Menschen,
das dem "allgemeinen Empfinden" zuwiderlaufe. Er spricht hier von
einer "eisenharten Philosophie", die für die Vollmenschlichkeit des
Menschen ein "Paradox" bilde, weil diese doch immer seine Emotionalität im menschenfreundlichen Sinne einschließe[741]. Zudem sei es Art
der Neustoiker, sich mehr im Grübeln als im Handeln zu üben. Schon
aus dem Senecakommentar erfährt man, daß für den späten Stoiker die
Affekte im wesentlichen eine Krankheit[742] der allein als willens-
mächtig vorgestellten rein vernünftigen Seele darstellen, die sie
"verwirren"[743]. Es steht im Vordergrund Kränkung und Zorn beim Stoiker, auch die in sich zerquälte fromme Seele des Devoten und später
die geschichtlich widerfahrenden und persönlich zu bewältigenden,
geistlich anfechtenden Widerwärtigkeiten bei Calvin selbst; aber in
allen Fällen wird als Ziel die befreiende, tröstliche Stille, Ruhe,
Heiterkeit[744] und nicht zuletzt das unbeirrbare, unerschütterliche,
"sich gleich bleibende"[745] Verhalten als Heilung empfohlen, doch mit
dem kennzeichnenden Unterschied, daß der Stoiker ein solches durch
völlige Ausschaltung der Emotionalität, Calvin hingegen durch ein
Maßhalten im Aufkommenlassen des jeweiligen "natürlichen Affekts"[746]
zu erreichen trachtet.

Worin ist aber nun der Sinn der Leiden im Leben eines Christen zu

suchen, wenn man dem werdenden Reformator folgt? 1536[747] und erst
recht 1539 führt er aus, daß die auch dem Christen ihrer "Natur"
nach als unvorhersehbar[748] und zufällig[749] erscheinenden und nach
Ordnung, Ursache, Zweck und Notwendigkeit in Anbetracht seines unzu-
reichenden geistigen Fassungsvermögens nicht aufzuhellenden zukünftigen Geschehnisse gleichwohl zu dem von Gott beschlossenen Ziel und
Zweck durch dessen "aktualen Willen" "dirigiert" werden[750]. Er legt
das schon von den spätmittelalterlichen Antipelagianern herangezoge-
ne Axiom der Theodizee zu Grunde, das aus der der Vernunft unzugänglich und unbekannt bleibenden Jenseitigkeit Gottes die leidvollen
Widerfahrnisse und Anfechtungen des Lebens nicht verständlich machen
kann, aber wohl Gottes Gerechtigkeit, Billigkeit und Verläßlichkeit
oder Wahrheit schlechthin behauptet und, doch wohl mit dem Blick
entsprechenden Glaubens, sogar in Erscheinung treten sieht[751]. Zwar
erkennt Calvin an, daß die Lehre der Stoiker, einfach "Philosophen"
genannt, "praktisch" sei und auf die Meisterung des Lebens abzie-
le[752]. Aber in der Frage nach dem Sinn der Wechselfälle des Lebens
hielt er die monistische Weltanschauung der Stoa nicht für kompetent,
da sie mit einer deterministisch-fatalistischen Lebensauffassung
einhergehe.

Die Frage nach dem Sinn der Widerwärtigkeiten des Lebens und einem
ihnen gerecht werdenden sinnvollen Verhalten geht Calvin also nicht
aus der Gebundenheit unter ein allwaltendes Weltgesetz voll entspre-
chender Notwendigkeit an, sondern aus der Sicht des als väterlich
vorausgesetzten Umganges des einen personhaften Gottes mit seinen
Erwählten. Er nimmt sie durch das auferlegte Kreuz in all seiner
Vielfalt in seine Zucht. Die durch die Verläßlichkeit Gottes und die
unentwegte Anwesenheit des Hl. Geistes dem geistlichen Leben be-
schiedene Kontinuität sieht Calvin hier unter den Gesichtspunkt
eines besonders heiligungspädagogischen Fortschreitens gestellt[753].

Weit davon entfernt, ein gleichmäßig vor sich gehender Aufstieg
zur zukünftigen Vollendung zu sein, wird christliches Leben durch
das Kreuztragen in die göttliche Schule des Selbstverzichtes hineingestellt[754]. Doch will der werdende Reformator die Selbstverleugnung
von selbsterwählter Askese und mönchischem Gelübde, von aller verdienstlichen Sondersittlichkeit und intensivierten Tugend unterschieden wissen[755]. Vielmehr hält er die Absage an das natürliche
Wohlbefinden für eine Frucht des so wichtigen und nötigen Blickens
auf Gott[756]. So gewiß Calvins Diktion und teilweise auch die bei ihm
sich ausbreitende Gestimmtheit des Gemüts mit derjenigen der Imitatio hier weitgehend übereinstimmt, wie diese sich denn auch auf
Franz von Assisi beruft[757], und den Blick auf Franziskanisches in
ihr lenkt, so gewiß erscheint bei ihm die Frage nach dem Sinn alles
Leidens aus der geistlichen Selbstverkrampfung eines Mystikers herausgelöst und in die unmittelbare und personhafte Polarität von Gott

und einem von ihm als angenommenen Sohn und ihm zugehörenden Kreuzträger hineinverlegt. Gerade hier aber unterscheidet Calvin die stoische Gestalt von Geduld von derjenigen der christlichen. Diese
setzt, wie die stoische, ein im einzelnen Fall gewiß nicht hinter-
fragbares Geschehen voraus. Allein, Calvin will auch mit der besten
philosophischen Antwort nicht zufrieden sein, weil er eine andere
Ansicht von der "Notwendigkeit" der Widerwärtigkeiten und von der
Art des Gehorsams hat, ihnen mit Geduld und Warten und doch auch
wieder mit einem ganz bestimmten "Muß" zu beidem zu begegnen.

Der junge Reformator macht geltend, daß nicht die jeweilige Ursache eines Leidens, wohl aber der Urheber erkannt werden müsse. Er
ist Gott höchst persönlich, der "allerbeste Vater". Auf ihn wendet
Calvin nun aber nicht nur das Axiom der Theodizee an, das freilich
noch keine Ätiologie des Ungemachs im einzelnen Fall aufdeckt, sondern er erkennt in ihm auch Gottes Besorgtheit um "uns". Damit ver-
wirft er die Unterwerfung unter eine Notwendigkeit, gegen die anzu-
kämpfen aussichtslos und die darauf angelegt ist, ihr bei der nächsten besten Gelegenheit zu entschlüpfen. Es ist vielmehr angesichts
jener ganz andersartigen Begründung unstatthaft zu murren und zu
widerstreben, daß erkannt werden soll, wie Gott im Auferlegen des
Kreuzes, für das also keine vorweggegebene Ursache auszumachen
ist[758], gleichwohl "liebenswert" für unser Heil und Gutes sorgt und
wie wir so in dem, was uns nach seinem unbefragbaren Wohlgefallen[759]
gut ist, "zur Ruhe kommen". Sogar geistliche Freude breitet sich in
die vom "Empfinden" der Bitterkeit beim Kreuztragen erfaßten Herzen
hinein aus, und ihr folgen Lob und Danksagung aus "heiterem" Gemüte:
eine geistliche Fröhlichkeit[760], die die Bitterkeit mildert[761]. Der
Anklang an stoisches Lebensgefühl ist ganz offensichtlich.

Calvin entwirft das Bild eines im geistlichen Kriegsdienst[762] stehenden Kreuzträgers gleichwohl als Gegenstück zu der mannhaften Re-
signation des von Widerwärtigkeiten heimgesuchten Stoikers. Er bedient sich aber auch der Vorstellung, daß durch die ja schon 1536
berücksichtigte[763] Selbstverleugnung, wie sie die schmerzhafte Beeinträchtigung des Lebens erfordert, Gleichmut[764] und Geduld, Gelassenheit[765] und Maßhalten bei "uns" zuinnerst hervorgebracht werde,
wie man sich solchen Verhaltens aber auch befleißigen müsse[766]. Auch
im Römerbriefkommentar von 1538 wird das Kreuztragen sogar als "nach
Gottes Vorsatz oder Beschluß" auferlegtes "Gesetz" mit der Zielsetzung in Betracht gezogen, daß es mit "völlig gelassenem Gemüte"[767]
getragen werden müsse[768]. Weniger in der Begründung, als vielmehr in
der Auswirkung auf die seelische Verfassung und Haltung des Lebens
hat die Stoa bei dem werdenden Reformator also in der Art der Gestimmtheit und Fügsamkeit des christlichen Kreuzträgers sich bleibend ausgewirkt. Dazu kommt, daß das Grundwesen der Lebensauffassung
des stoischen Weisen, das Seneca in die Worte kleidete "Was zu viel

ist, ist immer vom Übel"[769], in Calvins Gedanken von der erstrebens-
werten Ausgewogenheit der Gemütslage in den Wechselfällen des Lebens
so eingegangen ist. Zwar hat er nicht den Weisen im Auge, der sich
im Selbstvertrauen mannhaft über die als krankhaft erachteten Anwandlungen seiner Emotionalität erhebt[770], sondern einen von Gott
aus freiem Gnadenerweis[771] zu seinem Sohn Angenommenen, der mit ge-
zügelter, maßvoll ausgeglichener Bewegtheit der nun eben doch unter
der Anwandlung der zu seiner Vollmenschlichkeit gehörenden Affekte
jene auch für ihn im einzelnen auf ihre Gründe hin nicht erforschbaren Wechselfälle des Lebens als Auflage des auf sein Heil und Frommen väterlich bedachten Gottes trägt. Das Ethos des stoischen Maßhaltens, der Nüchternheit und der Ausgewogenheit hat sich bei Calvin
seinen Platz im Gemütsleben und in der Frömmigkeit eines Christen,
in der von ihm erforderten Denkungsart dem andern gegenüber und
nicht zuletzt in seiner, des werdenden Reformators eigenen, theologischen Konzeption, aller gegen die Weltanschauung und Affektenlehre
der Stoa gerichteten polemischen Schärfe zum Trotz gesichert[772].

Es sind also nach Calvin die schmerzlichen Anwandlungen des Herzens unter den von Gott verhängten Beeinträchtigungen des Lebens eines Christen Anlaß zu dem Verzicht "auf uns und alles Unsrige"[773].
Darum muß er sich der <u>Frage nach der Eudämonie</u> des Lebens stellen.
Die zunächst allgemein gehaltene theologisch ausgerichtete Antwort
geht 1539 dahin, daß die unter jenem Verzicht Lebenden in jedem Fall
die Segnung Gottes für sich haben werden[774]. Vor allem jedoch wird
dann die eigentlich so zu bezeichnende "Glücklosigkeit" als die
herrliche Hoffnung auf die zukünftige Welt angesehen; denn diese
Verherrlichung der Erwählten stellt den gleichwohl niemals verdienten "Ausgleich"[775] für die gegenwärtigen Leiden dar. Verbürgt doch
die Herrlichkeit Christi die Sicherheit unserer eigenen zu erwartenden Herrlichkeit, sodaß der gegenwärtige Besitz des Heils nach Römer
8, 30 und unsere Hoffnung so eng zusammenrücken, daß diese jenem
gleichkommt[776]. Das Leben in der künftigen Welt[777] bringt also im
Unterschied von der Stoa erst die wahre Glückseligkeit. Diese Eudämonie, von der im Neuen Testament nie die Rede ist, wird aber schon
seit Justin als Lebensziel des Christen so bezeichnet[778]. Mit dieser
Auffassung hat sich jedenfalls die stoische Diktion bis hin zu Calvin durchgesetzt[779]. Der weltimmanenten Lebenskunst des stoischen
Weisen hingegen entsprach es, das Ungemach des Lebens mit seinen so
ungleichen Belohnungen durch Gelassenheit zu adeln und damit zwar
nicht dem angenehmsten, wohl aber dem besten Leben nachzugehen. In
dem Einklang von Tugend und friedsamer Glückseligkeit ist beim Stoiker das höchste Gut, ist die Tugend der gleichbleibend unerschütter-
lichen Gemütslage zu sehen[780]. Selbst bei der Annahme einer über den
Menschen hinausgehende polaren und personhaften Beziehung zu einem
Gottwesen kam der Stoiker, trotz dahin zielender, vor allem platoni-

scher Ansätze nicht dazu, die Frage nach dem Ungemach und einer
Glückseligkeit in jene Beziehung sinnvoll einzuordnen. Mitten in den
Aufgaben des öffentlichen Lebens hat der stoische Weise der römischen Kaiserzeit den müden Rückzug auf sich selbst vollzogen.
Einer in etwa vergleichbaren Lage sah sich der junge Calvin und
werdende Reformator den Zeitumständen des längst zum Herbst sich
neigenden Mittelalters gegenüber. Die institutionelle Kirche hatte
den an ihr, an der Welt mit der Unzahl ihrer Übel und an den Unge-
rechtigkeiten ihrer Gesellschaftsordnung bitter leidenden Menschen
nicht mehr die erforderliche Geborgenheit gegeben[781]. Darum wurde
diese neben ihr her gesucht und, soweit man davon reden kann, auch
gefunden in der Mystik der Trostbuchliteratur. So wartet denn auch
Calvin, was später durch seine Briefe bestätigt wird, jeweils mit
Trostgründen auf, wie sie ähnlich jene Trostbücher, etwa des Johannes von Dambach[782] oder das dritte Buch der Imitatio, anbieten und
einem gewissen geistlichen Zweckdenken entspringen: Leiden ist Gottes Zuchtrute zur Besserung des Lebens, stellt die lautere Gesinnung
des Leidenden auf die Probe, ist Übung in der Frömmigkeit zu deren
Förderung, heißt die Welt und das irdische Leben verachten, weckt
zum Gebet und fordert Gehorsam, macht nicht zuletzt Ernst mit dem
Bedachtnehmen auf Gottes Vorsehung, die nach des jungen Reformators
Auffassung als "wirksamstes Heilmittel", wenn schon keine Beseiti-
gung, so doch eine Erleichterung des Ungemachs bringt[783]. Aber immer
wieder klingt später in Calvins Briefen durch dessen Ermahnungen,
Aufmunterungen, Zusprüche jener unüberhörbare Ton hindurch, der
Schmerz "müsse" mit Geduld bezwungen, mit sieghafter Festigkeit
überwunden werden. Er ruft das Leidensethos der Stoa nach der Seite
des tapferen Maßhaltens, nicht aber nach derjenigen des resignierenden Abgestumpftwerdens in Erinnerung.
    Am überzeugendsten wirkt Calvin in der Frage nach dem Sinne des
Leidens, wenn er es schon 1536 mit Christus in Verbindung bringt.
Hier werden Töne der Mystik laut; doch ohne daß die denkbar innigste
Einung eines das Kreuz tragenden Gläubigen zur Verschmelzung mit
Christus führte. Die bleibend unmittelbare Personhaftigkeit Christi
und des das Kreuz Tragenden bleibt gewahrt. Nach drei Seiten nimmt
für Calvin die "Gleichheit" und "Verknüpftheit" der in der "Schule
Christi" vom Ungemach Gepeinigten mit Christus, ihrem Haupt, Gestalt
an.
    1) Die von Gott umsonst zu Söhnen Angenommenen werden durch ihr
besonderes Kreuztragen in die Leiden und das Gekreuzigtwerden des
Sohnes Gottes hineingenommen und bis zur Gleichheit eng mit ihm vom
auferlegten Ungemach geplagt.
    2) Calvin erblickt in dieser Eingehörigkeit einen "ausgezeichne-
ten" und "ungewöhnlichen" Trost[784] mitten in den leidvollen Widerfahrnissen, die den Gläubigen die bittere Wirklichkeit der Welt und

ihres eigenen Lebens einträgt. Sie kämpfen ja den Kampf des Sohnes
Gottes selbst. Verschwenderisch schenkend[785], so heißt es schon
1536, reicht <u>Gott</u> ihnen dann auch "in seinem Christus" dar <u>alle</u>
<u>Glückseligkeit für unser Elend</u>, alle Fülle für unsern Mangel. Es
sind ja die in Christus Erwählten, die, in der Gleichgestaltung mit
seinen Leiden, wenn mit ihm gestorben, so auch mit ihm leben, wenn
mit ihm leidend, so auch mit ihm herrschen werden.

3) Für diese Kreuzträger birgt diese besondere Art von Anfechtung,
Qual und Pein die unausweichliche Pflicht[786] in sich, <u>das Beispiel</u>
<u>der Geduld Christi</u> nun auch ihrerseits <u>nachzuvollziehen</u>; denn für
die zu Erben des künftigen Reiches Gottes Angenommenen ist dieser
Begleitumstand unumgängliches Erfordernis[787].

Die <u>Frage nach dem Sinne des Leidens</u> wird hier nicht mehr in diejenige nach seinem Zweck im einzelnen überführt, wie sie bei Augustin, dann u. a. bei Thomas von Aquin, aber auch bei Bernhard und in
der frommen Welt des Thomas von Kempen und schließlich auch bei Calvin sonst zu beobachten ist. Mit der Berufung auf Römer 8, 29 hat
Calvin samt den spätmittelalterlichen Antipelagianern guten biblischen Grund unter den Füßen und außerdem eine solche Verbindung zur
Mystik der katholischen Kirche, die für den Kreuzträger bei der
denkbar innigsten Einung mit den Leiden[788] und der Verherrlichung
Christi nichts von seiner unmitteilbaren Personhaftigkeit abge-
streift[789]. Es ist offenbar, daß diese Sinngebung des Leidens, die
für den jungen Reformator zumal nur auf die von Gott kraft seines
höchst persönlichen vorzeitlich-ewigen Entschlusses zu Söhnen Angenommenen zutrifft, keine Beziehung zur Stoa haben kann.

Das ist nun aber wieder anders, wenn es sich um die <u>Affektenlehre</u>
handelt. Der spätrömische Stoiker vorab ist um eine Gemütslage voller Sicherheit vor Affekten, voll friedvoller, ruhiger Stille abseits aller Geschäfte, voll sich gleichbleibender Ausgewogenheit und
Beherrschtheit bemüht[790]. Er kennt diese seelische Verfassung so,
daß weder Affekte, nach Ruf und Gerücht[791] anderer über ihn seine
Seele stören, beunruhigen, verwirren oder krank machen, sondern daß
er beim Hinabsteigen in sich selbst[792] die gleichmäßige Einheit mit
sich und der All-Einheit der Gottnatur nur Dilubenheit der stoischen
Generaltugend fortschreitet. Das vernunftgerechte Abwägen der Urtei-
le, das, von den Affekten befreit, dem andern in unvoreingenommener
Menschlichkeit gerecht wird, begründet das Sittlichgute, die Menschenwürde und zwischenmenschliche Achtung. Der junge Reformator bezieht demgegenüber die von Affekten angewandelte und bewegte Seele
um der Vollmenschlichkeit seines Menschseins die Affektgeladenheit
der Vorgänge zwischen Gott und ihm tief und warm empfinden läßt. Aber
die Affekte müssen durch das Wort Gottes gezügelt werden[799]. Dabei
gilt seit 1539 ausdrücklich, daß die wahrnehmende Erkenntnis des
Glaubens aller selbstherrlichen "Intelligenz" weit überlegen ist[800].

Schließlich will auch festgehalten werden, daß schon für den Calvin
von 1536 ja Gott selbst von keinem andern als "väterlichen Affekt"
gegen seine an sich unwürdigen und also umsonst angenommenen Söhne
bewegt wird[801].

Auch die Frömmigkeit erscheint für Calvin, will sie ernst genommen werden, schon 1536 immer durch Herz und geistige Sinne hindurch[802] affektiv bewegt und durchseelt[803]. Gott bewegt uns nämlich
zuinnerst durch seine Machtvollkommenheiten[804], deren Wirkungen wir
bei uns wahrnehmen und deren Wohltaten wir genießen. Sie sind, wie
vorab der Ruhm Gottes selbst, Antrieb zum guten Handeln[805]. Sie können den Grad inbrünstiger Ergriffenheit und einer gerechtfertigten
Leidenschaftlichkeit erreichen und bewegen ihrerseits den Willen.
"Die von wahrer Frömmigkeit gegen ihren Gott entzündet[806] sind, dürfen auf kein zuverlässigeres Gesetz hoffen, als daß sie seine heilige Majestät...auf jede, wie auch immer angemessene, Art und Weise
verherrliche"[807]. Diese Aufgabe christlichen Lebens, mit Inbrunst
und Eifer[808] Gottes Ruhm zu mehren[809], ist von keiner resignierenden
Ermüdung beschlichen und führt bei aller Rückverbindung zur franzis-
kanisch-bernhardinisch-devoten Frömmigkeit über diese weit hinaus;
denn es ist der Sendungs- und Verpflichtungscharakter reformatorischer Frömmigkeit, der von solcher Emotionalität warm und leidenschaftlich angetrieben wird[810]. Von solcher affektgeladenen Hingabe
besitzt Bernhards Frömmigkeit[811] freilich mehr als die zum Quietis-
mus neigende Devotio moderna, und Calvin ist schon früh mit ihm bekannt geworden; denn schon in der Erstausgabe der Institutio fällt
eine gewisse Kenntnis Bernhards auf. Der Hl. Geist benutzt dann aber
nach Calvin die Affekte als Antriebe des erneuerten Willens, jedoch
nicht ohne zugleich die Erkenntnis zu erleuchten, die jene unter
geistlicher Kontrolle durch das Wort Gottes hält. Das ist aber eine
Absage an den Euphemismus der intellektualistischen Anthropologie
der Stoa.

Schließlich steht hier noch die Frage offen nach dem Verhältnis
der erkenntnistheoretischen Erfassung eines wohl geordneten christlichen Lebens, wie es Calvin vorschwebt, zur nominalistischen Grund-
form der Lebensphilosophie der spätrömischen Stoa. Weil für sie die
all-eine Gottnatur der Weltvernunft der alleinige Maßstab für die
Erkenntnis des Sittlichguten ist und weil diese wiederum die Umset-
zung in die Tat unumgänglich sowohl fordert, als auch vollbringt,
darum muß diese Welt- und Lebensanschauung bei der ihr eigenen überlieferten Ablehnung einer noch anderen Welt ewiger Wahrheiten, d. h.
ewig sich gleichbleibender, eigentlicher, dinglicher und urbildlicher
Wirklichkeiten verharren; denn diese Welt des platonischen Ideenre-
alismus und auch des gemäßigten Aristotelismus mußte derjenigen der
monistisch grundgelegten Lebenserfahrung und Lebensbewältigung der
Stoa als noch übergeordnet erscheinen. Die Lebenskunst des stoischen

Weisen leitet sich also nicht aus einer solchen ursprünglichen Seins-
wirklichkeit ab, eher schon aus der Ahnung eines autoritativen Gottwesens ab, wie sie ihm in seiner eigenen Person urtümlich mit auf
den Weg gegeben ist. Erst nachfahrend, in der Wahrnehmung seiner
selbst und der Welt, eröffnet sich ihm auf vernünftig zwingende Weise auch der Gedanke an ein Gottwesen, der, welchergestalt auch immer, Allgemeingut aller Menschen ist. Damit ist aber die kosmopoli-
tische Grundlegung der stoischen Ethik geschaffen[812].

So weist alles darauf hin, daß die Stoa um des vorbildlichen Aus-
baues der Logik der Sprachformen und der Grammatik willen keine Welt
des urwirklichen Seins und seiner Ideen kennt. Der Eingehörigkeit
in die all-eine Gottnatur verdankt der stoische Weise für seine Lebensführung die Prinzipien von vernünftiger Ordnung, vernünftigem
Maß und mannhafter Grundsatztreue; sie wohnen seinem Bewußtsein inne. Ob nun von der Stoa die Wirklichkeit der Allgemeinbegriffe zugunsten der Erfahrbarkeit allein der Einzeldinge willen geleugnet
wird, oder ob im Bereich christlicher Theologie jeweils der Zugang
zu metaphysischer Erkenntnis kraft diskursiven Denkens in Abrede gestellt wird: in beiden Fällen hat man es mit einer nominalistischen
Logik zu tun. Doch mit dem ganz gewichtigen Unterschied, daß der
Stoiker mit der Glückhaftigkeit und den Widerwärtigkeiten seines Lebens auf sich selbst gestellt bleibt, der Christ hingegen den in die
Geschichte eingegangenen erforschbaren und feststellbaren Vorgängen
der Selbstbekundung Gottes durch den Glauben begegnet. Das mußte dem
in der Stoa so bewanderten Calvin durchaus bewußt sein.

Aber schon Zenon hatte den Gattungsbegriffen ein urtümlich wirkliches Sein im Reich der Ideen eines Plato abgesprochen. Ein Gattungs-
pferd kann man nicht sehen, wahrnehmen, feststellen, sondern nur ein
je einzelnes Pferd, und auf diese empirische Erkenntnisweise kommt
es allerdings schon für die frühe Stoa an. Die Gattungsbegriffe sind
reine Benennungen[813] und eröffnen keine Erkenntnis von Wirklichem.
Dieser empirische Ansatz hat die ganze Stoa bestimmt. Freilich nahm
Cicero und die spätere Stoa Abstand von der Auffassung, als ob die
menschliche Seele einer Wachstafel gleiche, in die sich Erinnerungs-
bilder von Erlebtem eingraben und durch ähnliche Widerfahrnisse zu
einer festen Anschauung größeren Umfanges erweitert werden könnten[814]. Vielmehr wird von ihm eine solche Abstraktion philosophischer
Art angenommen, die, vom Gattungsbegriff wohl unterschieden, aus
einer apriorischen Veranlagung vernünftigerweise hervorgeht und
schon etwa das Dasein göttlicher Wesen oder gar eines Gottwesens und
der wesentlichen sittlichen Grunderkenntnisse anthropologisch ur-
gegeben sein läßt[815]. Auch diese Erkenntnisbegründung ist also empirischer Natur. Darüber weiß Calvin genau Bescheid; er hat diese
natürliche Gotteserkenntnis gerade Ciceros aus seinem theologischen
Denken nicht ausgeschieden, sondern in die legitime Gotteserkennt-

nis nach der Hl. Schrift kritisch hineingehoben. Außerdem tauchen
die sittlichen Grundbegriffe der Stoa als charakterbildende und bei-
spielhafte, nicht aber urbildhafte Gemeinschaftstugenden, und zwar
bis in die Gestalt christlich reformatorischer Frömmigkeit, oft genug gewandelt von Anfang auf. Das Nähere zu dem allen wurde an seinem Ort[816] schon gesagt. Es muß aber hinzugefügt werden, daß nicht
erst die am römischen Recht orientierte Rechtskunde und der Humanismus den jungen Calvin mit dem Empirismus, wie er in der römischen
Stoa herrschte, in Verbindung brachte, sondern daß auch der spätmittelalterliche Nominalismus ihm zu einer empirischen Denkstruktur
verhalf. Die Hl. Schrift ist als Selbstbekundung Gottes Offenbarungs-
realität und der Glaube als Zuversicht und Überzeugung ein Besitzen
der Realität der Verheißungen und Christi selbst. Cicero und Seneca, neben Virgil von christlichen Gelehrten und in den Artistenfakultäten von jeher am meisten gelesen, werden Pate gestanden haben am Aufkommen des Nominalismus schon bei Roscellin und Abaelard,
dann bei Ockham und seinen Schülern, und das Schulbeispiel von der
"Pferdheit" ist auch Duns bekannt[817]. Benutzen mit mehr oder weniger Recht aber auch die mittelalterlichen Nominalisten den so über-
mächtig einflußreichen Aristoteles, wo wendet sich Calvin von seiner Autorität ab. Wie er unter Theologie im Brief gegen Sadoleto[818]
die scholastische Theologie versteht, so schwebt ihm selbst als Gegenstück eine Darstellung des "christlichen Religionswesens"[819] vor,
dessen Inbegriff er seit 1539[820] als Weisheit bezeichnet: als Weisheit sowohl primär alles Tuns und aller Verhaltensweisen Gottes, insbesondere der Heilsstiftung in Christus, als auch sekundär all der
seiner Selbstbekundung in seinem Wort und Evangelium entsprechenden
und erforderten Verhaltensweisen eines Christen, sofern diese der
Hl. Geist wirkt. Eine von Gott initiierte und fortgehend zu initiierende Polarität!

7.2.3.4
Herkunft und Tragweite des "Nicht in uns" und "Nicht aus uns" bei
dem werdenden Reformator

Weil Calvin im Brief an Sadoleto keinen unmittelbaren Aufschluß darüber gibt, inwiefern die "Anfangsgründe", in die er, wie es denn
chronologisch kaum anders sein kann, in der Artistenfakultät des
Collège de Montaigu eingeführt worden war, ihm "keine grundsatztreue
Unterweisung in den Pflichten des christlichen Lebens" lieferten,
darum mag es angebracht erscheinen, den vielfältigen Einflüssen auf
das Woher und Wohin der christlichen Lebensauffassungen des jungen
Reformators noch vollständiger nachzugehen.
    Das entscheidende Nein zu auch nur etwelcher Heils- und Heiligungs-
mächtigkeit des Menschen, wie er von Natur ist, wird von Calvin eben-

so häufig wie entschlossen schon 1536 durchgehalten. In dem was der
Mensch "aus sich" ist, hat und tut, wird er von Gott unausweichlich
als in Schuld, Zweifel und Verzweiflung verstrickt überführt. So
bleibt dem Menschen auch kein Anlaß übrig, um "in sich" selbst Gerechtigkeit, Tüchtigkeit, Leben und Heil zu suchen. In niemandes Vermögen steht die Vergebung der Sünden, die Verheißung ewigen Lebens,
die Gegenwart des Heils. Ohne jeden Anhaltspunkt in uns selbst ergehen göttliche Güte und Barmherzigkeit. Niemand auch darf beim Gang
zum Tisch des Herrn wagen, sich dafür zu verbürgen, daß er getan habe, was im vermeintlich positiven Sinne "in ihm war" oder "in ihm
ist"[821]. Ausdrucksweise, Schriftbeweis und die Verneinung der Menschenmöglichkeit christlichen Lebens und Handelns aber gehen auf
den Augustinismus der spätmittelalterlichen Antipelagianer zurück;
2. Kor. 3, 5 ist bei diesen und schon 1536 auch bei Calvin von aus-
schlaggebender Bedeutung und leitet zum Mißtrauen gegen "alle Erfin-
dungen der menschlichen Vernunft" auch in der Kirche als solcher[822].
Dazu findet die durch Ockham gerade auch auf den Menschen als einzelnen personhaft zugespitzte Akzeptationslehre ihren Niederschlag in
der Betrachtungsweise Calvins: selbst die im Glauben geschehenen
Werke gefallen Gott "nicht aus sich", machen uns auch "nicht aus
sich" zu "bei Gott Angenommenen und in Gunst Stehenden"[823], so daß
wir Gottes Anblick aushalten können. Ihnen fehlt in sich selbst eben
die ausreichende geistliche Qualifikation.

Also: Wir sollen nichts aus uns selbst wollen. Wir sollen lernen,
nichts in uns zu suchen. Sollten wir aber etwas von Hoffnung, Liebe,
Glauben in uns wahrnehmen, dann muß es augustinisch und ockhamistisch zugleich ganz und mit Danksagung auf die schon erwähnte "Annahme" bei Gott zurückgeführt werden; d. h. nur von seiner Seite erhält es, nach Art der scotisch-Ockham'schen Akzeptationslehre, seine Gültigkeitserklärung. Beim Menschen findet man vom Scheitel bis
zur Sohle nichts Gutes; "aus sich selbst"[824] ist er nichts anderes
als "böse Begier"[825], tut er, worüber die Flüche des Gesetzes ergehen[826]. Folgen wir aber z. B. in der Frage nach dem Kontritionismus des Bußsakramentes der Weisung, zu tun, "was in uns ist", dann
werden wir immer auf dieselbe Stelle zurückgeworfen, weil niemand
es jemals wagen darf, sich dafür zu verbürgen, daß er alle seine
Kräfte für die Trauer über seine Sünden eingesetzt habe[827]. Immerhin hat hier auch die Heilspädagogie des göttlichen Gesetzes in etwa ihre Hand im Spiel, wo immer es zu dem schmerzlichen Erlebnis der
Blindheit unseres Erkennens und der Ohnmacht unseres Willens im
Blick sowohl auf das Erlangen des Heils, als auch hinsichtlich der
wirklichen Erfüllung der Pflichten einer wohl geordneten christlichen Lebensführung kommt[828]. Aber der Calvin von 1536 ist doch schon
dabei, die richtungweisende und zum Gehorsam ermahnende Aufgabe des
Gesetzes zu dessen eigentlicher zu entfalten.

Woher kommt Calvin zu dem Radikalismus der Aussagen über die sündliche Ohnmacht des Menschen Gott gegenüber? Man muß immer wieder sagen, daß es, soweit irgend zu sehen ist, nach dem Verlassen der Artistenfakultät bei Calvin keinen Anhaltspunkt mehr für die Entstehung eines ihn so stark bestimmenden Augustinismus gibt: weder in
seinem Studium des römischen Rechts, noch in seinen humanistischen
Studien. Luthers Reformation aber erschloß er sich, soweit die Quellen hier reichen, lediglich als solcher, um in sie die zukunfts-
trächtige Überlieferung des Augustinismus der nominalistischen Antipelagianer mit hineinzunehmen. Johann Major ist der Mittelsmann
für diesen, sodaß für die vorliegende Fragestellung von ihm ausgegangen werden muß.

"Aus sich selbst" kann, zunächst betreffend Gregor von Rimini, den
so verehrten Vorgänger Majors, "kein Mensch" haben ein gutes Denken[829], Erkennen[830], Einsehen[831], ein rechtes Weisesein[832] und frommes Wissen[833], einen guten Willen[834], das Vollbringen[835] eines sittlichguten Aktes. Gott allein tut es kraft der "besonderen Hilfe",
und zwar ohne uns und nur insofern dann auch mit uns und insofern
schließlich auch durch uns. Eine Aufteilung christlichen Handelns
in den ausrüstenden Gnadenakt und den freien Willen lehnt er ab und
damit den Moralismus des freien Willens und den Intellektualismus
der bloßen Belehrung[836]. So sieht er die sündliche Ohnmacht und
"Gelähmtheit"[837] des Menschen nach dem Fall. "Nicht aus sich, "nicht
aus eigener Kraft", "nicht aus seinen natürlichen Kräften", "nicht
in seiner gegenwärtigen inneren Verfassung" kann ein Mensch "auf
Gott um seiner selbst willen sich ausrichten"[838], ihn "um seiner
selbst willen lieben". Selbst der einem Getauften innewohnende Liebeshabitus[839], am wenigsten die bloß äußerlich in Erscheinung tretende Pflichtgemäßheit einer Tat verleiht ihr den Charakter sittlicher Gutheit. Dem gefallenen Menschen fehlt "richtig" urteilende
"Vernunft"[840]und das "Verlangen des Willens"[841]nach der Ausrichtung
allein und "unmittelbar" auf die Liebe zu Gott[842].

Nach Wesen und Ausdruck der Dinge folgt Major Gregor, seinem Gewährsmann. Dem Willen eines Menschen ist es ebensowenig möglich einen sittlichguten Akt hervorzurufen wie dem Diktat[843] des Intellekts,
das anweist, es sei richtig, ein Bestimmtes zu tun oder nicht zu
tun. Wie Gregor seine Lehrmeinung als die eigentlich katholische
hinstellt, so spricht Major im selben Sinne von den "unzähligen Autoritäten", die zur Erhärtung derselben Lehrmeinung angeführt werden könnten, daß es nicht in des Menschen Vermögen liege, ausreichende Erkenntnis von dem zu gewinnen, "was im Blick auf ein sitt-
lichgutes Leben nicht oder wohl zu wollen, zu tun sei oder nicht
getan werden dürfe". Die Vorschriften der zweiten Tafel des Dekalogs kann niemand im "intensiveren" Sinne erfüllen. Darum stürzt
auch ein Mensch, abgesehen etwa von einer beliebigen läßlichen Sün-

de, mag er diese wohl meiden können, "aus rein natürlichen Kräften"
in die Sünde "notwendigerweise" hinein, "welche es auch immer sein
mag". Läßt man einige Major selbst als unerheblich erscheinende mil-
dere Beurteilungen des menschlichen Unvermögens[844] außer Betracht,
so decken sich seine grundsätzlichen Ergebnisse in der vorliegenden
Frage genau mit denjenigen Gregors: unmöglich kann der gefallene
Mensch die Sünde überhaupt meiden, die Versuchung überwinden, einen
sittlichguten Akt, einen Akt der Liebe gegen Gott hervorbringen,
der, wenn auch sonst nicht, so doch jedenfalls für das ewige Leben
verdienstlich wäre[845]. Es darf aber der Hinweis darauf hier nicht
übergangen werden, daß die ockhamistische Denkweise Majors auch eine Gnade kennt, die nicht als Ausrüstung im Menschen gegen die Todsünde Macht und Raum gewinnt und diese "austreibt", sondern auf
Grund göttlicher "Bundschließung"[846] der Sünde, wie schon von Duns
und Ockham gelehrt, den Charakter der bloßen Strafverhaftung[847] verleiht, zu der jene als Akt der Nominierung, als Gottes Gunst- und
Hulderweis "in derselben Seele" folgerichtig dann einen "natürlichen"[848] Gegensatz bildet[849].

Die Anthropologie des Sünders, soweit sie bei Calvin vor der Zweitausgabe der Institutio in ihren einfachen Aussagen in Frage kommen
kann, hat ihren starken Rückhalt also bei den augustinischen Anschauungen Majors und denen des ihm so nahestehenden Gewährsmannes Gregor.
Beiden wäre noch der Augustinist Heinrich Totting von Oyta[850], ein
gebürtiger Oldenburger, und der Niederländer Marsilius von Inghen
hinzuzurechnen. Diese Anthropologie, wie sie von dem werdenden Reformator übernommen und in seine Gesamtkonzeption hinein verarbeitet
wurde, steht in der theologiegeschichtlichen Wechselwirkung der kritischen Ablehnung der "Modernen" mit der sympathisierenden Einstim-
mung in die nominalistischen Antipelaganer des späten Mittelalters.
Eine Auseinandersetzung mit der Frage nach dem freien Willen bietet
erst die Institutio von 1539.

1) die "außerordentlich wertvollen Aussprüche des Scotisten Major"[851] über Gregors noch vor seinem Sentenzenkommentar verfaßte
Schrift "Vesperia" stellen bereits eine Kommentierung der theologischen Grundauffassungen Gregors dar, die dieser auch in den beiden
ersten allein erhaltenen Büchern seines Sentenzenkommentars unverändert äußert. Gregor entwickelt sein Verständnis von Sünde, wie es
ja nicht anders sein kann, als Seitenstück zu seinem Gnadenverständ-
nis, der "besonderen Hilfe Gottes", deren Verständnis auch für Calvin bereits dargelegt wurde. Wenn sich Gregor darin von Thomas von
Aquino[852] bestätigt sah[853], so überschätzte er den Augustinismus des
Aquinaten. Ihm selbst ergab sich aus der Gewichtigkeit der Wirksam-
keit der zu guten Akten ausrüstenden Alleinwirksamkeit der "besonderen Gnadenhilfe" die Aufhebung des Unterschiedes von läßlichen und
Todsünden[854] und die Folgerung des Charakters der Todsünde für alle

Sünden. Zugleich aber meldet sich mit dem unsakramentalen Charakter der "besonderen Hilfe" als der Aktualität des ausrüstenden Willens Gottes eine Gefahr an für das von Thomas vertretene ontische
Verständnis von Sünde als Minderung der Mächtigkeit zum Guten infolge der sündlichen Begier und als einem gewissen Schwund der ursprünglichen Gerechtigkeit des Menschen. Der Weg zu einem Verständnis der Sünde als Personsünde wird eröffnet, wie es dann Major als
Widersetzlichkeit gegen Gottes Gebote wiedergibt. Bei den antipelagianischen Scholastikern aber steht fest, daß auch aus dem Habitus der Taufgnade oder Gottesliebe heraus nicht an sich schon ein
Tun des Guten möglich ist. Gregor kommt die geschichtliche Bedeutung zu, dies nachhaltig ausgesprochen zu haben. Die "richtige Vernunft" liegt ihm dabei ebenso am Herzen wie der freie Wille, sofern
beide durch die Hilfe der ausrüstenden Gnade in die unentwegt erforderliche aktuale Liebe eingehen, die Gott rein um seiner selbst
willen liebt[855]. Hat Gregor dem spätmittelalterlichen, zugleich nominalistisch orientierten Augustinismus die Bahn gebrochen, so darf
hier der Einfluß Bradwardines auf ihn nicht übersehen werden.

2) Gregor sieht sich im Widerspruch zu Hieronymus[856] und Pelagius[857], aber dann gerade auch zu Duns, weil dieser der Anthropologie
des Sünders die Ansprechbarkeit seines Willens gleicherweise nach
seinen beiden Seiten zugrunde legte: das Willensvermögen kann sich
unter Nutzung der eingegossenen Gnade frei zum Guten entscheiden
oder bei ebenso freiem Verzicht auf diese Entscheidung dem Bösen
Raum lassen. Den selbstaktivierten guten Akt eines Getauften aber
"akzeptiert" Gott seinerseits dadurch, daß er ihm aus reiner Frei-
giebigkeit verdienstliche Mächtigkeit zugesteht[858]. Gregors theologischer Angriff erstreckt sich vor allem aber auf Ockham und die
"Modernen" überhaupt, weil sie in Verbindung mit der Gnadenlehre des
Duns auch dessen Anthropologie des Sünders weiter ausbauten: was die
Vernunft befiehlt, vermag der Wille auszuführen, ohne daß dabei sittlichgute Akte als solche Gott zu einer Belohnung verpflichten könnten, die doch seinem frei ermessenden Zugeständnis überlassen bleiben muß[859]. Für Gregors Urteil geht das flache Sündenverständnis der
Modernen Hand in Hand mit der in der Scholastik überhaupt vor sich
gegangenen Geringschätzung der aktualen Gnade[860]. In der Gegenstel-
lung Gregors gegen die "Modernen" mündet auch Majors Stellungnahme
ein, freilich mit der Erklärung einer gewissen persönlichen Sympathie für die "menschlichere" Auffassung eines Biel vom freien Willen und mit der diese dann doch beiseite schiebenden endgültigen Erklärung, daß die Hl. Schrift und die Kirchenväter zur gegenteiligen
Lehre neigen[861]. So dürften denn Lehre und Tragweite des "Nicht in
uns" und "Nicht aus uns" bei dem werdenden Reformator schon für die
Erstausgabe der Institutio eine wesentliche theologiegeschichtliche
unübersehbare Erklärung finden. Hier liegt auch ein Grund mit für

die Ausmerzung des Verdienstdenkens.

Den Folgerungen hat Calvin folgendermaßen Rechnung getragen. Der Habitualität der eingegossenen Gottesliebe gibt er die Gestalt der allein durch den Hl. Geist ganz unsakramental und personhaft gewirkten,habitual zu verstehenden "geistlichen Wiedergeburt". Diese sieht er 1539, entsprechend der "besonderen Gnadenhilfe Gottes"[862] bei den Antipelagianern und doch auch bei Augustin selbst durch die Aktualität desselben Geistes in der Führung christlichen Lebens aktiviert. Die so begründete und durchgehaltene Lebensführung nimmt er in das reformatorische Verständnis des Heils als etwas ausdrücklich Unverzichtbares herein. Des weiteren aber dehnt er das "Nicht in uns" und "Nicht aus uns" reformatorisch auf das wiederum ganz unsakramentale und persönliche Teilhaben am Reich Gottes in Christus, und zwar durch die "völlig gewisse" Glaubenszuversicht, aus. Wir sind nichts, außer in Christus, und seine Gerechtigkeit, von der Calvin 1536 weit mehr spricht als von der Rechtfertigung, ruht eben in ihm und liegt nicht in uns, sondern wird uns als die unsrige erst zugerechnet. Eben das aber, "muß erkannt werden", muß in die Subjektivität des Christen im Gegenüber Gottes eingehen, daß unser Heil auf nichts beruht, was aus uns selbst stammt[863]. Die antipelagianische Vorstellung von der Gnadenausrüstung zu einer wohlgestalteten christlichen Lebensführung einerseits und die reformatorisch verstandene Heilgewährung in Gestalt der forensischen, rein nominierenden rechtfertigenden Gnade in Christus durch den Glauben andererseits weisen verschiedenes geschichtliches Herkommen auf, liegen aber dichtest beieinander, sind für den Christenstand jede auf ihre Art notwendig, bilden zwar ein Junktim, dürfen aber nicht miteinander vermengt werden.

Wurden nun die stoischen und antipelagianischen Einflüsse auf die Vorstellung herausgestellt, die Calvin von einer grundsatztreuen christlichen Lebensführung hat, so bleibt immer noch die schwierige Aufgabe in noch weiterem Umfang die Anschauung des werdenden Reformators von ihr zu ermitteln, um dann so auch besser noch die tadelnden Worte an Sadoleto zu verstehen, daß er, der junge Calvin, in solcher Lebensführung nicht zutreffend unterwiesen worden sei.

7.2.3.5
"Aufgabe und Nutzanwendung des Gesetzes" für eine wohlbestellte christliche Lebensführung aus der Sicht des werdenden Reformators

Gilt, was Calvin, seinen augustinischen Gewährsmännern getreu, über die Unfähigkeit des natürlichen Menschen zu christlicher Lebensführung sagt, so erhebt sich die Frage, wie das Gesetz nun für den werdenden Reformator seinerseits mit den Wiedergeborenen zu seinem Ziel kommt. "Aufgabe und Nutzanwendung des Gesetzes"[864] erörtert Calvin

schon 1536 in einem kurzen dreiteiligen Absatz[865], der allen Anlaß
gibt, an Hand der in ihm aufgeführten Anhaltspunkte der hier sich
stellenden Frage näher auf den Grund zu gehen.

1) Das Gesetz eröffnet zu allererst, was es mit dem Inbegriff der
Gerechtigkeit auf sich hat, wie sie nämlich selbst Gott eigen ist
und wie er sie von uns verlangt[866]. In Gott hat sie ihr Ur- und Musterbild, gleich einen fest umrissenen, fast metaphysischen Sachverhalt, hält die Liebe zum Nächsten als einen ganz wesentlichen Be-
standteil in sich eingeordnet und verleiht auch ihr den Charakter der
Normgerechtheit.

2) Sie kennt zunächst nicht die Doppelung der "zwei Wege", nämlich
des der den Ordensangehörigen auferlegten "Ratschläge" und des der
für die Christen insgemein verbindlichen Vorschriften für die Lebensführung auf dem Weg zum ewigen Leben[867]. Dieser Unterschied wird als
heidnisch[868] ebenso abgelehnt, wie auch die geistliche Satzungsge-
walt der kirchlichen Oberen abgetan wird, weil sie sich als eine
eigengesetzte außerhalb des Wortes Gottes bewegt und sich darum gegen dessen allgemeingültige Regel und die Art der "Herrschaft Christi unter uns" richtet[869]. Den Bruch mit der Hierarchie der ihm angestammten Kirche und einer den Orden vorbehaltenen Sondersittlichkeit vollzog Calvin wie den mit dem schon ausgeführten Verdienstdenken der päpstlichen Kirche schlechthin.

3) Die Gerechtigkeit, von der hier geredet werden muß, darf aber
auch nicht mit jener geschichtstheologischen verwechselt werden[870],
derzufolge nach Calvin, so 1539, von Gott "die Gläubigen bewahrt und
auf das allergütigste umarmt gehalten werden"[871] und die in der über-
schwenglich[872] reichen Treue[873] Gottes zu dem Volk seiner erwählten
Gläubigen und Frommen besteht, aber verstandesgemäß nicht zu ergrün-
den ist.

4) Die in Frage stehende Gerechtigkeit unterscheidet sich aber
auch von der anthropologisch orientierten, dem andern ureigen zukommenden, ihm von Fall zu Fall jeweils gerecht werdenden, im Idealfall
sich stets gleichbleibenden Gerechtigkeit vor allem der römischen
Stoa. Das muß um so mehr hervorgehoben werden, weil Calvin gleichzeitig aus dieser die Bezeichnungen für zwischenmenschliches Billigkeitsdenken[874] nach Wort und Sinn mit seiner Konzeption von christlichem Leben zu verquicken später manchmal im Begriff stand. Diese
bedeutet nämlich den Verzicht auf gewalttätiges, böses Durchsetzen
des eigenen Rechts[875], wird später im Sinne der "goldenen Regel"[876]
in die Auslegung der Bergpredigt und anderer Stücke des Neuen Testaments und solchergestalt in den Inbegriff jener normativen Gerechtigkeit eingeschleußt, die der Wille Gottes nach Calvin von vornherein
schon im Dekalog bekundet. Im Zusammenhang damit ist bei ihm auch die
später von Mal zu Mal auftretende Verquickung dieses Gerechtigkeits-
verständnisses mit dem Ethos der charakterbildenden Gesellschaftstu-

genden der römischen Antike[877] und mit dem den Ruf eines Menschen und sein öffentliches Ansehen begründenden zwischenmenschlichen Urteil der Unbeschuldbarkeit, Unsträflichkeit, Unantastbarkeit[878] von nicht zu unterschätzender Tragweite, wie diese denn schon auch Erasmus und seine Jünger so gern ins Licht rücken[879].

5) Weiter hängt die Gültigkeit der in Frage stehenden Gerechtigkeit bei Calvin, anders als nach scotistisch-ockhamistischer Denkweise, mit der der Terminist Calvin sonst wohl vertraut ist, nicht von einer noch hinzutretenden besonderen Erklärung des göttlichen Gutbefindens[880] ab, sondern sie hat ihre Gültigkeit in dem offenbarungsgemäß setzenden, unmittelbar überführenden und überzeugenden Heischewillen Gottes selbst.

6) Aber bei dem werdenden Reformator findet sich auch noch nicht die später vereinzelt auftauchende Unterscheidung zwischen einer unsern Verstand übersteigenden, allein[881] Gott selbst eigenen und einer aus dem Gedanken der Anpassung hervorgegangenen, im Gesetz kodifizierten, immerhin noch das ganze Menschengeschlecht unter eine allgemeine Verschuldung und Verdammung beugenden "durchschnittlichen Gerechtigkeit"[882]. Wohl hält Calvin 1536 dafür, daß Christus als die eigentliche, alle Vollkommenheit des Gesetzes überragende forensische Gnadengerechtigkeit denjenigen Gewissen vor Augen gestellt werden müsse, die, vor Gottes Gericht gefordert, erschüttert danach fragen, wie sie wohl Gott so haben möchten, daß er ihnen geneigt sei[833]. Aber das bedeutet keine doppelte Gerechtigkeit, sondern den Vorrang der Begnadigung vor der Vollstreckung des Rechtes.

7) Ferner wendet der werdende Reformator schon 1536 den Begriff der Gerechtigkeit im distributiven Sinn nur auf das Strafe verdienende Böse bei den Verworfenen, nicht aber auf die Belohnung vermeintlich guter Taten an, und redet hier dann nur vom endgültigen Gerichtsurteile im Sinne der Strafgerechtigkeit[884].

8) Schließlich verstand sich Calvin auch nicht dazu, der Gerechtigkeit den Sinn einer geistlichen Kunstfertigkeit[885] zu geben, wie es in der Weiterbildung des nach Ludwig Vives' stoischem und auch sokratischem Vorbildes Ramus und seine Schüler taten. Die in etwa augustinische Vorbildlichkeit des die geistliche Habitualität der Wiedergeborenen aktivierenden Geistes Gottes, der mitten in allem Eifer um Frömmigkeitsübung doch nicht verfügbar wird, um ihn zu solcher Lebenskunst zu entfalten, sondern durch Glauben schlicht empfangen werden muß, hinderte ihn daran.

Unter der "Gerechtigkeit des Gesetzes" versteht der werdende Reformator hauptsächlich nun diejenige, die durch den Dekalog "befohlen" worden ist und aus deren Unanfechtbarkeit[886] kein Mensch entlassen wird. Sie stellt den Inbegriff dessen dar, was bei Gott selbst recht und "richtig" ist und als "Norm" und "Regel" jeden Menschen gleicherweise unausweichlich verpflichtet. Sie wird 1539 auf

Gottes "ureigene Beschaffenheit"[887] und als keinem Belieben unterworfenen Heischegrund zurückgeführt[888]. Als "Musterbild der göttlichen Reinheit" wird sie so verbindlich gemacht, daß, wenn jemand sich in der "Richtigkeit" dieser Leitplanken bewegen würde, er "irgendwie das Bild Gottes zum Ausdruck brächte"[889]. Mit Gottes Autorität ausgestattet, will sie "weniger" durch eine in den Leerraum metaphysischer Spekulation sich vorwagende Setzung eines vollständigen Ganzen von verbindlichen Auflagen, Geboten und Verboten und also "sittlich"[890] befohlenen Verhaltensweisen verstanden werden. Ist diese Gerechtigkeit als eine dennoch in etwa metaphysische Größe anzusprechen, so doch als eine solche, die durch Gottes höchstpersönlichen und autoritativen Willen allen Menschen als zu verwirklichender Kodex ihrer Lebensführung von vornherein auferlegt worden ist. Sie ist dem ihre Geoffenbartheit wahrnehmendes Erkennen[891] als Urbild der Gerechtigkeit zum gehorsamen Fürchten, Lieben und Verehren Gottes selbst und auch zum Dienst am Nächsten kundgetan[892], wie sie denn im Musterbild Christi in einer noch zu erklärenden Weise als Selbstverleugnung und Erfüllung aller anderen Pflichten Frömmigkeit und Heiligkeit verwirklicht wurde[893]. Die Verehrung Gottes, vor allem nach dem zweiten Gebot biblischer Zählung, arbeitet Calvin sehr nachdrücklich als Ursprung[894], Grundlage[895], Seele[896] der Gerechtigkeit heraus und stellt die Rangordnung fest[897]. Allein, erst die Wiedergeburt zur neuen Kreatur bringt Menschen, weil sie die geistliche Ausrüstung zu solcher Gerechtigkeit nicht in sich selbst haben, "den Übergang aus dem Reich der Sünde in das Reich der Gerechtigkeit"[898]. Dem Gehorsam gegen diese Gerechtigkeit aber gelten die vielfachen Ermahnungen, z. B. in Röm. 6, 12-14[899]; denn Gerechtigkeit ist, wie sich für den werdenden Reformator noch zeigen wird, auch soviel wie Beobachtung des Gesetzes[900]. Liebe zur Gerechtigkeit gehört für den Calvin von 1539 aber in das "Bußleben" des Frommen: eine besondere Seite der Frömmigkeitsübung des Franz von Assisi.

Für den Calvin von 1536 stellt die heischende Gerechtigkeit darum die existentielle Frage nach der Menschenmöglichkeit ihrer Verwirklichung. Die Frage geht über die Unverbindlichkeit ihrer theoretischen Untersuchung hinaus. Die Menschenmöglichkeit wird mit dem Hinweis auf jenes Erbe Adams verneint[901], in dem jeder Mensch nach göttlich verfügter Zwangsläufigkeit sein Dasein hat. "Aufgabe und Nutzanwendung" des Gesetzes erblickt Calvin schon 1536 zunächst darin, daß er einen Menschen, wer er auch immer sei, "an seine Ungerechtigkeit erinnert und von seiner Sünde überführt"[902]. Des näheren beschuldigt das Gesetz die Menschen ihrer eitlen und tollen Selbstbehauptung gegen Gott, damit sie die hoffärtige Meinung von sich selbst drangeben und es lernen, jedenfalls allgemein einzusehen, daß "allein durch Gottes Hand ein wirkliches Feststehen

für sie zustande kommt"[903]. In der Gerechtigkeit aus Werken erblickt Calvin einen Aufstand wider das, was aus Gnade ist, eine
Scheinfrömmigkeit, die in äußeren Taten gleißt, und einen irrigen
Heilsweg[904]. Statt dessen müsse die Flucht zur Barmherzigkeit Gottes
angetreten und diese allein als Gerechtigkeit "mit vollem Eifer ergriffen werden"[905], sofern sie nämlich "in Christus" öffentlich zubereitet worden sei.

Als weitere "Aufgabe und Nutzanwendung des Gesetzes" stellt Calvin heraus, daß es Gott als gerechten Rächer[906] oder Richter[907]
auskünde, der für Übertreter Tod und Strafurteil[908] festgesetzt habe. Angesichts dessen faßt er das Ausweichen der Menschen in den
bloßen Schein hier ganz besonders ins Auge[909]. Nur die Furcht vor
Schande und der Zwang angelegter Zügel lasse sie ihres Herzens Gedanken und Gelüste nicht ausführen. Weil sie aber nur der Schrecken
vor dem Gesetz abhält, hassen sie es auf das schmählichste und ver-
wünschen den Gesetzgeber. Sie können nicht ertragen, daß er "richtig" befiehlt und an den Verächtern seiner Majestät die "Rache"
vollzieht. Der Jurist merkt an, daß diese so hart erzwungene Gerechtigkeit für den Bestand menschlicher Gemeinwesen zwar unerläßlich sei, bedeutet aber, daß es bei der wahren Erfüllung der Gerechtigkeit nach dem Gesetz Gottes auf die wirkliche Sorge um das
"Gerechte" und "Richtige"[910], nämlich die innere Verfassung des
Herzens in der Furcht Gottes und im Gehorsam gegen ihn ankomme. In
der so erforderten Übereinstimmung der Anwandlung des Herzens mit
dem äußeren Tun um der Aufrichtigkeit willen zeichnet sich schon
1536 ein durchgängiger Zug der später noch wesentlich weiter ent-
falteten Auffassung von wohlbestellter christlicher Lebensführung
ab[911]. Doch meint Calvin keine Gesinnungsethik, sondern das jeweils
immer neu durch den Geist Gottes in Bewegung gesetzte Handeln, wie
er also die erneuerte Verfassung des Wiedergeborenen in jedem einzelnen Fall erst aktiviert. Es liegt ein unablässiges Angewiesen-
bleiben vor.

War der werdende Reformator dem bisher Dargelegten zufolge schon
1536 hinsichtlich der "Aufgabe und Nutzanwendung des Gesetzes" einerseits in eine für seine angestammte Kirche ganz ungewöhnliche
Richtung eingeschwenkt und hatte er andererseits doch auch wieder aus
der auf ihn überkommenen Frömmigkeit heraus den Abbau der Anmaßung
des Menschen in die Demut und Beugung vor Gott fest ins Auge gefaßt[912], so wartet er schließlich fast stichwortartig mit einer gewissen leidenschaftlichen Deutlichkeit mit Grundkenntnissen auf, die
das Woher seiner Lebenswende und ihr Wohin in die Pflichten einer
wohlbestellten christlichen Lebensführung kennzeichnen. Er stimmt mit
Bucer[913] und mit Melanchthon in dessen Loci seit 1535 in dem sog.
dritten Brauch des Gesetzes, d. h. in dessen Anwendung auf die Wiedergeborenen, überein, Er erklärt an seinem Teil schon 1536 mit ei-

ner Entschlossenheit, die sich nicht ändern wird, daß für die erwählten Gläubigen die Zeit des Strafurteiles Gottes[914] und des die
Gewissen zum "Gefühl"[915] von der mörderischen und zermarternden Verdammung durch das Gesetz[916] endgültig vorbei sei[917]. Für des Gesetzes Aufgabe und Nutzanwendung setzt er "unsere" Glaubenszuversicht[918] darauf voraus, daß aus Gottes Freigebigkeit sein Sohn uns
zu eigen gegeben worden sei, damit "wir" unter Absehung von unserer
eigenen "Kunst" in ihm[919] Söhne Gottes und Erben des himmlischen
Reiches seien, und stellt gleichzeitig verbindlich klar, daß "wir"
nach Eph. 1, 4 zur Reinheit und Unbeflecktheit in der Liebe berufen
worden seien[920]. Schon der werdende Reformator unterläßt mit Vorsatz keine Gelegenheit auf die hier ausgepsrochene, schon 1536 als
"vordringlich"[921], 1539 dann als "eigentlich" bezeichnete Nutzanwendung [922] des Gesetzes immer wieder fest den Finger zu legen. Er
stand sowohl im fairen Streit mit dem Antinomismus unter den lutherischen Theologen[923], als auch in der harten Auseinandersetzung mit
dem Leistungs- und Verdienstdenken unter dem Papsttum, wie dieses
das Gott selbst eingehörende und sowohl vom natürlichen, als auch
vom geschriebenen Gesetz bezeugte und jeden Menschen verpflichtende Ur- und Musterbild einer vollendeten Gerechtigkeit[924] und göttlichen Reinheit[925] abwertete, und zwar bis zum verschieden starken
Mittel christenmöglichen Erwerbs des Heiles oder, wie bei den Antipelagianern, immerhin noch des Erwerbes ewigen Lebens, gegebenenfalls nur unter der Voraussetzung der göttlichen Akzeptation. Demnach ergibt sich hier die Frage, wie es Calvin wohl gelingen möchte,
eine der uneingeschränkt autorisierten Gültigkeit des göttlichen Gesetzes entsprechende Christenmöglichkeit wohlbestellter Lebensführung
aufzuzeigen, wie sie das uneingeschränkte Ja Gottes für sich hat.

Vorab handelt es sich bei dem jungen Reformator nicht um den Ent-
wurf einer christlichen Ethik, sondern um das praktische "Bedachtnehmen auf Frömmigkeit"[926] und den Ernst leidenschaftlicher Hingabe
in den Dienst Gottes, die ohne den Einfluß von Schriften Bernhards[927]
und der Imitatio schon im Gymnasium montis acuti nicht denkbar erscheint. "... wir werden geheiligt, d. h. dem Herrn (Gott) zu aller
Reinheit des Lebens geweiht, und unsere Herzen werden zum Gehorsam
gegen das Gesetz in Form gebracht, damit unser alleiniger Wille darin bestehe, dem Willen jenes zu dienen und, wie sich versteht, auf
alle Art und Weise dessen Ruhm zu vermehren"[928]. Und: "Ist einer als
Knecht schon so aus dem ganzen Eifer seines Innersten heraus zuge-
rüstet, daß er seinem Herrn (Gott) sich beifällig hingibt, so muß
er immerhin noch eine genaue Erfahrung von den Gesetzesvorschriften[929] besitzen, um sich mit ihnen zu vergleichen und in sie sich zu
schicken"[930]. Aber nicht zu vergessen: "...einen solchen Vater sollen wir in freiweilliger Frömmigkeit und brennender Liebe dergestalt
verehren, daß wir uns völlig zum Gehorsam gegen ihn weihen"[931].

Schon für den Calvin von 1536 verleiht das Hineingenommensein in
die Zugehörigkeit zu Gott durch die Kraft des Hl. Geistes Standort,
Stoßkraft, Vorwärtsstreben, Sendungsbewußtsein. 1539 weitete Calvin
diese Gedanken des Eigentumsverhältnisses zu Gott dahingehend aus,
daß dieser "Herr" allein einen totalen Anspruch an "uns" habe und
daß die in dieser Zugehörigkeit zu ihm geistlich erneuerte Existenz
eines Menschen aus sich selbst heraus und hinein in eine das ganze
Leben umfassende Hingabe an den Herrn (Gott) und seine überwältigen-
de Größe zu gehen habe. Das alles wird ausgesprochen umfassend in
der Sache, glänzend in der Rhetorik, beschwörend im persönlichen Er-
griffensein und Ergreifen[932]. Hier geht keine Deklaration einer bloßen göttlichen Gesetzeslehre vor sich, obwohl der werdende Reformator von ihrer Regel und Norm gebenden Aufgabe genau weiß. Vielmehr
wird der erneuerte, Gott zugeschworene Mensch für einen solchen Herrn
in Dienst und Pflicht genommen, der allein wert ist, daß man ihm mit
allem, was man ist und was man hat, unter Selbstverzicht und Kreuztragen[933] gehorcht, und zwar aus der heilsmächtigen Gegenwart Christi heraus[934]. Schon die introvertierte Frömmigkeit der Imitatio
fand, daß das "Geheiligtwerden der Seele durch Gottes Segnung" selten vorkomme[935].

Die Zugehörigkeit zu Gott hat für den Calvin schon 1536 die gleiche Bedeutung wie das Widerfahrnis der Heiligung. Es wird darauf
hingewiesen, daß Christi zuzurechnende Gerechtigkeit nicht ohne den
Geist der Wiedergeburt und der Heiligung sein könne[936]. Später erwähnt Calvin, daß das Wort Heiligung in vielfachem auch unzutreffen-
dem Sinne gebraucht werde[937], weist aber schon 1539 auf den ihm allein als zutreffend erscheinenden Sinn[938] hin. Von vornherein sind
die Erwählten auch die dann Geheiligten und für den Gott sowohl ihres Heiles, als auch ihres Erschaffenseins Ausgesonderten die ihm Zu-
geschworenen[939]. In dieser Hinsicht nimmt die Zweitausgabe der Institutio eine endgültige Gestalt an, indem sie die mehr existentiellen Aussagen von 1536 in ausgebautem Zusammenhang entfaltet. Das Ge-
heiligtsein des Lebens der zu Söhnen Gottes Angenommenen[940] liegt
dem jungen Reformator aber nicht stärker am Herzen als "die Pflicht
des Gesetzes", die die Christen nun auch ihrerseits anwollt aur Heiligung iher Nächsten mit ran durch "Wort und Gebet"[941], als auch zu einer dem Sprachgebrauch der Stoa entlehnten Unanklagbarkeit[942] der
Lebensführung treibt. Der stoischen Passivität der Selbstheiligung
jedoch folgt Calvin nicht; denn, das Gebot der Heiligung für Gott
vernommen zu haben, wird schon 1536 mit dem der Nachfolge in den mu-
stergültigen Fußstapfen Christi[943] verbunden. In einem Leben in Heiligkeit als solchem liegt die Führung nicht; denn wie Christus "unsere" Heiligung ist[944], so auch Gott, der die erwählten Geheiligten
unter Durchführung seines Willens der Herrlichkeit seines Reiches
zuführt[945]. Schon deshalb handelt es sich bei der Heiligung der Ge-

heiligten nicht um "praktische Moral"[946], weil sie immer u. a. auch
die Furcht des Herrn mit der zur Befolgung des Gesetzes gehörenden
Kehrseite der Selbstverleugnung und des Kreuztragens verbindet[947],
die gleichermaßen die Zueignung an Gott durch die sich opfernde Hingabe an ihn mit sich führt. Die Aussonderung aus der Welt für Gott
und die Einverleibung in Christus gleichzeitig unter ihm als Haupt
ist höchste Sendung an die Welt. Bei allem handelt es sich, wie es
dann 1536 heißt, um eine "wirkliche Heiligkeit des Lebens".

Dem dritten Verständnis des Gesetzes schickte Calvin schon 1539
in der Vorbemerkung zur Auslegung von Römer 12 eine Grunderwägung
voran. Bei den Philosophen, mit denen er die Vertreter der stoischen
Lebensphilosophie meint, die sich mit den Quellen und der Zielsetzung der Sittengesetze und der Tugendübung befaßten, vermißt er den
Nachweis der Möglichkeit von deren echter Verwirklichung. Eine spätere Überarbeitung fügt hinzu, daß, nicht ganz unähnlich, auch unter
dem Papsttum in der moralphilosophischen Lehrweise ein Gebäude ohne
Fundament errichtet worden sei, das den "profanen Philosophen" näher
stehe als Christus und den Aposteln. Die Grundlegung, die er selbst
meint dartun zu müssen, besteht in unserer Erlösung durch Gott mit
der Zielbestimmung, daß "wir uns und alle unsere Glieder ihm zum
Opfer weihen". Es muß also einer christlichen Lebensführung vorweg
aufgezeigt werden, daß der Ursprung aller Gerechtigkeit in Gott und
Christus, der "Summe aller Güter", liegt, in der Erweckung aus den
Toten, in der Wiedergeburt zum geistlichen und himmlischen Leben[948].
Aber die Subjektivität eines durch dieses Heil grundlegend veränderten Menschen im Gegenüber Gottes bleibt immer eingeschaltet: wir müssen "einsehen", daß wir dem Herrn (Gott) zugeschworen sind. Der "Glaube" an Christus[949] und die Gnade des Hl. Geistes sind für eine
christlich-reformatorische Lebensführung konstitutiv[950]. Das war die
Absage an das aristotelische distributive Verständnis von Gerechtigkeit, an die Christenmöglichkeit einer einwandfreien, auch verdienstlichen Beobachtung der Gebote Gottes.

Allein, war der junge Calvin in der Artistenfakultät zu Montaigu
in einer solchen Morallehre unterwiesen worden, hatte er eine solche
Beichtstuhlpraxis erlebt, daß er an Sadoleto schreiben konnte, die
Anfangsgründe christlicher Lehre hätten ihm keine zutreffende Aus-
bildung in den Pflichten christlicher Lebensführung vermittelt? Ja;
denn 1) die sakramental vermittelte Gottesliebe, wie sie auch die
nominalistischen Augustinisten, wie Major, lehrten, war etwas anderes als die durch den Hl. Geist personhaft gewirkte Wiedergeburt eines Menschen von Grund auf; 2) die von Gott durch Christus gestiftete und einem Menschen durch den Hl. Geist widerfahrene Erlösung wurde als ein geschichtliches und demzufolge nachgends in der rein personhaft vor sich gehenden Begründung des Heilsstandes und Christenlebens sich auswirkendes Ereignis so nicht erkannt, weil der eucha-

ristische Christus seinen Platz innehielt; 3) der Glaube war zur Tugend ethisiert und war nicht ein aus der Not eines vom Gesetz verklagten und verdammten Gewissens heraus geborenes, aus einem einmal gläubig Gewordenen jedenfalls wurzelhaft nicht mehr auszurottendes persönliches Empfangen und Umfangenhaben und also ein Besitzen Christi samt aller seiner Heilsgüter; 4) die zum christlichen Leben auszurüstende Gnade des Hl. Geistes stieß auch als "besondere Hilfe Gottes" auf den Unernst eines verflachten Sündenverständnisses, das über die schmerzliche Unabwendbarkeit der auch im Wiedergeborenen verbleibenden "Sündenreste" hinwegtäuschte; 5) Major bekannte seine persönliche Geneigtheit, den Auffassungen des pelagianisierenden Biel stattzugeben, wenn nicht die offenbaren Aussagen der Schrift entgegenstünden, in denen er sich dann mehr autoritär, denn in existentiell gebotener Rücksicht bewegte. Erst die Reformation Luthers hat Johannes Calvin, dem größten und folgerichtigsten Augustinisten seiner Zeit, den Ort bereitet, von dem aus er, das Erbe der Vergangenheit verarbeitend, die Pflichten einer wohl bestellten christlichen Lebensführung späterer Genfer Observanz aufzuzeigen unternahm.

Das bestätigt der werdende Reformator mit der ihm schon 1536 eigenen reformatorisch-augustinischen Klarheit[951]. Das "Fundament", auf dem alle christliche Lebensführung geübt wird, ist "in Christus" gelegt. Auch noch vor diesem Heilsvorgang sind "wir" von Ewigkeit her nach dem Vorsatz des Wohlgefallens Gottes, dann aber doch "in ihm", erwählt und väterlicherweise zu Söhnen und Erben "adoptiert". Erst dann wird "unserer" in dieser Zeit und Welt gestifteten Versöhnung durch das Blut Christi und "unserm" Teilgewinnen am ewigen Leben des Reiches Gottes, in das wir durch die Hoffnung schon eingegangen sind, Raum gegeben. Diese unbefragbare, nie vor einer Wahl stehende vorzeitlich-ewige Urentscheidung Gottes über jeden einzelnen der "wir" und "uns" mit ihrer erst in Christus nachfolgenden Ausführung des Heiles schließt alle Verdienstlichkeit christlichen Tuns ebenso aus wie das über "uns" ausgesprochene Urteil vor Gott als in uns selbst Sündige, Todverfallene und dem Satan Ausgelieferte, die wir aber in Christus dadurch das Leben haben, daß er "uns" zugut forensische Gnadengerechtigkeit, Heiligung und der Durchbrecher der Pforten der Hölle ist. Hier hat schon der Calvin 1536 Augustinismus und Reformation so gekoppelt, wie es bei Luther nicht der Fall ist. Von jenem, jedenfalls anfänglich, aber nachhaltig angefaßt, ist er entsprechend seinem nach Zeit und Ort uns bekannten Werdegang aus der Artistenfakultät des Collège de Montaigu hervorgegangen. Die Reformation hingegen hat ihn nachträglich mit dem geschichtlichen und persönlichen Fundament des Heils vertraut und auch selbst zum Reformator gemacht. Darum war ihm nicht nur die Existenz in dem reformatorisch verstandenen Heil und seiner Bestimmung zur Heiligung eigen, sondern beherrschte ihn in erheblichem Maß auch das Bewußtsein der Aussonderung aus der Welt und der Sendung an die Welt.

Die grundlegenden Beziehungen zwischen Gott und einem in den Stand des Heiles und der Heiligung Versetzten gehen für den werdenden Reformator im Glauben und dem ihm unabtrennbar verbundenen Gehorsam vor sich. 1536 erscheint dieser Glaube als Zuversicht, Überzeugtheit und Hoffnung[952]. Ihn kräftig ergänzend und vervollständigend, fügt Calvin 1539 noch den charakteristischen Zug des wahrnehmenden Erkennens hinzu[953]. Schon 1536 hatte die Widmung der Institutio an Franz von Frankreich zu erkennen gegeben, daß die Hl. Schrift nur "nach der Analogie des Glaubens" am zuverlässigsten glaubhaft gemacht werden könne[954]. Dieser Glaube wird doppelt umklammert gehalten. Einesteils findet er seine Geborgenheit in den nach Ockhams Weise ganz personhaft zugeschnittenen Verhaltensweisen der "absoluten Macht" Gottes, die schon der Calvin von 1536 um des Axioms der unantastbaren Heiligkeit und eminenten Sittlichkeit und Verläßlichkeit Gottes willen auf das prädestinatianisch ansetzende zwar freie, aber ausdrücklich wohlwollende Ermessen Gottes einschränkt[955]. Das ist aber ja dieselbe Fragestellung, aus der das stoische Cäsarenethos der schonenden Milde[956] hervorging und deren Hintergrund in dem entscheidenden Satz bestand, daß "allerhöchstes Recht allerhöchstes Unrecht" sein könne. Man hat es also sowohl bei der absoluten Macht Gottes, als auch bei dem unumschränkten Rechte des Souveräns mit einer nominalistischen Erkenntnislehre zu tun. Calvin wendet auf das Willkürhandeln Gottes den empirischen Gesichtspunkt erforderter Angemessenheit an, das jenes auf sittlich zu rechtfertigende Entscheidungen von wohlmeinender und aus diesem Grund Vertrauen erweckender Ermessensfreiheit beschränkt. Der geschichtliche Charakter des Hergangs der Heilsstiftung durch Christus, wie er unsere Gerechtigkeit nach Maßgabe der Anrechnung geworden ist, wird von Calvin schon 1536 zwar, der Reformation Luthers entsprechend, als Merkstein des Glaubens nachdrücklich herausgestellt, doch immer so, daß solcher Glaube dieses in der Vergangenheit zustande gebrachte Heil als gegenwartsmächtige Heilswirklichkeit und die dieser in zwangsläufiger Parallelität beigesellte Wiedergeburt und Gnade des Heiligen Geistes zu einer christlichen Lebensführung empfängt.

Man muß sich vergegenwärtigen, daß für den Calvin von 1536 an der Glaube ein zu verantwortendes Umfangen, Empfangen und Besitzen Christi samt allen Gütern des Heiles und der Heiligung ist. Doch erscheint solche Gesamtbewegung eines Menschen auf Gott zu, ebenfalls schon 1536, nicht als freimächtige Antwort auf ein Angebot Gottes, sondern allenthalben als Vollzug des kraft der Erwählung aus Gottes frei ermessendem Wohlwollen erfolgendes Wirken seines Wortes und Geistes und, eben erst unter dieser Voraussetzung, immer gleichzeitig als gläubiger Vollzug des verantwortlichen Ichselbst eines Menschen. Calvin hörte aus diesem "Gleichzeitig" nicht ein Paradox heraus, sondern suchte die sich hier unweigerlich stellende Frage durch den prädestinatianischen Gnadenmonismus zu lösen, wie er schon die ganze Erstausgabe der Institutio durchzieht. Dabei gibt er die ihm als legitim erscheinende Antwort, weil sie nur existentiell gegeben werden kann, dort am besten, wo er von dem geistlichen Einbegriffensein schlechthin der "wir" und der "uns" in das Gegenüber des heilsmächtigen Gottes, durch ihn und für ihn, spricht und aus der unmittelbar eigenen Vorfindlichkeit in diesem Dasein heraus auch sich selbst zu diesen "wir" und "uns" rechnet. Erst in dieser personhaften Tiefe also des Ichselbstseins eines Menschen bringt Gott, wie Calvin es doch zu sehen scheint, die Gewißheit des Glaubens und den erforderten Gehorsam hervor, die beide sowohl die Pflichten einer grundsatztreuen christlichen Lebensführung, als auch die kirchliche Weggenossenschaft und Sendung der Betroffenen umfassen.

Was nun den Gehorsam gegen Gottes Willensäußerung in seinem Gesetz angeht, so muß nach Calvin über alle bloß legale Pflichterfüllung hinaus, das Herz, die vollmenschliche Subjektivität angewandelt, durchseelt, zu warmer Hingabe[957] an Gott, "den Schöpfer", wie er dann auch "unser Herr und Vater"[958] ist, bewogen werden, jedoch nicht ohne die sich "unterwerfende" Einsicht in das einzelne Wie des geforderten Gehorsams und die "Befolgungen" der jeweils erforderten Pflichten[959]. Diese umfassen bei den Gläubigen, wie sie "von dem Begehren angewandelt und beseelt" sind, dem Willen Gottes "unentwegt" zu gehorchen, dann "um Gottes Willen" auch diejenigen gegen die Nächsten[960]. Sieht man bei Calvin von den Vorstellungen einer charakterbildenden Gesellschaftsethik ab, die er als Jurist und Kenner der Stoa hat, so bleibt es mißlich, des weiteren bei ihm ungeschützt von Ethik zu reden, zumal er mit verschwindend seltenen Ausnahmen, in denen er vom Christenmenschen spricht, immer von den Frommen redet. Eine "Neubegründung der Ethik"[961] lag ihm von vorherein fern, so gewiß er die von ihm gemeinte Frömmigkeit, die aus so vielen bisher erwähnten und noch zu erwähnenden Rinnsalen gespeist wurde, auf die forensische Gnadengerechtigkeit Christi gründete und von ihr ohne Unterlaß begleitet sein ließ, gleichzeitig ihre Verwirklichung der augustinisch zu interpretierenden ausrüstenden Gnade zuschrieb und jedes Leistungs- und Verdienstdenken ausschloß. In dieser doppelten Gnade ist der wesentliche Anhaltspunkt für die "Lebensgestaltung für einen Christenmenschen"[962] zu suchen, zu deren so vielseitiger und keineswegs auf einen Nenner zu bringenden Darstellung und dringlichen Praktizierung Calvin immer wieder aufs neue das Wort ergreift[963]. Die Einheit der Vielgestaltigkeit der das christliche Leben formenden Kräfte liegt nicht in einem ethischen System, sondern geistlich in der Existens eines Gott nach Maßgabe seines Wortes und Gebotes bewußt sich aufopfernden Gläubigen und Frommen. Dabei trägt er, wie schon Erasmus sagte, Christus lebend und regierend in sich,

und spielt auch die Selbstverleugnung eine entscheidende Rolle[964].
Geistig aber tritt hervor eine Bewältigung aller auch nur irgendwie
als annehmbar erscheinenden Gesichtspunkte und Ausdrucksweisen.

Daß dieser Frömmigkeit eine bestimmte Ausrichtung gegeben werden
muß, hielt der Calvin schon von 1536 für ganz wesentlich; denn das
Gesetz, die Schrift[965], das Wort Gottes, sofern es als Heischewillen
Zeugnis von ihm selbst ist und Gehorsam fordert, hat als Regel und
Norm nicht nur der Gottesverehrung[966], sondern insgesamt der christlichen Urteilsbildung und Lebensführung[967] zu gelten. Erst die Gott
gewidmete Frömmigkeit führt mit sich die "Sitten"[968], d. h. diese
als ganz bestimmt erlassenen Gesetzesvorschriften und die Durchbildung in ihnen[969] nach den beiden Seiten der Furcht und Liebe[970], wie
bereits Bernhard gern von diesen sprach. Der Begriff der Regel[971]
entstammt nicht der Sprache der Bibel, sondern derjenigen der
Stoa[972], und das Mönchstum hat ihn mit großer Wahrscheinlichkeit
übernommen. Erst beim späteren Calvin kommt er noch häufiger vor als
in der Erstausgabe der Institutio[973]. Dasselbe gilt von dem etwas
seltener auftretenden Begriff der Norm[974]. In dieser Verwendung von
Regel und Norm aber kündet sich schon früh ein zielbewußtes Erstre-
ben fester reformatorischer Ordnungsgrundsätze und frommer Lebens-
formen späterer Genfer Observanz an. Die Hl. Schrift, 1536 vorab der
Dekalog in Anlehnung an Luthers Auslegung, wird im Unterschied von
allem Vernunftdenken als einfach gegebenes Statut von Geboten und
Verboten behandelt. Das Gesetz schreibt vor[975], macht verbindliche
Auflagen[976]. Deren Inbegriff aber ist die schon erörterte Gerechtigkeit, wie es dann 1539 heißt: im einzelnen und im ganzen[977]. Christliche Existenz aber zeichnet sich durch die Liebe zu dieser aus[978].
Von Erasmus keinesweg unberührt, führt der werdende Reformator die
Kasuistik der Beichtstuhlpraxis der biblischen Vereinfachung[979] zu;
doch mit dem wurzelhaften Unterschied, daß er bei einem Gläubigen
den vollkommenen "Besitz" des Heils samt der Verheißung ewiger Seligkeit für die Führung christlichen Lebens eben doch schon vorausgesetzt sein läßt, während dem Humanisten ein ethisiertes Evangelium
erst auf dem lebenslangen Weg dorthin, nämlich dem Prozeß der "Wiederherstellung"[980], noch mitzuhelfen bestimmt war[981]. Nach Calvin
nimmt unter solcher Voraussetzung das Gott urhaft eigene "Ingenium",
sein höchst persönlich gegebenes, als Regel und Norm der Gerechtigkeit[982] verfügtes, ihn selbst durch nichts zum Schuldner machendes
"geschriebenes Gesetz" die Christen in Dienst und Pflicht und belehrt
sie, daß ihr "ganzes Leben ein gewisses Bedachtnehmen auf Frömmigkeit
sein müsse"[983].

7.2.3.6

Die Wiedergeburt durch den Hl. Geist und deren Grenzen

Schon für den werdenden Reformator ist Erkenntnisgrund und Gestaltungskraft christlichen Lebens und seiner Pflichten nicht die Vernunft und die weltliche Gelehrsamkeit[984]. Dessen Grundlegung geschieht vielmehr in der Wiedergeburt. Des christlichen Lebens Führung aber wird ganz wesentlich als Sache des Hl. Geistes angesehen. Nun kennt Calvin schon 1536 einen weiteren Bereich der Wiedergeburt, der Ursprung und Grundlage christlicher Existenz umfaßt: "Erlösung, Gerechtigkeit[985], Genugtuung und Leben, die Erlösung aus der Macht und den Banden des Teufels"[986], oder auch die Reinwaschung von den Sünden und die rein umsonst vor sich gehende Annahme von Menschen bei Gott zu Söhnen und ewigen Erben[987], schließlich den Eingang in das Reich Gottes[988]. Als Inbegriff des Evangeliums seinerseits aber gilt Buße und Vergebung der Sünden[989]. Erst aus diesem weiteren schält Calvin schon 1536 das engere Verständnis von Wiedergeburt heraus: "Die aus Gott sind, nennen wir wiedergeboren und zur neuen Kreatur geworden, wie sie denn aus dem Reich der Sünden in das Reich der Gerechtigkeit hinübergehen"[990]. Mit der Wiedergeburt in diesem Sinn beginnt aber ein Leben nicht nur des Gehorsams gegen Gottes Wort und Gebot, sondern auch ein solches in Selbstverleugnung, Kreuztragen und christlicher Geduld[991], sofern Christus über diese Merkmale hinaus überhaupt als das Musterbeispiel für die gesamten Pflichten der Frömmigkeit und Heiligkeit angesprochen wird[992]. Hart setzt sich Calvin schon 1536 gegen Ockhams und Biels Satz ab, wir müßten dabei tun, wozu wir "in uns" fähig sind[993]. Die in der Wiedergeburt vor sich gehende Neuschöpfung der verderbten inneren Verfassung eines Menschen wirkt aber Gott allein. Sie kommt einer Erweckung aus dem Grabe gleich[994]; denn sie ist, wie es dann vor allem später heißt, Neuschaffung[995], Erneuerung[996], Umwandlung oder Umgestaltung[997], Vermittlung neuen Lebens[998], nicht bloße Zurückversetzung in einen verloren gegangenen Urzustand[999], sondern, so schließlich 1559, "ein völligeres Maß an Gnade", als es mit der Erschaffung Adams verbunden war[1000].

Was die Wiedergeburt in diesem zweiten und engeren Verständnis bei dem jungen Reformator[1001] betrifft, so gehen Wort und Sache samt dem Sprachschatz und der Gestimmtheit der Frömmigkeit, die hier so unübersehbar zu Tage treten, letztlich auf Augustin zurück, im Verfolg der Geschichte dann aber auch auf die fromme Theologie Hugos von St. Viktor, den Bonaventura so hoch für sich selbst schätzte und den auch Major von Mal zu Mal in seinem Sentenzenkommentar heranzieht, sowie auf die theologisierende biblische Frömmigkeit Bernhards und schließlich auf die Imitatio. In Major lebte ja der fromme Geist der Augustiner-Chorherren von Windesheim, deren Aufbruch und

Zusammenschluß unter dem starken Einfluß der Devotio moderna entstanden war. Bei dem besonders hohen Ansehen aber, das dieser fromme und gelehrte Mann weit über die Grenzen Frankreichs hinaus genoß, ist es nahezu selbstverständlich, daß der fromme, eifrige, wißbegierige, so gewissenhafte und auch ehrgeizige Scholar Calvin von des Major Grundeinstellung einerseits zum Augustinismus und andererseits zur reformatorischen Bewegung, wie schließlich wohl auch anderer Lehrer Gesinnung nachdenklich Notiz wird genommen haben. Zugleich aber waren in der Anstalt Montaigu die restaurativen Kräfte stark am Werk. Wie anders hätte sonst der junge Calvin seiner angestammten Kirche nach seinen eigenen Worten so "hartnäckig" ergeben gewesen sein können[1002].

Man kann kaum den Einfluß der so weit verbreiteten mystisch-asketischen Traktatliteratur unterschätzen, die vor allem von den Fraterherren, aber auch sonst, fleißig abgeschrieben und später gedruckt, für die geistlichen Übungen, insbesondere für die "Rapiarien", in einer Artistenfakultät wie Montaigu benutzt wurden. Florilegien aus Bernhard[1003] gehörten aber nachweislich zu den weitest verbreiteten Traktaten unter den Fraterherren und, nicht zu vergessen, in franziskanischen Kreisen. Ein Beispiel, der besonderen Erwähnung wert, ist der Franziskanerkonventuale Johannes de Caulibus aus San Gimignano in Toskana. In tiefer Bewunderung vor Inhalt und Rhetorik der Schriften Bernhards und unter deren weitgehender Auswertung, dazu selbst als Prediger tätig, verfaßte er seine Meditationen über das Leben Christi", die, u. a. auch in niederländischer Bearbeitung, ein beliebtes und in Handschriften und späteren Drucken sehr weit verbreitetes Andachtsbuch darboten[1004]. Doch hatte auch Standonck mit dem aus den Franziskanern hervorgegangenen, der Minimenkongreation mit verschärfter Franziskanerregel angehörigen Franz von Paola in Kalabrien, der dann der Generalsuperior seines Ordens in Frankreich wurde, freundschaftliche Verbindungen unterhalten[1005]. Schließlich ist nicht einfach von der Hand zu weisen, daß sich bei der vorschriftsmäßigen Frömmigkeitspflege im Collège de Montaigu mit der bernhardinisch-devoten Frömmigkeit in etwa auch Züge eben jener den Willen anregenden franziskanischen Frömmigkeit verbanden, die eine quietistisch-scheue Frömmigkeitspflege nicht auf ganzer Breite zum Durchbruch kommen ließen. Franz von Assisi selbst wird in der Imitatio III, 50, 8 wohl erwähnt, aber nicht zitiert. Man muß sich davor hüten, die in der weiten Welt der Erbauungsliteratur und den vielfältigen Anleitungen zur Frömmigkeitsübung liegenden Unwägbarkeiten nicht in Anschlag zu bringen und des jungen Calvins und werdenden Reformators Auffassungen von christlicher Frömmigkeit und Lebensführung auf den engen Bereich rein literarisch nachweisbarer Abhängigkeiten einzuschränken, nach denen gleichwohl zu suchen ist.

Bernhard kann die Sohnesannahme bei Gott und die neue Gnadenausrüstung bei der "himmlischen Geburt" zur Überwindung der Welt ohne Unterscheidung beider Vorgänge als einen einzigen göttlichen Akt darstellen[1006]. Er redet, wie dann auch die Imitatio, die die bloße Besserung eines Menschen je nachdem nicht für ausreichend halten kann, der nötigen Wandlung in eine bessere innere Verfassung des Christen das Wort[1007]. Ist die Frömmigkeit, die Calvin meint, auch nicht Jesus-, sondern Christusfrömmigkeit, so weiß doch auch sie von der ganzen Innigkeit des Zusammenseins[1008] mit Christus und dessen Gestaltungskraft für das christliche Leben: mitgestorben, mitleben werdend, mitleidend, mitregieren werdend, mitgestaltet mit Christi Leiden und Ebenbild[1009]. Hier obwaltet auch für ihn, wie für die voraufgegangene mystische Theologie und Frömmigkeit, ein geistlich zu nennendes Gesetz, das, den Herzen der Gläubigen eingeschrieben, gar eingemeißelt[1010], ihren ganzen Geist, ihre ganze Seele, nicht zuletzt ihren Willen zum Gehorsam bringt[1011] und ihr emotional bewegtes Willens- und Wohlverhalten[1012] vor Gott ins Werk setzt. Vergottung wird aber ebenso ausgeschlossen wie eine zur Wiedergeburt erst mithelfende mystische Andacht.

Gibt es nun für Calvin angesichts der Wiedergeburt eines Menschen von Grund auf eine Christenwirklichkeit, in der die uneingeschränkte Geltung des Gesetzes zu ihrem Recht kommt und das Ja Gottes für sich hat? Oder auch: wie kommt das Gesetz Gottes bei den Wiedergeborenen zu seinem Ziel? Schon der Calvin von 1536 bekennt sich hier zu jener bestimmten Überzeugung, daß es der Hl. Geist sei, der "uns" geradewegs zum Vater hinführe[1013]. Sein Leben und Regieren in den Herzen der Gläubigen führe aber zu keiner bloß mittelmäßigen Nutzanwendung[1014] des Gesetzes, sondern zu einer unablässig sich steigernden Ermahnung, was vor Gott richtig und gefällig ist[1015]. Wie der Glaube schlechthin das eigentümliche und wesentliche Werk des "Hl. Geistes" oder auch dessen "kräftige Tat"[1016] ist, so bringt er auch, "weil Christus nicht ohne seinen Geist ist", samt seinen Gaben die Lebenserneuerung zustande[1017]. Calvin legt großes Gewicht darauf, daß an dieser Wiedergeburt das volle Menschsein des Menschen beteiligt und das "machtvolle"[1018] "Wohnen" des Geistes "in uns" im Sinne seines ununterbrochenen Bleibens zu verstehen sei[1019]. Später hat er genau formuliert, daß der Geist Gottes den bereits in der Furcht Gottes Stehenden "für die einzelnen Akte gegeben" werde[1020]. Damit sprach er aus, daß der Fromme nicht aus dem Reichtum der geistlichen Habitualität seiner eigenen Wiedergeburt heraus die Erweisungen des Gehorsams gegen das Gesetz selbst hervorbringe, sondern daß derselbe Geist die Habitualität zu diesen aktiviere. Dieser Sachverhalt liegt aber schon 1536 vor; denn es heißt, Gottes Geist sei oder äußere seine Wirkkraft[1021], indem er lehre, bewege, führe[1022], in Tätigkeit versetze, zu lieben anleite, auch die "Geheimnisse Gottes" durchschauen lasse und Gedankenwelt, Seele und Willen vollauf zu Äußerungen des Gehorsams bringe[1023]. Er ist mit seinen Gaben, wie denn der Calvin schon von 1536 von ihm von Mal zu Mal entsprechend den Vorgängen zwischen Gott und einem Frommen redet, zudem der beste Lehrer und Bildner[1024] christlicher Frömmigkeit beim einzelnen Gläubigen und in der Kirche[1025]. Die Kontinuität, die Calvin dem Gnadenstand eines Erwählten beimißt, kann dabei also nicht übersehen werden, wie diese denn vordem jedenfalls schon als Frage z. B. bei dem Lombarden und etwa bei Robert Puleyn anklingt[1026], bei Major aber die Grenze der Behauptung ihrer Wirklichkeit erreicht[1027].

Auch die Entzündung der Herzen zur Freiwilligkeit des Gehorsams gegen das Gesetz ist dem werdenden Reformator zufolge eine Wirkung des Hl. Geistes und bildet mit der Befreiung aus jener Strafverhaftung[1028], die dasselbe Gesetz verhängt[1029], hinsichtlich der Zurechnung der Gerechtigkeit Christi ein gleichlaufendes wohl unterschiedenes Junktim. Dieses stellt aus der Sicht des Woher der theologischen Konzeption Calvins aber zugleich eine theologiegeschichtliche Naht dar, die ihre Erklärung darin findet, daß der Jünger der Augustin-Renaissance des späten Mittelalters deren Gnadenlehre mitbrachte und dann vom reformatorischen Verständnis der forensischen Gerechtigkeit Christi überwunden wurde. Luther hat in der Frage nach der Freiwilligkeit christlichen Tuns einen anderen Ansatz gefunden. Gewiß sind auch für ihn die Werke der Gläubigen Früchte des Geistes und des in den Gläubigen wohnenden Christus[1030]. Bei ihm bildet schon der "rechtfertigende" Glaube, durch den einem Gläubigen Christus und sein wirksames Wort innewohnt, selbst die Gelenkstelle, in der Gottes vergebende Liebe zu einem Sünder unmittelbar in dessen Liebesverhalten zum Mitmenschen umschlägt, und zwar ohne Zwischenschaltung des Gesetzes: in situationsbedingter Spontaneität eben des rechtfertigenden Glaubens. Calvin hingegen stützt, statt auf die Selbstvergessenheit solcher Liebe einzugehen, die Liebe zum Nächsten auf diejenige Art zu glauben, wie sie, parallel zur Zurechnung der Gerechtigkeit Christi, auch die Kraft des Hl. Geistes zur freiwilligen Ausrichtung des erneuerten Lebens nach der Regel und Norm des Gesetzes "empfängt" und dazu nicht zuletzt auch Christus "umfängt". Die Liebeserweise sind für ihn schon 1536 beides zugleich: Früchte des Geistes und seiner Gnade[1031] und Erfüllung der "Pflichten gegen das Gesetz" und insofern immer ein eigen zu verantwortendes, wenn auch kein frei gewähltes und eigenmächtiges Tun. Im übrigen setzt Luther hier eher äthiologisch, Calvin vorwiegend intentional und teleologisch nach Maßgabe eines drängenden, geistliche Werte verwirklichenden Fortschrittes ein[1032].

Ist also nach Luthers Grundansatz der ganze Mensch neu, sofern er im rechtfertigenden Glauben die heilige Sünderliebe Gottes für sich hat und aus solchem Glauben heraus zu spontanem Handeln getrieben wird, so empfängt nach Calvin der Glaube das Zwillingspaar:sowohl

die göttliche Begnadigung der forensischen Gerechtigkeit Christi
samt allen aus Gottes wohlwollender Ermessensfreiheit hervorgehenden
Vatertugenden, nämlich der Barmherzigkeit, Gütigkeit, Umgänglich-
keit, Leutseligkeit, Freundlichkeit, Geneigtheit, Gewogenheit, der
schonenden Milde, Huld, Nachsicht, Sanftmut, Liebe zusamt der der
Mystik abgelauschten "Süßigkeit" und "Lieblichkeit" des Umganges
Gottes mit den Seinen, als auch in zwangsläufiger Parallelität dazu
den zur Freiwilligkeit christlichen Verhaltens und Handelns bewegenden Geist der Heiligung, unbeschadet dessen, daß auch Gottes "väter-
liche" Verhaltensweisen und Christus mit seinem Leben und Regieren
in den Gläubigen einen Anreiz zu wohlbestellter christlicher Lebensführung bilden.

Indes sieht die Christenwirklichkeit bei einem Wiedergeborenen
nach dem Calvin schon 1536 und bis 1539 so aus, daß das Gesetz, was
seine "vornehmste" Nutzanwendung angeht, nicht uneingeschränkt zu
seinem Ziel kommt. Gemessen am Inbegriff der vollkommenen Normgerechtigkeit des Gesetzes nach der Hl. Schrift, wird der Irrtum wahrscheinlich einer Richtung der Altgläubigen zurückgewiesen, daß jemand "im Stand der Gnade" sündenfrei sein könne[1033], und auch jener
andere, daß jemand, dem "die Hilfe Gottes" zuteil wird, alles vermöge[1034], ganz zu schweigen vom Rückzug der Pharisäer auf das bloß äu-
ßerliche Werk[1035]. Vor allem greift der junge Reformator die Scholastik[1036] an, die sich auf Röm. 7, 15 beziehe, um das Versagen des
freien Willens auf mangelnde Erkenntnis zurückzuführen[1037]. Auf alle
Fälle hält er eine nur teilweise zustande gebrachte Gerechtigkeit
als bei Gott annehmbar für ausgeschlossen[1038]. Er setzt durchaus reformatorisch im Kommentar zum Römerbrief 1539 bei dem immerhin doch
augustinisch so genannten "Heilmittel" ein, "auf das Gott gekommen
sei" aus dem Grunde, weil die Vorschriften des Gesetzes unser Lei-
stungsvermögen, auch was die Unmöglichkeit der Wiedergutmachung und
einer Überpflichtigkeit vermeintlich guter Werke angeht[1039], über-
schreiten. Mit diesen Aussetzungen an der gängigen Anschauung von
der "Natur"[1040] des Menschen leistet Calvin einen wichtigen Beitrag
zu der klagenden Feststellung, daß er, in welchem Maße auch immer,
in seiner angestammten Kirche doch auch über diese Grundvorausset-
zung einer christlichen Lebensführung nicht zutreffend unterrichtet
worden sei. Er vermißt bei ihr, daß sie die Schwere der Sünde nicht
richtig erkenne und darum auch nicht das erforderliche Gewicht auf
die Wiedergeburt lege. Das war bei Augustinisten wie Major zwar
nicht im Blick auf die Rechtfertigung so, wohl aber hinsichtlich der
Erlangung des ewigen Lebens, und zwar, wie schon gesagt, unter Vor-
setzung der Akzeptation der seitens Gottes durch dessen eigene "besondere Hilfe" gewirkten Werke als von ihm für "angenommen" erklär-
ter Verdienste.

Calvin selbst macht geltend, daß Sünde zuerst einmal Personsünde,

also den Menschen in seinem verderbten Personkern[1041] beherrschende
Widersetzlichkeit gegen Gottes Wort, Willen und Gebote sei, die ihren Sitz vornehmlich im Willen habe[1042]. Wohl wird bei der Sohnesannahme eines Menschen bei Gott durch den gleichzeitigen Vorgang der
Wiedergeburt oder Erneuerung das Herrschen der Sünde in dessen Personkern aufgehoben, nicht aber ihr Wohnen[1043] in ihm. Die Sünde wird
bis zu freilich recht schmerzenden "Überbleibseln des Fleisches"[1044]
in ihm ausgemerzt, weil im Gläubigen Christus durch die "Gnaden"
seines Hl. Geistes, aber auch Christus[1045] selbst unmittelbar oder
auch der Hl. Geist als solcher mit seinem Führen und Anweisen[1046] in
uns "wohnt", "lebt und regiert", bei dem "die Gnade selbst" dann
auch als des "Geistes Kraft und Tätigkeit"[1047] gekennzeichnet wird.
Eine Grundrichtung zum Guten ist entstanden, und die Vorstellung von
dessen zunehmendem Streckengewinn und Herrschaftsbereich greift
Platz; denn "dieser Geist ist kein solcher des Irrtums, der Unwissenheit, Lüge oder Finsternis, sondern der Enthüllung, Wahrheit,
Weisheit und des Lichtes...", heißt es schon 1536 auch im Blick auf
die Kirche[1048]. Der neue Mensch erscheint als der einer, wenn auch
oft genug nur als anfänglich bezeichneten, neuen geistlichen Wirklichkeit[1049]. Mit diesem Verständnis eines Wiedergeborenen stand
schon der werdende Reformator Genfs Melanchthon näher als Luther,
für den der neue Mensch, trotz auch anderslautender Äußerungen des
Wittenbergers, im Grundverständnis der glaubende Sünder bleibt[1050].
Anders Calvin: er stellt zwar fest, daß "die Gläubigen jedenfalls
nie zum Ziel der Gerechtigkeit gelangen", sondern, wie es Augustin
"irgendwo elegant ausspreche", "den christlichen Streit" infolge ihrer Teilung[1051] in Geist und Fleisch zu bestehen haben[1052]. Diese
"Antithesis" hat es aber einesteils zu tun mit dem erneuerten "inneren" und nunmehr "geistlichen Teil" des Wiedergeborenen: sein Herz
hat seine Ruhe im Gesetz, erfreut sich an dessen Gerechtigkeit,
nimmt wahr im Herzen des Gesetzes Gutheit[1053], insofern er, wie "die
Erfahrung lehrt"[1054], diesem nichts Schlechtes und darum auch das
Gericht des Todes nicht anlasten kann, vielmehr von der Heilsamkeit
des Gesetzes weiß, wo immer es auf "richtige und reine Herzen"
trifft. Anderenteils jedoch gleitet das fromme Innere des Wiedergeborenen im Gegensatz zu seinem Willen in die Begierden des Fleisches
"gewissermaßen außerhalb des Menschen", d. h. also in den äußeren
Menschen, ab, der, schon anthropologisch betrachtet, unter dem
menschlichen Geist rangiert und den willentlichen Anwandlungen des
erneuerten Herzens widerstreitet[1055]. Dem Ausleger des Römerbriefes
hat sich diese Antithese weit nähergelegt als dem Verfasser der
Erstausgabe der Institutio. Das Ziel des Gesetzes wird also weder
durch die Wiedergeburt, noch durch das fortgehende Wirken des Hl.
Geistes uneingeschränkt erreicht.

Calvins Verwandtschaft mit Bernhard in der Auffassung des Hl. Gei-

stes 1536 und erst recht 1539 tritt offensichtlich hervor. Unter Absehung von allen weiteren Ähnlichkeiten zwischen beiden Männern sei-
en nur die Sermones Bernhards zum Pfingstfest[1056] zum Beweis in Betracht gezogen. An der trinitarischen Rechtgläubigkeit nach dem Con-
stantinopolitanum halten beide grundsätzlich fest. Übereinstimmend
bekunden sie, daß der Geist allgemein an der Erschaffung alles Guten
- Bernhard: an der Schöpfung selbst - , durch sein Handeln, Regieren, Erhalten, Beleben und Verlebendigen beteiligt sei. Sodann hebt
Bernhard die unbezweifelbare Ankunft des Geistes bei einem Menschen
hervor, wenn es bei ihm zum Beschuldigen und Verurteilen der eigenen
geistigen Sinne kommt. Schreibt Calvin dann die forensisch verstandene Rechtfertigung der Gnade des Hl. Geistes zu, doch ohne dabei
die "Vergebung der Sünden" zu übersehen, so Bernhard ihm ebenso das
Wirken der Vergebung der Sünden. Nach beiden nimmt er Wohnung in
uns, lehrt durch seine Erleuchtung das Wie des Tuns des Guten, nach
Calvin dazu auch, welch ungeheuren Reichtum der göttlichen Gütigkeit
wir in Christus besitzen. Nach Bernhard läßt er als "Advokat in unserm Herzen" das Abba, Vater, rufen. Aber bewegt und entflammt auch
Herz und Willen derer, die, so Bernhard, "von der Fußsohle bis zum
Scheitel" - Calvin nimmt diese Ausdrucksweise später auf - nichts
Heiles an sich haben. Nach Bernhard wäscht er den Schmutz ab, gießt
die Tugenden ein, wird zum "Führer"[1057] und verwirklicht selbst an
uns die von Gott gemachte Auflage, vom Bösen sich abzukehren und das
Gute zu tun. Auch nach Calvin ist er Führer und Anweiser und sind
alle Werke in uns, sofern sie gut sind, Früchte und Kräfte der Gnade
des Geistes: die Liebe zu Gott und um Gottes willen zum Nächsten[1058]. Aber darüber hinaus gilt dem Calvin schon von 1536 als
Gnadenwerk des Geistes vornehmlich auch das Hören und Annehmen des
Wortes des Evangeliums und das Festhalten an ihm, und das alles in
jener Zuversicht und "gewissen Überzeugung" des Glaubens, die den
Weg in die Reformation kennzeichnet. Im Augustinismus begegnen sich
beide Männer.

Angesichts der letzten Ursprünge der Frömmigkeit Calvins ist freilich zu bedenken, daß nicht nur Bernhard und bernhardinisch-devotes
Gedankengut ins Gewicht fallen, wie es durch die Fraterherren bei
aller Öffentlichkeitsscheu doch zugleich auch in die Praxis der Erziehung und Unterweisung[1059] und der Predigttätigkeit, wie bei Standonck, überführt wurde, sondern auch der Einfluß franziskanischen
Gedankengutes und einer entsprechend willensbetonten Frömmigkeit für
die Major ja doch in Betracht kommt, in Rechnung gestellt werden
muß. Angesichts des meist mehr oder weniger mystischen Einschlages
der kaum zu unterschätzend weit verbreiteten und der Übung im geistlichen Leben dienenden frommen Literatur ist ihren Verfassern, Ab-
schreibern, Bearbeitern, Verbreitern und Benutzern in Predigt, Unterricht und Seelsorge gegenüber im gegenwärtigen Zusammenhang die

Frage aufzuwerfen, inwieweit es ihnen gelang die Personhaftigkeit
der dritten Seinsweise des trinitarischen Gottes und des gerade ihr
eigentümlichen[1060] Handelns zu wahren. Die Beschränkung auf den werdenden Reformator ist hier nahegelegt. Es wurde schon vordem gesagt,
daß der Hl. Geist es mit Leben, insbesondere mit dem persönlichen
Leben[1061] eines Wiedergeborenen zu tun hat, also mit dessen geistlicher Habitualität, und, wie gezeigt wurde, auch deren Aktivierung[1062].

Einerseits ist bei Calvin vom Vertrauen auf den Hl. Geist die Rede[1063] und wird er auch als innerer Lehrer und Entzünder der Herzen
in Betracht gezogen, wenn das Werk des Gesetzes zustande kommen
soll[1064]. Seine Rolle besteht in der des Handelnden[1065], des Führers
und Anweisers[1066], des Bildners unseres Willens nach Gottes Willen[1067]. Doch bleibt dabei vorausgesetzt, daß er den Auftrag von
Gott oder auch von Christus dazu hat, etwa zum geistlichen Lernen zu
erleuchten, auch zu rechtfertigen, zu heiligen, zu reinigen, zum Vater zu rufen und zu ziehen[1068]. Dazu will Calvin angesichts der der
Kirche gegebenen Verheißungen keinen Zweifel daran aufkommen lassen,
daß "sie immer den Hl. Geist als den besten und sichersten Führer
auf dem Wege hat"[1069]. 1539 heißt es, daß es gelte, sich ihm zu un-
terwerfen[1070]. Man beobachtet, daß wenn er so mit Gott, dem Herrn,
und mit Christus in deren Auftrag zum Handeln in Tätigkeit gesetzt
wird, Calvin vielfach nicht den ablativus instrumenti, sondern das
Pronomen "per" braucht: mit Hilfe des Hl. Geistes. Das personhaft
Eigentümliche seiner trinitarischen Seinsweise bleibt so schon 1536
gewahrt[1071]. Andererseits kann der werdende Reformator aber auch
ganz ungeschützt den Hl. Geist mit der Kraft Gottes gleichsetzen[1072]
und die ihm eigene Kraft und sein Wirken energistisch[1073] in den Bereich einer unpersönlichen Geistes- und Gnadenkraft[1074] abgleiten
lassen[1075]. Dann tritt auch der blasse ablativus instrumenti auf,
wenn es heißt, durch den Geist Christi hätten die ihm Einverleibten
das Gesetz in ihre Herzen geschrieben bekommen und seien sie entschlossen und feurig dem Willen Gottes hingegeben[1076]. Diesen Sachverhalt hat Calvin den Tadel "leichten Modalisierens" eingetra-
gen[1077]. Doch im Unterschied von der Mystik, von Faber Stapulensis
und auch von Bucer[1078] entgleitet ihm von vornherein ja nicht der
Ausdruck "Gottförmigkeit" für einen Wiedergeborenen, wie er Gottes
und des Menschen Geist vermengen würde. Der griechische Einschlag
der aus der Mystik stammenden neuplatonischen Gestimmtheit ist bei
Calvin hier doch ganz wesentlich geringer.

Jedenfalls wird auch durch das "Hinzutreten" des Geistes zum Gesetz bei der Lebenserneuerung durch die Wiedergeburt und zur christlichen Lebensführung das Ziel des Gesetzes nicht erreicht. Ob dann
ein immer wiederkehrendes Einsetzen der Heilspädagogie des Gesetzes
die Folge sein muß: das ist die Frage. Trägt die Pflichterfüllung

gegenüber dem Gesetz im Unterschied von der Auffassung der Erfüllbarkeit dessen, was Pflicht ist, in der Antike immer nur gradweisen
Charakter, so liegt sowohl ein immer neues, nachträglich nicht auf-
zufüllendes Schuldigbleiben, als auch ein Schuldigwerden vor. Das
erstere empfindet schon der werdende Reformator als die drückendere
Last. Über beides aber war der junge Calvin in seiner angestammten
Kirche nicht zutreffend unterrichtet worden, sofern sie nämlich eine
von Gott zu belohnende, zu diesem Zweck mindestens auch ausreichende, wenn nicht überverdienstliche Pflichterfüllung und sogar irgendwie auch eine Wiedergutmachung lehrte, wenn auch die göttliche Akzeptation vorausgesetzt werden mochte. In ihr gab es also bei den
der dargebotenen kirchlichen Gnadenmittel sich bedienenden Gläubigen
erfülltes Gesetz.

7.2.3.7
Die Aufgabe von Lehre und Ermahnung

Schon der Calvin von 1536 zieht für die Wirklichkeit christlichen
Lebens die wichtige Rolle in Betracht, die Lehre oder Belehrung[1079],
Unterweisung oder Anleitung[1080], geistliche Gestaltung oder Bildung[1081] durch das Gesetz, also überhaupt das Annehmen von Lehre
durch einen gelehrigen Schüler spielen. Alle diese Bezeichnungen
zielen nach Calvin auf geistliche Verwirklichung ab und drängen darauf hin, daß der Stand eines Gläubigen und Frommen unter den Menschen in Erscheinung trete[1082]. Die reformatorische Sorge um die
Verwirklichung einer recht bestellten christlichen Lebensführung
in dieser Welt, jedoch ohne Gleichstellung mit ihr, bewegt ihn
von Anfang an[1083]. So gehört es auch zur Aufgabe der Diener am Wort
Gottes, die Gelehrigen in diesem Sinn zu ermahnen und anzulei-
ten[1084]; will doch das Gesetz Unterweisung in der Frömmigkeit, in
den Grundsätzen frommer Gesittung[1085], in der Gestaltung "unseres
gesamten Tuns". Jene geistliche Trägheit war ihm verhaßt, der auch
Gläubige dem Fleisch verfallen und sie einem "faulen Esel"[1086]
gleichwerden läßt. Den Vergleich brauchte schon Luther[1087], und
nicht erst Melanchthon erhielt im Gemahl um Sein, der die Anwendung
des Gesetzes auch als pädagogische Maßnahme für christliches Handeln
für gut befand[1088]. Aber wie Zwingli Luthers sonstige Art, vom Abtun
des Gesetzes zu reden, für ungeschickt hielt[1089], so wollte auch
Calvin von der Erstausgabe der Institutio an das Lehren, Anleiten,
"Hervorlocken"[1090]. "Stimulieren", Ermahnen und Bewahren, sogar das
"Aufpeitschen"[1091] durch das Gesetz als notwendigen Dienst an der
wohlbestellten Lebensführung eines Christen gehandhabt wissen. Hier
spielt in den biblischen Sprachschatz der stoische[1092] hinein. Er
wird auch von Bernhard[1093] verwendet, ist in die Imitatio[1094] eingegangen, wird von Erasmus aufgenommen und von Calvin in das Wohin

seiner Konzeption von Frömmigkeit reformatorisch integriert.

Ein geistlich fruchtbares Hören auf die Predigt des Wortes Gottes schlechthin[1095] und des Dekalogs im besonderen als lehrgerechte Marksteine zur Unterscheidung des "Richtigen"[1096] von dem, was als falsch zu gelten hat[1097], wollte Calvin nur bei den "gesamten Frommen" anerkennen, weil sie "Jünger Jesu" sind[1098]. Die Lehre nennt er in dem bekannten Brief an Franz I. von Frankreich gesund und wahr und bezeichnet sie als gewisse "Anfangsgründe". Diese Lehre gilt es zu erkennen, ihr stattzugeben, durch sie Stellung zu beziehen, von ihr Rechenschaft zu geben und ihr gemäß das Gesetz zu verwirklichen. Aber eine, wenn auch bescheidene, Voraussetzung muß Calvin machen: und seien es auch nur solche Menschen, die erst von "etwelchem Trachten nach Religion" gerührt seien und darum "zum Bild wahrer Frömmigkeit erst geprägt werden"[1099] müßten. Ein Mindestmaß an "Religion" oder "wahrer Herzensfrömmigkeit"[1100] muß also vorausgesetzt werden, damit "aus dem Gesetz gelernt" werden kann, "den Wandel in der Neuheit des Lebens, eines Lebens in Gerechtigkeit"[1101] zu führen, wie es das reformatorische Verständnis des "christlichen Religionswesens"[1102] voraussetzt. Bei alledem bleibt bei dem jungen Reformator das Intellektuelle und Doktrinäre dem Existentiellen untergeordnet; denn es gilt, das Gesetz liebend zu umfangen[1103].

Es kommt aber dazu erst durch die Aufhebung der Strafverhaftung[1104] eines Sünders durch Christus, die in ein Leben mit "gelöstem", "freiem", "reinem" und "gutem" Gewissen einmündet[1005]. Die Entscheidungen in solch einem Leben werden einerseits angesichts der wechselnden inneren und äußeren Verumständungen christlichen Daseins und andererseits angesichts der unnachsichtig erforderten Normgerechtigkeit christlichen Gehabens und Handelns getroffen. Also im Grundansatz nicht so, daß der rechtfertigende Glaube spontan in die Liebe zum Nächsten umschlägt, sondern so, daß, ebenfalls auf den Grundsatz gesehen, das Gewissen eines nicht nur in der Heils- sondern auch in der Glaubensgewißheit Befundenen danach trachtet, vor Gott nach seinem Wort und unter der Leitung seines Geistes ausfindig zu machen, wie in jedem einzelnen Fall dem Gesetz Gottes von Herzen Genüge getan werden möge. An dieser Auffassung von christlicher Freiheit hängt dann auch die Wahrhaftigkeit der Entscheidungen, die, nicht zuletzt aus anthropologischer Sicht, den Einklang von Innen und Außen meint und das Risiko möglichst richtigen Abwägens einschließt, in dessen Bereich freilich die Selbstrechtfertigung liegen kann. Diese Art christlicher Freiheit ist schon bei dem Calvin von 1536 der Quellort, aus dem eine Vergesetzlichung christlichen Lebens entspringen kann, die nur zu gut weiß, was in jedem "einzelnen Fall" recht getan ist. Die Entwicklung von Frömmigkeit auf reformiertem Gebiet zum Präzisismus ist die Bestätigung. Anders geht bei Luther die christliche Freiheit das Risiko des Glaubens ein, dessen Wahr-

haftigkeit zwar darin besteht, daß er sich auf Gedeih und Verderb
dem unparteiischen Urteil Gottes ausliefert, aber das gesunde
christliche Urteil über Erlaubt und Unerlaubt nicht mehr genügend in
Betracht zu ziehen geneigt ist. Das Luthertum hat hier mehr eine
entsprechende Öffnung zur Welt als eine Bewältigung der Welt gezeitigt. Auch dessen ist die Geschichte Zeuge.

Das Verständnis von Lehre schlechthin, "deren Inbegriff unser Religionswesen" ist, faßt Calvin im gegenwärtigen Betracht dann 1539
folgendermaßen zusammen: Die Fundamente christlicher Lebensführung
sind unphilosophisch, weil sie über die bloß lebensphilosophische
Grundlegung durch eine lediglich rein natürliche Würde des Menschen
hinaus- und hineinführen in die Geoffenbartheit des Willens Gottes
und seiner Gebote. In dieser Hinsicht wird die Stoa abgelehnt. Die
Lehre - oder besser: die Gelehrsamkeit -, die Calvin meint, wird
aber nicht, wie bei den übrigen "Disziplinen" durch das scholastische Schlußverfahren der Vernunft erschlossen oder, wie schon bei
Augustin, durch eine sich verdichtende Bestätigung im Bereich der
Erinnerung apperzipiert. Ebensowenig ist sie Sache der Zungenfertig-
keit[1106], vielmehr aber des Lebens. Allem voran nimmt mit ihr "unser
Heil" seinen Anfang. Dabei ergreift sie Besitz von der ganzen Seele
und findet Ort und Aufnahme in dem von ihr zutiefst angewandelten
Herzen, in dessen Innerstes sie "hinübergegossen"[1107] wird. Das
schließt aus, daß ein Mensch sich Christ nennen dürfte, für den
Christus nur "Titel und Symbol" ist; denn allein jene wahrnehmende
Erkenntnis gewinnt hier grundlegende Bedeutung, die den "Umgang"[1108]
mit Christus in sich befaßt. Nur in solcher geistlichen, primär jedenfalls nicht "theologischen" Existenz aber widerfährt es einem
Christen dann auch, wie jene Lehre eine sittliche Lebensführung[1109]
zur strikten Verbindlichkeit macht und sich in "heiliger Gelehrsamkeit"[1110] fruchtbar erweist[1111]. Das bedeutet aber schon für den
Calvin von 1536 jenes praktische "Bedachtnehmen auf Frömmigkeit",
und zwar ohne die Scheu des Devoten[1112], vor allem aber ohne das den
sog. Nikodemiten angelastete Heimlichhalten von dem Gott öffentlich
geschuldeten und gewissensmäßig als verbindlich zu betrachtendem reformatorischen Bekennen. Dieses, zuerst von dem Florentiner Dominico
Baronio goübte Verhalten, hatte sich dann unter den Anhängern des
erasmisch gesinnten Juan de Valdés verbreitet[1113]. Auch du Chemin
erschien dem werdenden Reformator in diesem Licht und veranlaßte ihn
1537 zu dem recht scharfen Brief an ihn[1114]. Der Kampf gegen den
Spiritualismus, der Luther als ein Drängen auf das Sichtbarwerden
der Heiligkeit eines Gläubigen verdächtig vorkommen ließ, ohne daß
er auch eine stille und unbeirrte Einübung in der Frömmigkeit abgelehnt hätte[1115], lag Calvin fern, weil er mit einem anderen Schaden
unter den reformatorisch Bewegten in Frankreich zu tun hatte.

Nicht zuletzt nämlich angesichts der oft bis auf das Blut bedroh-

ten Lage der reformatorisch Gesinnten in Frankreich, die der junge
Calvin selbst durchlitten hatte, hält dieser nun du Chemin vor, daß
aus zuinnerster Anwandlung hervorgehende wahre Frömmigkeit auch wah-
res Bekenntnis gebäre. Gebot Gottes ist die ungescheute Befolgung
der von ihm selbst gebotenen und ihm öffentlich geschuldeten Verehrung und Frömmigkeit, die immer auch in den Kriegsdienst der Schule
Christi stelle und zwangsläufig Selbstverleugnung und Kreuztragen[1116] mit sich bringe. In der Erstausgabe der Institutio und gerade im ersten Kapitel "Über das Gesetz", in dem der werdende Reformator sich so weitgehend Luther anschloß, fand er das Gesetz ergänzt,
vervollständigt und bekräftigt durch eine Ausführung darüber, daß
Christus solche Schüler wolle, die unter Selbstverleugnung und
Kreuztragen ihm folgen[1117]. Musterbild für die Zurüstung zu aller
Geduld und Gelassenheit, umfaßt das Gesetz auch alle anderen
"Pflichten der Frömmigkeit und Heiligkeit" und schließlich den Gehorsam bis in den Tod. Gleichzeitig sieht Calvin auch einen wunderbaren Trost angesichts solch harter Jüngerschaft in dem Zusammensein
mit Christus im Sterben und Lebenwerden, im Leiden und Herrschenwer-
den, im Ungeschiedenbleiben von der Liebe Gottes, die in Christus
sei. Damit wollte der Calvin von 1536 die unausbleibliche Kehrseite
eines ungescheuten Gehorsams gegenüber der Gesamtheit aller Pflichten gegen Gottes Wort und Gesetz dartun, wie sie ein Jünger Christi
unter Leid und Trost in wohlbestellter christlicher Lebensführung zu
erfüllen hat. Es gibt keinen Indikativ der Kennzeichnung dessen, was
hier gilt und dort nicht gilt, der nicht zugleich verbindlicher Im-
perativ, Gebot oder Verbot, wäre[1118]. Schon für den Calvin von 1536
umfaßt das, was es mit der Lehre auf sich hat, das ganze "christliche Religionswesen" und die in ihm inbegriffene Abzielung auf das
geistliche Leben eines Gläubigen und Frommen, wie er in jenem Religionswesen sein Dasein hat. Hier offenbart sich von vornherein des
werdenden Reformators Sinn und verbindlicher Hinweis hinsichtlich
des Gegenwärtigwerdens aller geschichtlichen Heilsstiftung, wie sie
die gegenwärtige Existenz eines Gläubigen wirkungskräftig begründet
und durch den Hl. Geist in Bewegung setzt. Wie denn aber das Gesetz
seine des Lebens mächtige Bedeutung nur durch das Hinzukommen des
Hl. Geistes hat, so steht es mit der Lehre nicht anders. Calvin hatte im Sinn darzulegen, daß, wie Gottes Wort und Gebot, so auch die
Lehre aus der formulierten Vereinsamung einer scholastischen "Bloß-
an-sich-Bearbeitung" oder gar logizistischen Durchhechelung zu lösen
und zu zeigen sei, wie ihre durch den Hl. Geist gewirkte, die
menschliche Emotionalität zugleich bewegende Lebensmächtigkeit sich
erst in der Persontiefe eines Wiedergeborenen entfalte: ohne alle
"Gottförmigkeit", aber doch keinesfalls ohne den deutlichen geschichtlichen Zusammenhang mit der mystischen Frömmigkeit und Theologie seiner angestammten Kirche und mit dem dahin gehörenden bibli-

schen Gedankengut, habe sie nun bei Bernhard oder auch bei Franz von Assisi ihren letztlich augustinischen Ursprung, oder gar bei beiden, wie es die Imitatio III, 50, 1 durchscheinen läßt.

Was nun den Zusammenhang von Ermahnung und Belehrung[1119], vor allem aber Sinn und Ziel der Ermahnungen Gottes und auch seines Geistes in Anbetracht der "Aufgabe und Nutzanwendung des Gesetzes" angeht[1120], so sehen sie es nach dem Calvin von 1536 auf das ab, was "richtig[1121] und vor dem Herrn (Gott) wohlgefällig" ist[1122]. Völlige Klarheit verschafft er in dem Brief an Sadoleto über die von ihm gemeinte "theologische" Rangordnung. Wir haben ja das Leben mit der Bestimmung empfangen, in erster Linie für Gott dazusein, und erst dann darf und muß auch die "Ermahnung zum Trachten nach dem himmlischen Leben" in Betracht gezogen werden, wie es "uns" Gott für das "gesamte Tun, Reden und Denken" im gegenwärtigen Leben als Ziel vorgesteckt hat[1123]. Das bedeutet aber für die Struktur dieses Lebens wie sie Calvin von 1539 an dann endgültig konzipiert, daß die guten Werke im Leben eines durch den göttlichen Freispruch ein für allemal Gerechten eine beherrschende Stellung einnehmen[1124]. Die Endgestalt der Institutio von 1559 bringt im dritten Buch die reife Frucht dieser Konzeption[1125]. Das christliche Leben wird mit der Wiedergeburt grundgelegt, die menschlicherseits durch den von Gott gewirkten Glauben zustande kommt[1126]. Der Fortgang des geistlichen Lebens aber wird, trotz aller Anfechtungen, durch keine sich wiederholende Heilspädagogie des Gesetzes mehr durchkreuzt, gefährdet, gehemmt, gelähmt[1127]. Ein Wiedergeborener bleibt vielmehr durch die forensische Rechtfertigung, die Calvin ja auch als souveräne Annahme bei Gott "interpretiert"[1128], gegen das Richtamt des Gesetzes ein für alle Mal abgeschirmt. Infolge der Belehrung durch den Glauben muß sodann das "uns" Fehlende, in Christus jedoch Vorhandene mit der Aussicht auf Erhörung von Gott flehentlich erbeten werden[1129]. Die "umsonst gewährte", "rein verschwendend sich erweisende Barmherzigkeit" Gottes geht schließlich zuhöchst auf dessen unwiderrufliche Erwählung zurück, die dem in ihr Existierenden weder bestritten, noch von ihm bewiesen werden kann, wohl aber aus der immer nur im Gegenüber Gottes verharrenden Innigkeit und Gewißheit des Glaubens heraus bezeugt werden muß. So sieht Calvin das christliche Leben in die Sendung für Gott gestellt und in die sich selbst verleugnende, opfervolle Hingabe an ihn. Das alles mit diesen Akzenten macht den Inbegriff des Teilgewinnens an der Gnade Christi aus samt den notwendig aus ihr hervorgehenden Früchten und Wirkungen bis hin zur endlichen Auferstehung und der "seligen Ruhe im ewigen Reich Gottes", die uns "der Sohn Gottes durch sein teures Blut erworben" hat. Wie oft hat der spätere Calvin so oder ähnlich nach seinen Vorlesungen gebetet.

Doch zurück in die Zeit Calvins als werdenden Reformator. Er be-

zieht sich auf die "aus der Sache selbst heute sich ergebende Erfahrung", die lehre, wie sehr Ermahnung notwendig sei[1130]. Ihre besondere Art wird durch die Hl. Schrift bestimmt[1131], die hier keine Begründung und Veranlassung[1132] für das Ermahnen ausläßt. Das Gesetz
aber seinerseits tut den Dienst des Ermahnens nur bei den in die
Freiheit vom verurteilenden Gesetz, nämlich in die "christliche
Freiheit", Entlassenen und wird in jenes Wirken Gottes einbezogen,
das die durch Christus geschehene Heilsstiftung zur gegenwärtigen
Heilswirklichkeit bei jenen macht. Einesteils ist dabei Gott selbst
der an erster Stelle Ermahnende. Angefangen bei der Erwählung[1133],
werden die Ermahnungen mit der grundlosen Liebe Gottes[1134], mit all
seinen die Danksagung herausfordernden Wohltaten[1135], insbesondere
mit der Zuwahl von Menschen zu Söhnen und Erben des Reiches[1136] begründet. Gleichzeitig als Schöpfer und als "unser" Herr und Vater
begegnet er den durch die Heilspädagogie des Gesetzes demütig gewordenen Gläubigen und Frommen mit Vergebung und allen Erweisungen der
ganzen Geneigtheit und Lieblichkeit seines wohlwollenden Ermessens[1137]. Anderenteils weist Calvin gerade in der Erstausgabe der
Institutio auf die in diesem freien Ermessen zugleich mitgemeinte
gegenwartsmächtige Wirklichkeit der durch "Christi allerheiligstes
Blut"[1138] erst geschichtlich vor sich gegangenen Heilsstiftung hin,
wie sie uns dann also "in Christus" zugute gekommen sei und uns die
Zuversicht vermittle, Christus gehöre uns[1139]. Was den Sprachgebrauch angeht, wird die forensische Gnadengerechtigkeit der Rechtfertigung dabei vorgezogen. 1539 heißt es dann umfassend, Gott nehme
die Gesamtheit seiner Wohltaten, besonders aber die einzelnen Seiten
seines Heils zum Anlaß für seine Ermahnungen[1140].
    So liegt denn einerseits in Gottes vorzeitlich-ewiger Erwählung
und andererseits in dem durch Christus in dieser Zeit und Welt erst
nachfahrend zustande gebrachten Heil insgesamt der triftige Grund
für die Ermahnungen, durch die Gott sich zu "uns" verbindlich ins
Benehmen setzt. Nicht nur alles Gebieten, sondern auch alles heils-
und gegenwartsmächtige Handeln Gottes insgesamt verpflichtet. Es
handelt sich in dem allen um keinen Appell, weder an den freien oder
halbfreien Willen eines Menschen, noch um einen solchen an seine natürliche Einsicht, sondern um das Aufwecken und Wachhalten eines
Wiedergeborenen zum Gewahrwerden dessen, was ihm fehlt, und zu dessen flehendlichem Erbitten, damit doch seine gesamte geistliche Existenz, vorab sein durch den Hl. Geist emotional zu bewegender[1141]
und von der prüfenden Einsicht in Gottes Wort und Gebot zu lenkender
Wille die guten Werke von Gott empfange und darum auch bei ihm für
angenommen erachte[1142]. Calvin hat die Brücken abgebrochen zu jeder
Art von Beweggründen zu christlichem Handeln, das teils das gegenwärtige und künftige Heil als Belohnung erwartet, teils von Hoffnung
und Furcht und von der Angst vor den "Qualen der Hölle" umgetrieben

wird. Diese Lösung aus der üblichen katholischen und auch aus der
erasmischen[1143] Begründung christlicher Moral kennzeichnet das Woher
und Wohin des werdenden Reformators. Unter solcher Voraussetzung
gibt es für ihn keine objektive Begründung für eine christliche Führung des Lebens, die nicht zugleich und immerfort als subjektiv wi-
derfahrener Anlaß, Anstoß und Anreiz einen Wiedergeborenen in fortschreitender Bewegung der Hingabe an Gott hielte, und zwar voll des
großen Ernstes der Selbstbeschränkung, der Demut, der Selbstverleugnung, des Kreuztragens und des Opfers. Nicht unberührt von solcher
Auffassung des Christseins, doch von der reformatorisch-augustinischen Grundlegung der Selbsterkenntnis, Selbstbeurteilung und
Selbstverwerfung noch weit entfernt, zeigen sich auch Männer wie Faber Stapulensis[1144] und Budé[1145]. Doch spielt bei Calvin altes Gut
der Frömmigkeit aus der Devotio moderna[1146] samt Bernhard von Clairvaux ganz offentsichtlich hinein, ohne daß das hier im einzelnen
dargestellt werden kann.

7.2.3.8
Der geistliche Fortschritt

Die Frage nach dessen Art, Notwendigkeit, Sinn und Ziel gehört unveräußerlich zu der Auffassung, die der Calvin schon von 1536 von
der Verbundenheit und der Auseinandersetzung mit dem Geist der Frömmigkeit der abendländischen Kirche hat. Zunächst der Sachverhalt.
Vom geistlichen Fortschritt wird erfaßt die Aufdeckung auch der letzten Schlupfwinkel von Herz und Gedanken, weiter die Existenz im Evangelium hinsichtlich jedweder Art von vorbildlicher Rechtschaffenheit
christlichen Wandelns und darum auch die Existenz im Gesetz Gottes
durch ein zunehmend beharrliches Ermahntwerden durch den Geist und
das weiterführende Erlernen des Willens Gottes mit dem Ziel des Gehorsams, der Ausmerzung lasterhafter Begierden, der Ertötung unser
selbst, wird weiterhin erfaßt die förderungsbedürftige Erneuerung,
aus der der Wandel in der Heiligung und Gottzugehörigkeit hervorgeht, schließlich das der Besserung bedürftige Voranschreiten unter
Gottes Führung, das zunehmende Erglänzen der Majestät Gottes durch
die Heiligung seines Namens und das so wichtige Ausschütten der Gnaden Gottes, das bei denen immer reichlicher wird, in denen er lebt
und regiert, nicht zu vergessen die Wendung der in Kirchenzucht Genommenen zur besseren Gottesfurcht und zur Wiederkehr in die Gemeinschaft und Einheit der Kirche[1147]. Es fällt auf, daß in der Erstausgabe der Institutio, dem immerwährenden Bezug auf die Erwählten entsprechend, der Hl. Geist, aber Christus und Gott selbst es ist, der
in seiner "Schule" diesen vielseitigen Fortschritt in Bewegung setzt
und erhält. Das "Von-Tag-zu-Tag-je-länger-je-Mehr" in seinen sprach-
lichen Abwandlungen, das die Intensivierung des christlichen Lebens,

den Raum- und Streckengewinn des geistlichen Wandelns so scharf ins
Auge faßt, erscheint hervorragend im Licht des Alleinwirkens Gottes.
Grundsätzlich ändert sich auch später davon nichts; wohl aber wird
das Ichselbst der göttlicherseits begründeten und vorwärts bewegten Existenz eines Gläubigen und Frommen, weil dieser um seiner Wiedergeburt willen wahrnehmend und dem Willen und den Geboten Gottes
hörsam gehorchend geworden ist, noch viel stärker und drängender für
den Eifer[1148] im Fortschritt, im Wachstum, Vorankommen und Frucht-
bringen angegangen. Das Bild vom Läufer dem Ziel entgegen[1149] tritt
1539 hinzu. Und gelinge der unablässig gebotene Lauf auch noch so
schlecht, so hielt Calvin fromme Sattheit und geistliches Behagen
für einen der schlimmsten Feinde eines Christen und der Kirche.

Calvin tritt für die von ihm gemeinte und gelebte Gestalt von
Frömmigkeit keinen literarischen Nachweis an, bezieht sich auf keine Überlieferung oder zeitgenössische fromme Denkungsart. Dennoch
verarbeitet er auf seinem Weg zum Reformator ein in der christlichen
Kirche von langer Hand überliefertes Gut. Er verarbeitet es in der
Subjektivität des Ichselbst seiner eigenen Person im Gegenüber des
Wortes, Evangeliums und Gesetzes Gottes und Christi. So gibt er es
weiter und lehrt es aus einem reformatorisch-augustinischen "Hängen
am Mund Gottes". Geschichtliche Abhängigkeiten, nach denen zu suchen man heute wohl gehalten ist, stehen für ihn selbst allem Anschein nach nicht zur Diskussion. Die Form der bernhardinisch-devoten Frömmigkeit auch franziskanischer Art, in der er in seiner angestammten Kirche zunächst gewiß doch aufwuchs und ernstlich zu leben
bemüht war, wird mit seiner Wendung zur Reformation nicht abgetan,
sondern ganz offensichtlich in diese hineingenommen, um dort, auf
anderen Boden verpflanzt, veränderte Früchte zu tragen. Die Einheit
der Frömmigkeit, die Calvin meint, durch ihre vorangegangene Geschichte ebenso bedingt wie durch das reformatorisch-augustinische
Bekenntnis kritisch und geistig geprägt, liegt in der auf vollstän-
diges Umfassen der Dinge ausgerichteten Einheit seiner Person. Der
Gedanke des göttlicherseits geschenkten, zugleich dringend erforderten und darum zu vollziehenden Fortschrittes im Christenleben, in
welcher Form auch immer, ist ein Musterbeispiel dafür, wie der werdende Reformator die Verbindung des Alten mit dem Neuen kritisch und
lebendig vollzieht, ohne sich für das Überzeugende seines Verständnisses von geistlichem Fortschritt auf andere Autoritäten zu berufen.
Doch ist im voraus allgemein zu sagen, daß Augustins weithin neupla-
tonische Denk- und Frömmigkeitsform und damit der Gedanke geistlichen Aufstiegs für immer ein entscheidendes Merkmal der westlichen
Kirche wurde[1150], wenn auch zu Zeiten die westliche Kultur stagnier-
te.

Der schroffe Dualismus Platos zwischen der wirklichen Welt der Ur-
bilder und der bloß sinnenhaft wahrzunehmenden Welt ihrer Abbilder

hatte Plotin dazu herausgefordert, nach einer Überbrückung beider
Welten durch Abstufungen zu suchen. Unter seinem Einfluß wurde Augustin zum Vater der stufenweisen Näherung an Gott über den Glauben,
den er als ein Bedenken der unter Zustimmung zu der durch die Autorität der Kirche verbürgten Lehre der Hl. Schrift verstand, hinaus
und hinauf zur zunehmenden Überwindung der Weltliebe durch die Gottesliebe und schließlich zum intelligiblen Schauen Gottes und seiner Wahrheit. Diese Konzeption gab der mittelalterlichen Frömmigkeit
auf weitesten Strecken die Ausrichtung und behielt gegebenenfalls
auch abgeblaßte Züge eines platonischen Dualismus bei, der im Verein
mit nominalistischer Denkweise Gott der Welt umsomehr entrückte. Gerade darum aber zog jene Konzeption die vielfachen Arten von Stufenfolgen religiöser Erhebung und von geistlichem Fortschrittsbemü-
hen nach sich, um aus der die Seele sinnenhaft gefangenhaltenden und
in die Vergänglichkeit alles Geschöpflichen hineinbannenden sündlichen Abkehr von Gott heraus- und hineinzukommen in das Geschenk erfüllter Gottes- und Christuseinung, im späteren Mittelalter vor allem dasjenige der emotionalen Verschmelzung der Seele mit dem göttlichen Wesen und dem geliebten Christus oder besonders auch Jesus.

Betrachten nun die Frommen, von denen der werdende Reformator immerfort spricht, ihre geistliche Existenz aus einer "platonisch-du-
alistischen Sicht"[1151] oder werden sie, nachdem ihnen die Brücke
durch Christi Heilsstiftung geschlagen worden ist, nun auch ihrerseits durch die Kraft des Geistes Gottes und Christi und abgeschirmt
gegen alle Mächte, die zwischen ihnen und Gott einen Dualismus auf-
reißen könnten, auf der ganzen Front ihres geistlichen Daseins "bis
zum Ziel" so gefördert, daß sie auf diesem Weg eifrig fortschreiten?
Man wird bei Calvin mit dem Einfluß neuplatonischer Geistigkeit
rechnen müssen, so gewiß er in eine starke und nachhaltige Vertrautheit nicht nur mit Augustin, sondern auch mit Schriften Bernhards
und der Frömmigkeit des Thomas von Kempen eintritt. Bernhard spricht
von der "Schule Christi"[1152] und so oft vom geistlichen Voranschreiten. Er bezieht es auf den Glauben, die guten Werke, den geistlichen
Fortschritt eines Frommen schlechthin und betet: "Weiterhin erfreust
du mit täglichem Fortschreiten die Seele deines Knechtes"[1153]. In
dem "gut gewordenen Willen", wie er die ganze Seele denn mit gut
macht, muß fortgeschritten werden; das geht aber im Herzen vor sich
und das Herz des Frommen ist solcher Wille[1154]. Und nun weiß Bernhard von Dreistufengängen jeweils verschieden beschriebener Etappen[1155], auch von einem Siebenstufengang[1156]. Die Erhebung führt
aber immer abschließend zur Erfahrung der Vollkommenheit, der andachtsvollen Schau von Göttlichem und Himmlischem, zur vollen Gottesliebe. Ihre verschiedenen Aufstiegsfolgen von zunehmender Innigkeit
aufzustellen, eine fromme Liebhaberei Bernhards, haben ein erreich-
bares Ziel und stehen der ins Emotionale gewendeten augustinisch-

neuplatonischen Frömmigkeitsweise nahe, ohne daß damit schon etwas über die Rolle frommer Aktivität in solch kontemplativem Leben gesagt worden wäre.

Johann Gerson, "der frühe Devote", weiß von den verschiedenen Gaben des aktiven, kontemplativen und heroischen Lebens, hält aber auch seinerseits den Aufstieg zur Kontemplation für den jeweils erforderlichen geistlichen Fortschritt und legt den Finger auf ein entsprechendes Vorankommen in der Liebe durch ein Leben in der Andacht[1157]. Bonaventura rühmt an Bernhard, daß er im Text, d. h. in der Erkenntnis der Hl. Schrift, weit vorangekommen sei[1158]. Neben der Bezugnahme des frommen Franziskanertheologen auf Hugo von St. Viktor für den "Fortschritt in der Weisheit, Schrift und Heiligkeit"[1159] ist höchst interessant seine Berufung auf Seneca[1160] des Sinnes, daß er weit mehr solche Menschen gefunden habe, die den Körper, nur wenige aber, die den Geist stählen[1161]. Nun stellt sich Senecas Gedanke über den Fortschritt in der Festigkeit, "immer dasselbe zu wollen und dasselbe nicht zu wollen" und den in der Minderung der Begierden als einer der Grundzüge seiner Lebensphilosophie dar, ist aber in seinem geschichtlichen Einfluß auf den Gedanken eines Fortschritts im christlichen Leben nicht immer literarisch bloßzulegen. Dennoch spielt er in der religiösen und sittlichen Denkweise des Christentums seine Rolle. Verspricht sich doch Seneca für den Weisen unter dem "Dahintenlassen der alten Begriffsbestimmungen von Weisheit"[1162], d. h. des intellektuellen Optimismus der älteren Stoa, bei täglicher Meditation einen Fortschritt im Sittlichguten[1163], z. B. mit dem Beginnen des typisch stoischen, selbstbezogenen Freundseins des Weisen mit sich selbst[1164]. Allgemein aber ist ihm die stufenweise Erhebung, das Wachstum der sittlichen Vollkommenheit entgegen ein vertrauter Gedanke[1165]. Gewiß ist die Mahnung zum geistlichen Wachstum dem Neuen Testament nicht fremd. Allein, religiöses und vor allem ethisches Gedankengut und, was insbesondere die durch asketische Strenge fortgehend zu gewinnende seelische Harmonie des Weisen mit der "Natur" und sich selbst angeht, vor allem also auch der spätstoische Gedanke des Fortschritts im Sittlichguten insbesondere bei Seneca fließen als Unterströmung in den großen Strom mittelalterlicher, aber doch auch an Augustin irgendwie immer wieder orientierter Frömmigkeit mit ein.

Eine in weitesten Kreisen des Mittelalters gepflegte Frömmigkeit, die in der Imitatio ihren charakteristischen Niederschlag fand und den geistlichen Fortschrittsgedanken ganz besonders pflegte, hat auf den jungen Calvin und werdenden Reformator neben Bernhard einen entscheidenden Einfluß ausgeübt, ohne daß eine direkte literarische Abhängigkeit nachgewiesen werden kann, auch nicht nachgewiesen zu werden braucht. Die gleichlautende Verwendung der Termini und die Verwandtschaft in der Sache selbst entscheidet. Doch einiges andere

Diesbezügliche zuvor: Maturin Cordier, in dessen Collège de la Marche Calvin 1523 das Studium der freien Künste begann, bringt als Schüler des Erasmus[1166] in einen einzigen Zusammenhang den Fortschritt vom Jünglings- zum Mannesalter, nämlich den literarischen und den geistlichen Fortschritt. Da Gott der Ursprung alles Guten ist, muß von diesem ausgegangen werden, wie er denn als das "Prinzip der Erziehung" alle "Studien" auf Gott auszurichten hat und zum Heil der Seele nütze ist[1167]. Es handelt sich also um den optimistischen Aufstiegsgedanken von den humanistischen Wissenschaften einschließlich ihrer biblizistischen Prägung zur Jesus-Frömmigkeit. Die Imitatio beschreitet diesen Weg nicht, sondern faßt ihre Aufgabe rein geistlich an, um dann auch auf das Gebiet von Unterricht und Erziehung hinauszutreten. Sie kennt zudem wie dann auch Calvin, keine Stufenfolge im geistlichen Fortschritt und versteht die Nachfolge Christi auch nicht, wie Franz von Assisi, stets auch als Nachahmung der armen Lebensumstände Christi. Die letztere tritt dann auch entweder ganz oder doch stark zurück in den so weit verbreiteten "Meditationen über das Leben Jesu" des Ludolph von Sachsen, bei dem den Fraterherren zugehörenden Gerhard Zerbolt von Zütphen und wird erst recht vergeistigt durch Heinrich Seuse. Ihre und anderer frommer Schriftsteller Literatur will das geistliche Leben ordnen, ihm zum Fortschritt verhelfen und leitet an zur andachtsvollen Jesus-Meditation und der Gleichgestaltung mit Christus bis hin zur Christuseinung[1168].

Was nun die Imitatio angeht, so liegt dem Devoten der geistliche Fortschritt[1169] sehr am Herzen, und zwar in asketisch disziplinierter Lebensführung, in der "Gnade der Tröstung" und im "Erdulden des Entzuges der Gnade" zu Demut, Selbstverleugnung und Geduld[1170]. Das soll "von Tag zu Tag je mehr und mehr", d. h. "in täglicher Übung" und "Reinigung" und unter meditierendem Gebet geschehen[1171]. So wird der Weise "unerschütterlich ein und derselbe bleiben", heißt es in unverkennbar stoischer Ausdrucksweise[1172]. Sie wird noch unterstrichen durch die eigentümliche Monotonie der Sprache und deren geistlichen Inhalt bis hin zum Geschenk der Lösung aus der zerstreuenden "Unordentlichkeit" der Welt, der eigenen "Affektion" und schließlich bis zur inbrünstigen Liebeseinung nicht zuletzt mit dem eucharistischen Christus[1173]. Aber die Ordnung des christlichen Wandels und in diesem Sinn auch der Predigt-, Seelsorge- und Unterrichtstätigkeit wird nicht vernachlässigt; doch wird tragischerweise immer wieder das seelisch zunächst einmal lähmende Aussetzen der Gnade erfahren und darum auch der Wiederbeginn des geistlichen Fortschritts zu erneuerter Vollkommenheit als notwendig erachtet. Man muß aber bis auf den frommen Augustinismus zurückgreifen, um Sinn und Ziel des geistlichen Fortschrittsdenkens des Calvin schon von 1536 im größeren geschichtlichen Zusammenhang der mystischen Theologen der zwei-

ten Hälfte des Mittelalters aus zugleich kritischer Sicht zu erkennen.

Die intelligible Schau Gottes und seiner Wahrheit, wie sie Augustins Frömmigkeit selbst nicht ohne einen gewissen Abglanz des hellenisch Wahren und Schönen auszeichnet, hat bei Hugo zugleich entscheidend die Richtung genommen auf die affektive Anwandlung der menschlichen Seele bis in das höchste Stadium der ihr vornehmlich in der
Einung mit Christus widerfahrenden göttlichen Vollkommenheit und
Liebesfülle. Dabei stellt auch hier der Glaube nur eine Stufe auf
der Leiter zur Krönung des geistlichen Aufstiegs dar, zu der also
immer auch das Gemüt erfüllenden Kontemplation. Jedoch bemerkt Hugo
nüchtern, daß es sich bei solcher Ruhe[1174] des Menschengeistes nur
um die Unvollkommenheit der "Halbzeit" eben dieses Lebens handle,
während im Himmel die Stille[1175] der vollen Stunde ausgekündet werde[1176]. Was Calvin von den Erwählten schlechthin sagt, beschränkt
Hugo auf die Ordensangehörigen: sie sind die "Fortschreitenden",
die, des irdischen Ballastes entkleidet, betend und hingebungsvoll
"dem Ziel der oberen Berufung entgegeneilen"[1177]. Darin, daß er über
den geistlichen Aufstieg etwa über zwölf Grade von Tugenden, drei
der Nachahmung des Lebensganges Christi[1178], sieben des Beichtbe-
kenntnisses[1179], über den Abstieg über fünf oder sieben Stufen der
Demut[1180], hinauf und hinaus über die Stufen des Glaubens[1181], der
für ihn auch Zuversicht darstellen kann[1182], schließlich, aber keineswegs zuletzt auch über Christi Wachsen und Vorwärtsschreiten in
den Gliedern an seinem Leib[1183] seine Betrachtungen anstellt, hat er
auch auf die Frömmigkeitsübung eines Bernhard offensichtlich einge-
wirkt.

Freilich gleitet dieser in eine noch stärker anthropologisierende,
theologisch nicht so wie bei Hugo in Zucht genommene, Anwandlung der
Affekte[1184] weiter hinein, nicht ohne die augustinisch-neuplatoni-
sche Linie dabei zu verlassen. Aber der Durchbruch in die, wenn auch
durch den Sakramentalismus und den Rechtszwang der Kirche in Schranken gehaltene, fromme Subjektivität und die solchergestalt in die
innerste Selbstwahrnehmung des Frommen und dessen Versenkung in Christus bis zur gegenseitigen Verschmelzung mit ihm war durch Hugo wieder einmal zukunftsträchtig vollzogen worden[1185]. Man darf aber Calvins zugleich engere Beziehungen zur augustinisch-bernhardinisch-de-
voten Frömmigkeit darum nicht übersehen; Calvin wäre dann in verhält-
nismäßig gelockerteren Beziehungen zu Viktor zu sehen.

Auf eine noch andere Weise, die aufhorchen läßt, bezieht Calvin
schon 1536, wie im Vorübergehen schon angemerkt, in die Erörterungen
"Über das Gesetz" als Grundkodex der Verpflichtungen zu einem wohlbestellten christlichen Leben den merkwürdigen Absatz ein, der es,
Franz von Assisi und wiederum Hugo ähnlich, nach Matthäus 16, 24,
"alles auf einmal" mit der "Gefolgschaft"[1186] in Christi Fußstapfen

zu tun hat[1187]. Christus geht mit seinem Beispiel "als ein Ganzer"[1188] voran; ihm "folgen" die Jünger, verleugnen dabei sich
selbst, nehmen das Kreuz auf sich, reißen das Böse bei sich heraus
und rüsten sich selbst dazu mit aller Geduld und Sanftmut aus. Bei
solcher geistlichen Ritterschaft bis in den Tod, wie denn auch Hugo
den "Streiter Christi"zum geistlichen "Kriegsdienst" verpflichtet
wissen will, aber befinden sich schon dem jungen Reformator zufolge
die angefochtenen Erwählten in ungeschieden bleibender Verbindung
mit Christus, in der Gleichgestalt der so aufreibenden Mühsale mit
ihm zusammen und werden, wie es dann 1539 folgerichtig heißt, durch
das Kreuz, das sie insbesondere in der Gemeinschaft mit Christus
tragen, auf dem Weg zum Teilhaben an der herrlichen Auferstehung
hindurchgeführt[1189]. Christsein ist ein Pilgerlauf und -kampf und
gleichzeitig ein - hier meldet sich platonische Gestimmtheit - ein
Heimverlangen nach der seligen Ruhe im himmlischen und ewigen Reich
Gottes, wie aus den bewegten Gebeten des späten Reformators nach
seinen Vorlesungen um so nachhaltiger herauszuhören ist. Calvin betet: "Allmächtiger Gott,... Du wollest uns mit Deiner Hand beschüt-
zen bis ans Ende, auf daß wir unter Deiner Fahne ritterlich strei-
ten, bis wir endlich gelangen zur seligen Ruhe, wo uns aufbewahrt
ist die Frucht des Sieges in Christo Jesu, unserem Herrn. Amen"[1189].
In den Strom der von Augustin ausgegangenen Frömmigkeit gehört schon
und gerade der junge Reformator, gleichviel inwieweit er im einzelnen auf unmittelbare literarische Abhängigkeiten festgelegt werden
kann. Der Sprach- und auch ein gewisser Bilderschatz weist schon
die aufgezeigten Richtungen zurück.

In diesem spiegelt sich aber auch in einem bestimmten Maße mit die
Verbindung Calvins zur Stoa wieder. Ein von Seneca überliefertes
Sprichwort hat den jungen Reformator tief beeindruckt: "Folge dem
Gott!" Es soll bei Calvin, dem Kontext der Stelle entsprechend, be-
kräftigen, daß Gott das Kreuztragen seinen Entscheidungen gemäß auferlegt und daß es in der Gefolgschaft Christi und unter der Absage
an unser eigenes Begehren so getragen werden soll, daß Sinn und Ziel
solcher geistlichen Erziehung, wenn auch unter jeweils aufkommenden
Anfechtungen, in die christliche Lebensführung hineingenommen wird
Der Kontext der Stelle bei Seneca gipfelt in dem militärischen
Ethos, daß ein braver Soldat seinen Feldherrn auch dann noch lieben
wird, wenn er, schwer verwundet, für ihn fällt[1190]. Calvin seinerseits gibt dann der geistlichen Ritterschaft 1539 den noch vollkom-
meneren Sinn: Gott "geht voran", und, weil wir nichts aus uns wissen und wollen dürfen, müssen wir, "durchströmt von seiner Heiligkeit", Gott, dem "Vorangehenden", folgen, wohin er ruft[1191]. In diesem Zusammenhang darf man sich auch daran erinnern lassen, daß Franz
von Assisi, sieht man von einer gelegentlichen Erwähnung der Märtyrerin Agathe ab, der einzige Zeuge für das Zustandekommen der Imita-

tio ist, der mit Namen genannt wird[1192]. Es hat also nicht nur Bernhard, sondern, wo möglich, durch Vermittlung Bonaventuras, des "zweiten Gründers" des Franziskanerordens, auch Franz an der Reformfrömmigkeit der Devotio moderna Pate gestanden[1193] und damit sowohl an
den ihr eigenen Aufstiegsgedanken zur kontemplativen Erfüllung und
an den Aufgaben von Unterricht, Predigt und Seelsorge, als auch an
der oft nicht ausgeschalteten Verdienstlichkeit eines streckenweisen
Erfolges in der gerade so immer auch mit gekennzeichneten Gefolgschaft Christi.

Hingegen wird Sinn und Ziel geistlichen Fortschritts von Calvin
zunächst einmal dahingehend charakterisiert, daß er keinen Zustand
kontemplativer Erfüllung von Frömmigkeitsübungen zur Sprache bringt.
Die Meditation gewinnt den Sinn schließlich allein des praktischen
Bedachtnehmens auf das in den Leitplanken des Wortes, Evangeliums
und Gesetzes Gottes auftauchende Ziel des Fortschritts[1194]. Er erreicht auf keinen Fall etwas Heilswichtiges, weil die Totalität des
geschichtlich vollbrachten Heils bei jedem Gläubigen als gegenwärtig gewisse Wirklichkeit vorausgesetzt wird und ganz genau deshalb
auch, außer der denkbar größten, immer aber im personhaft bleibenden Innigkeit, keine außergewöhnliche Nähe Gottes und kein augusti-
nisches "Hineindämmern des ewigen Aion in die endliche Zeit"[1195] in
Frage kommen kann. Die Ermittlung des Unterschieds und der Rangordnung von kontemplativem und aktivem Leben hat ihren Sinn verloren.
Der reformatorisch verstandene Glaube, der die Liebe, wem auch immer
gegenüber, als Frucht der Wiedergeburt gleich mit sich führt, hat
die Gewißheit des ewigen Heils, nicht aber etwas Vorübergehendes von
diesem selbst, in der Zeit vorweg und hat auch nie anders denn als
solcher "Christus im Besitz". Die Brücke von Gott, dem Schöpfer und
Heilsstifter, ist durch Christus zum Menschen und Sünder also einmal für immer durch dessen geschichtliches Heilandstum geschlagen
worden und wird durch dessen gegenwärtige Heilsmächtigkeit, nicht
zuletzt auch kraft des Wortes Gottes und seines Geistes, vollendet
aufrecht erhalten, während das Leben christlicher Frömmigkeit als
ein auch immer ständiges Schuldigbleiben der Notwendigkeit unentwegten Fortschritts unterworfen bleibt. Dieser sehr wohl zu unterscheidenden Doppelheit innerhalb der einen geistlichen Existenz eines
Menschen im reformatorischen Sinn gab Calvin 1539 mit unmißverständ-
licher Deutlichkeit folgenden Ausdruck: "Im Unterschied vom Wort des
Evangeliums, das den Herzen durch den Glauben eingepflanzt wird und
dort seinen (völligen) Sitz hat, kann im Verfolg der Wiedergeburt
keine Rede davon sein, daß das Wort des Gesetzes seinem ebenso völligen Wesen nach in unsern Herzen vorhanden ist, da es doch jene Vollkommenheit erfordert, von der auch die Gläubigen weit entfernt
sind"[1196]. An der Klarheit dieser Unterscheidung wird auch dadurch
nichts geändert, daß Calvin schon 1536 von einem "schrittweisen"[1197]

Hinzukommen zu Gott kraft der Lieblichkeit seiner Barmherzigkeit, d. h. zur "gewissen Geborgenheit" in dem Trost der in Christus ergangenen Verheißungen der Vergebung der Sünden als der "Angel des Heils" und seiner Glückseligkeit spricht. Auch in Röm. 8, 30 erblickt Calvin die schrittweise Aufeinanderfolge von der in "unserer" Berufung, Rechtfertigung und Herrlichkeit sich verwirklichenden Erwählung im untrennbaren Zusammenhang der Gemeinschaft mit dem Kreuz Christi und der Gleichgestaltung mit seiner Demut, wie jene denn "uns" zu dem einen und vollen Heil gereichte[1198], das es nicht mit dem Wort des Gesetzes, sondern jenem des durch den Glauben unsern Herzen eingepflanzten Evangeliums und darum der Glaubensgewißheit zu tun hat, die keine Vervollkommnung über sich selbst hinaus kennt.

Bei dem werdenden Reformator und zugleich bedeutendsten Augustinisten der Reformationszeit wird im Blick auf die dreigefächerte Aussage Augustins über Gott, nämlich sein Sein, sein Wissen, sein Wollen[1199], die Zugänglichkeit des Seins Gottes auf Grund der terministischen Erkenntnislehre und damit auf Grund von der in Abrede gestellten Metaphysikkräftigkeit der menschlichen Vernunft gänzlich beseitigt. Dazu sagt er bei aller "Innigkeit" und "Lieblichkeit" des Gottes- und Christusverhältnisses, die er tief und warm empfindet, jeder Verschmelzung von Gott und Mensch für die gesamte geistliche Existenz unbedingt ab. Der Neuplatonismus erscheint bei Calvin schon seit 1536 ganz offensichtlich im wesentlichen eingeschränkt auf die Verachtung der Welt[1200], auf den Charakter des christlichen Lebens als Bußfrömmigkeit angesichts des Verweilens der Gläubigen in dem "Kerker"[1201] dieses ihres vergänglichen und von der Sünde bewohnten Leibes, stark eingeschränkt aber auch auf das in Anbetracht der elenden Verumständung des irdischen Lebens ganz praktische "Bedachtnehmen"[1202] auf das ersehnte künftige Leben[1203]. "Bedachtnehmen": es gilt der Bedeutung und Tragweite, dem Sinne und Ziel dessen nachzugehen, was es heißt, daß sich in dem Herzen eines Wiedergeborenen das "Wort des Gesetzes" seinem Wesen nach, wie es also die Vollkommenheit erfordert, nicht vorfindet[1204]. Unbestreitbar schränkt Calvin den geistlichen Fortschritt ein auf das mit dem Glauben und der "neuen" Wiedergeburt "aus dem Geist", die vorab, wie man gohin 15 ib liest, als Vorbereitung des natürlichen Menschen dessen Buße und Umkehr ziert, in das Reich Christi einführt und mit allem Verlangen erbeten werden muß. Der mit der Erneuerung einsetzende Gehorsam gegen Gottes Gesetz verpflichtet diejenigen, welcher zugleich in der Gefolgschaft Christi verwirklicht wird und macht das bekannte wohlbestellte christliche Leben aus. Bernhard übt hier deutlichen Einfluß[1205] aus.

Vor allem bei dem späteren Calvin verdichtet sich dann das Drängen auf eifriges Trachten[1206] nach Erfüllung der Pflichten christlicher Lebensführung eines im reformatorischen Verständnis des Heils Exi-

stierenden zu einem unentwegt leidenschaftlichen Voran. Ein Beispiel
für diese mit der Zeit immer stärker zunehmende Forcierung des Drän-
gens auf geistlichen Fortschritt bietet der Vergleich der Auslegung
der zweiten Bitte des Herrengebetes in der Erst- und in der Letztausgabe der Institutio[1207]. Die Struktur ethischen Verhaltens eines
biblizistischen Humanisten muß dabei immer wieder der Alleinwirksamkeit der Gnadenausrüstung durch Gott weichen, während man andererseits die charakterbildenden sozialethischen Tugenden, die Calvin
später auch entwickelt, als eine juristische und naturrechtliche Ausweitung seiner theologischen Konzeption in Anschlag bringen muß;
sie überschneiden sich vielfach mit den frommen Verhaltensweisen.
Im übrigen werden die erwählten Gläubigen und Frommen von Calvin
schon 1536 nicht als bloßes "Uhrwerk Gottes" angesehen.

Die Frage drängt ja doch, ob es bei ihm zu dieser Zeit eine Ansprechbarkeit eines "Christenmenschen" auf dessen frommen Eifer und
Einübung[1208] in der "Ertötung des Fleisches" gibt. Calvin bejaht
diese Frage, ohne ausdrücklich auszusprechen, daß es sich hier um
einen geistlichen Existenzvollzug handelt, der um seiner immer wieder sich herausstellenden Unvollkommenheit willen stets auf das Auf-
holen des Schuldiggebliebenen energisch angewiesen bleibt. Man stößt
hier auf jenes "eigentümliche und schwer beschreibbare"[1209], verant-
wortliche Bewußtsein des Wiedergeborenen von sich selbst[1210], das
dem Hellenen fremd blieb, in der Stoa als "Gewissen" erwachte, als
solches aber auch der Bibel, insbesondere dem Neuen Testament bekannt ist und dann bei Calvin, in einem noch anderen Sinne als in
der bernhardinisch-devoten Frömmigkeit, in dem Kapitel "Von der
christlichen Freiheit"[1211] ein durchschlagendes, an Luther orientiertes Gewicht erhält. Die Ansprechbarkeit eines Christen auf seinen
geistlichen Fortschritt ist aber auf keinen Fall auf dem Gebiet scholastischer, d. h. gegenstandsbezogener Denküblichkeiten zu suchen,
sondern auf dem existentiellen einer nie anders als verbindlichen
Belehrung durch den Glauben, mit dem erkannt und "empfunden" wird,
daß uns Gott, der "aus seiner Fülle verschwenderisch schenkende "Vater", "einlädt", flehentlich um das anzuhalten, was wir ganz gewiß
nötig haben, was uns aber durchaus fehlt und nur in Gott und Christus zum Schöpfen dargeboten wird[1212]. Hier erscheint der Knoten ge-
schürzt jenes polaren Verhältnisses und Verhaltens dieses Gottes
einerseits und eines vermöge der göttlichen Gnadenausrüstung und der
Forderung des Gesetzes an den auf den Weg des nie laß werdenden Fortschreitens gedrängten Wiedergeborenen andererseits. Dessen Sache ist
also mehr als bloße "Antwort auf Gottes Gnade"[1213]; vielmehr bleibt
die mittels der Affekte emotional bewegte Subjektivität eines Wiedergeborenen um dessen Vollmenschlichkeit willen existentiell unver-
zichtbar eingeschaltet. Der erneuerte Wille wird nicht durch den Intellekt bewegt, der zwar infolge geistlicher Erleuchtung erkennt,

weist und kontrolliert. Aber Calvin verdankt der Schule des Duns
und der franziskanischen Theologie, nicht zuletzt auch der von Hugo
von St. Viktor[1214] und Bernhard ausgegangenen theologisch frommen
Überlieferung, schließlich den Anregungen durch den ockhamistisch-
terministisch orientierten Neuscotisten und Augustinisten Johann Major, wie er ihn aus Paris her doch als Lehrer auch an der Artistenfakultät zu Montaigu kannte, ein weiterführendes Personverständnis
des Menschen und insofern auch des Wiedergeborenen, das dessen eigenständigen, nicht aber eigenmächtigen Willen im Gegenüber Gottes
vorbetont behandelt[1215].

Erfahrung und Wahrnehmung und auf beides hinweisende weitere Ausdrucksweisen spielen, Hugo[1216] und vor allem Bernhard[1217] ähnlich,
bei dem Calvin schon von 1536 eine vielfältige Rolle[1218]. Seit 1539
bestreitet er dann, gewiß in Übereinstimmung mit Bucer, die an der
Bergpredigt sich übernehmende Ethik der Täufer[1219] und damit die Möglichkeit eines "Christenmenschen", ein sittliches Leben im Vollsinn
des sog. "absoluten Evangeliums" oder "evangelischer Vollkommenheit"
zu erreichen[1220]. Calvin stellt sich nicht als Weltverbesserer dar.
Er, dem Gesetz Gottes gegenüber von vornherein nüchtern, wirklich-
keitsnah und wahrheitsgetreu empfindend und nicht zuletzt als mit
der Stoa vertrauter Jurist denkend, zeigt keine Neigung, die Kräfte
des mit Gnade ausrüstenden Geistes Gottes beim erneuerten Menschen
zu überschätzen, sondern verficht, wie schon 1536[1221], so dann 1539
nach Römer 7 die bekannte "Antithese", die "Zwiespältigkeit"[1222]
zwischen dem geistlichen, eine gewisse himmlische und engelgleiche
Gerechtigkeit fordernden Gesetz und der Wirklichkeit des auch nach
der Wiedergeburt verbleibenden Restes von Fleisch, der immer den
verderbten natürlichen Affekten folge und diese zum Kampf gegen den
Geist anstachele[1223]. Bei ihm überdeckt eben doch das Schuldigbleiben das Schuldigwerden: daher das mit der Zeit wachsende Drängen auf
Intensivierung und Streckengewinn des geistlichen Lebens, auf sicht-
bare Ausweitung der göttlichen Sendung eines in der Heiligung Fortschreitenden und in die Welt hinein Vorstoßenden. Was von ihm gilt,
gilt bei dem späteren Reformator aber auch von der Kirche insgesamt.

Wie für den werdenden Reformator das uneingeschränkt geltende Gesetz auch bei einem Wiedergeborenen nicht zu jenem Ziel führt, dem
Gott sein vollkommenes Ja schenken könnte, muß nun abschließend dargetan werden. Das Dilemma zwischen nicht auszumachenden, benennbaren
Graden[1224] und Stufen geistlichen Fortschritts einerseits und dessen
dennoch als sinnvoll und zielbestimmt vorausgesetzten Ausrichtung
andererseits hat der auf praktisch ordnendes Denken bedachte Calvin
nicht zum Anlaß der Erörterung genommen. Eine vollauf normgerechte,
auf die ewige Seligkeit Anspruch erhebende Tugendübung stellt er,
wie bekannt, in Frage, auch wenn er Franz I. gegenüber, eine verschwindend seltene Ausnahme, von Tugenden als einer anzuerkennenden

Zier reformatorisch gesinnter Christen spricht. Die Tugendkraft[1225] der stoischen Gottnatur[1226] stellt er ebenfalls in Frage, weiter dann den bei vermeintlich rechter Benutzung zu verdienstlichen Werken ausreichenden, sakramental eingegossenen Liebeshabitus und mit Augustin die Gott entfremdete Bewunderung der Tugend und schließlich die dieser zu Grunde liegende Würdigung der Tugend selbst[1227]: so schon 1539. Das hinderte den reformatorisch-humanistisch gesinnten Pädagogen und Stifter der Genfer Akademie später jedoch nicht, auf eine öffentlich durchsetzbare Ehrenhaftigkeit und den guten Ruf der Lehrer und Erzieher zu halten[1228].

Aber der werdende Reformator stellte auch die Glückseligkeit christlichen Lebens in Frage. Eine Anlehnung an die in ihrer Art eudämonistische Lebensphilosophie eines Cicero[1229] und Seneca[1230] in einem ähnlichen Ausmaß, wie sie bei Erasmus[1231] und auch in etwa bei Bucer[1232] vorliegt, und damit die Zusammenstellung von Wohlbestelltheit und Glückseligkeit christlicher Lebensführung[1233] ist ihm zunächst einmal fremd. 1539 spricht er beiläufig von der Wiedergeburt zu einem "glückseligen Leben" durch Christus bei denen, die dieser rechtfertigt[1234], oder auch von den Wohltaten Gottes als der alleinigen Grundlage unseres "Glückes" hinsichtlich der Förderung unseres Heils auch in den Widerwärtigkeiten des Lebens[1235]. Die mystische Eudämonie der Seinsteilhabe an Gott und der Verschmelzung mit Christus als beglückende Höhepunkte christlicher Frömmigkeit hat schon der werdende Reformator nicht gekannt. Statt dessen ist für ihn der unter Gottes Vorsehungswillen "zu begehrende" und auch zu erwartende Kampf, sind Kreuz und Widerwärtigkeiten des auf das Streitfeld der Kirchen- und Menschengeschichte gestellten Christen in den Vordergrund getreten[1236]. Wenn er aber später von Mal zu Mal auch vom glückseligen Leben spricht, so bleibt doch seine Grundauffassung das wohlbestellte, grundsatztreue, Gott sich hingebende Leben, und dessen Pflichten wird der Vorrang vor dem glückseligen eingeräumt[1237]. Ganz vereinzelt heißt es 1539, daß wir durch ein, wie bei David, hart demütigendes Mitgenommenwerden erinnert und "gewahr" würden, wie schwer Gott die Übertretung seines Gesetzes mißfalle, damit wir, vom Bewußtsein unseres elenden Geschickes niedergestreckt, um so brennender nach wahrer Glückseligkeit trachten[1238]. Sonst will der werdende Reformator nur wahrhaben, daß die eigentliche Glückseligkeit erst mit der glückseligen Ewigkeit beginnt[1239], und findet auch später den Christenweg "in keiner Hinsicht glückselig", es sei denn, daß in der Vergebung der Sünden als der eigentlichen Glückseligkeit "alle andere Art von Glückseligkeit" ihren Ursprung habe[1240]. Erfahrung und Erkenntnis hindern ihn schon 1536 daran, anders als in diesem Sinn von Glückseligkeit zu sprechen[1241]. Die reformatorische Sicht aus dem unter den Religionen als allein legitim christlich darzubietenden "Religionswesen" gebot ihm eine strenge Grenzziehung.

1559 erscheint als letztes Ziel "glückseligen Lebens" die Erkenntnis Gottes[2242]. Doch wird vorher schon 1545 als "höchstes Gut eines
Menschen", weil er von Gott erschaffen ist und von ihm seinen Platz
in dieser Welt erhalten hat, die Erkenntnis Gottes und ein Leben in
seiner Hörigkeit und ihm zum Ruhm[1243] genannt. Die eigentliche
Glückseligkeit[1244] aber wird vom werdenden Reformator unmißverständ-
lich erst im künftigen Leben erwartet: in dem Reich Gottes mit all
seiner Klarheit, Freude, Kraft und unserm vollen "Glück"[1245].

Daß die fromme Theologie des Mittelalters, nicht jedoch die Imitatio, den geistlichen Fortschritt zugleich als Stufenethik[1246] verstand, braucht hier nicht mehr dargetan zu werden. Sie ist für Calvin ebenso fraglich wie ihre Interpretation als frommer Aufstieg und
"Rückkehr" zu Gott und als durch fortschreitende "Läuterung" bis
zur kontemplativen Erfüllung bei Augustin[1247] oder als später bei
Erasmus gnadenhafte Mitwirkung des Menschen zu seiner durch Gottes
Heraustreten aus sich selbst[1248] bedingten lebenslang sich hinzie-
henden Gesamtrückkehr[1249] zu Gott[1250]. Aber auch von einer ausgesprochenen Gesinnungsethik ist bei dem werdenden Reformator nicht
die Rede. Bei ihm kann sich zwar der Sinn des geistlichen Fortschritts mit dem eines christlichen Ethos durchaus berühren. Dann
setzt dieses voraus, daß um der Wahrhaftigkeit der menschlichen Person willen die innere geistliche Verfassung oder Anwandlung eines
Wiedergeborenen unaufgebbar in ein dieser entsprechendes Gehaben,
Verhalten und Handeln ausmünden oder auch ein aus umgekehrter Sicht
sich ergebender Zusammenklang bestehen muß. Schon der werdende Reformator meint hier keine "Gewissensüberzeugung" im landläufigen
Sinn des Wortes, sondern jene schon von Augustin ins Auge gefaßte
und später ganz besonders durch Gregor von Rimini befürwortete
geistliche Harmonie der inneren Verfassung und äußeren Verhaltens-
weise und so der gesamten Intention allein auf Gott. Calvin drängt
dabei ganz besonders auf ein eifriges Bemühen, nach dem reformatorisch-augustinischen Verständnis der Hl. Schrift, das streng in den
Leitplanken des göttlichen Wortes, Evangeliums und Gesetzes ver-
bleibt und einzig um Gottes Willen auch den Nächsten samt allen
Pflichten einer wohlbestellten Lebensführung willen mit einbezieht.
Auch das wurde schon dargetan und entspricht dem Hineingenommensein
eines Gläubigen und Frommen in die den geistlichen Fortschritt be-
wirkende Gnade[1251]. Aber die Ätiologie entspricht der Teleologie,
und nicht umgekehrt: nur insofern handelt es sich um das schon dem
jungen Reformator so wichtige polare Verhältnis, wie es denn im Gegenüber Gottes beim Christen durch wachsenden Gehorsam aus erstarken-
dem Glauben gekennzeichnet wird. Der spätere Calvin vertrat die These, daß das Leben der Erwählten auch jenseits des Todes bis zur seligen Auferstehung noch dem Fortschritt unterworfen sei[1252]. Bei Hugo von St. Viktor liest man: "Dreifach ist der Stand der heiligen

Seelen. Der erste im verderblichen Leib, der zweite ohne den Leib, der dritte vollends im verherrlichten Leib[1253]. Aber Calvin verstand sich nicht zur Annahme eines Seelenschlafes.

Trifft es für den werdenden Reformator zu, daß er für den geistlichen Fortschritt nach keinen im einzelnen feststellbaren und darum auch nicht nennbaren Stufen oder Etappen sucht, so wird die Frage nach dem Sinn solchen Fortschritts um so drängender. Dieser Sinn bekommt seinen Inhalt und seine Erfüllung letzthin aus dem Calvin so am Herzen liegenden endzeitlichen "Bis endlich..."[1254] und kann von hier aus erst vollständig verstanden werden. Weil aber Tod und Auferstehung am Ende des geistlichen Fortschritts stehen, ohne daß er in diesem Leben zur Vollendung kommen kann, so tritt "die selige Ruhe im ewigen Reich Gottes"[1255] nach dem Intermezzo von Tod und Auferstehung nur als von Gott geschenkweise verwirklichtes Ziel ein. Für Calvin liegt eben ein ganz besonderer Vorton auf dem sehnsüchtig verlangenden, aber nicht minder ganz praktischen Bedachtnehmen[1256] des geistlich Fortschreitenden mit dem festen Blick auf dieses Ziel. Es erscheint noch eher als Vollendung durch Schwäche, Vergänglichkeit, Sünde und Todverfallenheit immer wieder schuldig gebliebenen Fortschritts, denn als die Überwindung des Schauders vor der bangen Todesangst[1257]. Schon der Reformator von 1536 vermag der Auffassung Platos[1258] nicht zuzustimmen, daß das Leben aus der Sicht des Philosophen als ein Sinnen über den Tod zu führen sei, und stellt ihm das Leben eines "Christenmenschen" als ein beflissen ausgeübtes Ertöten des Fleisches bis zu dessen "endlichem", d. h. von Gott herbeigeführten endzeitlichen Untergang entgegen[1259]. In diesem handelt es sich also um das "endlich" eintretende, "völlige"[1260] Hinzukommen zu Gott, in dem all unsere Vollkommenheit liegt, um die völlige Erfüllung durch die Aufnahme in die vollendete Gemeinschaft und vollkommene Verbindung mit ihm, um die Entkleidung aus der Schwachheit des Fleisches und das Hineingelangen in die ewige Seligkeit der Erwählten[1261], um ihr endliches Erscheinen als "völlig" Heilige und Unbefleckte vor dem Angesicht Gottes[1262]. 1539 ermuntert Calvin, wir möchten es doch für feststehend halten, daß ausschließlich derjenige in der Schule Christi wirklich ordentliche Fortschritte gemacht habe, der den Tag des Todes und der Auferstehung mit Freuden erwarte[1263].

Im Licht dieser endzeitlichen Erwartung ist geistlicher Fortschritt nicht Fortschritt um des Fortschritts willen: das hieße die Blicke auf ein sich selbst herausstreichendes Pharisäertum richten. Sein Ziel liegt, trotz einer gewissen Neigung zu Reflexionen, auch nicht im Unendlichen[1264]: durch die Auferstehung wird die Vollendung abrupt herbeigeführt und Zeitlichkeit, Endlichkeit, Sündigkeit und Todverfallenheit des geistlich Fortschreitenden abbruchartig beendet. Der Fortschritt wird auch durch keine innerweltlichen Zie-

le, sondern allein durch die Intention auf Gott und die "Erhellung
seines Ruhmes" bestimmt[1265] und hat um der Hingabe willen an ihn den
Sinn des Frommseins. Schließlich handelt es sich nicht um die Erfüllung christlicher Zwecke und Nützlichkeiten, die man sich vornehmen
dürfte, und den Einsatz für sie, sondern um jenen als größten gekennzeichneten Fortschritt eines Wiedergeborenen, nämlich um das
Mißfallen an sich selbst, das ihn zunehmend zum aufseufzenden Eilen
auf Gott zu und zum Bedachtnehmen auf ein Bußleben treibt, wie dieses denn seinem Inbegriff nach einem in Christus Eingepflanzten zukommt[1266]. Solchergestalt fortschreitend disziplinierte Hingabe eines Christen an Gott zeitigt dann allerdings nebenher unvermeidlich
auch unbeabsichtigte, nachhaltig sich durchsetzende ethische Auswirkungen und Werte mitten in dieser Welt, wie es schon zu Lebzei-
ten Calvins geschah. Hier handelt es sich nicht um ein Verfallen in
wachstümliche Selbstverwirklichung, Selbstentfaltung, Selbstdarstel-
lung des einzelnen oder der Kirche, sondern um das immer stärkere
Eingehen in den allseitigen Gehorsam Gott gegenüber. Im Vorfeld des
künftigen Lebens entspringt so aus christlichem Frommsein ein
christlich-reformatorisches Ethos Genfer Observanz und wirkt durch
Sittenstrenge[1267], soziale Verpflichtung und "bewunderungswürdige
Arbeitsamkeit"[1268] in die Umwelt, in den Alltag, aber durchaus auch
in die Weise der Sabbathheiligung hinein.

7.2.3.9
Wie kann ein Wiedergeborener angesichts der Reste seines sündlichen
Fleisches vor Gott bestehen?

Es geschah aus bitterer Erkenntnis heraus, wenn der Calvin von 1539
gegen die "Anfangsgründe"[1269] der Unterweisung in den "Pflichten
christlicher Lebensgestaltung", in denen er, wie denn alles dafür
spricht, in der Artistenfakultät des Collège de Montaigu unterwiesen worden war, den bekannten Vorwurf vorbringt, daß es um sie
"nicht wohl bestellt" gewesen sei. Fühlte der junge Calvin nach dem
Verlassen dieser Fakultät - wie lange Zeit danach noch? - eine "ver-
härtete" Gewissensbindung an die Autorität seiner angestammten Kirche, so wird mit der "unerwarteten Wende" seines Lebens dann doch
auch auf dem Gebiet christlich-frommer Lebensführung die entscheidende Umprägung begonnen haben. Anfängliche und beibehaltene, später aber mit aufkommender nachhaltiger Kraftentfaltung sich durchsetzende erste Berührungen mit dem Antipelagionismus der Augustin-
Renaissance unter dem so weit reichenden Einfluß Majors, des doch
von 1525 bis 1532 in Montaigu wieder, aller Wahrscheinlichkeit nach
auch an der Artistenfakultät, wirkenden Lehrers, dann das Studium
des römischen Rechtes und der den jungen Calvin beschäftigenden Anschauungen einer menschheitlichen Lebensphilosophie und Gesell-

schaftslehre, weiter die starken Einflüsse und Auseinandersetzungen, die durch sein tiefes Eindringen in den biblizistischen Humanismus Frankreichs herbeigeführt wurden, und die dies alles in sich hineinziehende Umwälzung der geistlichen Existenz des jungen Calvin durch die ihn schließlich überwindende Macht der "Lehrgestalt" der Reformation Luthers: dieser Werdegang, unter der Vorbedeutung der Vielzahl dieser Auspizien, hat auch das Bild christlich-frommer Lebensauffassung beim werdenden Reformator entscheidend mitgeprägt. Er hat zudem und vor allem auf die hier noch offen stehende Frage hingedrängt, wie denn ein trotz aller geistlichen Fortschritte immer noch von Resten seines sündlichen Fleisches in den Tiefen seines Ichselbst bewohnter, bedrängter, jeweils tief bekümmerter Wiedergeborener vor Gott bestehen möge. Wie ist der Calvin vor allem schon von 1536 hier zu einer Antwort gekommen? Sie ist um so wichtiger, je stärker man in Betracht zieht, daß sie keineswegs in erster Linie um ihrer theologischen Stichhaltigkeit willen, sondern, da Calvin seine Aussagen aus der Dialektik der Erkenntnis Gottes und der Selbsterkenntnis eines Wiedergeborenen hinsichtlich seiner geistlichen Existenz im Gegenüber Gottes verstanden haben will[1270], um des als belastet sich aufdrängenden Gottesverhältnisses eines Wiedergeborenen gefunden werden muß.

1) Ein Wiedergeborener besteht mit den Resten seines sündlichen Fleisches und den daraus hervorbrechenden Versündigungen vor Gott zunächst nur hinsichtlich der Heilsstiftung Christi und deren gegenwartsmächtiger Heilswirkung. Die mönchische[1271], die täuferische und die vulgär-katholische Auffassung hält, jede auf ihre Art, daran fest, daß bei einem Menschen eine Christenwirklichkeit zustande kommen kann, die das Ziel des Dekalogs jeweils erreicht. Anders Calvin, und anders auch darum seine Auskunft über die Rolle, die Christus für das Bestehen eines Wiedergeborenen vor Gott spielt. Sein Schuldiggebliebensein im Fortschritt auf das "Ziel"[1272] hin, nämlich dasjenige, der intensiveren und extensiveren Ausrichtung seiner gesamten Person in ihrer Tiefe über ihren je gegenwärtigen geistlichen Stand hinaus auf Gott[1273] und die Liebe zu ihm[1274], um ihm zu leben, ist immer wieder unvermeidbar auch ein Schuldiggewordensein. Ein geschichtlicher Vorgang jedoch von unwiederholbarer und ausschließlicher Bedeutung hat einmal für immer den um des göttlichen Gesetzes willen verdienten Schuldspruch und ewigen Strafvollzug für die Sünde, dazu den persönlichen Zorn Gottes getilgt und die die Sünde bedeckende und bedeckt haltende forensische Gerechtigkeit gestiftet. Das geschah aber in dem freiwilligen Blutvergießen des "Advokaten und Mittlers"[1275] Christus. Calvin kehrt hervor, daß dieser Vorgang als geschichtlicher der näheren Ermittlung durch das denkerische Schlußverfahren entzogen bleibe und nur als einmalig-einzigartiges heilsmächtiges Geschehen mitten im Menschengeschehen wahrgenommen,

festgestellt, voll persönlicher Betroffenheit, d. h. durch einen ihm stattgebenden[1276], zuversichtlichen und innerst überzeugten Glauben aufgenommen werden kann. Hier obwaltet nach dem Calvin schon von 1536 eine der scholastischen entgegengesetzte "Philosophie". Diese hält Gott bei sich selbst als die allein ihm eigene und ihm darum auch nur bekannte verborgen, um sie auch selbst nur in die geschichtliche Wirklichkeit hinein "auszuhändigen"[1277], bzw. dem einzelnen Menschen persönlich "darzureichen"[1278]. Dieses Wort erinnert, ohne doch sakramental zu sein, an die Sakramentssprache[1279].

Calvin verzichtet schon 1536 für die Frage, wie ein Wiedergeborener angesichts seiner Sünde mit Gott zurechtkomme, auf die Auskunft: "wegen" des Leidens und Sterbens Christi. In diese Objektivierung des Heils, die schon Melanchthon einleitete, ging er nicht ein und betrachtete den Glauben nicht als das Annehmen eines Angebotes Gottes. Demgegenüber "sah", "schaute"[1280] er den Heimatort der "vollständigen Zusammenfassung des Evangeliums", nämlich der Versöhnung, der Genugtuung, aber auch den aller anderen "Schätze"[1281] des Heils immer wieder "in" Christus, wie dieser jene "insgesamt und im einzelnen" umfaßt[1282]. Warum? Erst in dem Christus "zur Rechten Gottes" hat die Zurechnung der forensischen Gerechtigkeit bei den von Gott Erkorenen allezeit ihre unverändert gegenwärtige Heilsmächtigkeit. An dieser Gegenwärtigkeit ist aber schon dem werdenden Reformator überaus ernst gelegen. Erst die "in" diesem Christus solchergestalt gegründete geistliche Existenz der Gläubigen ist des Trostes für ihre "geängsteten Gewissen" stets gegenwärtig. Sie haben "in Christus" durch den zuversichtlichen und innerst überzeugten Glauben ein "unbesiegbares Bollwerk gegen die Verdammung", das "Asyl" der forensischen Gerechtigkeit vor dem verdienten Zorn Gottes und, für Calvin so bezeichnend, die unentwegte Unangreifbarkeit seitens erneuter Eingriffe der Heilspädagogie des Gesetzes in den Fortgang ihrer Frömmigkeit, und sei es auch im schlimmsten Fall ihrer Erschütterung. "In seinem Christus" handelt Gott also mit den Seinen solchergestalt, daß er ihnen durch den Glauben einen "Wohlgeschmack"[1283] an seiner Güte und Barmherzigkeit zukommen läßt, bis sie schließlich durch seine wiederum "in Christus" uns entgegengebrachte "Trunkenheit"[1284] zur ewigen Seligkeit hindurchgeführt werden[1285]. Sie bestehen mit ihrem Leben kraft einer "unabreißbaren Vergebung der Sünden"[1286].

Man darf um des "in Christus" willen Calvins Christusbezeugung nicht christozentrisch nennen. Zwar ist Christus schon nach dem Calvin von 1536 der Heilsmittler, den Wiedergeborenen als ihr ständiger und ausschließlicher Advokat zugewandt. Gott zugewandt hingegen empfängt er sein Mittleramt als der Eingeborene Gottes und die zum Heil auserlesenen Menschen durch die vorzeitlich-ewige Urentscheidung der göttlichen Erwählung.

2) Ein Wiedergeborener besteht mit den Resten seines sündlichen

Fleisches und den daraus hervorbrechenden Versündigungen vor Gott hinsichtlich seiner Erwählung und seines Angenommenseins aus dem wohlwollenden Ermessen Gottes. Eindeutig geht schon bei dem Calvin von 1536 allenthalben der prädestinatianische Wille Gottes aller geistlichen Existenz eines Menschen in Christus von Ewigkeit her voran. Es sind, wie es dem Individuationsprinzip des Duns entsprechend später häufig heißt, "Einzelne", die Gott durch eine je mächtige vorzeitlich-ewige Urentscheidung für den Weg zur ewigen Seligkeit vorausbestimmt hat. Jeder solcher Einzelne aber besteht deshalb vor Gott, weil seine Erwählung unwiderruflich ist. Dieser beachtliche Gedanke bildet, also zugleich durchaus franziskanisch, insbesondere die empirische Ausgangslage auch des spätmittelalterlichen Nominalismus, von der aus er erkenntnistheoretisch Fuß faßt. Gleicherweise will auch Calvin die Individualität eines jeden erwählten Gläubigen und Frommen gewahrt sehen und läßt durch sie das Unaustauschbare, Unwiederholbare, das zutiefst Persönliche auch eines in seiner geistlichen Existenz Wiedergeborenen und seiner vor dem Gesetz Gottes dennoch nie voll zu verantwortenden christlichen Lebensführung stark hervortreten. Aber Calvin stellt dann doch auch nie die Eingehörigkeit eines solchen Frommen in die "katholische Sozietät", in jene Kirche, in Frage, die er schon 1536 als die "sowohl Engel, als auch Menschen umfassende gesamte Zahl der Erwählten" kennzeichnet[1287]. Er tut beides nach dem Gewicht, das jedem einzelnen Teil als einem besonderen im Ganzen bestimmungs- und erfahrungsgemäß zukommt. Es soll sich ja doch auch hier bei ihm um eine wohl ausgewogene, die Wirklichkeit der "christlichen Religion" in diesem Zusammenhang möglichst getreu wiederspiegelnde Konzeption handeln. Er denkt nicht wie der Heidelberger Katechismus, der in Frage 54 den für menschliches Denken annehmbareren Gedanken der "auserwählten Gemeinde" bringt.

"Erwählt" und "angenommen" sind, wie bekannt, die Stichwörter, an denen Calvin schon 1536 Gottes Verhalten der jeweils mehr oder weniger anfechtbaren Lebensführung der "Seinigen" gegenüber orientiert sieht. Rein zugestandenermaßen begegnet Gott ihnen mit dem "guten Willen", sie vor sich gelten zu lassen. Vom Willen Gottes aber heißt es zunächst einmal grundsätzlich: Gottes im Gebet des Herrn zu Tage tretende Weisheit "hat eine Belehrung über das angestellt, was er als seinen Willen sich einmal vorgenommen hat, seinem Willen aber auch unterworfen, dem er somit den Charakter des Notwendigen gegeben hat"[1288]. Im besonderen aber nimmt dieser Wille den Sinn und die Gestalt an, daß Gott einem angenommenen und immer wieder angenommen bleibenden Erwählten jenes "gute Wollen"[1289] erweist und immerfort bestätigt, welches auch die freimächtige Entschlossenheit und Güte seines Willens noch wesentlicher zur Geltung bringt als das schwächere Wohlwollen. Ein Bestehen vor Gott ist also allein deshalb

Christenwirklichkeit, weil er es ist, der "in seiner väterlich schonenden Gewogenheit so mit uns handelt, daß dabei allein seine Güte
in Frage kommt". Einen Zweifel hieran will Calvin nicht aufkommen
lassen[1290].

Die Art und Weise, wie Gott einen einmal Erwählten auch immer wieder seiner Annahme bei ihm zu vergewissern sich herbeiläßt, veranschaulicht der werdende Reformator weithin durch die Anschauungs-
und Denkform der römischen Stoa. Seneca dem Willkürhandeln eines Ty-
rannen auf dem Cäsarenthron, unter Verzicht auf die "rigorose" und
auch wohl rachsüchtige Anwendung der Gesetze aus humanen Ermessens-
gründen schonende Milde gegen Rechtsbrecher zu üben, so veranschaulicht der Calvin von 1536 ausgiebig an der ganzen Breite der Verhaltensweisen, die aus dem geschilderten römischen Imperatorenethos
fließen, das Verhalten Gottes dem Sündigsein und Sündetun der Seinen gegenüber. Gott erlegt sich selbst, wie Calvin es sieht, ebenfalls unter Hintansetzung der "rigorosen", der "ganzen Strenge des
Gesetzes", jene ins Anthropologische hinüberspielenden Verhaltensweisen aus freiem Ermessen auf, nämlich väterlich sanfte Huld, Lindigkeit, Großzügigkeit, oder wie immer Calvin in dieser Richtung
fortfahren mag, und so erweist sich Gott seinen "adoptierten" oder
"kooptierten" Söhnen gegenüber als "allernachsichtigsten" und "allerbesten"[1291] Vater[1292]. Diese dem Sinne dessen, was dem Stoiker
als human gilt, nahekommenden Verhaltensweisen Gottes lassen gerade
an ihrem Teil erkennen, wie für Calvins Begriffe Gottes Erwählte,
die bei ihm Angenommenen, nämlich die ihm aus freien Stücken "Ange-
nehmen und Lieben"[1293], gerade als solche unverdient vor ihm bestehen und auch deren "anfängliche", "mittelmäßige", "beschmutzte" und
keinesfalls "exakte" Werke Annahme bei ihm finden. Durch "Erlassen",
"Verzeihen", "Verschonen" übt er "ohne Zweifel" "Nachsicht", wenn
"wir" nur bußfertig und zuversichtlich seinem Zorn gegenüber "Abbitte tun und um Verzeihung flehen"[1294]. Die Erfüllung dieses "Wenn"
muß aber für Calvin geradezu als Zeichen des Erwähltseins durch Gott,
den Alleinwirkenden, gelten. Der Vollsinn der göttlichen Vergebung
nach reformatorischem Verständnis indes erscheint anthropologisch
beeinträchtigt, weil die jederzeit uneingeschränkte Geltung des Menschen nicht mehr zu ihrem erforderlichen Recht kommt. Doch will
Calvin mit jenem "Wenn" es auch wiederum als ein der Erwählung eines
Menschen und seinem Angenommensein innewohnendes Geheimnis bezeichnen, daß das Verhalten der Erkorenen Gottes um ihrer Aufrichtigkeit
willen ihm gegenüber immer wieder garnicht anders sein kann. Das
Wahrwerden vor Gott wird Calvin nämlich später zu einem durchgehen-
den geistlichen Thema der Konzeption vom christlichen Leben ausbau-
en. Mit der Christenwirklichkeit vor Gott ist es im vorliegenden
Zusammenhang demnach so bestellt, daß sich Gott ihr gegenüber aus
freien Stücken von jener seiner "väterlichen" Seite zeigt, die nicht

mehr die ganze Strenge des Gesetzes anwendet, auf dessen wiederkeh-
rende Heilspädagogie also verzichtet.

Nicht ohne alle Bedeutung mag es sein, daß dem jungen Reformator
die Majestät Gottes noch nicht erheblicher in das Blickfeld gerückt
zu sein scheint. Er erwähnt sie nur ganz gelegentlich[1295]. Die Frage nach dem Sinn und Gehalt der schon vor Duns und Ockham sporadisch
vorkommenden, von dem letzteren dann aber mit den Mitteln rein logizistischen Denkens bis in die Spitze sublimster Abstraktion gewonnenen Annahme einer "absoluten Macht"[1296] Gottes wird von Calvin
1536 nicht angegangen. Die dem Lateinischen etymologisch nicht an-
zugleichende souveraineté Gottes kommt noch nicht zur Sprache. Vor-
läufig bleibt der Gedanke an ein Willkürhandeln Gottes vor allem
durch Veranschaulichung mit den bekannten Vorstellungen Senecas von
einem zugunsten der Humanität auf Tyrannei verzichtenden Imperatorenethos abgewendet. Später wird Calvin die vor allem von Ockham
schon scharf zugeschnittene Individualisierung des Gedankens nicht
im Sinne der nach dem Satz vom Widerspruch formalen Gültigkeitserklärung einer "angeordneten"[1297] Heils- und Kirchenordnung, sondern
in jenem anderen Sinne der als unantastbar heilig, eminent sittlich,
durchaus gerecht "geordneten"[1298] Freimacht Gottes im Erwählen und
persönlichen Vorgehen mit den einzelnen Erwählten erhöhte Beachtung
schenken. Hier wird der spätere Calvin das Axiom der Theodizee kräftig herausarbeiten; denn, wenn anders Gott Gott ist, kann sein Verhalten und Handeln und damit sein Wollen keinem Philosophem unterworfen werden.

Gerade der Kehrseite seiner terministischen Denkstruktur und zugleich der Front der Devotio moderna gegen den denkerischen "Vorwitz" stattgebend, spricht Calvin schon 1536 klar aus, daß das Wesen Gottes jedwedem Mittel vernünftiger Erforschung gegenüber denk-
entrückt und weltentrückt bleibe[1299]. Zunehmend wird er, dem erkenntnistheoretischen Grundansatz Ockhams folgend, daß der "reinen" Wissenschaft der Logik und Mathematik gegenüber die eigentlichen Wissensgebiete, gleich welcher Art, gerade der Erfahrung zugänglich
seien. Das bedeutete für das "christliche Religionswesen" zunächst,
daß Gottes freiwilliges Heraustreten aus sich selbst durch das Wort
der Hl. Schrift geschichtlich erfahrbar, erforschbar, feststellbar,
bezeugbar, von einer dem Gläubigen vollauf genügenden Wirklichkeit
sei; dann aber, daß ein nach Calvin Gläubiger und Frommer in gerade
diesem Gegenüber Gottes, "der Analogie des Glaubens entsprechend",
das Wort Gottes in existentiell wahrnehmendem Erkennen verstehe,
sein Leben in der Zuversicht, der zuinnerst gewissen Überzeugung und
wahrgenommenen Verpflichtung habe und führe. Diese Konzeption kennt
keine metaphysischen Stützen, so gewiß Calvin metaphysische Kennzeichnungen Gottes traditionell übernahm. Die Kirchenväter benutzt
Calvin gern, gesteht ihnen aber im Unterschied von Ockham als katho-

lischen Theologen den Rang der Hl. Schrift nicht zu. Allein, des jungen Reformators grundsätzlicher Verzicht auf eine denkerische Erkenntnis des Wesens Gottes, dazu seine Anlehnung an die Stoa in der geschilderten Weise ließen ihn beim wahrnehmenden Eindringen in die Erkenntnis Gottes nach der Hl. Schrift an der oben dargelegten so kritischen Stelle zu früh Halt machen, als daß ihm die volle, sich ganz verschenkte Liebe Gottes und seine, auf dem Hintergrund des unverkürzt bleibenden Gesetzes, heilige Sünderliebe ebenso völlig aufgegangen wäre. Hierin unterscheidet er sich bereits 1536 von Luther. Die voraufgehenden Erörterungen lassen aber schon erkennen, auf welche Problemkreise die zweite Stellungnahme Calvins hinausläuft, wie denn ein erwählter, unter seinen Sündenresten seufzender Wiedergeborener gleichwohl vor Gott bestehe. Er besteht im gegenwärtigen Betracht angesichts des freimächtigen, väterlich wohlwollenden Ermessens Gottes.

3) Die Diskrepanz der vorstehend ermittelten beiden Antworten des jungen Reformators[1300] auf die Frage, wie ein Wiedergeborener mit den ihm bei allem Fortschritt innewohnend bleibenden Sündenresten vor Gott bestehen möge, ist längst nicht die einzige Diskrepanz[1301] des doch so sehr auf die Wohlgefügtheit aller Bereiche seiner theologischen Konzeption bedachten Calvin. Aber die geschichtlichen und dann auch sachlichen Diskrepanzen beweisen sein Bestreben, alles auch nur irgend in Frage Kommende für seine Gesamtkonzeption fruchtbar zu machen, auch wenn die Logik Anstoß nimmt. Was sich für vernünftiges Denken nicht reimt, stellt er nicht als Paradox gegeneinander, sondern behandelt Paradoxes als je ein Wirkliches. Er fragt nach der Sinngebung alles Wirklichen von Gott her in Absehung von der logischen Stichhaltigkeit. Die im vorliegenden Zusammenhang zu beobachtende Diskrepanz ist bei Calvin insofern zunächst geschichtlich zustande gekommen, als ihre souveräne Seite augustinisch-nominalistischem, ihre forensische aber reformatorischem Herkommen entspricht. 1543 "interpretiert" Calvin dann die forensische Rechtfertigung durch die freimächtige "Annahme", bei der "uns" Gott in die Gnade aufnimmt und als Gerechte erachtet[1302]. Damit ist die schon 1536 vorhandene Diskrepanz sachlich anscheinend ins Benehmen gebracht, die geschichtliche Naht aber deutlich geblieben. Bei beiden Betrachtungsweisen handelt es sich nämlich um die Benennung eines Sünders als eines Gerechten. Aber erst 1559 nennt Calvin den vorliegenden Sachverhalt bei Namen. Das so maßgeblich von Ockham zur Geltung gebrachte logizistische Denkgebilde der unumschränkten oder "absoluten Macht" Gottes entkleidet Calvin schon 1536 mit stoischen Denkmitteln der göttlichen Willkür und umschränkt es durch das Axiom der Theodizee, damit Gottes unantastbare Heiligkeit und eminente Sittlichkeit gewahrt werde[1303]. Parallel damit aber zieht er das unter den römischen Cäsaren zu beobachtende tyrannische Wutschnauben

ben[1304] heran, wie er es denn im zweiten Teil seines Seneca-Kommentars als Willkürhandeln scharfer Kritik unterwirft, um das stoische Imperatorenethos auf Gott anzuwenden und es als dessen wohlwollendes Ermessen im Umgang mit seinen angenommenen Söhnen zu verstehen. Der Inbegriff der durch Christi Heilsstiftung zustande gebrachten Rechtfertigung[1305] wird also zusammen mit der zwar entphilosophierten, aber doch souveränen "Annahme" durchaus jener einen rein benennenden Gnade hergeleitet und von der zur Wiedergeburt ausrüstenden Gnade unterschieden[1306].

Angesichts der in Frage stehenden Diskrepanz und ihres theologischen Gewichtes kann von einer Christozentrik[1307] der Aussagen Calvins auch mit Beziehung auf die Art und Weise des Bestehens der immer noch sündigen Wiedergeborenen vor Gott nicht die Rede sein. Wohl aber handelt es sich schon 1536 um das Heilsmittlertum Christi, das zugleich die dauernde Bürgschaft für das Bestehen vor Gott bleibt[1308]. Allem, was das Heil in Christus betrifft, geht aber Gottes Urentscheidung über jeden Menschen voraus. Erst nachfahrend wird der "mystische Leib Christi", wird die Einheit der Kirche als der "Gesamtzahl" oder des "Volkes" der Erwählten als geschichtlich konstituiert betrachtet[1309]. "...sie beginnt bei Gott, um auch bei ihm zu enden, weil er das Band ihrer Bewahrung ist", heißt es Sadoleto gegenüber. Damit gibt Calvin auch Gedanken Bernhards wieder[1310]. Entsprechend ist es auch Gott selbst, der die "guten Werke", werde über sie von ihm forensisch oder souverän befunden, bei den in seine Gnade und Güte Aufgenommenen seiner "fortgesetzten Barmherzigkeit" teilhaftig macht. Halten sie ja doch auch im besten Fall in den durch Gottes Gesetz zur Rechenschaft gezogenen Gewissen "nicht völlig" stand[1311]. Hier findet Calvin eine in aller Ehrfurcht inne zu haltende Ordnung. Für die von Ewigkeit zu Ewigkeit während Barmherzigkeit Gottes wird auch hier auf Bernhard Bezug genommen[1312]. Erst innerhalb des A und O des Heilsplanes Gottes über jeden einzelnen Erwählten und deren Gesamtheit als Kirche findet das "In Christus" seinen Platz. Es ist aber "Schweigen geboten, sobald dieser sein Wort geführt hat, in welchem eben doch der himmlische Vater alle Schätze des Wissens und der Weisheit hat verborgen halten wollen"[1313]. Von Gott her gesehen, erhält all sein Reden und Tun zum Heil, auch bei logisch unaufgelöster Diskrepanz, seinen Sinn also dadurch, daß es in jedem Fall aus Gnade geschieht; vom erwählten Gläubigen her gesehen, muß alles Heil, das seine Verschuldungen bedeckt und bedeckt hält, im einzelnen immer wieder als die Sinnfindung solcher Gnade betrachtet werden. Diese ist der Generalnenner. Jene aber wird einem Menschen in derjenigen Weise zu glauben erhellt, welche in der unentwegten Vergebung ruht und sich darum ihrerseits wiederum in einem Gott hingegebenen Leben voll unbehelligter, freimütiger, wahrhafter und tapferer Gelöstheit, aber auch in geduldiger und zuchtvoller Selbstverleugnung durch das Tragen des Kreuzes bewährt. Calvin kennt keinen prinzipiellen Vorrang der Rechtfertigung vor der Wiedergeburt und einem wohlbestellten christlichen Leben. Das hindert jedoch nicht, daß er, nun gerade gegen die Altgläubigen sich abgrenzend, u. a. auch einmal die Rechtfertigung als die besondere "Angel" bezeichnet, die das Religionswesen[1314] trägt und in der es sich bewegt[1315].

8

Von der Benennung der christlichen Religion als "heilige Lehre"
(1536) bis zu derjenigen als "unsere Weisheit" (1539)

8.1

Das Gesamtverständnis des Christentums als christlicher Religion
reformatorisch-augustinischer Prägung

Vorab bedarf es der Aufhellung dessen, daß Calvin von vornherein und
darum auch im Titel seines Buches, wie dieser auch zustande gekommen
sein mag[1316], fast nie von Theologie, sondern von Religion spricht.
Dieser Ausdruck und seine Ethymologie geht, wie es später heißt[1317],
auf Cicero zurück, und dieser wieder auf einen unbekannten Stoiker[1318]. Cicero erkennt dem Menschen von Geburt an "eingeprägte"[1319],
wenn auch zunächst nur "gewissermaßen verdunkelte Einsichten"[1320]
zu, die sich beim Eintreten empirischer und insofern auch bewußter
Vorstellungen zu Begriffen gestalten, die eine Ausübung der "Religion" verbindlich machen. Dadurch wird die Vorstellung von der
menschlichen Seele als einer tabula rasa, vielleicht mit unter dem
Einfluß der Theorie von den platonischen Ideen, durch die ihm eigene
von der bloß urtümlichen "Angelegenheit" zur Religion abgelöst[1321].
Darin folgt ihm Calvin. Aber er entrationalisiert Cicero und beschreibt die dem Menschen urtümlich einhaftende Religion von vornherein als Urtrieb zur Verehrung eines Wesens, das Gott ist, d. h. als
eine dem Menschen unmittelbar bei sich selbst aufdrängende unmittelbare Wahrnehmung, die unweigerlich zur Ausübung von Religion treibt.
Religion ist für Cicero die peinlich strenge Absolvierung der vor
allem rituellen Pflichten den Göttern gegenüber. Die Römer unter den
Kirchenvätern haben dann diesen Faden weiter- und in die westliche
Kirche hineingesponnen. In dieser ihrer christlichen Gestalt ist
Gottesverehrung darum immer auch Sache des öffentlichen Bekennens.
  Religion ist solchergestalt also ein den Göttern, einem Gottwesen,
schließlich dem allein wahren Gott verpflichtetes Tun. Auf diesem
Tun liegt starker Nachdruck. War es ein immer wieder durchbrechendes
Erbe des Römertums an das Christentum, zwischen Religion und Philo-
sophie zu unterscheiden[1322], so hat man schon hier gewissermaßen die
stoische Vorwegnahme der Ockham'schen Erkenntnislehre. Von Religion
ist überall da in der christlichen Kirche vor und seit dem Humanismus und der Reformation die Rede, wo man gegen das scholastische
Vertrauen in die Metaphysikmächtigkeit der Vernunft, Gott in die
Vergegenständlichung abzudrängen und auch gegen die Verdinglichung

158

des Heils[1323] vom Zweifel bis zur radikalen Ablehnung anging[1324].
Ockham hatte eindringlich davor gewarnt, die Religion in der Philosophie zu suchen, obschon er der rein abstrakten, geradezu spie-
lerisch-logizistischen Anwendung der reinen Wissenschaftsmethode
der Philosophie auf die Theologie nicht entging. War aber einmal,
wie es der Scholar Johannes Calvin in Montaigu durch seine erkenntnistheoretische Denkschulung für immer in sich aufgenommen hatte,
die Religion aus der Philosophie grundsätzlich verbannt, so war der
Weg geöffnet zur Wirklichkeitserfassung und Ausübung der Religion.
Theologie war von dem werdenden Reformator schon 1536 ihrer inneren
Struktur nach zu einer neuen Wissenschaft von einem einzigartig
eigenständigen Religionswesen umorientiert worden, das "Christi Evangelium und seine ganze Religion"[1325], dazu vor allem die erste Tafel des Gesetzes[1326] den religiös fruchtlosen Schulstreitigkeiten
in der überlieferten Kirche energisch entgegensetzte[1327]. Dem werdenden Reformator ist keine positive Fühlungnahme mit dem seit der
Zeitwende um 1500 wieder erstarkenden Thomismus nachzuweisen, es sei
denn nebensächlicherweise in der Christologie. Wohl aber atmet seine,
zugleich auch des Schülers der französischen Schule des römischen
Rechtes und der stoischen Lebensphilosophie, theologische Konzeption
auch den abendländischen Geist der Römer, der, in die christliche
Kirche einmal eingegangen, es auf die Verwirklichung des Religionswesens in der praktischen Gestaltung des kirchlichen und persönlichen Lebens absah, und das im Unterschied vom Geist der östlichen
Kirchen. Neigte schon Augustin dazu, die Tatkraft des Willens über
die intelligible Gottesschau zu stellen, so stieß auch der neu auf-
gekommene französische Wind im Neuscotismus eines Major, wie der der
spätmittelalterlichen Augustin-Renaissance überhaupt, in dieselbe
Richtung: Religion ist Religionsübung und stellt das gesamte "christliche Religionswesen"[1328] in die nun vor allem doch durch das Wort,
Evangelium und Gebot Gottes begründete Sendung der Gläubigen und
Frommen in die Welt.

Der Sinn reformatorischer Religionsübung, wie er sich Calvin nahegelegt hatte, duldet jedoch keine Verpflichtung, mit der ein Mensch
Gott an sich binden könnte. Hier gibt es weder eine Ahlehnung an die
nur dem gewissenhaften Heilighaltung der Götter zu folgernde Glücks-
erwartung der Römer, noch auch das allgemein-katholische und das aus
dem "religiösen Leben"[1329] der Ordensangehörigen als Sonderfrömmigkeit hervorgehende Lohndenken. Der Inpflichtnahme durch Gott in der
reformatorisch verstandenen christlichen Religion sah Calvin für
einen Gläubigen und Frommen die Sicherstellung des vollkommenen
Heils ausschließlich durch den Glauben schon zugrunde gelegt. Danach
gibt es nur das alleinige Anrecht Gottes an die Lebenshingabe des
zur christlichen Freiheit durch das Blut Christi Erkauften. Gewiß
hat auch die römische Rechtsphilosophie den jungen Calvin und wer-

denden Reformator für die Rolle beeindruckt, die er den "Pflichten"
für eine wohlbestellte christliche Lebensführung zuerkannte. Aber
sie galten ihm schließlich doch nicht für vollständig erfüllbar.
Allein, christliche Religion kennt bei ihm trotzdem keine Resigna-
tion. Das Heilsverständnis, das ihm eigen war, vorausgesetzt, hatte
er schon 1536 teilgenommen an dem auf Duns zurückgehenden Wieder-
aufblühen der zunächst einmal garnicht im moralischen Sinne praktischen Auswertung christlicher Religion, sodann aber in demjenigen
ihrer reformatorisch-kirchlichen und praktisch-frommen Zielsetzung.
Im Unterschied von Duns schreibt er die Kraft hierzu weder der Zustimmung zur kirchlich verbürgten Lehre zu, noch auch dem Appell an
den Willen, sich die eingegossene Gottesliebe für gute Taten fruchtbar zu machen. Vielmehr führt nach ihm die Weise, reformatorisch zu
glauben, das Empfangen des Heils auch die Wiedergeburt zu einem neu-
en Leben mit sich. Doch wird Verhalten, Gebaren, Handeln eines Christen nicht auf den "Wurzelboden", der Christus wäre, eng eingeschränkt[1330]. Calvin läßt die ganze Sendung eines Christen aus dem
Geist hervorgehen, durch den Gott und "sein Christus" gleichermaßen
wirken.

Es läßt sich nicht leugnen, daß schon der werdende Reformator das
"wahre Religionswesen" im geistlich stets als fruchtbar sich erweisenden reformatorisch-augustinischen Bekenntnis erblickte[1331]. Was
versteht aber der Calvin schon von 1536 unter der "Wahrheit" des
christlichen Religionswesens? Die Absage an das ontologische Verständnis dessen, was als wahr zu gelten hat, nämlich die "zeitlose"
Wahrheit, hat ihn zu dem geschichtlichen Verständnis von "wahrer
Religion" geführt. Ist es doch der zum Glauben gebrachte und also
in diesem um der Selbstenthüllung Gottes willen in seinem Wort Exi-
stierende, dem Gottes Heilshandeln ihm zugut aufgeht und der der
Berufung "innewird", in einem durch den Hl. Geist erneuerten Leben
seinen Willen recht zu erkennen und sendungsgemäß zu verwirklichen.
Dazu gehört aber die von Calvin selbst geübte, im Glauben vor sich
gehende treue Exegese der Hl. Schrift und also das durch diese wiederum gebildete hermeneutische Grundverständnis der Bibel: die un-
philosophische, empirisch geschenkte Sinnfindung der Wahrheit des
christlichen Religionswesens. Aus dieser Polarität zwischen dem Gott
der Hl. Schrift und einem Gläubigen heraus wehrt sich der junge Reformator denn auch gegen den Vorwurf des Gebrauchs "neuer Wörter"[1332]. Der Hl. Schrift gegenüber neu und darum fragwürdig erscheint ihm vielmehr die Religionsübung und Frömmigkeit in der
päpstlichen Kirche[1333]. Stehe es doch "Christi Evangelium und seinem ganzen Religionswesen"[1334] entgegen, weil es sich den Spekulationen der Vernunft ausliefere[1335]. In der Gestalt der praktizier-
ten Gottesverehrung und Frömmigkeit öffentlich hervortretend, bleibt
die christliche Religion des so wachen Calvin ernstes Anliegen le-

benslang[1336].

Wahre Religion ist überdies in dem von ihm von vornherein ins Auge gefaßten Verständnis gegenüber der in die Verkehrung gewendeten natürlichen Religion, bei aller bestehenden Vergleichbarkeit[1337], gleichwohl immer der einzig legitime Sonderfall von Religion, die "Angel des Religionswesens" überhaupt[1338]. Schon 1536 wird gesagt, man müsse in Sachen des Religionswesens, das mit der himmlischen Weisheit gleichgesetzt wird, allein "am Munde Gottes hangen"[1339]. Dies müsse die Möglichkeit in Abrede stellen, daß Gott "lüge oder täusche"[1340]. Damit war der philosophischen Annahme Ockhams, als ob es bei Gott ein Willkürhandeln geben könnte[1341], das Axiom der Theodizee von der unbedingten Weisheit und eminenten Sittlichkeit Gottes entgegengestellt. Calvin schloß sich damit dem Anliegen Gregors und Majors an. Alles, was sonst für Religion ausgegeben wird, wird durch das Wort Gottes in eine echte Krise und Klärung geführt. Der werdende Reformator war darauf bedacht, aus der Exegese der Hl. Schrift samt dem sich aus ihr ergebenden Gesamtverständnis der "überlieferten Schriften"[1342], wie ihr Bestand humanisierend im literarischen Sinne gekennzeichnet wird, und aus dem den "Söhnen Gottes" heute noch lebendig sich erweisenden Verständnis die wahre Religion hörsam gehorchend sich zu eigen zu machen. Nicht die Autorität der kirchlichen Hierarchie, sondern das sowohl literarisch, als auch existentiell erfaßte Wort ist des einzelnen Gläubigen und der Kirche Grenze[1343]. Nur angesichts dieser gegenseitigen Bedingtheit tritt jeweils ereignishaft bei den Gläubigen mitten in dieser Welt die wahre Religion zu Tage. Als Erfordernis aus dieser Richtung wird auch der Dienst der Pastoren ins Auge gefaßt[1344].

Die Konzeption des werdenden Reformators von der wahren Religion ist durch die reformatorische Weise zu glauben klar gekennzeichnet. Darüber hinaus hat er bekanntlich den Zustimmungscharakter aus dem Glauben entfernt, doch wohl deshalb, weil dieses Merkmal die reformatorische Weise zu glauben so schnell in die bloße Anerkennung und rein autoritative Bejahung der dem kirchlichen Lehramt überlassenen Verbürgtheit und Sanktionierung von Glaubenssätzen oder auch auf reformatorischem Boden der Bibel selbst verlegte, ohne daß das von Calvin für notwendig erachtete, unmittelbare Angewandtwerden des Herzens eines Menschen durch das Wort Gottes sich für die Glaubensgewißheit als notwendig zu erkennen gäbe. Auch eine bloße "Mutmaßung" reicht nicht aus. Sowohl der fromme Hugo von St. Viktor[1345] genügt ihm nicht, als auch die Tendenz zur "Glaubenswissenschaft" bei Bernhard von Clairvaux und Wilhelm von Thierry verleugnet nicht die fundamentale Rolle, die bei ihnen für den Christenstand die eingegossene Gottesliebe und die den Glauben überbietende Kontemplation, die höchstes Ziel ihrer Frömmigkeit ist. Bei Calvin hingegen geht die Weise, reformatorisch zu glauben, aus der von ihm gemeinten

"Wiederherstellung der Religion"[1346] wurzelhaft hervor. Alle falsche Glaubenssubstanz, die die Überlieferung der "Orakel Gottes" nicht ernst nimmt[1347] und sich von verkehrten "Anfangsgründen" des Glaubens leiten läßt[1348], wird ausgeschieden. Gehören sie doch zu den Schäden einer Kirche, die die Rechtfertigung durch den Glauben und damit den Ruhm Christi verdrängt und also "die Religion" abgeschafft, die Kirche zerstört, die Hoffnung des Heils zugrunde gerichtet haben[1349].

Die Weise, reformatorisch zu glauben, besteht für Calvin also keinesfalls in der rein autoritativen Anerkennung der bloß philologisch und literarisch erarbeiteten Ergebnisse der Exegese der Hl. Schrift. Darüber hinaus liegt ihm die Herausfindung hermeneutischer Grundlinien für ein reformatorisches Verständnis der Hl. Schrift im Zusammenhang am Herzen. Dazu ist aber unerläßlich, daß mit solcher Sinnfindung der Hl. Schrift die von ihr lebendig getragene geistliche Existenz eines Christen Hand in Hand geht. Erst in dieser nämlich erweist sich das Wort Gottes in aller geistlichen Wirklichkeit auch subjektiv als "wahr", wie es die Hl. Schrift überliefert. Die "wahre Religion" lebt also in der unerläßlichen Zuordnung und lebendigen Wechselwirkung vom Wort Gottes und Glaubens. Die Trennung einer objektiv verbürgten und zur Verfügung gestellten "Wahrheit", gegebenenfalls "einzelner" Lehr- und Glaubenssätze, einerseits und deren Aneignung durch den Glauben andererseits kennt der junge Reformator nicht. Man kann ihn deshalb auch nicht so einfach für den Bahnbrecher der Orthodoxie in Anspruch nehmen[1350]. Die Theologie als scholastische Fachwissenschaft eines kleinen Kreises berufsmäßig allein Kundiger[1351] lehnt er ab. Mehr noch: um der Kirche willen muß die "wahre Religion" wiederhergestellt werden[1352]. Die von den Gegnern abfällig kritisierte "Neuheit von Wörtern"[1353], von der die Rede war, sieht schon der werdende Reformator auf jene wie einen Bumerang zurückschlagen, weil sich bei ihnen eine ganze Kirche der mutwillig "luxuriösen" Überschreitung der Grenzen des Wortes Gottes schuldig macht, und darum "keine Kirche mehr ist"[1354]. Hier eben zeigt sich für Calvin darum die eigentliche, "neue Art von Religion", sofern sie dem menschlichen Ersinnen ausgeliefert wurde[1355]. Mit Hieronymus, der ihm, dem Augustinisten, sonst weit ferner stand, als es bei Erasmus der Fall war, argumentiert er, es sei der Hl. Geist, der den Herzen die Wahrheit einpräge und seinerseits keine neuen Lehren in Aussicht stelle[1356].

Für den Verfasser der "Unterweisung im christlichen Religionswesen" schon von 1536 und den zugleich strengen Anhänger der Augustin-Renaissance mußte sich die unumgängliche Frage stellen, ob Religion erlernbar sei, ob sie gelehrt werden könne. Der humanistisch so durchgebildete Reformator hielt das "gemeine Volk"[1357] der damaligen Christenheit mit anderen Humanisten und reformatorisch ge-

sinnten Männern zu seinem Schmerz für unkundig in den Dingen des
christlichen Religionswesens: nur wenige sind von dessen Erkenntnis erfüllt[1358] und können Richtig und Falsch, Gültig und Ungültig
auseinanderhalten[1359]. Den Unterschied von theologischen Fachge-
lehrten und geistlich vernachlässigten Laien hatte er in der päpstlich-priesterlichen Kirche vor Augen[1360]. Die für ihn "wahre" Kirche besteht aber aus der unter Christus, ihrem Haupt, unterschieds-
losen Gesamtheit der Erwählten Gottes, wie 1536 so deutlich ausgesprochen wird. Ganz folgerichtig wird dann 1539 in der Erörterung
der freien Willensentscheidung die Voraussetzung der Lehrbarkeit
und Erlernbarkeit der christlichen Religion klargestellt, sonst aber
doch selten: "Schlechthin wollen ist Sache des Menschen als solchen,
böse wollen die seiner verderbten Natur, gut wollen die der Gnade"[1361], heißt es augustinisch und bernhardinisch zugleich. Allein,
die Diskrepanz zwischen der Alleinwirksamkeit Gottes kraft seiner
ausrüstenden Gnade und dem göttlichen Auftrag zur nimmer müde werdenden "ermahnenden" Unterweisung im Verständnis des christlichen
Religionswesens rückte Calvin nicht ins Licht, sondern nahm sie anscheinend einfach hin.

Gibt es aber vielleicht nicht doch einen auch nur einzelnen Einblick in die Weise, wie er sich dennoch in dieser Diskrepanz zu-
rechtfinden mochte. Ganz zart und nur sehr selten macht er für die
zur Frage stehende Lehr- und Lernbarkeit der christlichen Religion
wohl die Voraussetzung "etwelchen Berührtwerdens von einem geflis-
sentlichen Trachten nach Religion"[1362] geltend. Auch einen anfänglichen "Wohlgeschmack", oder welche sonst auch immer vorweg eintretende Regung, kann Calvin andeuten[1363]. Nur da, wo Gottes alleinige,
für menschliche Einsicht nicht zu ergründende Initiative vorangeht,
stellt sich also eine "Gelehrigkeit der Seelen" ein und wird Religion lehrbar. Manchmal aber handelt es sich auch um ein für menschliches Beobachten nicht als solches auszumachendes bloßes Aufflak-
kern, um einen sogenannten Zeitglauben, wie es beim späteren Calvin
heißt: er läßt sich zu seinem Schaden nicht weiter belehren, sondern verdirbt. Gleichviel: alle als gelehrig sich Erweisenden werden zur Auferbauung der Kirche in ihrer Einheit[1364], insbesondere
durch die Pastoren, unter eine sanfte Leitung und Vermahnung genommen[1365]. Das kann aber schon für den Calvin von 1536 nur in der
Bindung an ein Verständnis von Wahrheit geschehen, das nicht nur
objektiv und lehrhaft zwischen Richtig und Falsch unterscheidet,
sondern über allen Doktrinarismus hinaus zum "Gehorsam gegen die
Wahrheit Gottes" vordringt[1366], der von dem, welcher in dieser
Wahrheit seine Existenz hat, kraft verbindlicher Geltung also praktisch auszuüben ist; denn für einen "Christenmenschen" geht der
"Eifer in rechter Frömmigkeit" und die Mahnung zu himmlischem Leben über das fraglos notwendige Seelenheil noch hinaus und hin-

auf[1367]. Die Unterweisung in der christlichen Religion reformato=
risch-augustinischer Prägung erweist sich also als fruchtbar bei
den Erwählten, wie sie nur Gott einwandfrei bekannt sind. Erwächst
bei ihnen ihr Wissen und Kennen durch Gottes Wort und Geist und wird
dazu der Eingang in die Herzen geöffnet, so doch stets nur durch
einen Glauben, der nicht durch die "unpassende Redeweise" der "Zustimmung" zu charakterisieren wäre, sondern gerade durch jenen Glauben, der sich sowohl durch "fromm angewandte Innigkeit" auszeichnet[1368], als auch "dahingehend belehrter Glaube ist, daß wir erkennen"[1369], wie das Nötige, das uns fehlt, aus der reichen Fülle
Gottes und Christi erbeten werden muß und geschöpft wird.

In summa: an dieser lebendigen geistlichen Existenz eines im
"christlichen Religionswesen" Gelehrten erweist sich immer auch die
Lehrbarkeit, Verstehbarkeit, Lernbarkeit jener und, wie es beim
späteren Calvin so bleiben wird, die allseitig wirkliche Fruchtbarkeit dieser Lehre[1370]. Läßt sich diese Lebendigkeit bei Calvin auch
nicht auf eine einzige Formel bringen, so breitet gerade sie sich
aus durch alle theologischen Formulierungen und Definitionen und
die kontroverstheologischen Abgrenzungen, durch die Unterweisung
der Unkundigen und Irrenden, überhaupt durch die gesamte Seelsorge,
schließlich die Gesamtkonzeption der Materie "christliche Religion"
reformatorisch-augustinischen Heils- und Schriftverständnisses, und
zwar voll leidenschaftlicher Klarheit.

8.2
Das Verständnis der christlichen Religion als "heilige Lehre" (1536)

Mit diesem thematischen Verständnis der christlichen Religion eröffnet Calvin die Erstausgabe der Institutio[1371]. Die Bezeichnung
kehrt in der Abhandlung über das Hl. Abendmahl wieder. Heilige Lehre wird an dieser Stelle mit der "Schule des allerbesten Lehrers",
des Hl. Geistes, gleichgesetzt und der ganze Mensch auf sie "fest-
geheftet", sofern es sich um das zuverlässig ermittelte Schriftverständnis handelt[1372]. Als heilig gilt diese Lehre, weil sie von aller Profanwissenschaft, vor allem aber, weil sie von der Verphilosophierung der Theologie zur theologisierenden Metaphysik unterschieden wird. Den Sprachgebrauch "heilige Lehre" kennt das Mittelalter schon in allen Richtungen der Theologie. Er wird auch von
Thomas von Aquino zur Unterscheidung des kirchlich autoritativen
Zustimmungsglaubens von den lediglich dem diskursiven Denken als zugänglich erscheinenden metaphysischen Aussagen verwendet[1373]. Calvin folgerte aus der terministischen Gestalt der Ockham'schen Erkenntnislehre dann die zum geistlichen Umbruch der Zeit mitgehören-
de Beabsichtigung einer absoluten Trennung von Philosophie und Theologie solchergestalt, daß er diese im Gegensatz zu den in Abstrak-

tionen spekulativ sich versteigenden scholastischen Wissenschafts-
methoden "christliche Religion" nannte. Heilig ist für Calvin die
christliche Lehre aber auch noch aus dem weiteren Grund, daß sie
sich der Topik[1374], d. h. der Berufung auf Beweisstellen und -stük-
ke der Bibel, bedient. Hat dieses Vorgehen für die päpstliche Kirche den Sinn, die geltende Kirchenlehre durch meist nachträglich
ausgesuchte Belegstellen der Bibel zu stützen, so ist Calvin umgekehrt jedenfalls grundsätzlich darauf bedacht, auf exegetischem Wege zu reformatorischen Aussagen und entsprechenden hermeneutischen
Grunderkenntnissen der Hl. Schrift zu kommen. Luthers Reformation,
in gewissem Sinn aber auch durchaus der Augustinismus der Antipelagianer, schließlich die in vorwiegend literarischer und philologi-
scher Hinsicht bedeutenden Paraphrasen des Erasmus zum Neuen Testament standen ihm in dieser Art des Schriftgebrauchs zur Seite. Eben
von dieser Basis aus aber wendet sich seine Polemik gegen die allgemein katholische Kirchenlehre, sei sie ihm aus seiner eigenen
Vergangenheit oder aus dem Decretum Gratians und den Sentenzen des
Lombarden[1375] bekannt. Da man aber bei Calvin formulierte Lehre und
persönliches Erfaßtsein von dem, was sie meint und ausdrückt, nicht
auseinander reißen darf, so hat bei ihm heilige Lehre immer auch
den Sinn geistlicher Gelehrsamkeit; "ausgezeichnete Gelehrsamkeit",
wenn auch nicht nach reformatorischem Verständnis, billigt er auch
Sadoleto zu[1376].

Die folgende Skizze mag das, was es mit der Lehre beim jungen Reformator auf sich hat, erläutern. Erinnert man sich daran, unter
welchen Voraussetzungen er die christliche Religion reformatorisch-
augustinischen Bekenntnisses für lehrbar hält, so ergibt sich folgendes Bild. Lehre setzt das Ergebnis der Exegese dessen voraus,
was seinem Wortlaut nach tatsächlich da steht, und hat es mit den
aus dem literarischen und philologischen Befund sich ergebenden
Wirklichkeiten zu tun. Scholastischer Schematismus und eine "ver-
drehte Interpretation der Schrift"[1377] muß ihr fremd bleiben. In
der Sache ist Exegese mit den "Geheimnissen Gottes" beschäftigt, soweit er sie in der Hl. Schrift als "für uns nötig" hat in Erscheinung treten lassen. Es handelt sich dabei aber immer auch um das
persönliche Kontaktbekommen mit Gottes Selbstbekundung durch den
Glauben, weil durch ihn unter gleichzeitiger Überwindung der geschichtlichen Distanz das heilsmächtige Gegenwärtigwerden[1378] der
Gesamtoffenbarung Gottes vor sich geht. Die Ermittlung des biblischen Sprachidioms wird dabei zur unmittelbaren Voraussetzung auch
für das Verstehen, nämlich für die hermeneutischen Grundregeln, die,
über das einzelne hinübergreifend, zur Sinnfindung der göttlichen
Sinngebung der Offenbarung in ihrem Zusammenhang und damit zu einem
Gesamtverständnis des reformatorischen Bekenntnisses von christlicher Religion führen. Solchergestalt entfaltet sich für Calvin die

geistliche Fülle dessen, was er unter Lehre versteht, und zwar erst
in der lebendigen Polarität von Gottes Heilsgewährung und dem entsprechenden Empfangen und Umfangen eines in ihr Existierenden. Alle
diese Einsichten fassen, trotz gewisser, teilweise auch kritisch
verarbeiteter, Anleihen bei Stoa, Humanismus, Via moderna und Devotio moderna, sowie bei Augustin und dem Augustinismus der Antipelagianer, in sich die Öffnung für das Wort, sein "Erschautwer-
den"[1379], die erforderte persönliche Entsprechung und Zuordnung zu
ihm, also das Widerfahrnis, die Erfahrung des "bei-sich-gewiß-Ha-
bens"[1380], d. h. die Unmittelbarkeit der Glaubensüberzeugung ohne
rationale Argumente und ohne eine bloße Gewißheit im Sinne rein
kirchlicher Verbürgtheit. Hier liegt die besondere Art von unmittelbarer "Evidenz"[1381] begründet, durch die, was es mit der Gewißheit
der Lehre auf sich hat, schon bei dem werdenden Reformator sich
auszeichnet, und ruht auch auf weite Sicht das Wissenschaftsverständ-
nis von den Heilswirklichkeiten des christlichen Religionswesen,
das Calvin zu dieser Zeit klar und entschlossen zu gewinnen sich anschickt.

Die Selbstbekundung Gottes in seinem Wort ist dabei aber der Prüf-
stein[1382] aller Heilslehre schlechthin. Hier ist dem jungen Reformator die Hervorkehrung des Offenbarungsmittlertums Christi neben
seinem Heil samt der Erlösung[1383] wichtig. Daß Christus das Leben
des Gesetzes sei und daß dieses[1384] wiederum in der Auslegung zu
Psalm 119 als convenance, contract oder paction "Zeugnis" des lie-
benden Vaters im Himmel und Gottes als Retter sei, der auf seine ihn
suchenden "enfans paisibles" auch mit einer großen Vielfalt von
Trost zukomme, wird Calvin erst später aussprechen. Aber in seiner
frühen Zeit zeigt er eine vorbildliche Eindeutigkeit in der Entfal-
tung des biblisch-reformatorischen Sprachidioms. "Gesunde Lehre"[1385]
zwingt zur "gründlichen Belehrung"[1386] der Unwissenden und Unerfah-
renen, durch entsprechendes Lehren und Ermahnen[1387]. Die humanistischen Einfluß verratende Verwandtschaft der Vorstellungen von Lehre und Gelehrsamkeit, Weisheit, Frömmigkeit, Religion, Erkenntnis
Gottes und Unterweisung in ihr, von Belehrung und Ermahnung lassen
Lehre gleichzeitig als die geistlich bildende Form des Wortes, des
Evangeliums und des heischenden Willens der Gebote Gottes erkennen[1388]. So richtet Gott sein Werk beim "Einzelnen" und in der Kirche aus[1389]. Kurz: allem Gegenteiligen zum Trotz ist auch der Geist
Christi ein solcher der Wahrheit, der Weisheit und des Lichtes, von
dem man, nicht "fälschlich"[1390] unterwiesen, zu lernen hat, welche
Gaben man von Gott geschenkt bekommen habe, worin die Hoffnung der
eigenen Berufung und die überragende Größe der Kraft Gottes bestehe, die er allen "Glaubenden"[1391] mitteilt[1392]. Unter solcher Belehrung geht ein Bescheidbekommen und Bescheidwissen vor sich:
nicht bloß wissens- und gedächtnismäßig, sondern an der Basis des

geistlichen Existierens in der wahren Religion. Hier quillt für Calvin die reine "Quelle"[1393], aus der eine "bei weitem verschiedene Gestalt von Lehre hervorgegangen war"[1394]: Luther. Zentral gesprochen: nicht schon die von der Kirche, sofern sie das hierarchische Lehramt ausübt, "gewiß" verbürgte, sondern die vom Glauben jedes Einzelnen zuinnerst umfaßte, den reformatorischen Kirchen allein auf Grund ihres Schriftverständnisses gleichermaßen eigene Lehre von der Versöhnung und Erlösung und solchergestalt als "die Summe des Evangeliums"[1395] und die "allergewisseste[1396] Hoffnung"[1397] solchen Glaubens führt zu jener gleichzeitig immer auch existentiell mitzuvollziehenden jeweiligen Lehrunterscheidung, die Calvin, der komparativen Ausdrucksweise sich von Mal zu Mal bedienend, vergleichsweise als "reinere Lehre"[1398] anspricht. Solchergestalt muß die "heilige Lehre" als Maßbild vorweg von den "wahren Pastoren" innegehalten werden und gebietet auch jene Weise des Lehrens, wie sie zur "Widerlegung der Widersacher" geboten ist; denn auch das gilt: es gibt Geister, die "unter Übergehung der Weisheit des Wortes Gottes" uns "eine andere Lehre" aufdrängen.

8.3
Das Verständnis der christlichen Religion als "unsere Weisheit"

Von 1539 an ist im Eröffnungssatz der Institutio diese Bezeichnung der christlichen Religion an die Stelle derjenigen der heiligen Lehre getreten. Ihr Inbegriff wird nun so beschrieben: "Die nachgerade vollständige Zusammenfassung unserer Weisheit, soweit sie jedenfalls für wahrhaft echte Weisheit gehalten werden soll, besteht aus zwei Teilen, nämlich der Erkenntnis Gottes und unser Selbst"[1399]. Diese thematische Aussage behält Calvin bis 1559 ganz wesentlich bei. Was hat den jungen Reformator zu gerade dieser Umbenennung veranlaßt? Es sei versucht, dem Sinne und Ziel dieses Inbegriffes von christlicher Religion näher zu kommen und dabei auch das zu vervollständigen, was im Blick auf den Eingangssatz der Erstausgabe der Institutio unerörtert blieb. Dem Leser der Institutio von 1539 legt Calvin Grundsätzliches von dem klar, was er nunmehr mit diesem Werk vorhat. Es soll eine "Zusammenfassung"[1400] des christlichen Religionswesens hinsichtlich der möglichst zutreffenden Gefügtheit all seiner Teile darbieten und dazu anleiten, die richtige Interpretation der Hl. Schrift zu finden und Sinn und Zusammenhang der jeweils zur Frage stehenden Stellen oder Abschnitte der Hl. Schrift zu deuten. Insbesondere möchte er die hermeneutischen Grunderkenntnisse für das Verständnis "künftiger Erklärungen der Schrift"[1401] entwickeln. Er wird dabei zunächst seinen Kommentar zum Römerbrief von 1539 gehabt haben. Hingegen die Unterweisung in "Dogmen" durch lange "Disputationen" und die Weitschweifigkeit von den ihm im Sin-

ne liegenden "loci communes" - dachte er an Melanchthon? - will er
vermieden wissen. Ein "Kompendium" plant er also, das über die bei
der Exegese der Schrift jeweils anfallenden Fragen in übersichtlich
gefügter Ordnung und die Zusammenhänge klärender Darstellung zuverlässig Auskunft gibt[1402]. Dieses Vorhaben geht über die Erstausgabe
der Institutio und deren Anlehnung an Luthers Kleinen Katechismus
hinaus.

Dies vorausgesetzt, muß man wiederum, vorweg auch noch für die Institutio von 1536, die erkenntnistheoretische Denkstruktur im Auge
behalten, in der sich Calvin bewegt, wenn er bei dem im christlichen Religionswesen Existierenden die eigentliche wahre Gottes- und
Selbsterkenntnis findet. Man wird nicht erwarten dürfen, daß er von
einem allgemeingültigen Begriff von Weisheit denkerisch folgerich-
tige Aussagen ableitet. Die Geschichte des Verständnisses von Weisheit zeigt, daß es einen solchen nicht gibt, weil er jeweils immer
neu abgespürt werden muß. Weil Calvin mit Weisheit den Inbegriff
des christlichen Religionswesens, wie es immer auch ins Ethische
tendiert, meint, müssen sich aus dieser umfassenden Sicht die näheren Anhaltspunkte ergeben.

Eine tiefe Skepsis gegenüber der ontologischen Denkweise und dem
Thomismus, aber auch gegenüber der Brauchbarkeit des nominalistischen Logizismus zur philosophischen Durchhechelung theologischer
Aussagen[1403] beherrscht ihn. Stattdessen geht er, wie bekannt, von
der empirischen Seite der terministischen Logik, d. h. im vorliegenden Fall von den in die Menschengeschichte und das einzelne
menschliche Leben hineingreifenden, vorsehenden, lenkenden Verhaltensweisen Gottes als der ersten Person der Trinität, also von deren Sagen und Handeln, aus. Das "Prinzip" ist nämlich die Unverre-
chenbarkeit und zugleich Unanklagbarkeit des göttlichen "Handelns".
Nicht ohne wichtigen Grund mag man hier Verbindungslinien zu dem
Terminismus und dem neuscotistischen Voluntarismus eines Major erblicken. Dieser definiert: "Die Weisheit hat es mit Gott und mit
demjenigen zu tun, was er wirkt,... und wird, um es zusammenzufas-
sen, richtig begriffen als eine Art von wohl bedachten Entscheidungen, wie sie menschlichen Verhaltensweisen samt dem, was sie mit jenen Entscheidungen verbindet, eigen ist"[1404]. Der Satz besagt, daß
beim Menschen zu beobachtende und also erfahrungsgemäß bekannte
Verhaltensweisen die Verhaltensweisen Gottes veranschaulichen, daß
jene für diese also "supponieren".

Gleichzeitig bringt er das entsprechende Verhalten, Gebaren, Handeln des Menschen zur Sprache. Es handelt sich hierbei um das
christliche Hiersein und Sosein eines Menschen, sofern dieser dabei
in der Persontiefe seines Ichselbst solchergestalt durch den Geschehnischarakter der "christlichen Religion" reformatorisch-augustinischer Prägung existentiell ständig angegangen wird. Am wenig-

sten noch in der Erstausgabe der Institutio ergeht sich Calvin in
Untersuchungen, Erörterungen und Aussagen, die Gott und den Menschen
auch zum Gegenstand der Erkenntnis machen müssen. Doch ist die Absicht hier schon erkennbar, in selbständig durchdachter Ordnung
darzustellen, welche Erkenntnis Gott über sich durch die Hl. Schrift
kraft des Hl. Geistes einem Menschen eröffnet und welche Erkenntnis seiner selbst dabei in diesem, in unverkennbarer Anlehnung an
Luthers Reformation, im Zusammenhang mit jener Gotteserkenntnis ge-
weckt wird. Diese, wenn auch <u>völlig ungleichartige Wechselseitigkeit der beiden Erkenntnisarten</u> unter Zugrundelegung auch des augustinischen Gnadenmonismus erfassen und bewegen einen im "christlichen Religionswesen" Existierenden und machen immer auch mit den
<u>Inbegriff "unserer Weisheit"</u> aus. Im Unterschied von dem "den wah-
ren Gott übergehenden"[1405] metaphysischen Denken und von dem vermeintlich heilswichtigen Tun eines Christenmenschen, auch von seiner erstrebten kontemplativen Liebe der Einung mit Gott und Christus, handelt es sich schon bei dem werdenden Reformator um durch
Gottes Wort und Geist aus reiner Gnade durch die Weise, reformatorisch zu glauben, gewährte ganz personhafte und zugleich auch denkbar innige Beziehungen, die Gott und "sein Christus" mit den Erwählten knüpft und in die diese zum befriedeten Bezug zu dem Gott ihres
Heils und zu gehorsamem Handeln gegen ihn und den Nächsten gebracht
werden.

Drei Gesichtspunkte kommen weiterhin für die <u>Klärung des thematischen Ausgangssatzes der Institutio von 1539</u> in Betracht.

1) Weil Calvin das "Prinzip" der ersten Person der Dreieinigkeit
im "Handeln" erblickt und also nicht thomistisch im Sein, darum muß
sich alle geistliche Erkenntnis auch mit Gottes Wirken und Werken,
seiner Schöpfung, seiner Vorsehung samt seinem unentwegt weltweiten
und gegenwärtigen Walten, seiner Erwählung und Heilsstiftung samt
deren gegenwärtiger Verwirklichung an einem "je einzelnen" Menschen, wie es später so oft heißt, aber ebenso doch auch an ihm als
Glied der Kirche, befassen. Mit der Erkenntnis dieses seines als
weise vorausgesetzten Handelns aber macht Gott Menschen letztgültig
sich solchergestalt zugetan, daß er dabei gleichzeitig der anderen
Erkenntnis, nämlich dem Wissen eines Menschen von sich selbst, unabweisbar Geltung verschafft. Diese Selbsterkenntnis spricht in dialektischer und dialogischer Polarität zur Erkenntnis Gottes und
seinem heischenden Willen aus, die in jener Polarität Existierenden
seien nun selbst ein jeder an seinem Teil bestimmungsgemäß für Gott
"da", weil von ihm geschaffen, jedoch durch die Eingehörigkeit in
den Sturz Adams schuldhaft gegen ihn aufgebracht und von ihm geschieden, "in Christus" aber wieder heimgesucht und versöhnt und so
in allem von Gott abhängig und auf ihn angewiesen, um ihm hörsam zu
folgen. In dieser Weise findet sich dann ein <u>Mensch</u> durch <u>Gottes</u>

"Handeln" angesichts der geistlich erneuerten Existenz und das ihm
eigenen unvertretbaren Ichselbst in die Bezüge und Beziehungen von
Gott und Mensch, von Gottes- und Selbsterkenntnis versetzt.

2) Hat man des jungen Reformators Weise, reformatorisch zu glauben,
bis in das geistliche Erfaßtwerden der Persontiefe eines Menschen
hinein verfolgt, dann sieht man auch, daß ihm, dem Terministen, als
Aufgabe einer zielklaren und sinngerechten "Unterweisung im christlichen Religionswesen" nur das dem scholastischen Herkommen entgegengesetzte, empirische, praktische, auf die Sinnfindung der Beziehungen von Gott und Mensch und insofern von Gottes- und Selbsterkenntnis hinauslaufende wissenschaftliche Verfahren zum Gebot geworden ist, wie denn solches Verfahren aus der gleichzeitigen Rückbeziehung auf das Wort Gottes und der gleichzeitigen Einbeziehung der
geistlichen und theologischen Existenz eines Menschen in solches
Wort seine Gestalt gewinnt. Diese Sinnfindung aber hat die Aufgabe,
unter den empirischen Wissenschaften, zu denen für den Terministen
also auch das christliche Religionswesen gehört, gerade die Einzig-
artigkeit darzutun, die diesen gegen jene abhebt. Was es demnach
mit dem reformatorisch-augustinischen Religionswesen und also mit
dem Verständnis "unserer Weisheit" auf sich hat, wird gerade von
der Zweitausgabe der Institutio an in hervorragendem Maße herausge-
arbeitet.

3) Für den Calvin der Institutio von 1539 ist es dann nicht eine
Frage des Grundsatzes, sondern der gebotenen Abstimmung, wie stark
die geistliche Existenz in der sachgerechten Erörterung der ganzen
Wirklichkeit der Bezüge und Beziehungen zwischen Gott und einem
Gläubigen zusamt der Welt, in der er lebt, jeweils sichtbar wird,
bzw. das kontroverstheologische Engagement die Führung übernimmt.
Die theologische Grundkonzeption Calvins offenbart sich in der Weise, daß diese die von Ausgabe zu Ausgabe gewandelte und zunehmend
geklärte Einteilung der Institutio wie ein Netz durchzieht und solchergestalt die Frage hinterläßt, wie sie auf diese Einfluß gewinnt. Diese Aufgabe anzufassen geht über den Plan des vorliegenden
Buches hinaus. Soviel ist gewiß, daß es für den jungen Reformator
legitime reformatorische Theologie nur aus der geistlich-theologi-
schen Existenz allein im Wort Gottes, d. h. aus der ständigen lebendigen unumkehrbaren Wechselseitigkeit der Bezüge und Beziehungen
von Gott und einem Gläubigen und Frommen heraus gibt.

Um sich nun weiter zu vergegenwärtigen, wie der Calvin gerade
schon vor 1539 den Inbegriff der Weisheit faßt, wird darauf zu achten sein, was von Gottes Seite her über sie zu sagen ist, wie sich
also Gottes Weisheit in seinem Handeln und Sagen zu erkennen gibt.
Von hier aus muß sich dann die Möglichkeit ergeben, aus dieser
Weisheit gerade auch Weisheit als Inbegriff des christlichen Religionswesens überhaupt zu verstehen. Weisheit taucht bei Calvin wäh-

rend dieser Zeit als Mehrzahl der "himmlischen Verborgenheiten" Gottes[1406] auf, zu denen es von Menschenseite keinen Zugang gibt[1407]. Den katholischen Stufengang von einer "niederen" Weisheit, die, mit dem Sichtbaren befaßt, zur "höheren" Weisheit des unsichtbaren Wesens Gottes emporsteigt und den u. a. Hugo von St. Viktor, von dem der werdende Reformator schon 1536 Kenntnis hatte, beschreibt[1408], macht er nicht mit. Immerhin bleibt es der Erwähnung wert, daß für Hugo Gottes Weisheit, im Unterschied von der menschlichen Vernunft als Weisheit dieser Welt, in der unaussprechlichen Majestät und unfaßbaren[1409] Gutheit[1410], insbesondere auch hinsichtlich der Menschwerdung der zweiten Person der Trinität, erblickt werden muß. Calvin bezieht die Unfaßbarkeit[1411] der göttlichen Weisheit außerdem, in den Fußstapfen der "Antipelagianer" des verblassenden Mittelalters, gern auf die Erwählung und Verwerfung[1412] je eines Menschen, aber mit besonderer Beachtung des Herganges des Teilbekommens eines Erwählten am Heil Gottes. Die Weisheit der Welt oder auch der "Heiden", unter der schon traditionellen Berufung auf 1. Kor. 1, prangert dann auch er an als nicht vom Geist Gottes stammend und sieht sie zum Untergang[1413], später dann zum Sturz in "wirre Abgrundtiefe"[1414] verurteilt.

Demgegenüber reiht er die "des Lobes und Ruhmes volle Weisheit" Gottes in folgende weitere, in scotistischer Weise dann gelegentlich schon 1536 als "unendlich"[1415] bezeichnete Handlungs- und Verhaltensweisen ein, kraft deren Gott aus den Verborgenheiten dieser seiner Weisheit heraustritt und an denen er als "der eine verehrungs- und anbetungswürdige Gott" erkannt wird[1416]: Gerechtigkeit, Gerichtsspruch, schonende Milde, Güte, Barmherzigkeit, Wahrheit, Macht, Kraft, Leben, Heiligkeit[1417]. Entscheidend bleibt immer, daß es sich um Gottes wohlweisliches "Handeln" dreht, auch wenn es als solches, z. B. in seinem gegenwärtig vorsehenden Handeln, manchmal nicht auszumachen ist. Das weist auf den <u>Voluntarismus des Duns</u> zurück, ist aber genauer noch aus der Sicht her zu verstehen, in der bei Ockham die konzeptualistische Logik sich des Gottesbegriffes und -willens bemächtigt und insofern für Gottes Handeln nur das Kontradiktorische ausschließt. <u>Gegen diese logizistische Möglichkeit eines Willkürhandelns Gottes,</u> von Ockham zum Philosophen der "absoluten Macht Gottes" zugespitzt, wendet sich das <u>Axiom der Theodizee,</u> das Calvin übernimmt und darin bestehen läßt, daß unter Abweisung jedweder Verphilosophierung des Gottesverständnisses das <u>"Prinzip des Handelns",</u> wie es <u>Gott</u> zukommt, sich nur durch unbedingte <u>Weisheit, Gerechtigkeit, Heiligkeit</u> auszeichnen darf. Solchergestalt bekommen angesichts dieses göttlichen Prinzips Schöpfung, Erwählung, Vorsehung[1418] jenen Geschehnischarakter von absoluter Heiligkeit, Sittlichkeit, Unanfechtbarkeit. Das gilt aber auch im Blick auf den traditionell <u>als Weisheit bezeichneten Sohn Gottes,</u> wie er als Of-

fenbarungsmittler das Heil bekundet, das im Alten Bund vorangegangene Wort seines Vaters deutet und als Heilsmittler Erlösung und
Versöhnung vollbringt. Daher er auch als zweite Person der Dreieinigkeit "alleinige Weisheit, Leuchte, Wahrheit" heißt, sofern sich
Gott in ihm "manifestiert"[1419], wie er denn auch durch den Geist
der "Enthüllung, Wahrheit, Weisheit und des Lichtes"[1420] die Seinen
regiert.

Denkt man hier noch einmal an Hugo, der, wie Calvin, die Weisheit
Gottes auch mit dessen erwählendem Handeln in Verbindung bringt[1421],
oder an Bonaventura[1422] oder an Bernhard, der dem Sohn als "Wort"
und "Weisheit" auch die Kraft der Erneuerung zuschreibt, oder neben-
bei auch an Major, wie er Weisheit als jenen Habitus eines Christen
versteht, vermöge dessen dieser die Erkenntnis des "Übernatürlichen"
gewinnt[1423], so sind in der Tat diese Beispiele ein Zeichen dafür,
daß in der Kirche längst vor Calvin in Anbetracht der 1. Kor. 1 zu-
geschriebenen Bedeutung nach demjenigen gefragt wurde, was christ-
licherweise unter Weisheit zu verstehen sei, ohne daß es allerseits
zu einer wirklichen Einhelligkeit des Inbegriffs der jeweils gemeinten Weisheit gekommen wäre. Nach dem Calvin schon bis 1536 aber hat
Gott die Verborgenheiten seines eigenen Wissens, seiner Weisheit
und Wahrheit[1424] handelnd und kündend ausdrücklich nur in demjenigen Ausmaß enthüllt, in dem er es bei sich selbst hinsichtlich erwählter Menschen für nötig erachtete[1425]. Bei dem jungen Reformator fällt dabei auf, daß weithin nicht einfach Gott und sein Wort,
sondern, unter Einbeziehung der vollen Subjektivität des Menschen,
nun gerade die Erkenntnis Gottes und seines Wortes als zu respek-
tierende Grenze der eröffneten "himmlischen Weisheit"[1426] oder "Religion", d. h. dann aller "unserer Weisheit"[1427] gezogen wird. Weiter aber wird im Unterschied von der Stoa, der Vielfalt mittelalterlicher Frömmigkeit und der Weisheit der "Religiosen" einer nachdrücklich ausgesprochenen Weisheit der Lebensführung der reformatorisch gesinnten Frommen zunächst kaum Beachtung geschenkt. Wohl
wird das subjektive Angewandeltsein und Angegangenwerden mit Bedacht erwogen. Dem Sohn Gottes kommt hier die Bedeutung zu, daß er
die Kundmachung der Weisheit zum Abschluß brachte[1428]. Seitdem bewegt sie sich in den Schranken des Geistes Gottes. Ein "Formaler
Biblizismus" lag dem werdenden Reformator fern. Ein methodischer
Bibelgebrauch aber ist ihm immer stärker zueigen geworden, weil er
in der Ausarbeitung der rechten Gefügtheit des Ganzen der "Weisheit"
und damit der gesunden oder "gesunderen" Lehre nicht bloß exege-
tisch vorging.

Seit 1539 entwickelt er mit wohlweislichem Bedacht zunehmend auch
die hermeneutischen Grundlinien des reformatorisch-augustinischen
Verständnisses der Bibel[1429]. Für ihn gibt es keine Arbeit der Unterweisung im reformatorischen Bekenntnis zum christlichen Religi-

onswesen, in dem nicht die vom Sinn der Hl. Schrift bewegte und von
Glaubensgewißheit erfüllte, wahrnehmend[1430] erkennende, zuversicht-
liche und überzeugte Weise, reformatorisch zu glauben, und also die
geistliche und theologische Existenz eines Menschen in "unserer
Weisheit", und damit auch in einem eifrig und kräftig zu verwirklichenden Religionswesen ihren unaufgebbaren Ort hätte. Zum ersten
Mal wird dann aber im Vorwort der Institutio von 1539 von Calvin
deutlich ausgesprochen[1431], daß er plane, zugleich den Maßstäben
einer objektiv gültigen Erkennung Gottes und des Menschen "reife-
ren" Ausdruck zu geben. Die schon 1536 ausgesprochene Polarität beider Erkenntnisarten[1432] in dem Ichselbst des einen Personwesens,
das ein Mensch in seiner Unauswechselbarkeit darstellt, bleibt aufrecht erhalten. 1539 stellt sich aber deutlich heraus, daß die
Selbsterkenntnis zwar sowohl existentiell, als auch methodologisch
in die Gotteserkenntnis führt, sachlich und theologisch dagegen,
von dieser abhängig, ihr vor- und übergeordnet bleibt und im unver-
gleichbaren, aber dennoch wechselseitigen Verhältnis mit ihr
lebt[1433].

Wie steht es nun aber bei dem jungen Reformator mit der Selbsterkenntnis eines Menschen als dem zweiten der beiden Teile unserer
"Weisheit"? Vorab ist festzustellen, daß der Jurist und Humanist
Calvin über die Vorstellungen von Weisheit und Selbsterkenntnis bei
den "weltlichen Schriftstellern", insbesondere bei "gewissen Philosophen", z. B. bei Cicero[1434], eingehend Bescheid weiß. Mit ihnen
setzt er sich auseinander. Aus ihnen weiß er von einer religiösen
und einer ethischen,dem Menschen apriori unausweichlich mitgegebe-
nen Veranlagung zur Erkenntnis seiner selbst. Die Selbstschau vermittelt seinen geistigen Sinnen[1435] unmittelbar die Einsicht, es
gebe ein Gottwesen, das verehrt und dem das menschliche Leben in
allem Gehorsam geweiht werden müsse. Dazu lasse ihn eine gesammelt
ruhige Weltschau in ehrfürchtiger Bewunderung den in regelmäßiger
Ordnung sich bewegenden "Gang der Natur" in sich aufnehmen. Mit
Notwendigkeit ergebe sich aus dieser doppelten "Kontemplation" die
Notwendigkeit der Aussage, daß dieses Gottwesen seinen Ursprung in
sich selbst habe und seine Weisheit sich ganz ausgezeichnet zu erkennen gebe, sofern sie jedem Geschaffenen die Rolle zuerteile, die
es im Ganzen der Schöpfung zu spielen habe. Allein, der so erkennende Mensch muß es sich nach dem Calvin von 1539 um seiner Eingehörigkeit in den Fall Adams willen gefallen lassen, daß ihm die Un-
deutlichkeit und sündliche Verzerrtheit seiner Selbst- und Welt-
wahrnehmung aufgedeckt und durch das "zutreffendere" und "zuverläs-
sigere" Wort des einen wahren Gottes der Schriftoffenbarung zurecht-
gerückt wird[1436]. Bei aller Vergleichbarkeit reformatorischer mit
anderer Erkenntnis, auf die schon oben der Finger gelegt werden
mußte, rollt der junge Reformator die Selbsterkenntnis eines Men-

schen geistlich und theologisch doch neu auf.

Das gilt auch von den Prinzipien und Einsichten der antiken, der
insbesondere spätstoischen Lebensphilosophie. Sie hält der junge Reformator trotz allem für "pervertiert" und für "kraftlose Überbleib-
sel des wahrhaft Guten"[1437]. Die Seele darf sich nicht als Teil der
kosmischen Allvernunft erkennen wollen, und die Erkenntnis ihrer
selbst führt nicht schon auf den Weg der "Kunst"[1438], das Leben zu
meistern. Aber auch nicht zu einer Glückseligkeitsethik, welcher
Gestalt auch immer, nicht zu einer Wertethik[1439], obschon die sich
selbst verleugnende Hingabe eines Christen an Gott in dieser Welt
Werte zeitigt. Selbsterkenntnis steht ihm nicht im Dienst eines
nach erasmischem Vorbild frommen Bildungsideals, das einen Menschen
gleichzeitig auf den Weg zur fortschreitenden Heilsverwirklichung
bei sich selbst stellt. Sie geht überhaupt kein Bündnis mit literarischer Bildung oder wetteifernder Beredsamkeit ein, wie es Johannes Sturm in Straßburg und zunächst auch Maturin Cordier[1440] am
Collège de la Marche in Paris, sowie anderen biblizistischen Humanisten vorschwebte. Die humanistische und antike Bildung will er
nicht in den Dienst der ehrgeizigen Selbstentfaltung zu Würde, Rang,
Stolz und Ruhm sich selbst schmeichelnder Geistes- und Lebensari-
stokraten gestellt wissen[1441]. Allein, die Erweckung eines unserer
Natur schöpfungsmäßig eingepflanzten natürlichen Strebens nach gei-
stigem Adel, nach Gerechtigkeit und Menschenwürde erkennt er doch
auch wieder an[1442], nimmt er für sich in Anspruch und tritt dem
auch später nicht entgegen[1443]. Unverhohlen spricht er aus, daß die
"freien Künste" "übergenug" zu einem "Wohlgeschmack"[1444] an den Verborgenheiten der göttlichen Weisheit" und zum "Ausbruch in Bewunderung" der Werke "des Schöpfers" emporheben, ganz zu schweigen von
der Unzahl der Wunderbarkeiten des Himmels und der Erde, auch denjenigen medizinischer, astrologischer, "physionomischer" Art, die
Gottes Weisheit offensichtlich "dokumentieren"[1445]. Gleicherweise
wertet er auch die "handwerklichen Künste"[1446]. Jedoch, den einen
klaffenden Widerspruch nimmt er wahr zwischen dem Ziel und der Aufgabe der von ihm gemeinten Selbsterkenntnis einerseits und dem Ergebnis der nach der Weise der von der Antike angestellten Selbsterkenntnis andererseits. Er behält auch als junger Reformator teil
an der Tradition des vor allem mönchischen Lebensverständnisses seiner angestammten Kirche, wenn er das ehrgeizige Wohlgefallen eines
Weisen und Gelehrten an seiner Selbstverwirklichung im Widerspruch
zur Demut stehen sieht.

Es bleibe dahingestellt, ob das Doppel der Gottes- und Selbsterkenntnis, wie man diesem gelegentlich bei Zwingli und bei dem im
Seneca-Kommentar als Zier der französischen Nation so hoch geprie-
senen Budé begegnet[1447], den werdenden Reformator darin bestärkt
haben mag, diese zwiefache Erkenntnis in die Grundstruktur seiner

theologischen Konzeption hinein zu erheben. Näher liegt doch wohl, wenn man von dem so entscheidenden zweiten Kapitel der Institutio von 1539 ausgeht, die Annahme, daß der Calvin dieses Jahres sich von der augustinisch inspirierten Auseinandersetzung der "Antipelagianer" seines Zeitalters mit deren Gegnern, wenn nicht auch von Augustin selbst, hat leiten lassen und so zu der ihnen folgenden Argumentation hinsichtlich der Selbsterkenntnis eines Menschen kam. Vier sich nahelegende, mehr oder minder einschlägige, Beispiele aus der Geschichte vorwiegend augustinischer Theologie und Frömmigkeit mögen den geschichtlichen Bereich erhellen, der den Vorstellungen von Weisheit und Selbsterkenntnis entspricht. Eine unmittelbare geschichtliche Abhängigkeit Calvins sei damit noch nicht ausgesprochen.

1) Da ist zunächst der Augustin zuneigende Hugo von St. Viktor, von dem Calvin schon bei der Erstausgabe seiner Institutio wußte. "Wahre Weisheit" kommt von Gott und hat es nicht nur mit scharfsinniger Einsicht zu tun, sondern auch und vor allem sowohl mit einer vom Gegenstandsdenken sich abwendenden und nach innen gewandten Schau der Selbsterkenntnis[1448], als auch mit dem Tun aus Liebe des zu Frömmigkeit, insbesondere zur Demut bewegten Willens zu tun. Nur selten freilich berührt Hugos Verständnis von Selbsterkenntnis ausdrücklich die Sündenerkenntnis[1449]. Einen kaum zu überschätzenden Einfluß übte die augustinische Mystik und Theologie des Viktoriners dann auf Bonaventura aus.

2) Bonaventura aber verdient ein besonderes Zusehen, sofern er sich in das Verständnis von Weisheit und Selbsterkenntnis ausnehmend vertieft hat.

   a) Der Weisheit geht das Wissen voran, das im "Beieinander" mit dem Hl. Geist das Zeugnis der Hl. Schrift vermittelt. Sie "führt vom Schatten zum Licht, vom Weg zum Ziel, von der Spur zur Wahrheit, vom Buch zum wahren Wissen, das in Gott ist".

   b) Solches Wissen und solche Einsicht tragen aber nicht nur literarischen, sondern kraft des Hl. Geistes auch schon geistlichen Charakter, erleuchten den Verstand solchergestalt zum rechten Urteil, daß er, was Gott angeht, "das Höchste und Tiefste" sowohl schaut, als auch "affektiv" wahrnimmt, "empfindet".

   c) Auf dem Wege dahin aber ist die "Festigkeit des Glaubens" vonnöten, der mehr im "Zutrauen" als schon in der Beschauung selbst besteht. Hörsam gelehrig, nimmt er die "schöpferische Stimme" Gottes in sich auf und geht über alles vernünftelnde Erspüren der göttlichen Wahrheit hinaus. Im Sinne der "medizinellen Gnade" Augustins "reinigt", "heilt", "richtet der Glaube die Seelen gerade und ordnet sie" zur "Heiligkeit".

   d) "Weisheit" besteht, kurz gefaßt, in dem "Studium", das voll Flehen und Bitten zum Ziel der "Gottförmigkeit"[1450] voranschreitet, nach dem "allerbegehrtesten Christus" verlangt und letztlich in der Kontemplation die geistliche Erfüllung findet.

e) Bonaventura grenzt sich gegen alle säkulare Philosophie ab, weil sie die vorstehend gekennzeichneten "Wurzeln" verkennt. Die "ägyptischen Philosophen", auf die er es hier vor allem absieht und deren vergegenständlichende, gar objektivistische Denkweise er ablehnt, bieten im Unterschied von dem innezuhaltenden "Grundstudium der Hl. Schrift" nur "ehrloses Hurenwissen". Luther bediente sich später derselben Ausdrucksweise. Doch ist mit diesem abträglichen Urteil die Metaphysik keinesfalls ausgeschaltet. Nach ontischem Verständnis gilt nämlich: "Herr (Gott), von Dir, dem Höchsten, bin ich ausgegangen, zu Dir, dem Höchsten, kehre ich zurück, und zwar durch Dich, den Höchsten". So erfährt der "wahre Metaphysiker" seine Vollendung.

f) Schließlich ist der Weisheit nach Bonaventura nicht zuletzt eigen, daß sie einen Menschen nachhaltig zur Erkenntnis seiner "Schäden", seiner "Unwissenheit, Begierde, Bosheit" und also zu einer Selbsterkenntnis mit negativem Ergebnis führt. Um so mehr aber hat sich ein solcher Mensch der Praxis der geistlichen "Kunstfertigkeit"[1451] in frommer Lebensführung zu widmen, statt sich in geistlich unfruchtbare Spekulationen zu versteigen[1452].

3) Nicht mindere Aufmerksamkeit kommt hier auch Bernhard zu, was sein Verständnis von Weisheit und Selbsterkenntnis angeht. Calvin hatte ja nachweislich spätestens für die Zeit der Erstausgabe der Institutio schon Kenntnis von Schriften des Zisterzienserabtes. Allenthalben wird von ihm zur Förderung des "Standes der Religion" und ihrer "Exerzitien" angehalten und die Notwendigkeit ihrer "Erleuchtung und Reinigung" hervorgekehrt. Das ist durchaus augustinisch. Bernhard kommt, wie Hugo[1453] und die an Spr. 9, 10, Ps. 110, 10 oder an andere ähnliche Bibelstellen anknüpfende mittelalterliche Überlieferung auf die Furcht des Herrn zu sprechen, die in die Weisheit führe[1454]. Er trägt auch das Verhältnis von Gottes- und Selbsterkenntnis vor[1455]. Das fromme Interesse an diesem taucht nicht erst im Humanismus oder bei Zwingli auf, sondern ist der augustinischen Frömmigkeit und Theologie gemeinhin eigen, wie hier entfernter ja auch auf die Antike zu verweisen ist. Bernhard nun hat eine wohlbedachte geistliche Lebensweisheit, und zwar hinsichtlich der Ordensangehörigen, im Sinne, die sowohl die theologischen Haupttugenden, als auch den Dienst am Nächsten, nicht zuletzt zu seinem Heil, umfaßt[1456]. Solche Weisheit aber stammt "aus Gott", begreift die Gott dargebrachte Furcht und Liebe in sich, kommt "durch den Glauben", sucht, was Christi Sache ist und überbietet nach 1. Kor. 1, 18 ff. alle weltliche Wissenschaft. Ist doch "Jesus, den Gekreuzigten, Kennenlernen die erhabenste Philosophie". Asketische Frömmigkeit und die ihr geschenkte Kontemplation gehören dich-

test zueinander. Diese aber bringt den Meditierenden nicht nur "affektiv" zum Genuß seliger Ruhe, sondern erfaßt auch mit dem schauenden Intellekt. Immer neue Seiten und Stufenfolgen werden aufgezeigt, auf denen es zu weiser Selbsterkenntnis und folgends einerseits zur schauenden Gotteseinung, andererseits zur Verwirklichung des Willens Gottes kommt[1457]. Demut und Selbsterniedrigung sind bei Bernhard der Grundzug geistlichen Lebens, der bis hin zum ausdrücklichen Bekenntnis der völligen Disqualifiziertheit des Menschen vor Gott führt[1458].

4) Eine besondere Bedeutung kommt hier dem mit dem Namen des Thomas von Kempen auf das engste verknüpften Buch "Die Nachfolge Christi" zu, und das nicht nur als bloßem Beispiel möglicher geschichtlicher Rückverbindungen Calvins zu Gestaltungen augustinisch-franziskanischen und augustinisch-bernhardinischen Frömmigkeitslebens und einer ihnen entsprechenden theologischen Voraussetzung, sondern als besonderem geistlich disziplinierten Lebensraum, in dem er in Montaigu sich selbst zu bewegen hatte. Es kann für die Devotio moderna nicht anders sein, als daß Selbsterkenntnis sowohl über die Meditation zur Christuseinung führt, als auch in dem praktischen "Weisesein und Fürchten Gott gegenüber" sich bewährt. Das "Gott sich hingebende Leben" ist für sie das Ziel sowohl der in den Tod der Selbstabsage hinsinkenden "Lebensführung"[1459] eines Frommen, als auch sein Dienst in Unterricht, Predigt und Seelsorge. Ansonsten begreift Weisheit beim Devoten wesentlich auch in sich z. B. die Unzugänglichkeit für menschliche Belobigungen, dazu das "Empfinden" der Unwürdigkeit für göttlichen Trost und das verdiente Erleiden so vieler Zermürbungen der Seele. Dieses geradezu selbstquälerische Auf- und Abschwanken der Seele streckt sich immer wieder sowohl der Meditation des Weiseseins "Christus zulieb" und der Einung mit ihm entgegen, als auch findet es befriedende Ablösung in jener himmlischen Weisheit, die, unbeeindruckt vom bösen Gang dieser Welt, auf dem Wege des stillen Nachvollzuges Christi reformgesinnt und mehr oder weniger auch in Askese sich übend, mit der Ausübung der erwähnten praktischen Aufgaben einhergeht. Auch ein hieronymianisch zu kennzeichnender Zug von Humanismus durchwaltet vielfach diese Tätigkeit der Fraterherren, wie denn ihre eigenen Bildungsstätten auch Hieronymushäuser genannt wurden, und ließ ihre "Weisheit" solchergestalt die Praxis der Liebe umfangen[1460]. Der Vorsatz der Fraterherren, in Demut und Weisheit zu dienen, statt spekulativem Vorwitz und aufgeblasenem Wissen zu huldigen, ließ sie in recht mannigfaltige Positionen der Kirche, der Universitäten und Schulen eingehen und sich den jeweils unterschiedlichen Aufgaben, die an sie gestellt wurden, entsprechend einrichten. Daher kam dann die oft starke individuelle Prägung einzelner Vertreter dieser Reformbewegung zustande, wie man sie dann auch bei Standonck kennenlernt. Eine allenthalben

gleichförmige Gestalt frommer Lebensführung zeichnete die devoten Reformgesinnten nicht aus.

Es gehört unveräußerlich zur frommen Traktatliteratur, daß sie ihre Quellen jeweils nicht oder nur selten mit Namen nennt. So steht es auch mit der "Nachfolge Christi" des Thomas von Kempen. Soweit aber bisher bekannt ist, kommen für sie als Gewährsmänner in Betracht Bernhard von Clairvaux, Johannes Ruysbroeck, Johann von Schoonhoven, Florentius Radewijns, Geert Groote, David von Augsburg, Heinrich Mande, Gerlach Peters, Johannes Vos, Heinrich Seuse, Gregor der Große, besonders aber Augustin und dann Bonaventura[1461]. Sieht man von einer ganz gelegentlichen Erwähnung der Märtyrerin Agathe[1462] ab, so beruft sich die Imitatio nur ein einziges Mal auf einen wirklichen Gewährsmann, nämlich auf Franz von Assisi. In I, 50,8 heißt es: "Soviel nämlich ein jeder in Deinen Augen ist, so viel ist er wirklich und nicht mehr, sagt der demütige Hl. Franciscus". Einzig Sprachschatz, Redewendungen, Stil und ähnliche Umstände lassen die Quellen erkennen, aus denen jeweils die Anweisungen für die geistlichen Exerzitien und Meditationen fließen[1463]. Calvin hielt es sogar auch dann mit dieser Üblichkeit, wenn er katholische Zeitgenossen, unmittelbare katholische Gewährsmänner, sowie anderes katholisches Schrifttum ungenannt sein ließ, wo immer er auch mit aus ihnen fruchtbare Förderung auf dem Weg vom Scholaren zum jungen augustinisch gesinnten Reformator empfangen hatte und weiterhin empfing.

Standonck, in der Schule der Brüder des gemeinsamen Lebens in Gouda erzogen und selbst reformgesinnter Fraterherr geworden, hatte sich nach seiner Berufung als Regens in die Leitung des Collège de Montaigu in die Aufgaben von kirchlicher Erneuerung, wie sie hier angefaßt wurden, hineingestellt. Er stieß auf einen streng restaurativ arbeitenden Katholizismus und führte selbst eine rigorose geistliche Zucht in den Dingen des persönlichen und gemeinschaftlichen Lebens ein, die freilich seit 1513 mit päpstlicher Erlaubnis eine gewisse Milderung erfuhr, aber hart genug blieb. Mit dem an dieser Anstalt in Führung gegangenen Franziskanertum wurde er dabei vertraut. Und nicht von fernher unterhielt er auch freundschaftliche Beziehungen zu Franz von Paula, der, in Calabrien geboren, sein Leben 1507 als Generalsuperior der Minimenkongregation beschloß, die sich durch ihre ungewöhnlich strenge, spirituale Regel auszeichnete. Ob der spätere Calvin diesen oder eine andere "observante" franziskanische Ordensbildung oder gar das Montaigu selbst im Sinne hatte, wenn er von den "Neustoikern" sprach und sie wegen ihrer "eisenharten Philosophie"[1464], die "paradoxerweise" Herz und Gemüt nicht berühren dürfte, anprangerte? Standonck starb 1504. Sein Nachfolger wurde zuerst der massiv reaktionär vorgehende Natalis Béda (Noel Béda) und, ihm folgend, der sehr gestrenge Peter Tempête, den der

junge Calvin erlebte. Die Rigorosität der geistlichen Zucht eines
Standonck war nicht so bald vergessen worden. Major aber verehrte
diesen seinen Gönner sehr. Er seinerseits nun hatte den Geist augustinisch-franziskanischer Theologie schon von Oxford und den der
Kirchen- und Lebenserneuerung aus seiner Erziehung nach den puritanischen Richtlinien der aus der Devotio moderna hervorgegangenen
Augustiner-Chorherren von Windesheim mitgebracht. Der hier weit ineinander übergehende oder gar ursprünglich gleichlautende Sprachschatz, wie er sich auch beim jungen Reformator vorfindet, hat im
gegenwärtigen Betracht seine Heimat bei Augustin, Bernhard, in der
Franziskanertheologie und der Devotio moderna. Die entsprechenden
geistlichen Übungen, die er kennzeichnet, hatten im Collège de Montaigu eine Heimstatt gefunden.

Es kommt nun auf die Frage an, inwieweit Calvin, was die wesentlichen Stücke angeht, das Erbe der augustinisch-franziskanischen
Theologie, der Devotio moderna und der gängigen Kirchenlehre verarbeitet, bzw. für seine Konzeption von reformatorisch-augustinischer
Theologie und Frömmigkeit ausgeschieden hat. Die nicht nur beispielhaft, sondern, wie sich herausgestellt hat, auch aus der Sache
selbst und aus entsprechend geschichtlichen Rückverbindungen heraus
in Frage kommenden theologischen und frommen Autoren bleiben aber
noch eingehender, als es im vorliegenden Buch geschehen kann, zu
untersuchen.

1) Aus reformatorischer Sicht sieht sich Calvin von vornherein
veranlaßt, die Unterscheidung der "zwei Wege", nämlich den der all-
gemein-christlichen Lebensführung und den der monastischen, sowie
der ihr verwandten Lebensordnungen, wie er eine solche während seiner Scholarenzeit hatte innehalten müssen, als irrig hinzustellen.
Die Pflichten zu einem wohlbestellten christlichen Leben haben in
der Kirche eine alle ihre Glieder gleichermaßen umfassende Allge-
meingültigkeit. Es gibt keine Sonderfrömmigkeit.

2) Der junge Reformator blieb in enger Fühlung mit der christlichen Kirche schlechthin, wenn er den Menschen in die ihm vor der
Hoheit, Erhabenheit, Majestät Gottes allein mögliche "Niedrig-
keit"[1465], demütige "Unterwerfung" und die ihr entsprechende Selbsterkenntnis wissen wollte. Demut erklärt auch er für das christliche
Grundverhalten, das einem Menschen allein schon seiner geschöpflichen Abhängigkeit von Gott willen gebühre und in ein angemessenes
Bekenntnis einmünden müsse. "Mächtig gefällt" ihm der Ausspruch des
Chrysostomus, der "die Demut als Fundament unserer Philosophie"
kennzeichnet. Ihm zur Seite stellt er Augustins Zeugnis von der Armut und Hilflosigkeit des Menschen[1466]. Auch die Hausregel in Montaigu "unterwarf" das Leben in der Anstalt der Zucht zur Demut als
hervorragendster Tugend[1467]. Die Pflicht zur "Unterwerfung" ist
stehende Redewendung Calvins geworden für die sich aufopfernde Hin-

gabe eines Christen an Gott in einem puritanisch wohlbestellten christlichen Leben. In ihr äußert sich auch der schon gegenwärtige "kontemplative Genuß" des in seiner Fülle erst zu erwartenden himmlischen Erbes. Einerseits gewinnt Demut Gestalt in der Abwendung des Gläubigen vom Selbstvertrauen, und dies zwar gerade auch unter den Widerwärtigkeiten des Lebens und dem Tragen des Kreuzes Christi, und zwar in völliger Zerbrochenheit. Andererseits lernt Demut sowohl Ehrfurcht vor der "Gottheit"[1468] Gottes schlechthin, als auch beugt sie sich unter "die Regel der Gerechtigkeit", die Gott kraft seines Vater- und Herrenrechtes verfügt hat[1469]. Mit der Christenheit überhaupt aber und auch mit Erasmus wandte sich der junge Reformator gegen den Tugendstolz in der antiken Lebensphilosophie: "Es schreibt uns die Wahrheit Gottes eine weit andere Erforschung unser selbst vor, eine solche Erkennung nämlich, die uns vom Vertrauen auf unser eigenes Vermögen zurückbeordert, uns jeden Anlaß zum Selbstruhm nimmt und uns in die Unterwerfung hineinführt"[1470]. Allein, entgegen den gängigen Auffassungen seiner angestammten Kirche erkannte Calvin dem Grundverhalten der demütigenden Selbsterkenntnis keinen Verdienstcharakter zu: Demut ist keine Tugend, sondern eine von sich selbst absehende Beugung unter jedwedes herren- und vaterrechtliche Handeln und Gebieten Gottes.

3) Einschneidender noch dringt der junge Reformator in die Selbsterkenntnis eines Menschen als den anderen Teil "unserer Weisheit" vor, sobald er sich Gott und der vor ihm von einem Menschen gewonnenen Erkenntnis seiner selbst gegenübergestellt sieht. Sie läßt keinen Zweifel über das <u>negative Ergebnis solcher Selbsterkenntnis</u> aufkommen. Es ist die "Wahrheit" der Hl. Schrift und die ihr entsprechende "Kenntnis vom Menschen" als solchem, zu der sie anleitet, die seine religiöse, sittliche und geistliche Disqualifiziertheit bloßlegt und die uns von allem Vertrauen auf eigenes Vermögen und von jedem Selbstruhm "wegruft"[1471]. Sie läßt uns in einer Schande dastehen, die aller Selbstbeschmeichelung ein Ende bereitet und uns jene natürliche Wirklichkeit unser selbst aufdeckt, die uns in Ermangelung gerade aller Demut nicht zum Ziel der Ausrichtung allein auf Gott, auf ein der Weisheit gerecht werdendes zielgerechtes Denken und Handeln und darum auch nicht auf eine theologische Darlegung des Wie der sich unterwerfenden Hinordnung des menschlichen Lebens auf Gottes Willen gelangen läßt: eine "elende Verfassung"[1472] angesichts des "Bewußtseins"[1473], "unter der eigenen Bettelarmut bis zur Vernichtung zusammengebrochen zu sein"[1474]. Der Mensch ist, augustinisch gesehen, in allen Dingen des Heiles und eines wohlbestellten christlichen Lebens nicht nur ohnmächtigen, sondern auch widersetzlichen Willens. Dazu zieht Calvin noch in Betracht, daß dieses Elend durch den von Gottes Vorsehung "angeordneten"[1475] Sturz Adams mit der nachfolgenden ebenso durch Gott angeordneten

Eingehörigkeit des ganzen Menschengeschlechtes in diesen Sturz verhängt wurde[1476]. Diese Erkenntnis unser selbst findet also in Gottes Anordnen und Sagen ihren letzten unausdenklichen Grund.

Allein, wollte sich Calvin angesichts solcher vor Gott allein
möglichen und gebotenen Selbsterkennung eines Menschen sowohl vom
Wissens- und Bildungs-, als auch vom Tugendstolz geschieden wissen,
so doch nicht von der Hochschätzung der "Künste" als solcher, wie
sie die Kirche aus der Antike in sich aufnahm. Aber das Junktim von
christlich-reformatorischer Frömmigkeit und antiker "Bildung"[1477],
wie er es bei Erasmus und dem von diesem besonders geliebten Kirchenvater Hieronymus vorfand, und jenes ganz andere Junktim von
"Theologie" und einer sie traktierenden, denkerisch sich überneh-
menden scholastischen Methode[1478] verwarf er entschieden. Zweierlei
jedoch wird doch auch wiederum relativ anerkannt: 1) die unter Menschen natürlicherweise vorkommenden, geachteten und gleichzeitig
nur äußerlichen oder gar nur den Schein habenden Tugenden, wie sie
in Wirklichkeit doch nur den Makel der Unreinheit des Menschen "vom
Scheitel bis zur Sohle" an sich tragen; 2) die solchergestalt, trotz
aller verwerflichen Motivationen die menschliche Gemeinschaft er-
haltenden Gesellschaftstugenden. Jedoch wird für den Christen aus
der "erfahrenen" Wirklichkeit der eigenen Schwachheit und Gebrech-
lichkeit und also aus gerade solcher Selbsterkenntnis im Gegenüber
Gottes und seiner Erkenntnis die Anrufung seiner Kraft und die Zuflucht zu seiner ausrüstenden Gnade als nötig erachtet. Sogar durch
die Entziehung seiner "Gnadenhilfe", durch die Prüfung unter dem in
die Gleichgestaltung mit Christus versetzenden, geduldigen Tragen
des Kreuzes, das "erfahrungsgemäß"[1479] die verheißene Hilfe Gottes
herbeiführt, schließlich durch das Erwägen der selbsteigenen Schuld
und des verdienten Zornes Gottes führt dieser zur Selbsterkenntnis[1480]. Das Erflehen der zum geistlichen Leben ausrüstenden Gnade
hat in Calvins reformatorisch-augustinischer Konzeption denselben
Platz wie bei den spätmittelalterlichen Antipelagianern und schon
bei Augustin selbst, auch wenn Grad und Art der menschlichen Disqualifiziertheit, sei es ontisch, sei es personhaft, verschieden aufge-
faßt, empfunden wird[1481].

4) Anders als es bei der christlichen Kirche schon seit ihrem zweiten Jahrhundert gemeinhin der Fall war, weiß Calvin, von Luthers
Schrift- und Heilsverständnis zuinnerst überführt, von dem heilspä-
dagogischen Widerspiel von Gesetz und Evangelium und also von einer
solchen Selbst- und Heilserkenntnis, wie sie im Gegenüber des sein
heiliges Gesetz handhabenden Gottes zustandekommt. Über alle Verurteilung von Selbstbeschmeichelung und alles Selbstbeklagen eines
Menschen, von dem auch z. B. Bonaventura und Bernhard zu sagen wissen, noch hinaus gilt für Calvin, daß unser Gewissen es ist, das
zwangsweise vor den Richtstuhl Gottes zur erhellenden Aufdeckung

auch der allerverborgensten Werke eines Menschen geführt werden muß.
Eben hier findet die letztgültige "rigorose Prüfung" unser selbst
statt und zwingt uns in eine solche "Bestürzung" über uns selbst,
wie sie allein zum Empfang der Gnade Christi nun eben im Gericht
Gottes zubereitet. Mißt doch Gott unsere natürliche Verfassung und
das, was aus ihr hervorgeht, auf der "Goldwaage seines Gesetzes".
Das geht weit über die Charakterisierung der als Minderung der religiösen, moralischen und geistlichen Disqualifizierung des "natürlichen" und "fleischlichen" Menschen hinaus. Im "Spiegel des Gesetzes"
wird Sünde erkannt als Übertretung, als Auflehnung, Widersetzlichkeit des natürlichen menschlichen Willens gegen den Willen und das
Gesetz Gottes, der selbst der "Gesetzgeber" ist. Kann doch das Gesetz nicht anders als anklagen, verurteilen, töten, verderben. Dabei bleibt unser Gewissen als unüberhörbarer Zeuge, jedoch niemals
als unser Richter, in diese letztgültige Gerichtssituation eingeschaltet und kann nur dazu dienen, eine Selbsterkenntnis herbeizuführen, bei der ein Mensch Gottes Verdammungsurteil über sich anerkennt. Hier erst gerät dann auch "Demut" aus dem Bereich der Tugenden und geistlichen Vorzüge völlig heraus und hinein in den Inbegriff einer vollkommenen "Leere an Barmherzigkeit" Gottes. Hier wird
klar, was Calvin schon an <u>Augustin,</u> bei aller Anerkennung der von
ihm Pelagius gegenüber geltend gemachten medizinellen Gnadenhilfe,
tadelt. Ein höchst empfindlicher Punkt, der mit zum Aufbruch der
Reformation führte, von der christlichen Kirche und ihren Lehrern
von alters her aber nicht als solcher empfunden worden war, wird
hier bloßgelegt: der Kirchenvater hat das <u>Strafamt des Gesetzes
nicht recht verstanden, wie es der rechtfertigenden Gnade Christi
in die Arme führt</u>[1482]. Die hier sich durchsetzende, der Reformation
unaufgebbar eigene Art von Selbsterkenntnis erreichten auch die Antipelagianer des späten Mittelalters nicht; denn sie gaben zugunsten
der Kategorien der Quantität und Qualität christlichen Lebens der
Kategorie der Geltung oder Nichtgeltung eines dem Widerspiel von
Gesetz und Evangelium ausgelieferten Gewissens nicht den von der
reformatorischen Selbst- und Heilserkenntnis erforderten Raum. Auch
der Ockham'sche Gedanke der Nominierung eines Ungerechten zum Gerechten durch einen freien Akzeptationsakt Gottes, wie ihn sich
Calvin in einer gewissen Parallelität zur forensischen Rechtfertigung zu eigen macht, erreicht die Heilspädagogie des Gesetzes nicht.
  5) Hier liegt dann auch der Grund dafür, daß die Weise, <u>reforma-
torisch zu glauben,</u> für "unsere Weisheit" bei Calvin eine grundlegend andere Bedeutung gewann. Das gilt vorweg anthropologisch hinsichtlich der "geistigen Sinne"[1483] des Menschen: Seine Einsicht,
sein Verstand ist von Natur abgestumpft, blind[1484], auf Gott und
sein Heil hin nicht entwicklungsfähig. Er bedarf der <u>Erleuchtung</u>
durch Gott und seinen Geist als Lehrer und muß, wie es augustinisch

heißt, "gereinigt", "geläutert" werden, weil er erst dann die "kla-
re" Enthüllung und Wirkung des Evangeliums zu "spüren" bekommt[1485].
Die Wiedergeburt in ihrem weiteren Umfang, so heißt es dann seit
1539 häufiger, führt solche Erleuchtung als das "einzigartige und
besondere Geschenk" Gottes mit sich: sie ist Weisheit der Heilserkenntnis und Weisheit christlicher Lebensführung zugleich. Nicht
eine das Wort Gottes, so eifrig es auch z. B. nach Bonaventura zu
studieren ist, hinter sich lassende intellektive Gottesschau, nicht
die mystisch zu erlebende "Gottförmigkeit" meint Calvin, statt dessen aber ein "schauendes" und "wahrnehmendes"[1487] Erkennen, das über
das bloß literarisch übermittelte und intellektuelle biblische Erkennen und Wissen hinausreichend, die Selbstbekundung Gottes in der
Hl. Schrift dahingehend empfängt und umfängt, daß sie allein einem
solchergestalt Gläubigen - nach Calvin nicht: Glaubenden - zur
Heils- und Glaubensgewißheit, zur wohlbestellten geistlichen Lebensführung und zu der auf das künftige Leben ausgerichteten "gewissen
Heilshoffnung" samt dem die Gegenwartsmächtigkeit solchen Heiles
bewirkenden Hl. Geist geschenkt wird. Ein aufgipfelndes mystisches
Widerfahrnis, nämlich der "Weg der Einung"[1488] würde für Calvin ein
Heraustreten aus der personhaften, dialogisch bleibenden Polarität
Gottes einerseits und eines Gläubigen und Frommen andererseits be-
deuten. Doch kommt er einem alten Anliegen der Franziskanertheologie, sei es bei Bonaventura, sei es bei Major u. a., doch auch wieder nahe, wenn er einen Gläubigen "affektiv" an seinem Glauben beteiligt sein läßt.

Damit tritt aber schon deutlich eine weitere anthropologische Dimension in Sicht, daß die aus der Erleuchtung eines Menschen zum
"Licht des Glaubens" geschöpften Erkenntnisse in das Herz "hinübergegossen" werden müssen, damit gerade nun hier, wie denn auch beim
Empfang des Sakramentes, aus brennender "affektiver" Bewegtheit ein
Hungern, Dürsten und tiefes Seufzen nach Christus erwacht, ihn zu
"umfangen". Mehr noch: die Hauptsache beim Glauben ist die unbeirrt
feste Beständigkeit des Herzens. Das durch den Geist Gottes bewirkte Beharren des Willens im Glauben tritt hervor. Dazu ist ihm das
"Empfinden"[1489] und "Kosten"[1490] an allem eigen, was es mit Gottes
Reich auf sich hat[1491]. Der Glaube kann, weil er die Affekte inten-
siv anwandelt, den höchsten Grad von Verstehen und Innigkeit zugleich erreichen, besteht im Zutrauen, wie man es schon bei Bonaventura lesen kann, und verleiht einem Menschen, das Heil "bei sich
selbst gewiß" zu haben. Diese Weise, reformatorisch zu glauben,
setzt sowohl das rein negative Ergebnis der Selbsterforschung voraus,
als auch bleibt sie, soll einem Menschen wirklich geholfen werden,
Gottes unverrechenbarer und unkontrollierbarer, sich aber wahrnehm-
bar zur Geltung bringender Initiative anbefohlen. Unter Predigt,
Belehrung und Ermahnung wird ein Erwählter nämlich zur anfänglichen

"Berührung", zum allerersten Einsetzen von "Gelehrigkeit", zum "Nippen"[1492], zum"ersten Tropfen des Glaubens"[1493] geführt. Der Lehrmeinung Gregors von Rimini genau entsprechend, behält das "vorsehende", wohlwollende Ermessen Gottes Anfang und Fortgang[1494], unbeschadet der Eigenverantwortung des Menschen, aus der er Calvin zufolge nicht entlassen werden kann. Alles wird umfaßt durch das Alleinwirken Gottes. Der junge Reformator läßt die logische Unreimbarkeit beider Seiten aus Achtung vor ihrer Wirklichkeit unvermittelt nebeneinander stehen, damit jeder ihr Recht zukommt. Auf diesen beiden Wirklichkeiten und nicht auf der Paradoxie beider Aussagen liegt der Ton. Diese nimmt er um jener willen in Kauf, ohne dem Gesichtspunkt der Paradoxie stattzugeben.

6) Von 1539 an hat sich der junge Reformator der Frage nach einer theologischen Anthropologie gründlich gestellt. In c. 2 der Zweitausgabe der Institutio entwickelt er sie als Kenntnis vom Menschen und vom freien Willen. Er erörtert dabei "die Erbsünde, die natürliche Verderbtheit des Willens, die Unfähigkeit zur freien Willensentscheidung, ebenso die Gnade der Wiedergeburt und die Hilfe des Hl. Geistes"[1495]. Den Kern dieser "Disputation" bildet die Frage nach der "geistlichen Wiedergeburt", durch die das Leben eines Menschen in eine vorwiedergeburtliche und eine nachwiedergeburtliche Wegestrecke geteilt wird, ohne daß der Vorgang der so wichtig erscheinenden Wende von der einen zur anderen psychologisch untermauert würde. Calvin geht von einer aller zutreffenden Selbsterkenntnis zugrunde liegenden reformatorischen "Erkenntnis des Menschen" aus in der Überzeugung, mit seinen Aussagen an der Hl. Schrift orientiert zu sein. Eine als objektiv gültig erachtete theologisch fixierte Anthropologie sowohl des sündigen, als auch des wiedergeborenen Menschen geht er an und bleibt doch persönlich engagiert. Die hier vorgelegte Gnadenlehre geht eindeutig auf Augustin und die Antipelagianer des späten Mittelalters zurück und nimmt eine Schlüsselstellung in der theologischen Konzeption Calvins ein. Er bringt sie als Angehöriger der Augustin-Renaissance seines Zeitalters an hervorragender Stelle in die Reformation Genfer Observanz ein.

Institutio 1539 c. 2 bringt zunächst eine Analyse des vorwiedergeburtlichen Menschen. Sie geschieht unter ständiger Rückbeziehung eines in die geistlich-theologische Existenz Gott gegenüber Versetzten auf das Wort Gottes. Die überkommene Dichotomie der menschlichen Seele wird vorausgesetzt[1496]. In ihr aber wird ihr völliges intellektuelle Versagen hinsichtlich des "richtigen Erdenkens und Bedachtnehmens" auf das enthüllt, was es ganz praktisch mit Gott und der ihm gebührenden Verehrung zu tun hat[1497]. Die Erforschung des "im Intellekt liegenden Schadens" gilt als der "erste Schritt" auf dem Wege zur "Weisheit"[1498]. Die "Klugheit" des Fleisches hingegen muß für eine Feindin Gottes gehalten werden, heißt es schon

1536[1498]. Damit tritt der junge Reformator in die Fußstapfen vieler frommer Theologen seiner angestammten Kirche und der devoten und erasmischen Frömmigkeit im Anschluß an 1. Kor. 1/2, ohne sich jedoch im einzelnen auf die eine oder andere Exegese unbedingt festzulegen. Einsicht in natürlichen Dingen wird für den "animalischen" Menschen zugestanden, der "Besitz" der "himmlischen und geistlichen Weisheit" hingegen nicht[1499]. Zu der diesbezüglichen Blindheit des natürlichen Menschen[1500] gesellen sich die Ohnmacht seines Willens[1501] und die sündlich verknechtete "freie Willensentscheidung"[1502], die beide Calvin keineswegs immer genau auseinanderhält. Er schließt sich Augustins Urteil über Pelagius an: "Der menschliche Wille gelangt nicht durch eigene Freiheit zur Gnade, sondern durch die (ausrüstende) Gnade zur Freiheit"[1503]. Freie Willensentscheidung darf nicht zu dem Ende gefordert werden, daß Gott die Möglichkeit bekomme, seine Gerechtigkeit distributiv zu handhaben, d. h. Strafe und Lohn gerecht austeilen zu können[1504].

Die Analyse des vorwiedergeburtlichen Menschen vorzunehmen, bedient sich Calvin einer <u>großen Vielfalt der Ausdrucksweisen.</u> Die <u>voluntaristische Seite</u> des natürlichen Menschen tritt dabei in den <u>Vordergrund.</u> Ihn zeigt er des "Unglückes"[1505], der Verknechtung unter die Sünde[1506] und nennt ihn von Gott "weit getrennt und abgeschieden"[1507],"dem Schlaf verfallen, tot, begraben"[1508], "ohne Gott"[1509], schlecht[1510], böse "beschaffen"[1511]. Eben diese seine Verfassung belastet seine ganze Person als deren zu verantwortendes Eigentum. Doch eine sündliche Infizierung des menschlichen Personwesens als solchen[1512], wie diese ehedem Petrus Aureoli[1513] gelehrt hatte, lehnt der Calvin von 1539 ab. Aber er hält dafür, daß die "christlichen Schriftsteller" zuweilen sogar im Gegenteil in die Nähe jener "antiken Philosophen" gerieten, die ein "Leben der Natur gemäß"[1514]oder eine solche "wohlbestellte und gerechte Lebensführung" empfehlen, die Vernunft und Willen des Menschen als lediglich "verwundet", "geschwächt", als immerhin noch "halblebendig" einschätzen. <u>Augustin</u> wird von diesen aber ausdrücklich ausgenommen[1516]. Calvin meint, zu diesem Fragenkreis äußere sich Bernhard unklar, Anselm sei nicht allgemeinverständlich genug, Scholastiker, Thomas von Aquino voran, möchten Augustin wohl am nächsten stehen[1517].

Calvin klagt darüber, daß die zeitgenössischen "Pelagianer", d. h. insbesondere die Sophisten der Sorbonne[1518], "die Unsitte hätten, uns vorzuhalten, es stehe das ganze Altertum gegen uns"[1519]. Damit brauchten Dozenten des Collège Montaigu noch nicht gemeint zu sein. Besonders hatte ehedem Gregor von Rimini seinen Augustinismus als gesunde Gestalt kirchlicher Lehre ausgegeben. Dafür hielt Calvin für seine Person auch. Darum distanziert er sich auch gegen die Lehrmeinung der "Modernen", als diejenige Ockhams, Biels u. a.,

Sünde komme aus der bloßen "Nachahmung Adams"[1520]. Allenthalben in seiner angestammten Kirche stößt er auf die erwähnte Auffassung von einem mehr oder weniger "halben Lebendigsein" des natürlichen Menschen.

Auch von Erasmus und seinen Jüngern, wo immer sie in einem hieronymianischen und einem biblizistischen Humanismus verharrten, konnte er keine tieferen Einsichten erwarten. Selbst vom später augustinisch gesinnten Faber Stapulensis, dem Natalis Béda Mangel an Rechtgläubigkeit vorwarf, dem aber Gerhard Roussel doch auch wieder mancherlei Anregungen verdankte[1521], trennte ihn die rein reformatorische, wenn nicht dazu auch eine gewisse augustinische Erkenntnis. Sein Augustinismus ist dann aber auch demjenigen eines Johann Pupper von Goch[1522] und eines Heinrich van Zomeren verwandt, dessen schwere Auseinandersetzungen mit Petrus de Rivo in Löwen über den Satz von der doppelten Wahrheit[1523] weit über den Unterlauf von Rhein und Maas hinausdrangen, wie denn auch enge Verbindungen mit Paris bestanden und der Papst seinerseits zugunsten van Zomerens entschied, der Nominalist und Antipelagianer zugleich war. Pupper bringt diese Vorgänge zur Sprache[1524]. Die Augustin-Renaissance reichte damals weiter als gemeinhin angenommen wird.

Was nun wiederum Calvin angeht, so entwickelt er unter den Augustinisten seines Zeitalters in Institutio 1539 c. 2 eine Anthropologie des Sünders, die unter ständiger Beziehung auf c. 1, das von Gott und der Gotteserkenntnis handelt, selbst von Gregor von Rimini, einem der ausdrücklichen Gewährsmänner Majors, nicht übertroffen wird. Die sündliche Disqualifiziertheit des "natürlichen" Menschen im Vergleich mit den unaufgebbaren Anforderungen der Reinheit und Heiligkeit Gottes wird durch Ausdrücke sich übersteigernder Verächtlichkeit dieses Menschen in den Augen Gottes gekennzeichnet[1525]. So lautet denn in diesem Betracht die Frage des Augustinisten Calvin: Wie bekomme ich statt meines bösen Willens einen guten? Oder auch: Wie komme ich dazu, mein Leben, statt nach der Weisheit der Welt und ihrer Philosophen[1526] nach der Weisheit Gottes zu führen? Diese Frage samt ihrer Beantwortung in letzter augustinischer Konsequenz, die die Wiedergeburt aus dem Bereich des Sakramentalen und auch des Mystischen löst und sie in den des unverdienten persönlichen Handelns Gottes mit und an einem Menschen zu seiner "Heilung" verlegt, bringt Calvin in die Reformation mit ein. Die Antwort lautet: "Durch die Gnade der Wiedergeburt und durch die Hilfe des Hl. Geistes"[1527], also durch die den Sünder umwälzende und ihn neu ausstattende Gnade der Wiedergeburt und die diese neue geistliche Verfassung jeweils aktivierende "besondere Gnadenhilfe". Wiedergeburt aber stellt, wie es 1539 ausdrücklich heißt, keinen "Übergang" dar, sondern ist Neuschöpfung, Neubeginn des Lebens, Austausch der bösen Beschaffenheit eines Menschen gegen die neue und gute[1528]. Dieses

Verständnis von Wiedergeburt vermeidet vier Klippen: den Perfektionismus der Täufer, die Beibehaltung menschlicher Mitwirkung jeden Grades und jeder Form, den erwähnten bloßen Übergang, auch in den feinsten Stufen neuplatonischen Aufstiegs[1529], und das Verständnis der Erneuerung als Vorbereitung einer das Wort Gottes und die Weise, reformatorisch zu glauben, übersteigenden Kontemplation.

In die engste Verbindung mit der Weisheit der Kenntnis vom Menschen und seiner Selbsterkenntnis im Gegenüber Gottes und der Erkenntnis von Gott bringt der junge Reformator vordergründig seit 1539 die "besondere" Hilfe oder die "besondere Bewegkraft"[1530] oder auch die "besondere Gnade des Hl. Geistes", sowie diejenige des Herrn (Gottes) selbst[1532]. Diese "besondere" Tätigkeit besteht aber nicht darin, daß sie grundlegend die Wiedergeburt eines religiös, sittlich, überhaupt geistlich disqualifizierten Menschen bewirkt, sondern stellt erst jene andere Wirkung desselben Geistes dar, die die neue Verfassung eines Wiedergeborenen aktiviert und lenkt, wann auch immer sein Wählen und Wollen sich einer Angelegenheit annimmt, die von ihm vor Gott nach dessen Willen und Gebot verantwortlich erscheint. Diese also "besonders" genannte Gnade des Hl. Geistes zieht uns von dem, was uns anderenfalls schaden würde, fort und hinein in den Bereich, in den sich jeweils jene "Kraft der göttlichen Vorsehung ausstreckt", nach dem der seines Elends sich bewußt Gewordene von Gott her gewissermaßen durch eine Hand geleitet wurde, ihn zu finden"[1533]. Calvin folgt wortwörtlich der Ausdrucksweise der Antipelagianer der spätmittelalterlichen Zeit, vor allem derjenigen Gregors und Augustins selbst, wenn er die Gnadenausrüstung aus dem je vorhersehenden Willen Gottes heraus vor sich gehen läßt. Erst 1559 unterschied er, wie ehedem Bonaventura, jenen vorsehenden Willen Gottes von dem prädestinierenden. Der "zweite Gründer des Franziskanerordens" hatte nämlich die göttliche Vorherbestimmung dem Heilswirken Gottes zugeordnet. So tat es Calvin also auch dann schließlich 1559. Aber für den Calvin von 1539 ist es noch der vorsehende Wille Gottes, der in den schon Wiedergeborenen zu ihrem wohlbestellten Verhalten, Gebahren, Handeln herrscht und Wirkungen fortgehender Erneuerung und Besserung hervorbringt, zu rechtem Handeln treibt und böses Handeln zurückhält. Gott schenkt sogar mehr an Ausrüstung des Guten, als Adam besaß: die Gabe der Beharrung. "Hilft die Gnade nicht auf, so kommen wir niemals zu dem Vermögen, richtig zu handeln"[1534].

7) Von hier aus fällt Licht auf die bisher offen gebliebene Frage, inwieweit der junge Reformator einem Wiedergeborenen Weisheit in dem positiven Sinne christlich weiser Lebensführung zugestand. Zunächst weist er 1539 hin auf die durch den Hl. Geist gewirkte Erleuchtung und das aus dem affektiv angewandten Herzen hervorgehende zielstrebige Handeln nach den lebendigen Maßstäben der Hl.

Schrift[1535]: himmlische Weisheit hängt am Munde Gottes[1536]. Nicht intelligible Schau Gottes, auch nicht emotionale Einung mit Christus meint Calvin, sondern das stets lebendige Wort Gottes, das die erwählten Frommen zu dem bringt, was Augustin schon so grundlegend wichtig war: zur Flucht in die immer wieder ausrüstende Gnade, wenn sie an ihre Ohnmacht erinnert werden[1537]. Sodann aber macht sich bei dem jungen Reformator eine Vorliebe für den Gedanken etwa in Psalm 111, 10 bemerkbar, den schon die Frommen vor ihm liebten: die Furcht des Herrn ist der Weisheit Anfang. Betonter noch spricht er dann in seiner späteren Zeit von dem, was es mit der Furcht Gottes und der "wahren Weisheit" auf sich hat[1538]: sie wird in der Schule Gottes gelernt und muß "vom Himmel erbeten sein"[1539]. Bernhard und die Frommen der christlichen Kirche liebten die Verbindung von Weisheit und Furcht Gottes. Schließlich wird von Calvin unter der Furcht Gottes umfassend auch das "ganze Religionswesen" verstanden, und zwar immer mit der Ausrichtung auf seine Praktizierung: also alle Weisheit, wie sie auf den Dienst Gottes und die ihm darzubringende Huldigung gerichtet ist, die beide "die Kreaturen ihm schuldig sind"[1540]. Die Weisheit, Frömmigkeit, Religion ist bei gleichlautender Ausdrucksweise von der erasmisch verstandenen hieronymianisch-humanistischen unterschieden, sofern Calvins "Gelehrsamkeit"[1541] reformatorisch-augustinisch orientiert bleibt.

Es drängt sich die Erkenntnis auf, daß der junge Reformator bei der Auseinandersetzung über die Frage nach der freien Willensentscheidung[1542] und der Handlungsfreiheit[1543] eines Menschen sich nicht mit Luther in die Front gegen Erasmus stellt, sondern in diejenige der Träger der Augustin-Renaissance gegen die damals bekämpften Pelagianer, Semipelagianer oder auch "Modernen". Den "Antipelagianern" entnimmt er die Argumente und macht diese bis zur letzten Folgerichtigkeit stark. Die innere Struktur der theologischen Konzeption Calvins ist schon 1536 angesichts des so vordergründig durchgeführten Prädestinationsgedankens etwas anderes als die Einteilung der Institutio dieses Jahres nach Luthers "Kleinen Katechismus". Sie bleibt auch fernerhin etwas anderes, wenn von 1539 an der junge Reformator seinem Werk eine immer selbständiger ausgebaute Einteilung zu geben beginnt, gewinnt aber von Mal zu Mal auf diese einen gewissen Einfluß. Der Katechismus von 1545 ist hier aufschlußreich. Seinen Ausgang nimmt er christlich-anthropologisch von der Frage nach dem "Ziel" und der "Bestimmung" des "menschlichen Lebens" und gibt die lapidare Antwort, es könne einem "Menschen" nichts Unglücklicheres zustoßen, als sein Leben nicht in der Hingabe an Gott zu führen. Die Erkenntnis, Ehrung und Rühmung Gottes ist "das höchste Gut" und öffnet das Verständnis für alles, was der Katechismus bringen wird, und zwar mit erst dann folgender baldiger Rücksicht auch auf das Heil in Christus[1544]. Die Einteilung der Letztausgabe der Institutio folgt der gängigen Vierteilung der Sentenzenkommentare, in denen das vierte Buch, über die Kirche handelnd, einen besonders umfangreichen Raum einzunehmen pflegt.

Durch die Einteilung des dritten Buches spinnt sich bei Calvin nun aber ganz deutlich die besondere Struktur seiner theologischen Konzeption. Hier ist in c. 2 von der Weise, reformatorisch zu glauben, die Rede. Aus diesem Glauben wird dann die Wiedergeburt hergeleitet, die gegen deren sakramentale Begründung und kirchenrechtliche Handhabung in der päpstlichen Kirche abgegrenzt erscheint. Der anthropologische Einsatz ist hier deutlich geblieben: c. 3 bis c. 5. Damit öffnet sich der ganze Bereich des "Christenlebens" mit seinen besonderen Merkmalen der Selbstverleugnung, des Kreuztragens und des Bedachtnehmens auf das künftige Leben: c. 6 bis c. 9. Aber wirklich erst dann wendet sich in c. 11 bis c. 16 die Darlegung der Erörterung der forensischen Rechtfertigung zu, doch so, daß sie zugleich als souveräne "Annahme in die Gnade" und somit zu Söhnen Gottes "interpretiert" wird. Die doppelte Vorherbestimmung wird dann in den Kapiteln 21 bis 24 so abgehandelt, daß sie das von der Rechtfertigung gegen das Richtamt des Gesetzes unablässig begleitete und abgeschirmte Christenleben ätiologisch und teleologisch noch einmal völlig umfaßt und, aus dem Zusammenhang der Vorsehung Gottes nun endlich gelöst, nach seiten der Erwählung einen Menschen der uranfänglichen Aussonderung zum Heil und seiner göttlichen Sendung und Bestimmung zum ewigen Heil gewiß macht. Denselben Schritt hatte vordem schon Gregor von Rimini getan, als er die Prädestination aus dem Zusammenhang der göttlichen Vorsehung löste und sie in die Verbindung mit Christus und seinem Heil brachte. Die Anordnung des dritten Buches der Letztausgabe der Institutio mit der ihr eigenen Sinnfindung geistlich-anthropologischer Wirklichkeiten und theologischer Zusammenhänge ist also alles andere als bloß "formaler Natur"[1545].

8) Durch wen, wo und wann mag schon der werdende Reformator zuerst auf die Fährte des Augustinismus, bzw. Augustins selbst gesetzt worden sein? Drei Zeitspannen seines jungen Lebens legen hier ein näheres Zusehen nahe. Erstens das Scholarentum in Montaigu, zweitens die ganz kurze Zeit bei dem Domherrn Louis du Tillet in Claix von Ende 1533 bis April 1534 und schließlich die Zeit seit Januar 1535 in Basel, nachdem er am 4. Mai 1534 in Noyon, doch wohl aus Gewissensgründen, auf seine kirchlichen Pfründe verzichtet hatte. Es liegt zunächst im Dunkel, womit er die kurze Zeit gelehrter Muße von 1533 bis 1534 bei du Tillet wohl ausgefüllt haben mag. Nahe liegt, daran zu denken, daß er sich Rechenschaft zu geben begann über das Bekenntnis der Reformation, die ihn in dieser Zeit wohl endgültig überwand. Das Jahr 1535 in Basel füllt dann die Erarbeitung der Erstausgabe der Institutio aus. Zahlreich ist die Rei-

he der Kirchenväter und Kirchenlehrer[1546], die er studierte, um
dabei sowohl das Anliegen der Reformation vordergründig herauszu-
stellen, als auch um deren positives Verhältnis zu jenen Autoren
vor allem der alten christlichen Kirche sichtbar zu machen, sowie
um kontroverstheologisch die ihm ans Herz gewachsene "fromme" Lehre der Wittenberger Reformation gegen die gängige Lehre der päpstlich-priesterlichen Kirche abzugrenzen. Es bleibt aber die Frage,
ob augustinische Grunderkenntnisse nicht doch schon durch seine
Scholarenzeit in Montaigu präjudiziert und seitdem bei ihm jedenfalls erinnerlich geblieben waren, wenn schon die eingehenden Studien des römischen Staatsrechtes, sowie des Imperatorenethos und
der Lebensphilosophie vor allem der späten Stoa eines Seneca, dazu
mit Unterbrechungen die humanistischen und philologischen Studien
am Kollegium der königlichen Lektoren in Paris von 1531 bis 1533
ihn völlig auslasten mußten und auch vor allem der Weg von der "jähen Wende" seines Lebens zur reformatorisch orientierten "Gelehrigkeit" und bis hin zur ausgereiften reformatorischen Überzeugung
durchzukämpfen und zu verarbeiten waren. Es spricht sehr viel dafür, daß der junge Calvin einen franziskanischen Anstoß zu seiner
augustinischen Denkungsart aus dem Gymnasium montis acuti mitbrachte. Es spricht nichts dagegen, daß hier im Unterschied von dem
"modernen" semipelagianischen ein augustinischer Nominalismus in
dem ansonsten gängigen Unterricht in der Lehre der Kirche und dem
weiteren Bildungswesen mitlief. Ein solcher erster Anstoß brauchte
durch das nachfolgende Studium der Rechte und der humanistischen
Wissenschaften nicht aufgehoben zu werden. Aber der Anfang einer
wirklich selbständigen theologischen Konzeption ist in den Jahren
1538/39 zu suchen[1547].

9) Wie ist es aber nun zu erklären, daß der junge Reformator einen
Lehrer wie Johann Major niemals erwähnt? Am Collège de Montaigu
herrschte dieser bedeutende Vertreter der jüngeren Franziskanertheologie in ihrem ungebrochenen scholastischen Gewand seit 1525 wieder
in eigener Person, sowie als Lehrer an der Artistenfakultät, wie
seine diesbezüglichen Lehrbücher aus dieser Zeit beweisen. Später
freilich waren es auch franziskanische Theologen gewesen, die die
aus dem Rahmen des Gewohnten so sehr herausfallende, von dem biblizistischen Humanisten Calvin doch wohl mehr als bloß inspirierte,
Rede des Rektors der Pariser Universität und Mediziners Nikolaus
Cop am Allerheiligentag des Jahres 1533 aufgestört, zum Anlaß nah-
men, das Pariser Parlament zum Einschreiten zu bewegen. Die Dozenten der Artistenfakultäten und die Mediziner traten meist hinter
Cop, die scholastischen Theologen und die Kirchenrechtler klammer-
ten sich an eine ablaufende Zeit. Deutlich tritt hier hervor, wie
reformfreundliche Lehrer mit den restaurativ gesinnten Vertretern
der Scholastik und des kanonischen Rechtes auseinander geraten wa-

ren. Calvin hätte eine Torheit begangen und mindestens eine starke Befremdung im reformatorischen Lager hervorgerufen haben, würde er sich für den Augustinismus, wie er ihn in die Reformation Genfer Observanz einbrachte, auf jenen franziskanischen Theologen berufen haben, der unbeschadet seines Antipelagianismus, einen kirchlich und theologisch streng restaurativen Kurs verfolgte. Und war nicht Johann Major mit Johann Eck befreundet?

In der Tat, im Vorwort zum Evangelienkommentar von 1529 nimmt Major Stellung nicht nur gegen John Wiclif, Johann Huß und den griechisch-orthodoxen Bulgarenbischof Theophylactus, den Calvin seinerseits dann bei der Erstellung der Erstausgabe seiner Institutio mit in Betracht zog[1548], sondern auch und vor allem doch gegen die "pestbringenden Lutheraner". Und dieser Major war dem bekannten Gegner Luthers Johann (Major) Eck freundschaftlich zugetan. Eck brachte, wie jener, dem Augustinismus des Thomas von Bradwardine, in dem er bewandert war, und des Gregor von Rimini, dessen Sentenzenkommentar in der Ausgabe von Venedig 1503 er besaß[1549], ein ganz verwandtes Interesse entgegen. Eigentümlich: Ecks Stellung zu Gregor fand Luther "schillernd"; Major seinerseits bekannte von sich, er neige persönlich dazu, der Freiheit der menschlichen Willensentscheidung zuzustimmen, müsse aber um der Autorität der Hl. Schrift willen Antipelagianer sein. Es war auf der Leipziger Disputation 1519, daß Eck Luther auf Übereinstimmungen mit Gregor hinwies, und Luther seinerseits bezeichnete dann aus Anlaß dieser Disputation in einem Brief an Spalatin Gregor als den einzigen Vertreter des unfreien Willens unter den "Modernen"[1550]. Man darf aber auch erwägen, ob nicht verschiedene Ausgaben des wiederholt erschienenen Sentenzenkommentars Majors in deutschen Landen verbreitet waren. Um die gang und gäbe katholische Kirchenlehre zu widerlegen, hielt sich Calvin schon 1536 vor allem an das Decretum Gratiani und die Sentenzen des Petrus Lombardus[1551]. Damit war er der Auseinandersetzung mit einem Lehrer der Kirche, wie es Major war, überhoben.

Wirklichkeit und Erfahrung, Polarität und menschliche Subjektivität
in Calvins theologischer Konzeption

9.1
Wirklichkeit

Zwar gebraucht der junge Reformator die Bezeichnung "Wirklichkeit"
nicht; aber die Sache selbst liegt bei ihm vor. Nun ist aber Wirklichkeit, um bei dieser Benennung zu bleiben, nicht die platonische
Ideenwelt, wie sie die diesseitige Welt zur Scheinwelt macht, nicht
die Urwirklichkeit eines göttlichen Seins, die, wenn auch von jeweils
verschiedener Kräftigkeit, in die geschaffene Welt emaniert und
geistlich dann auch im Erlebnis des Mystikers die Intensität der
Gottgestalt[1552] erreicht. Das Verständnis von Wirklichkeit ergibt
sich für den ehemaligen Scholaren der Artistenfakultät in Montaigu
ganz offensichtlich aus der terministischen Gestalt der Ockham'schen
Erkenntnislehre. Die durch diese entwickelte Sprachlogik entschied
dahin, daß es nur "äquivoke" Aussagen vom Subjekt eines Satzes geben
könne. Einerseits führte der Ockhamismus dann als wertneutrale "reine" Wissenschaft nach dem Satz vom Widerspruch in die höchsten Ab-
straktionen eines denkerischen Geschicklichkeitsspiels und löste die
von hier aus verstandene Philosophie aus der Umklammerung durch die
Theologie und zugleich umgekehrt. Andererseits gab der Ockhamismus
allen weiteren als uneigentlich ausgegebenen Wissenschaften ihren
Ort in dieser unserer feststellbaren, erforschbaren, erfahrbaren
Weltwirklichkeit und ihrer Menschen. Der Theologie ihrerseits ver-
blieb dann, sowohl erkenntnistheoretisch, als auch methodologisch
gesehen, die Aufgabe, ihren Platz unter den empirisch verfahrenden,
vorab den Naturwissenschaften als einen solchen von unaufgebbarer
und unverwechselbarer Eigenständigkeit gerade ihres Erfahrungsgebie-
tes evident zu machen. Das christliche Religionswesen nach reformatorischem Verständnis samt seiner unaufgebbaren Ausübung wurde vom
jungen Reformator verstanden als vollständiger Inbegriff eines wohl-
weislich ausgeführten oder auch auszuführenden Sagens und Handelns, sei es Gottes, sei es eines gläubigen und frommen Menschen.
Das die Struktur der Institutio von 1539 an offensichtlich bestimmen-
de Hauptthema ist die jeweils dialektische und dialogische Polarität
der Gotteserkenntnis und der Selbsterkenntnis eines im christlichen
Religionswesen reformatorisch-augustinischer Konzeption nach Maßgabe
der Hl. Schrift Existierenden. Um diesem empirischer Erkenntnislehre

entsprechenden Neuansatz handelt es sich aber bei dem jungen Reformator. Dieser Neuansatz öffnet den Zugang zu einer den geistlichen, theologischen, kirchlichen Wirklichkeiten gemäßen sinnvollen, wohl ausgewogenen Ordnung aller Einzelteile im Ganzen "unserer Weisheit", ist Ausgangspunkt und Zielsetzung, diktiert Verfahrensweise und Ordnung der "Summe", die darzustellen sich Calvin anschickt.

Wirklichkeit, wie sie der Denkweise des jungen Reformators entspricht, ist also nicht eine solche der Deckungsgleichheit der aristotelischen Form[1553] mit dem von ihr gestalteten Stoff und wird auch nicht in der Seinshierarchie erblickt, wie sie nach genus und species jeweils abgestuft, gewissermaßen die Seinseinheit der beiden Halbkugeln des übernatürlichen und des natürlichen Seins umfaßt. Der Geist, in dem Calvin theologische Wissenschaft treibt, ist der des Ockham'schen Konzeptualismus, der jene Seinseinheit in zwei Fronten hat auseinanderbrechen lassen. In der vorderen Linie des Kampfes gegen den als seinsphilosophisch sich verstehenden Thomismus aber stehen nominalistisch sich orientierende und augustinistisch denkende spätere Franziskaner. Aus dem Terminismus ergab sich auch für Johannes Calvin, den Schüler des Terminismus, demnach nicht das ontologische, sondern das empirische Verständnis dessen, was als wirklich zu gelten hat. Als Wirklichkeit ist demnach dasjenige anzusehen, worauf ein Mensch trifft, stößt, gestoßen wird: sie geht aus einem Hergang, Vorgang, Vorfall, Ereignis, Geschehnis hervor[1554], ist gar alles das selbst. Die Evidenz des jeweils Wirklichen aber ist darum logisch nicht auszumachen; vielmehr macht sie einen Menschen verantwortlich für sich selbst, und zwar in der ganzen Unmittelbarkeit, mit der sie zuinnerst, gar gewissentlich wahrgenommen wird. Wirklichkeit stellt denjenigen, der auf sie trifft, damit er sich höchst persönlich mit ihr befasse, um zu erfahren, was es mit ihr für seine geistliche und theologische Existenz auf sich hat, wie sie ihn also in dieser Hinsicht unabweisbar angeht. Das tun "Tatsachen" als solche nicht. Dabei wird sie solchergestalt durch Erschauen z. B. intueri, cernere, wahrgenommen, beobachtet, wird erforscht, kommt der Außen- und Innenwelt eines Menschen zu Gesicht und Gehör. Dieser Erkenntnisweg ist "modern", weil er sowohl die Hellenisierung des Christentums, als auch den Irrweg philosophisch verhafteter theologischer Formulierungen durch einen empirisch-praktischen Neuansatz zu überwinden trachtet. Wirklichkeit solcher Gestalt ist also keinesfalls unverbindlich und wertneutral. Sie verpflichtet aber in der Weise, daß das Das und das Inwiefern ihrer Gültigkeit durch die der "Analogie des Glaubens"[1555] und nicht derjenigen des Seins folgende Sinnfindung der Hl. Schrift im Einzelnen und im Ganzen angegangen werden muß. Zwar spricht Calvin immer wieder z. B. von einem geistlichen "Hinübergießen" und "Herüberfließen"[1556]. Doch hat er über die reine Personhaftigkeit der Bezüge und der Beziehungen eines Menschen zu Gott und den

Mitmenschen samt allem Geschehen, das sie aus sich gebären, sei es
mit, sei es ohne Nennung des Hl. Geistes, nie einen Zweifel gelassen,
sie mögen dialektischer oder dialogischer Art sein. Der Umbruch aus
dem seinsphilosophischen in das empirisch-praktische Denken, aus der
intellektualisierenden Verarbeitung von Glaubensgegenständen in das
vom Willen und seinem wahrnehmenden Erkennen beherrschte Auffassen,
Durchforschen, Anfassen, Ordnen der in die Sphäre der Erfahrung hin-
einstoßenden Verhältnisse und Verhaltensweisen läßt den jungen Reformator in der engen Nähe zum franziskanischen Voluntarismus eines Duns
und dem immer auch augustinischen Neuscotismus eines Major erscheinen.

Die hier zur Frage stehende theologische Konzeption tritt bei dem
jungen Reformator also darin zu Tage, daß er sich zum Ziel setzt,
seitens Gottes das Zustandebringen aller von Gott vorweg geplanten
Schöpfungs- und Heilswirklichkeiten im Zusammenhang darzustellen,
seitens des Menschen aber die Verwirklichung eines, wie schon die
Imitatio davon sprach, an Gott hingegebenen Lebens[1557] als unaufgebbare "Pflicht" einzuschärfen und die durch Christi Heilsstiftung er-
worbene und bei den "Heiligen" und "Frommen" in eben diesem Christus
immer auch heilsmächtig gegenwärtige, ihren Heilsstand gegen die
Schrecken des letztgültigen Strafgerichtes abgeschirmt haltende Begnadigung als unumstößlich gewiß zu bekräftigen. Dieser Gestalt
geistlicher Existenz dient die aus der Hl. Schrift zu gewinnende,
wahrzunehmende, zu erschauende, verpflichtende Erkenntnis eines empfangenden und umfangenden Glaubens. "Die Göttliche Weisheit bringt
in Erinnerung und unterrichtet dahingehend, daß sie über das belehrt,
was sie gewollt hat, und sie hat gewollt, was nötig war"[1558]. Weil
aber in Gott das "Prinzip des Handelns" liegt, darum steht er für
die Verwirklichung seiner "Dekrete", seiner Pläne, Ziele, Absichten
nie vor einer ihm gestellten Wahl, sondern hat seine Entschließungen
ohne alle Vorgegebenheiten nur aus dieser unumschränkten Freiheit
des Willens heraus getroffen. Solchergestalt ist er Schöpfer, Vorse-
hender, Vorherbestimmender, Verheißender, das Heil in Christus Stif-
tender und in Menschen Verwirklichender und keinesfalls zuletzt, die
Erfüllung seiner Gebote und den Nachvollzug Christi Heischender, mit
dem ihm Zugehörenden stets und ständig väterlich Handelnder und das
"künftige Leben" einer "seligen Ruhe" in seinem "ewigen Reich"[1559]
Bescherender. Jenes Philosophem aber, das sich an das bei Gott nach
dem Satz vom Widerspruch lediglich Mögliche und insofern hinsichtlich
des jeweiligen Verhaltens und Handelns Gottes Offenbleibende, in ein
Willkürhandeln Gottes Abgleitende wird entschlossen nicht in Betracht
gezogen. Statt dessen wird, um der heilig und eminent sittlich bleibenden Unantastbarkeit Gottes willen, auch alles der Vernunft uner-
klärlich bleibende Verhalten und Handeln Gottes durch das Axiom der
Theodizee einem ockhamistisch verphilosophierten Willkürgott gegen-

über abgedeckt. Alles also, was es solchergestalt mit der Wirklichkeit göttlichen Sagens und Tuns auf sich hat, wird als jene Grenze gekennzeichnet, auf die jedwede geistliche und demnach auch theologische Existenz stößt, vielmehr noch: von Gott gestoßen wird. Hier entscheidet keine Logik, sondern das, was als Wirklichkeit aus der Schriftoffenbarung und aus dem von ihr zu interpretierenden Walten, Verhalten und Handeln Gottes nach Analogie des unspekulativen Glaubens dem nicht in irgendeiner Philosophie Befangenen, sondern dem in "unserer Weisheit" Existierenden unabweisbar begegnet.

Wichtig ist die Frage, wie es dem jungen Reformator wohl gelungen sein mag, einer an göttliche und geistliche Wirklichkeiten und Erfahrbarkeiten sich haltende Theologie den Rang der Wahrheit abzugewinnen. Die Wirklichkeiten, um die es sich hier handelt, stellen einen Menschen, der im Gegenüber Gottes auf sie stößt oder gar gestoßen wird, in letztgültige Verbindlichkeiten. Daraus folgt aber, daß die Wissenschaft von der "christlichen Religion" reformatorisch-augustinischen Verständnisses den, der sie treibt, in seiner geistlichen und theologischen Existenz unabweisbar stellt. Hier werden ja Vorgänge, Geschehnisse, Vorkommnisse, hier wird Vorfindliches, Entgegentretendes, Entgegenkommendes, Erforschtes nicht mehr bloß konstatiert, hier wird nicht mehr bloß an Hand von Dokumenten, Beweisstücken, Tatsachen[1605], gewiß nach bestem Wissen und Gewissen reportiert. Mit ihnen muß gewiß wissenschaftlich, wie in der Erkundung von Naturvorgängen, wie mit geltungs- und wertneutralen Faktoren umgegangen werden. Diese binden geistlich und theologisch erst dann, wenn sie in den Bereich unserer Weisheit einbezogen werden. Dann werden Dokumente der "wunderbaren Weisheit Gottes" "unzählich" viele zwingender Anlaß zur Bewunderung und Anbetung des in der Welt obwaltenden und des besonders "väterlich" vorsehenden Gottes. Hierher rechnet Calvin Astrologie, Medizin, Physik, dann schlechthin die freien Künste[1560]. Hier spürt man etwas von franziskanischer Luft, sofern diese Sparten empirische Bearbeitung erfordern.

Hat man sich einmal vergegenwärtigt, daß bei dem jungen Reformator nicht mit einem ontischen, sondern mit einem empirischen Verständnis von Wirklichkeit gerechnet werden muß, dann erhebt sich zwangsläufig die Frage, wie die volle Wirklichkeit, die aus dem "christlichen Religionswesen" und selbstredend seiner Ausübung, d. h. die aus der "geradezu vollständigen Summe unserer Weisheit" besteht, den Anspruch erheben muß, nicht nur Wahrheit, sondern die eine Wahrheit zu sein. Ist Wahrheit, wie hier, kein ontologischer Universalbegriff, ist demnach die ontische Deckung von Satzgegenstand und Satzaussage preisgegeben, dann muß Wahrheit, in welcher Näherbestimmung auch immer, unumgänglich den einzelnen Dingen und Geschehnissen der empirischen Welt und, im gegenwärtigen Betracht, dem völlig ungewöhnlichen, einmaligen Sonderfall von "christlicher Religion" zuzusprechen sein.

Frei nach Laktanz stellt Calvin 1539 die Maxime auf "...wir stellen fest, daß es kein rechtmäßig zu nennendes Religionswesen gibt, es sei denn im Verein mit der Wahrheit"[1561]. Gemeint ist die "christliche Religion", wie sie auf der in die Welt unserer Erfahrung hinein immer aus der Hl. Schrift heraus durch Erforschen festzustellenden Offenbarung Gottes beruht und von den zu ihr Erleuchteten ungescheut vor der Welt bekannt, in ihr praktiziert werden muß. Dieses solchergestalt empirische und praktische Wesen der "christlichen Religion" ist für Calvin unabtrennbar in die Wahrheit hineingebunden in die Intention auf diese Wahrheit hin, die sich gegen das allgemeine Menschengeschehen als etwas Einmaliges, Einzigartiges, nicht Einzuordnendes abhebt. Sprachlogisch gesehen, ist Wahrheit hier ein die Gesamtheit der reformatorisch-augustinisch geprägten christlichen Religion auszeichnendes, lediglich äquivok ins Auge fassendes Prädikat. Die einzelnen Vorgänge der durch die Hl. Schrift weiter überlieferten Selbstbekundung Gottes werden "verwirklicht"[1562], "gehen hervor"[1563] aus Gottes Rat und Willen, Schaffen, Lenken und Gebieten, aber emanieren nicht aus seinem Sein. Erst das Prädikat "Wahrheit" erhebt die unaufgebbare Forderung nach den Maßstäben zu fragen, die der Wirklichkeit der göttlichen Offenbarung eigen sind, und nach denjenigen, die für das Christsein in dieser Welt in seinem weiteren Umfang allein Gültigkeit haben dürfen. 1543 schreibt Calvin: "Weil der Herr (Gott) uns nicht in leichtfertigen[1564] d. h.: in scholastisch durchhechelten usw. Fragestellungen, sondern in echter Frömmigkeit, in der Furcht seines Namens, in wahrer Glaubenszuversicht und den Pflichten der Heiligkeit erziehen wollte, so laßt uns in diesem Wissen zur Ruhe kommen"[1565]. Und erst recht: "Einem Theologen ist vor Augen gestellt worden, nicht an Geschwätzigkeit seine Ohren zu ergötzen, sondern die Gewissen durch wahre, zuverlässige, nützliche Belehrung zu festigen"[1566]. Mit dem hier gekennzeichneten Wahrheitsverständnis steht der junge Reformator erkenntnistheoretisch und methodologisch, auch geistig schlechthin auf dem Boden des empirisch-praktisch verfahrenden Wissenschaftsbetriebes zu Beginn der Neuen Zeit.

Worin ist nun aber das Merkmal, ist die "Rechtmäßigkeit" zu suchen, die das christliche Religionswesen vor allen anderen empirischen Wissenschaften als einmalige Wahrheit auszeichnet? Es handelt sich um seine Begründung und seine Maßstäbe. Bei der Annahme eines beliebigen Gottwesens oder mehrerer solcher, bleibt man selbstredend nicht bei dem einen und allein wahren Gott[1567]. Und wiederum: vernachlässigt man diesen, dann bleibt nur noch ein fluchwürdiger Götze übrig. Nur von jenem Gott her sieht Calvin 1539 u. a. seine Wahrheit im Himmel und auf Erden hervorleuchten: so gewiß unterschieden werden müsse zwischen dem, der Gott hinsichtlich seiner selbst[1568] ist und der sein wohlwollendes Verhalten "uns" gegenüber erweist[1569]. Nur in dieser und in anderen ähnlichen Beziehungen steht seine Erkenntnis dem durch den Geist Gottes erleuchteten Menschengeist offen. Zwar besteht "Übereinstimmung unter allen Sterblichen" darin, daß der zweite Teil der "Wahrheit Gottes" über eine gewisse Gotteserkenntnis hinaus in der Erkenntnis unser selbst besteht, jedoch auf keinen Fall in jener Selbsterkenntnis, die sich als Selbstvertrauen enthüllt[1570]. Das liegt für Calvin in jener "ewigen Wahrheit"[1571] begründet, die nicht thomasisch alles weitere Sein und dessen Werthaftigkeit aus sich heraus emanieren läßt, sondern die uns allein nach und in seinem regelgebenden Wort aus seinen Werken insgesamt heraus beschrieben wird[1572]. Dann aber hat man es in eben dieser "Wahrheit Gottes" sowohl mit ihm als dem "alleinigen Urheber und Gebieter" zu tun, der die Welt schuf und noch erhält, als auch mit demjenigen, der im Mittler sich als Erlöser zu erkennen gibt[1573]. Gott, der allein "wahre", ist als solcher also aus seinem Verhalten, Handeln, Gebaren zu erkennen, in dem er aus eigener Initiative aus sich selbst hervortritt, und ist entsprechend anzubeten. Dem allein wirklich wahren Gott gegenüber versagen, Calvins Ausgangsstellung gemäß, Ontologie und Intellektualismus.

Welche Bedeutung ist nun aber des näheren dem beizumessen, daß der junge Reformator alles, was es in aller Wirklichkeit unmittelbar mit Gott zu tun hat, mit dem Prädikat "wahr" auszeichnet? Wahrheit, wie er sie im Sinne hat, wird nicht in jene geistige Sphäre gerückt, in der nur noch das abstrahierende Denken sein Wesen hat. Vielmehr geht sie die geistliche und theologische Existenz eines Menschen letztgültig und herausfordernd an. Als Maxime gilt: "...zum Wort muß man hinzukommen", damit Gottes Werke auch "nach der Regel seiner ewigen Wahrheit eingeschätzt werden". Darum ist dasjenige schlechthin wahr, was den Ausweis der von Gott durch das Wort der Hl. Schrift festgesetzten "Rechtmäßigkeit"[1574] besitzt. Zu diesem "vollen Licht der Wahrheit führt allein die Erleuchtung durch den Hl. Geist"[1575]. Calvin zufolge wird man der Wahrheit Gottes auf die Art gerecht, daß man sagt, sie sei keine Begriffsbestimmung für eine vollendete Fülle an göttlichem Sein und göttlicher Gutheit, an der die Gesamtheit alles Geschaffenen nach Maßen Anteil erhält. Vielmehr läßt der junge Reformator mit wünschenswerter Deutlichkeit erkennen, daß er, wenn er von Gott spricht, im unumschränkten Sinne den Herrn meint[1576]: unverwechselbar mit jedem ontologischen Ansatz. Darin aber äußert sich Calvin zufolge Gottes Gott- und Herrsein, daß er weder sich widersprechen, noch sich verleugnen kann. In Wahrheit ist er einzig und allein Gott. Sein Sagen und Tun gilt schlechthin. Im lebendigen Wort der Hl. Schrift hat er sich selbst die Autorität beigelegt, die für Menschen nötige, letztgültige Kunde über sich zu geben, unverrückbare Maßstäbe zu setzen, unwiderruflich Beziehungen anzuordnen und selbst innezuhalten, die die immer ganz andersartig bleibende dialektische und dialogische Polarität von Leib und "Seele", Gott und einem Gläubigen ausfüllen. Hier wird Gottes "ewige Wahrheit", von der Calvin gelegentlich auch spricht, als Setzung aus göttlicher Vollmacht kund, die er in gleich gelagerten Fällen auch mit gleichen Mitteln nach gleichen Maßstäben verwirklicht oder auch verwirklicht haben will. Wenn nun aber Calvin das Wort Gottes[1577], kraft dessen er mit dem von ihm Erwählten anknüpft, als das geistliche Wirkungen bei einem solchen hervorbringende "Wort des Lebens" kennzeichnet, wie solches denn die Hl. Schrift darbietet, so läuft diese Aussage auf die Identitätserklärung Gottes mit seinem Wort hinaus. Trat doch Gott, wie sich noch zeigen wird, durch die Offenbarung und Verwirklichung seiner von Ewigkeit her gefaßten und hinsichtlich seiner Weltentrücktheit an sich "verborgenen Dekrete", soweit er es für angemessen und nötig erachtete, in die Menschenwelt ein. Wird aber ein Mensch auf dieses göttliche Sagen und auf die Spuren dieses göttlichen Handelns gestoßen, dann hat er es immer und ohne weiteres mit Gott selbst zu tun, ganz abgesehen von dem Ausmaß, in dem Gott sein eigenes Geheimnis zu lüften sich angeschickt hat. Aber keine von der menschlichen Vernunft[1578] beigebrachten Argumente vermögen der Hl. Schrift zur Unbedingtheit ihrer Geltung zu verhelfen, auch wenn der junge Reformator schon 1539 damit begann, auf solche "rationale"[1579] Stützen für die Autorität der Hl. Schrift zurückzugreifen[1580], jedoch mit der ausdrücklichen Einschränkung, daß solche Hilfsmittel lediglich bei den Erwählten zu einer bestimmten Kräftigung ihrer schon vorhandenen Glaubensgewißheit verfangen[1581]. Es kommt bei der Frage nach der Wahrheit der Hl. Schrift grundsätzlich ja doch auf ihre verbindliche, verpflichtende Evidenz aus sich selbst an. Hier stellt, überführt, überwindet, überzeugt die Schrift einen Menschen, bei dem Gott durch seine Vorsehung den allerersten Schritt getan hat dadurch, daß er durch den Glauben im Wort Gottes gleichwie in einem Spiegel des autoritativ redenden und handelnden Gottes selbst "intuitiv" ansichtig wird[1582]. Gewiß keine mystische, um so mehr aber eine solche "Schau", führt die zuinnerst aufgehende Erkenntnis der Wahrheit der göttlichen und geistlichen Wirklichkeiten mit sich, wie sie nur der Glaube im unmittelbaren Gegenüber Gottes durch sein Wort und, er werde nun genannt oder nicht, durch seinen Hl. Geist bewirkt. Eine nähere Darstellung dessen aber schließt immer auch den Versuch einer Deutung der theologischen Konzeption des jungen Reformators in sich.

Zunächst stellt der junge Reformator die Hl. Schrift in ihrer "erfahrbaren" Wirklichkeit heraus und macht die Aussage von ihr, sie sei "Autorität"[1583]. So nur wird es möglich, daß Vergangenes mitten im Geflecht der in der Menschenwelt unausgesetzt fortgehenden Veränderungen des raum-zeitlichen Geschehens zum unveränderlichen Ort wird, wie ihn Gott selbst als exemt behandelt. Hier hat er sich zum Garanten der Wahrheit seiner an sich verborgenen, aber mitten in der empi-

rischen Welt von ihm selbst eröffneten und verwirklichten "Dekrete"
gemacht. Diesem Offenbarungsgeschehen hat er für alle Zeit das Prädikat der unbedingten Gültigkeit, der schlechthinnigen Maßgeblichkeit, der Wahrheit erteilt. Nicht mit einem jeweils verschiedenen
Wahrheitsgehalt der Dinge hat man es hier bei Calvin zu tun, sondern
mit der Autorisation der Hl. Schrift, mit ihrer autoritativen Wahr-
heitserklärung als solcher; denn sie allein verschafft unverbrüchli-
che Geltung. Gottes Offenbarungsgeschehen hat Zeit und Ort für sich
ausgespart, wie denn diese Vorgänge in der Hl. Schrift kodifiziert
vorliegen. Sie tragen kraft der göttlichen Autorität den Charakter
letztgültiger Wahrheit.

Die konzeptionelle Grundlage des Schriftverständnisses des jungen
Reformators offenbart sich erst darin vollständig, daß sie in polaren Bezügen und Beziehungen zur vollen Subjektivität eines erwählten
Gläubigen und Frommen sich lebendig erweist. Treu ist Gott[1584], heißt
es schließlich 1559: er steht zu seinem Wort. Und gleichzeitig wird
der bekannte Satz von 1539 weitergesponnen, die Überzeugtheit von
der "göttlichen Wahrheit" spiele hier eine wichtigere Rolle als "rationale Beweisführung"[1585]. So völlig fest und gewiß aber sei solche
Glaubensüberzeugung, wie es sonst nur bei Dingen der Fall sei, die
in Erfahrung gebracht und erprobt worden seien[1586], also empirisch
bewährte Wirklichkeiten darstellen. Der Hl. Geist mißt aber dem Wort
mit den ausgezeichneten Lobeserhebungen "Autorität" bei, weil "Gott
in seinen Verheißungen bei uns den vollen Glauben behalte"[1587]. Allem
voran stehe apologetisch das Axiom der Theodizee und damit das Philosophem der ockhamistischen Erkenntnislehre, das eine nur dem Satz
vom Widerspruch unterworfene Ermessensfreiheit auf Gott anwendet und
ihn der Möglichkeit des Willkürhandelns ausliefert. Demgegenüber erklärt schon der junge Reformator Gottes Willen immer wieder für unanklagbar, unfehlbar und verläßlich. Gott sieht er in Selbstbindung
an seine eigenen weisen, heiligen und eminent sittlichen Dekrete
handeln.

Calvin prägt den Satz: "Es genügt nicht zu glauben, daß Gott wahr-
haftig ist[1588], der ja weder täuschen noch lügen kann, - es gelte
denn bei dir für zweifellos ausgemacht, daß, was auch immer von ihm
herkommt, hochheilige und unverletzliche Wahrheit ist"[1589]. Der Sache jedenfalls und teilweise auch dem Wortlaut nach äußert sich Calvin schon 1536 so[1589]. Der Inbegriff der Aussage, daß Gott in Wahrheit Gott, daß er der Herr sei, stellt sich demnach so dar: Gott samt
allem von ihm Gewollten, Verwirklichten und noch zu Verwirklichenden
ist heil, unveränderlich, unwandelbar, verharrt in Übereinstimmung
mit sich selbst, kennt keine Widersprüchlichkeiten, kann nicht getäuscht werden, ist unbestechlich, untrüglich, hat seine wahre Wirklichkeit ans Licht gebracht, insoweit er sich zu enthüllen jeweils
entschloß. Und das alles ist so wahr, als wäre es schon zustande ge-

bracht. Für die polare Denkweise Calvins gilt aber auch: Gott stellt
jeden Menschen, dem er in seinem Wort begegnet und der solchergestalt
unentrinnbar auf ihn gestoßen wird. So letztgültig stellt kein anderes Geschehen einen Menschen. Es handelt sich ja um ein Ausnahme-
geschehen Gottes inmitten des sonstigen Geschehens in der Welt der
Menschen. Es überführt nämlich die geistigen Sinne und das Gewissen
eines Menschen, überzeugt und reinigt ihn in beider Hinsicht zum
"Wohlgeschmack an der Wahrheit Gottes"[1591]. Wahr ist dieses exemte
Vorgehen Gottes mit einem Menschen, da er durch dieses mitten in dem
seiner Vorsehung vorbehaltenen allgemeinen Menschengeschehen den Einbruch seiner völlig andersartigen Schriftoffenbarung vornimmt und sa-
gend und handelnd mit Menschen seiner ewigen Erwählung anknüpft[1592].
Diesen wird das Schriftwort Gottes deshalb "evident", weil es ihnen
so gegeben wird, daß sie dessen Wahrheit unmittelbar erschauen[1593],
wahrnehmen[1594], in Betracht ziehen, über sich gelten lassen. Allein,
das Wort Gottes, vermöge dessen er sich als Schöpfer und in Christus
als Versöhner und Erlöser zu erkennen gibt, ist aber nicht nur von
lebendiger Fruchtbarkeit, sondern auch eine Art Kodex, der Maßstäbe
setzt, letztgültige Orientierung bietet und Christenmenschen für ihr
Leben in den von Gott angeordneten Leitplanken sich bewegen läßt.

Das Wort der Hl. Schrift gleicherweise des Alten und des Neuen
Testamentes gilt dem jungen Reformator als von Gott schlechthin gegeben. Unabänderlich, unverrückbar, unumschränkt gültig ist es von
seinem Urheber in Geltung gesetzt worden. Dieses Wort der Offenbarung
ist immer auch kodifizierte, durch Gottes Autorität gedeckte, als
gültig ausgewiesene Wahrheit. "Einzig und allein" darf Gott als wahr
gekennzeichnet werden, resümmiert Calvin dann 1559[1594]. Aber schon
dem jungen Reformator stand das fest. Gefiel es doch Gott, allein
durch die Heiligen Schriften seine Wahrheit zu steter Erinnerung an
sie heilig zu erhalten. Das Licht dieser Wahrheit aber vermittelt
die Erkenntnis, daß kraft des Hilfsmittels des Wortes Gott, der Herr,
den Gläubigen die Erleuchtung durch seinen Geist zuteil werden läßt.
Nicht die Gewiegtheit im denkerischen Schlußverfahren ist Voraussetzung dafür, daß einem Menschen das Licht der wahren Weisheit aufgeht,
sondern eines Menschen Wahrwerden vor Gott und das zugleich einsetzende schmerzliche Empfinden für die eigene Verderbtheit. Wer sich
so im Bereich des vor Gott nach seinem Wort Gültigen bewegt, der bewegt sich in der Wahrheit. Das gilt dann nach der Institutio schon
von 1536 auch von der in der "Wahrheit Gottes" ruhenden Überzeugtheit eines Christen, der das von Gott Verheißene als ein gewissermaßen schon eingetretenes Ereignis gewiß hat[1595]. Weil Calvin die Wahrheit Gottes und seines Wortes für stets und unteilbar gültig hält,
kennt er keine Mehrheit von Glaubenswahrheiten. Wohl aber weiß er von
"wunderbaren Wahrheiten" bei den "heidnischen Schriftstellern"; sie
führt er auf den allgemein waltenden Geist Gottes zurück. Etwas ganz

anderes dagegen ist ihm jener Geist Gottes, der die Frommen zur Hingabe an Gott weiht[1596]. Hier wird von ihm umso stärker auch jene Gottesverehrung hervorgekehrt, die, nach der Regel der "ewigen Wahrheit" eingeschätzt, rechtmäßig ausgeübt werden muß[1597].

In der "Wahrheit Gottes" erblickt der junge Reformator also Gottes immerwährende Identität mit sich selbst, mit seinem Sagen und Handeln, mit der Hl. Schrift. Oft kehrt von Anfang an der Gedanke wieder, es gebe von dieser Identität eine innerste, unmittelbare und feste Überzeugung, die für den Glauben wesentlich, rationaler Beweisstücke nicht bedürfe und als solche einen Gläubigen in der Tiefe seines Personwesens festige[1598]. Dasselbe gilt von der "wahren Erkenntnis Christi"[1599]. Auf dieser "Wahrheit", der wahren Wirklichkeit Gottes aber, auf seiner Offenbarung, mit der er nie in Widerspruch gerät, ruht dann aber auch, ohne jedoch selbst die absolute Wahrheit zu besitzen, die Kirche und ihr in der Lehre niedergelegtes Bekenntnis. Die Kirche hat nämlich nur abgeleitete Autorität[1600], doch in ihrem Schoß gibt es unter der Ausrichtung des Wortes Gottes und der Feier der beiden Sakramente Übereinstimmung in der "Wahrheit", und zwar in Anbetracht dessen, daß ausschließlich Gott in Sachen der "geistlichen Lehre", d. h. der geistlich fruchtbaren Lehre, der Lehrer ist und daß die "weltumfassende"[1601] Kirche allein den Kanon der Hl. Schrift vermöge der ihr eigenen Autorität[1602] Quell, Norm und Kontrollinstanz für Lehre, Leben und Ordnung ihrer Glieder zu Grunde zu legen hat[1603]. Die Lehre der Kirche ist der ursprünglich und insofern "irrtumsfreie Ausdruck der eindeutigen und einfachen Wahrheit"[1604]. Mitten in das Ereignisgeflecht des Menschengeschehens hinein hat also Gott, so der Calvin schon von 1539, jenes in der Hl. Schrift niedergelegte Heilsgeschehen als "Lehre der Schrift"[1605] ausgespart, die keine fälschlichen Aussagen kennt. Solchergestalt sollte ein Christ für seine geistliche und theologische Existenz einen zweifelsfrei abgesicherten Ort und Hort mit entsprechend legitimen Maßstäben zur eigenen Urteilsbildung und Unterscheidung in der Lehre haben: aber doch immer nur als Glied der Kirche.

Calvin setzt häufiger zum Vergleich mit der römischen Religionsübung und der stoischen Ethik ebenso an wie mit der tradierten Lehre und Praxis der päpstlichen Kirche und findet Vergleichbares[1606], doch so, daß lediglich sein reformatorisch-augustinisches Bekenntnis als allein gültig dabei herausspringt. Den "Ariadnefaden", der sich durch das Labyrinth der Irrtümer der päpstlichen Kirche gleichwohl hindurchzieht, leugnet er ganz praktisch nicht: die Väter der alten Kirche finden eine lebhafte Berücksichtigung und die augustinisch-bernhardinisch-devote Frömmigkeit, auf reformatorischem Boden kritisch verpflanzt, gründet bei ihm tief. Aber er bekämpft entschlossen die irre gegangene Tradition der päpstlichen Kirche seiner Zeit. Dabei ist er, der Humanist, durchaus von der "Ursprungsgesinnung"[1607]

beseelt, die den Kodex der Hl. Schrift als uneingeschränkt wahr, als
Wirklichkeit von uneingeschränkter Geltung, von allzeit zugänglicher
und maßgebender Ursprünglichkeit ehrfürchtig auszuschöpfen trachtet.

9.2
Erfahrung

Franziskanischen Geist verrät schon Calvins erste Ausgabe der Institutio, wenn er sich, und darum handelt es sich nunmehr, auf die Erfahrung beruft, die man mit der Hl. Schrift als der Gegebenheit
der Offenbarung Gottes und mit den geistlichen Widerfahrnissen und
Erfahrungen im Christenstand und Christenleben macht. Freilich, das
Mittelalter, z. B. Bernhard von Clairvaux, hatte unter Erfahrung auch
Kenntnisse verstanden, die man sich beim Umgang mit den Gegebenheiten der diesseitigen Welt erwirbt, und von dieser profan verstandenen Erfahrung den Bereich des Göttlichen und Geistlichen streng
unterschieden. Allein, aus der Oxforder Franziskanertheologie bricht
sich dann ein Verständnis von Erfahrung Bahn, das von der Durchforschung einfach gegebener naturkundlicher Wirklichkeiten ausgehend,
ein dementsprechendes wissenschaftliches Unterfangen überhaupt in
Gang bringt. Roger Bacon, Augustinist in seinen theologischen Auffassungen, pflegt hier als, wenn auch bescheidener, Initiator empirischen Vorgehens genannt zu werden. Immerhin arbeitete er einer auf
die Erkundung der Natur gerichteten Forschungsweise vor und wollte
sie auch weit ausgreifend, auf andere Wissensgebiete ausgedehnt haben: also auch auf die Theologie. Gewicht legte er dabei auf die
praktische Handhabung moralischer Prinzipien. Vor allem aber wird die
Hl. Schrift zum Gegenstand der Durchforschung und zum Anlaß genommen, ihrem Verständnis und ihrer Praktizierung näher zu kommen. Duns,
Ockham, Major haben teil an der hier erkannten Aufgabe, die in diese
Welt ergangenen Offenbarungswirklichkeiten empirisch zu erfassen und
der Praktizierung des geistlichen Lebens erhöhte Aufmerksamkeit zu
schenken. Diese Sicht der Dinge verrät auch der junge Reformator
Calvin.

Ihr gesellt sich aber noch die andere bei, die seine Beziehungen
zu einer asketisch gearteten Frömmigkeitspflege und zu entsprechenden geistlichen Übungen frommer Männer und Frauen, sowie Theologen
der ihm angestammten Kirche des Mittelalters erkennen läßt. Von Erfahrung, allgemeiner in Anlehnung an Seneca, dann aber auch im Sinne von Kontemplation[1608] spricht die Imitatio. Allen aber voran verbindet im Verfolg augustinisch-franziskanischer Frömmigkeit und Denkungsart schlechthin __Bonaventura__ Erfahrung und Weisheit, göttliche
Erleuchtung und geistliche Wahrnehmung. Die Gabe der Weisheit wird
von ihm als "erfahrungsträchtige Erkenntnis Gottes", als "Wohlgeschmack an der göttlichen Süßigkeit", als "Fühlen und Schmecken" her-

vorgekehrt[1609]. Nicht mit Unrecht wird Alexander von Hales hier in die Nähe Bonaventuras gerückt[1610].

Aber auch schon Wilhelm von Thierry, mit Bernhard eng befreundet, galt in ähnlichem Sinne als Vertreter von "Erfahrungstheologie", m. a. W. einer Erfahrungstheologie im übrigen nach Maßgabe der mittelalterlichen Kirchenlehre. Aufschlußreich ist aber dann vor allem jene katholische Einschätzung des aus dieser Richtung herkommenden Stromes asketischer Frömmigkeit und das Urteil, daß vor allem von Calvin und dann in der altreformierten Theologie, für die Wilhelm Amesius herangezogen wird, die Erfahrung sowohl zur Geltung gebracht, als auch den dogmatischen Normen untergeordnet wurde und daß die eigentliche Erfahrungstheologie mit Schleiermachers "Axiom" aus "Der christliche Glaube" beginne[1611]. In der Tat ist es bereits für Calvin eine drängende Frage, inwieweit die naturwissenschaftliche Erfahrungsmethode von ihm auf die Erkundung des Offenbarungswortes der Hl. Schrift und der geistlichen Widerfahrnisse und Erfahrungen auf reformatorischem Boden Einfluß gewann, inwiefern er sich also die Erforschung des Einzelnen und des Konkreten auch im "christlichen Religionswesen" angelegen sein ließ und er sich also um so mehr an das hielt, was "da" ist, was göttlicher- und geistlicherweise vor sich geht. Ein Strom augustinisch-franziskanischer und augustinisch-bernhardinischer Frömmigkeit lief in das weit sich verzweigende Bett der Devotio moderna aus, und es konnte zu keiner anderen Zeit so sehr von Calvin Besitz ergreifen wie zu derjenigen, als er das Gymnasium montis acuti besuchte. Hier herrschten Einfluß und Autorität des frommen Augustinisten Major[1612] sowohl in der theologischen, als auch in der Artistenfakultät. Es ist nicht ersichtlich, daß eine andere Zeit seines Lebens als diejenige, die der junge Calvin in dieser Fakultät zubrachte, einen so nachhaltigen Einfluß auf ihn ausübte und die Einbettung der hier gelebten Frömmigkeit in eine reformatorisch-augustinisch orientierte Theologie präjudizierte. "Während die herrschende Theologie unter der Führung des Thomas von Aquino und des Duns Scotus die mystische Unmittelbarkeit der früheren Franziskaner durch objektive Forschung ersetzte, verlor die augustinisch-franziskanische Schule niemals ihre Kraft"[1613].

In mancher Hinsicht fügt nun der _junge Reformator_ die Vorstellung von _Erfahrung_ in seine theologische Konzeption ein. Ganz gleich, ob es die "Erfahrung" im Tierleben gibt oder nicht, derer sich Calvin 1536 im folgenden bedient: er benutzt sie jedenfalls als Beispiel. Es handelt sich um die Erfahrung, daß aus Pferden Esel werden, und erläutert an ihr mit offensichtlichem Spott einen Mißstand in der päpstlichen Kirche seiner Zeit, daß nämlich aus Toren soviel Wirrköpfe hervorgehen, wie immer die Priesterweihe empfangen[1614]. Erfahrung hängt unmittelbar mit dem empirischen Verständnis von Wirklichkeit zusammen. Sie tritt dem Menschen entgegen aus den Offenbarungsvorgängen und Bundschließungen Gottes mit seinem Volk im Alten und im Neuen Testament. Aus der Geschichte, nämlich der Welt-, Heils- und Kirchengeschichte, gewinnen die von Gott erleuchteten Sinne eines Menschen gültige und verbindliche, geistliche Frucht tragende "Lehre". Die Sintflut z. B. soll als warnendes Gericht Gottes zu Herzen genommen werden. Ähnlich: "wir erfahren" heutzutage übergenug, d. h. in großer Dichte der Aufeinanderfolge, daß die Wahrheit gegen ihre Verächter durch ein Höchstmaß an Verantwortung und also durch die Bekämpfung jener sichergestellt werden muß. Weiter: daß "die mahnende Erinnerung daran notwendig ist, Gott habe seinen Geist nicht zur Offenbarung einer neuen Lehre, sondern zur tiefinneren Einprägung der Wahrheit gesandt"[1615]. Auf den Tiefgang des persönlichen Heilswiderfahrnisses hinweisend, spricht Calvin aus, daß die "um Gerechtigkeit Bemühten" dabei ganz gewiß die "Erfahrung" ihrer Unwürdigkeit machen, und erwägt, daß die Bewegung, in die ihr Inneres dabei gerät, "eher von Gott als von ihrer Freiheit abhängt". Überhaupt wird die Barmherzigkeit Gottes auf das allergewisseste erfahren[1616], sofern wir sie mit Glauben empfangen". Das gesamte "in Christus" verwirklichte und gegenwartsmächtige Heil, das Anhangen an Christus und die Aufnahme in den Schoß der Kirche wird immer auch als Sache der geistlichen Erfahrung herausgestellt[1617]. Aufs Ganze gesehen, drängt sich die Vielfalt dieser Erfahrungen in der Tiefe der "Seele" auf, wird empfunden, wahrnehmungsgemäß erfaßt, zum inneren Besitz. Es geht deutlich aus der Vielseitigkeit der Erfahrungen, die Calvin kennt, hervor, daß es _Erfahrung an sich nicht gibt._ Sie ist weder eine als solche inhaltlich bestimmte Äußerung des Bewußtseins, noch das Ergebnis diskursiven Denkens, noch der Rückschluß von der Wirkung auf die Ursache, deren Abfolge in umgekehrter Richtung Calvin bei späteren Anlässen sehr wohl anwendet. Er hat _den Geist einer neu angebrochenen Zeit sehr wohl gespürt._ Nicht abstrahierende Denkoperationen mit dem Ziel des Aufbaues eines in sich geschlossenen Systems sind das Erfordernis, sondern das bei ihm deutlich sich abzeichnende Unterfangen wird in Angriff genommen, dem Gewicht der je einzeln sich darbietenden erfahrungsmäßigen Wirklichkeiten im Zusammenhang eines geordneten Ganzen gerecht zu werden. Einfühlung und ein in Wirklichkeitsnähe sich bewegender ordnender Verstand lassen sich erkennen, der freilich auch niemals übersieht, daß Gott, der Alleinwirkende, sowohl ätiologisch, als auch teleologisch nichts aus seinen Händen gibt und gleichwohl den Leben, Heil, Hoffnung empfangenden und umfangenden Glauben der selbsteigenen Verantwortung eines Menschen beteiligt sein läßt: aber letztlich immer alles umgriffen von dem "Prinzip des Handelns", das allein Gott ist. Unter diesen Voraussetzungen ist auch _der ordnende Verstand ein solcher objektivierenden Denkens:_ er muß es sein, wenn anders er wissenschaftlich verfahren soll.

9.3
Polarität und Subjektivität

Hier muß schon für den Reformator von 1536 die <u>Polarität von Gott</u>
<u>und menschlicher Seele</u> in Betracht gezogen werden. Sie kann dialek-
tisch sein, wenn man den Abstand des Schöpfers vom Geschöpf ins Auge faßt. Dieser kommt am deutlichsten darin zum Ausdruck, daß wie
bereits angeführt, die Erstausgabe der Institutio alles, was Gott
angeht, u. a. als unendlich bezeichnet. Mit dieser Kennzeichnung
pflanzt Calvin eine Tradition fort, die von Duns ausging und durch
eine einschlägige Schrift Majors[1618] fortgesetzt wurde. Duns hatte
in der Unendlichkeit das hervorragendste Merkmal des göttlichen Wesens erblickt. Major hatte ausgeführt, daß der aktualen Unendlichkeit Gottes nach Raum und Zeit zufolge Gott seiner Gegenwärtigkeit
und Mächtigkeit nach allenthalben sei, daß "aller Himmel" ihn nicht
zu fassen vermögen und daß diese hinsichtlich Raum und Dauer unvor-
stellbare Unendlichkeit Gottes Allvollkommenheit ausmache. Vom späteren Calvin her rückblickend, darf man Gottes Unendlichkeit dahingehend interpretieren, daß Gott alles und jeden umfaßt, aber von
niemand und nichts umfaßt, umgriffen werden kann. Calvin denkt nicht
theozentrisch; zum Zentrum gehört eine dieses umgrenzende Peripherie.
Es würde also eine Einkreisung Gottes geben: ein für Calvin undenk-
barer Gedanke. Ihm legte sich vielmehr für die Frage nach dem Verhältnis alles Geschaffenen zum Schöpfer die Vorstellung von einer
besonderen Polarität nahe. Dialektisch und als "unparitätisch" ist
sie, weil es sich um das Verhältnis Gottes zu dem von ihm abhängigen,
so völlig andersartigen Geschöpf, vor allem aber zur Sünde, zum Leid,
zum Tod handelt. Dialogisch ist sie hingegen, wo immer die Versöhnung durch Christus, den "Mittler", in Frage steht. Zu diesem ganzen Gedankenkreis hat sich denn auch Calvin in der Erstausgabe der
Institutio mit wünschenswerter Deutlichkeit geäußert[1619]. Dabei
nimmt er seinen Ausgang von der "Erkenntnis" eines reformatorisch
orientierten Christen und Theologen. Er will nichts zu tun haben mit
der Vorstellung von der Seinsteilhabe eines Menschen, nichts mit derjenigen eines Mystikers am Sein Gottes, obschon er sich, wie bekannt,
häufig von dorther entlehnter Ausdrucksweisen bedient[1620], wie sie
eben ein ontisches Emanieren kennzeichnen.

Wesentlich für Calvins Konzeption ist dann auch, daß Gott sich mit
einem Menschen, d. h. mit seiner "Seele", in personhafte Beziehung
setzt. Vordergründig tritt Gott vermöge seines Willens durch sein Sagen und Tun aus sich heraus. Seine von Ewigkeit her geplanten "Dekrete" sind es, die er verwirklicht. Doch enthüllt er seine "verborgenen Geheimnisse" nur insoweit, als es ihm "uns gegenüber", d. h.
zu unserm Wohl, nötig erscheint[1621], während sein eigentliches Wesen,
was und wer er nämlich bei sich selbst ist, nicht "beschrieben" wer-

den kann[1622]. Diese Transzendenz Gottes wird von Calvin vorwiegend
aus erkenntnistheoretischen Gründen ausgesprochen, sofern jene als
das Jenseits alles menschlichen Denkvermögens und der Erfahrbarkeit
der diesseitigen Welt angesprochen wird. Gottes Handeln entspringt,
seine Dekrete verwirklichend, aus seinem höchsteigenen Willen und befaßt jeweils auch die Abfolge von Ursache und Wirkung in sich. Der
vor allem franziskanische Primat des Willens, aber auch schon von
Heinrich von Gent verfochten[1623], dann von Duns vordergründig geltend gemacht und im Neuscotismus eines Major fortgepflanzt, greift
die von Augustin über das frühe Franziskanertum Bonaventuras herkom-
mende Tradition auf und erscheint deutlich auch bei Calvin. Das bedeutet für ihn, wie auch für die nominalistischen Antipelagianer,
kein Einmünden in die logizistisch sich öffnende Möglichkeit eines
Eingehens auf die Annahme eines göttlichen Willkürhandelns, sondern
fordert sowohl das Axiom der Theodizee, als auch den immer wiederkehrenden Rückgriff auf die Weisheit[1624] Gottes heraus. Schon seinem
Selbst wohnt dabei eine vollendete Vorstellung von dem inne, was er
will. Darum schließt bereits für den Calvin von 1539 Gottes Vorsehung jede "Kontingenz" seines Handelns aus[1625], weil es ja durch seine ewigen Dekrete determiniert wird. "Da nun also Reihenfolge, Plan-
mäßigkeit, Zweckbestimmtheit, Notwendigkeit dessen, was in das Stadium seiner Wirklichkeit eintritt, allermeist in Gottes Ratschluß
verborgen liegt und aus menschlicher Mutmaßung heraus nicht erfaßt
wird, so geschieht aus unserer Sicht gewissermaßen zufällig, von dem
gewiß ist, daß es aus Gottes Willen hervorgeht". Dieser gilt folgerecht als von Ewigkeit her unveränderlich[1626]. Calvin zufolge kommt
Gott in jeder Hinsicht jene Alleinwirksamkeit zu, die alles Erschaf-
fene umspannt, es erhält und lenkt.

Duldet also die Aussage, daß alles was Gott angeht, unendlich ist,
keine theozentrische Konzeption von Theologie, tritt ferner Gott aus
sich heraus durch sein Handeln und Verhalten, sowie durch die ganze
Vielfalt seiner göttlichen Erweisungen der Welt gegenüber insgesamt,
insbesondere aber den erwählten Gläubigen und Frommen gegenüber,
setzt er sich durch sein Wort, soweit er es für nötig erachtet, zu
ihnen in Verbindung und ist sein Handeln von Ewigkeit her durch seine für heilig und gut zu haltenden Dekrete festgelegt, sodaß er, wie
es auch schon die nominalistischen Antipelagianer einen Gott willkür-
licher Entscheidungen ablehnten, weder lügen, noch trügen, noch auch
getäuscht werden kann, - so erhebt sich die Frage, welchen Spielraum
an Bewegung die Subjektivität und eigenständige Verantwortung eines
Menschen Gott gegenüber dann noch haben kann. Die hier zur Frage werdende Polarität von Gott und Mensch spiegelt sich bei Calvin folgendermaßen. Das bei Gott besonders Bemerkenswerte läuft auf Bewegung,
Tätigkeit, Handeln, Verhalten, Wirken hinaus - einem Gläubigen aber
kommt es seinerseits zu, diesen Sachverhalt im Blick auf seine Per-

son für eine entschieden gewisse Angelegenheit zu halten. Oder: Gott ist der Allmächtige, der Schöpfer und Wirker von allem im Himmel und auf der Erde und befiehlt als majestätischer Herr und König[1627] - für uns an unserm Teil aber gilt es deshalb, emporwärts schauend seine Herrschaft ins Auge zu fassen und sein Anrecht an unsern Dienst für ihn in dieser Welt zu verwirklichen. Ferner: Gott ist Richter von unbestechlicher Gerechtigkeit, des Menschen natürliche Eigenart aber ist es, seinem Willen zuwider zu denken und zu handeln. Aber gegenteilig: Gott ist als Vater sanftmütig, gütig, von schonender Milde und willig, Wohlwollen zu erzeigen, Entgegenkommen zu erweisen - insofern gilt es nun, unsererseits Zuflucht zu ihm zu nehmen, sich seiner Treue anzuvertrauen, von ihm Verzeihung zu begehren. Weiter: von seiner Vorsehung her allein kommt alles auf uns zu, ausgenommen die Sünde als solche[1628], den Sturz Adams und die von Gott verhängte Eingehörigkeit aller Menschen in ihn hingegen einbezogen, dazu nicht zuletzt die Umsorgung unserer Person und unseres Heils - indessen steht es uns zu, des Glaubens zu leben, daß Liebes und Leides ein von ihm auferlegtes Geschick ist. Und noch: Er vermag zu retten und uns, eilends helfend, vor jeder feindlichen Gewalt in Schutz zu nehmen - aber es ist an uns, alle Zuversicht auf ihn zu setzen. Schließlich: für das alles darf niemand in Betracht kommen als nur der himmlische Vater, der alle Initiative uns zugut ergreift und beibehält - wir in unserm Innern aber haben das alles zu erwägen, zu bedenken und uns darauf einzurichten, und zwar ohne Mißtrauen und Zweifel, haben ihn durch Lob und Rühmung zu erheben und alles, was unser Heil betrifft, allein von ihm zu erwarten.

Nun aber hat Gottes gesamtes Sagen und Tun in jenem Verhalten vor allem eines sündigen Menschen seinen Gegenpol, das von Calvin als reformatorische Weise zu glauben gekennzeichnet wird: als empfangendes und umfangendes Glauben. Dabei wird das Wort Gottes als "vorgestecktes Ziel" des Glaubens, als "abstützende Basis, auf der er ruht"[1629] herausgestellt. Für einen in der Hl. Schrift Existierenden hat sich Glauben, Leben, "nahezu die Summe der heiligen Lehre" und dann "unserer Weisheit" sehr praktisch gemäß den aus der Hl. Schrift heraus erkannten Beziehungen von Gottes- und Selbsterkenntnis zu erzeigen. Bei dem lebendigen Gesamtbezug zwischen dem Wort Gottes und einem Gläubigen bleibt dessen Subjektivität stets einbezogen, und zwar hinsichtlich jener Dimension von Erkenntnis, deren Inhalt empirisch aus dem wahrnehmenden Erkennen und bedenkenden Hinschauen[1630] zustande kommt. Der junge Reformator faßt das vom Einst ins Heute geschichtlich überlieferte und solchergestalt nun auch durch das Wirken des Hl. Geistes gegenwärtige Wort der Hl. Schrift samt dem Zusammenhang und Unterschied der beiden Testamente[1631] ins Auge. Gottes Wesen bleibt dabei in weltentrückter Unerkennbarkeit, weil der Vernunft unzugänglich. Des Thomas von Aquino Auffassung, Calvin kaum

bekannt, ist in diesem Zusammenhang dennoch von Interesse: "Wir erkennen durch die mit der Gnade gegebene Offenbarung nicht das Wesen
Gottes; insofern sind wir mit ihm als mit einem Unbekannten verbunden"[1632]. Betrachtet Calvin nun seinerseits aus einer gewissen ihm
naheliegenden erkenntniskritisch bedingten theologischen Unachtsam-
keit die Liebe Gottes nicht als Gottes Wesen selbst, sondern als
Variation des anthropomorph veranschaulichten väterlichen Wohlwollens Gottes voll Erfahrung großer Innigkeit, so findet man, daß Luther die Liebe als das Grundwesen Gottes erkannte und Leben und
Liebe bei Gott für dasselbe hielt[1633]. Gott nannte er einen "glühen-
den Backofen voller Liebe", "der da von der Erde bis an den Himmel
reicht"[1634].

Im Unterschied davon zeichnet sich bei Calvin die göttliche Liebe
durch ihr herablassendes Erbarmen aus, in dem Gott unter einer gewissen ihm eigenen Selbstachtung das Heil sowohl durch Christus unverdient gestiftet hat, als auch in Christus gegenwartsmächtig einem
Menschen durch den Glauben gewährt. Gottes Bezüge und Beziehungen,
die dialektisch zum Geschöpf, zur Welt, zum Sünder, zum Tod, die dialogisch zu einem in Christus mit ihm Versöhnten erfaßt werden, gewinnen infolge des Gewichtes, das der der Vernunft unzugänglichen Transzendenz zukommt, erhöhte Bedeutung. Sie erlauben keine Darstellung
einer in sich geschlossenen Gotteslehre, sondern verleihen der ganzen
theologischen Konzeption des jungen Reformators ihre polare Struktur, auch wenn die wissenschaftliche Darstellung aus der geistlich
und theologisch reformatorischen Existenz heraus sich an die Vergegenständlichung so ungleichartiger Gegenseitigkeitsbeziehungen zwischen Gottes- und Selbsterkenntnis zu halten hat. So deutlich, wie
man es sich nur wünschen kann, findet man darüber, daß Calvin nicht
theozentrisch, sondern polar denkt, schon 1536 Auskunft in der Erörterung des Dekalogs und des ersten Artikels des Apostolischen Glaubensbekenntnisses[1635]. Er nimmt seinen Ausgang von der Erkenntnis
eines reformatorisch orientierten Christen.

Angesichts der polaren Konzeption, die Calvin im Grundansatz seines Verständnisses von Theologie darbietet, erhebt sich unausweichlich die Frage, welche Stellung denn Christus und sein Heilandstum
in jener einnimmt. Dabei handelt es sich zunächst um das Verständnis von Mitte, weil Calvin mit einer gewissen Vorliebe das Amt Christi als das des Mittlers hervorhebt. Die theologische Tradition legte es nahe, das zu tun. Da ist Hugo von St. Viktor, der schon vor
dem Aquinaten den Sohn Gottes als "Mittler der Versöhnung und des
Friedens zwischen dem Menschen und Gott" kennzeichnete und dessen Solidarität mit den "Söhnen Adams" hervorhob[1636]. Der Calvin von 1536
hatte Kenntnis von Hugo[1637]. Hohe Stücke von Hugo hielt Bonaventura.
Er verbreitet sich des längeren über den Begriff der Mitte. Für den
Metaphysiker ist sie das Sein, für den Physiker die Natur, für den

Mathematiker der Abstand, für den Logiker die Lehre, für den Ethiker die Selbstbescheidung, für den Staatsmann die Gerechtigkeit, für den Theologen der Einklang. 1)Dieses Verständnis von Mitte beziehen mittelalterliche Theologen aus Aristoteles: 2)Mitte ist Mitte zwischen zwei Außengliedern. 3)Nach Bonaventura ist danach Christus der "Ort der Mitte", insofern er durch Menschwerdung, Kreuzestod und Auferstehung die nicht übereinstimmenden, nämlich Gott und Mensch, zum Einklang gebracht hat. 4)Auch Thomas von Aquino verdankt sein auf Christi Heilandstum übertragenes Verständnis von Mitte dem Stagiriten[1638]. Das Mittlertum Christi wird als Amt des Verbindens, d. h. aber der Versöhnung[1639] und der Vereinigung mit Gott[1640] verstanden: Christus hat mit Gott die Seligkeit, mit dem Menschen die Sterblichkeit[1641] gemein. Für das Mittleramt wird von ihm dann die begnadete Menschheit Christi in Dienst genommen[1642]. Aber vor Thomas hatte schon Anselm von Canterbury die Menschwerdung Christi nicht als Erniedrigung der menschlichen Natur, sondern als "erhöhte Menschennatur" verstanden[1643]. Der spätere Calvin brachte Anselm und Thomas für seine Christologie in Anschlag.

Schon der junge Reformator greift für seine Aussagen über Christus auf den Alten Bund zurück: er hat durch sein Sühnopfer den Mittler vorgebildet[1644]. Später wird er darlegen, daß erst das Zeitalter des Mittlers selbst es ist, in dem der Glaube den Menschen "umfaßt und die Verbindung mit Gott als höchstes Gut eines Menschen" erfährt[1645]. Gott weist seinem Sohn den Ort zwischen sich und uns an[1646]. Nun ist "Zwischenwesen" für Christi Mittlertum deshalb kein zutreffender Ausdruck, weil er Christi mittlerisches Tun als Auftrag und Amt voll des Gott dargebrachten Gehorsams nicht erkennen läßt. Calvin bezeichnet ihn aber als "Mittelsmann", der die von uns vor Gott verspielte "Rolle"[1647] übernahm, wie es später heißt, und sich der einzig dastehenden Aussöhnung[1648] unterzog. Bei dieser Aufgabe war er Priester und Sühneopfer zugleich[1649]. Wie schon Luther, so verlegt auch Calvin den Schwerpunkt auf Christi Sühnesterben am Kreuz: das Leben des Versöhners ist das Vorspiel seines Todes, seine Menschwerdung Verpflichtung zum Heilandssterben[1650]. In diesen Aussagen handelt es sich teilweise aber schon um einen Vorgriff auf den späteren Calvin, der das Priestertum Melchisedeks auf Christi ewiges Priestertum anwendet und es als "Angel" unseres allseitigen Heils darstellt[1651].

Christi mittlerische Amtswaltung[1652] bis in seine gegenwartsmächtige, barmherzige und treue Bürgschaftsleistung[1653] reicht für die zu Söhnen Angenommenen aus[1654]. Diese Zuwendung des gesamten Heils an sie kraft des mittlerischen Heilandstums Christi[1655] weitet Calvin dann später zu den drei Ämtern Christi kräftig aus[1656]: das Mittlertum Christi, des Gekreuzigten und Erhöhten, tritt in die Mitte der beiden Extreme, des heiligen und richtenden Gottes und des

sündlich verlorenen zu verurteilenden Menschen. Äußerst vielfältig
nimmt sich hier dann auch die Interpretation des Mittlertums Christi schon bei dem jungen Reformator aus: Versöhnung, Erlösung, Freispruch, Vergebung, Genugtuung, Reinigung, Tötung des Fleisches in
seinem Grab, Neuheit des Lebens, Unsterblichkeit, Erbschaft, Schutz,
Sicherheit, Menge und Macht aller geistlichen Güter, unbesorgte Er-
wartung des Gerichts[1657]. Auch Urheberschaft des Lebens und des
Heils insgesamt[1658], Wiederherstellung aller Ordnung der Welt nach
Gottes Willen[1659], mit dem Christi heilsmittlerisches Verwalten,
Vorsorgen und Herrschen endet, wie man es später liest[1660]. In sum-
ma heißt es 1539: in Christus schöpft man übervolles Genüge aller
Heilsschätze. Er, der Mittelsmann und Fürsprecher[1661], vor dem das
Heil erbeten werden muß, wird diejenigen, die er in seine Treue und
Klientel aufgenommen hat, nicht verdammen[1662].

Zwischenein ist noch zu beachten, wie schon in der Erstausgabe
der Institutio der Gedanke wiederkehrt und sich dann wie ein Netz
durch Calvins späteres Schrifttum[1663] hindurchzieht, daß Christus
auch Offenbarungsmittler sei. Immer ist er auch Lehrer und Inter-
pret sowohl des Willens Gottes, als auch seines eigenen Heilandswe-
ges. Mittler aller Lehre sei er, liest man später[1664]. Wenn er als
Mittler redet, heißt es dann 1559, so hält er die Mitte inne zwischen Gott und den Menschen[1665]. Dieses Verständnis von Mitte ist
aber dasjenige des Aristoteles, wie es ja schon in der Theologie des
Mittelalters zum Ausdruck kam. Anders freilich steht es mit der trinitarischen Einheit Christi als des Sohnes mit dem Vater, wenn mit
"durch ihn"[1666] Himmel und Erde geschaffen wurden und gesagt wird,
daß wir unser Vertrauen wie auf jenen, so auf diesen setzen sollen[1667]. In diesem Falle handelt es sich nicht um ein währendes Mittlertum Christi zwischen Gott und seiner Schöpfung[1668] und auch nicht
um ein mittlerisches Teilhaben an Gottes vorsehendem Weltregiment.
Wohl wird rein gelegentlich gesagt, er habe teil an der Erwählung
zum Heil. Aber die Frage nach der Christozentrik seiner theologischen
Konzeption entscheidet Calvin selbst nach einer noch anderen Richtung, wenn er 1559 nachdrücklich ausspricht, es ergebe sich aus der
in der Dreieinigkeit herrschenden eigenartigen und als ordnungsmä-
ßig geltenden Reihenfolge, nicht aber Rangfolge, daß Gott auch Gott
des Mittlers sei[1669]. Nur insofern gilt, und das schon 1536, daß
"offensichtlich die Gesamtheit unseres Heiles samt seinen einzelnen
Stücken in Christus zusammengefaßt ist"[1670]. Christi Person und Heilandstum ist die polare Mitte zwischen dem allseligen Gott und dem
Leid und dem Tod verfallenen menschlichen Geschöpf, und eben deshalb
für diejenigen gegenwärtig sich verbürgender Heilsmittler, die durch
den Glauben an ihm vollgenugsam teilhaben[1671] und immerfort zu der
"aus der Gemeinschaft mit ihm hervorströmenden Frucht der Heiligung
eingeladen werden"[1672]. Ist Christus und sein Heilandstum auch das

zentrale Heilsanliegen in dem so völlig andersartigen Gegenseitig-
keitsverhältnis von Gott und Mensch, so doch nicht die theologische
Mitte der Institutio schon von 1539. Dazu kommt, daß der Reformator
nicht erst dieses Jahres den philosophischen konzipierten Satz von
der "absoluten Macht Gottes", ohne diesen Satz zu nennen, doch nicht
durch seine christozentrisch sich orientierende "christliche Religion" überwand[1673], sondern durch das Axiom der Theodizee, das schon
1536 angeführt wird und besagt, daß weder lügen, noch trügen, noch
getäuscht werden kann[1674].

Es ist nicht zu verkennen, daß Gottes Alleinwirksamkeit, ja, daß
die Theokratie[1675] schon 1536 über alle geistliche Wirklichkeit
eines Gläubigen hinaus von Calvin als die letztgültige Wirklichkeit
bezeugt wird, wie sie denn im Grundansatz seiner polaren Konzeption
von Theologie den Ausschlag gibt. Aber sie schließt in sich, was
die ersten Fragen des Katechismus von 1545 folgendermaßen zum Ausdruck bringen. "Worin besteht die vornehmliche Bestimmung des menschlichen Lebens? - Darin, daß die Menschen Gott, von dem sie erschaffen sind, erkennen". Liegt bei Gott aber der Anfang unseres Lebens,
so ist es nur billig, dieses Gott zu seinem Ruhm darzubringen. Eben
darin besteht das "höchste Gut" des Menschen, wie denn einem Menschen nichts Unglücklicheres widerfahren kann, als sein Leben nicht
in der Hingabe an Gott zu führen. Inbegriff dieser Hingabe aber ist
die Weise, reformatorisch zu glauben, was Inhalt des Apostolischen
Glaubensbekenntnisses ist[1676]. Man sieht auch hier, daß diskrepante
Wirklichkeiten ihrem jeweiligen Gewicht nach entscheiden, nicht aber
die vernünftige Logik.

Bei der noch näheren Befragung dessen, was es bei dem jungen Reformator auf sich hat mit der Polarität von Gott und menschlicher Seele, von Gotteserkenntnis und einer aus der schriftgemäßen Kenntnis
vom Menschen gewonnenen Selbsterkenntnis eines in dem reformatorisch-
augustinischen Verständnis des "christlichen Religionswesen" Existierenden, tut es not, bei der reformatorischen Weise zu glauben einzusetzen. Calvin definiert: Sie "besteht in der vollauf gewissen Erkenntnis des göttlichen Wohlwollens[1677] gegen uns, wie sie in der
Verläßlichkeit der in Christus umsonst gewährten Zusage ihren Grund
hat und durch den Hl. Geist sowohl unsern geistigen Sinnen enthüllt,
als auch unsern Herzen versiegelt[1678] wird"[1679]. Unter dieser Voraussetzung ist Glaube zugleich ein Annehmen der Barmherzigkeit Gottes[1680], und sein Fundament besteht aus allen jenen umsonst gewährten Verheißungen, wie wir sie "in Christus" für zusammengefaßt erachten[1681]. Dieses Verständnis des Glaubens von 1539, auch als Freimut[1682] bezeichnet, vervollständigt den Inbegriff dessen, was 1536
ausgesprochen wurde[1683]. Glauben als bloßes Wissen, als "historische"
Kenntnis, als bloße Zustimmung[1684] lehnt der junge Reformator ab.
Die Hl. Schrift, durch Gottes Verläßlichkeit als wahr verbürgt und

gewißermaßen "erprobt" und "bewährt"[1685]. Sie ist Quell und Norm
des Bekenntnisses, ist sehr praktisch der alleinige Orientierungs-
punkt; als lebendiges Wort Gottes ist sie "Basis und Stütze" 9),
"Gegenstand und vorgestecktes Ziel, auf das es sich auszurichten
gilt"; der Glaube selbst aber ist die empirisch gewonnene, Gewißheitscharakter an sich tragende "Überzeugung von der Wahrheit Gottes"[1686], die durch das Axiom der Theodizee gegen die Annahme einer
Willkürmacht Gottes abgesichert wird.

Calvin erkennt hier kein Paradox an. Er berichtet lediglich, es
werde auch wohl für das "Allerwidersprüchlichste"[1687] gehalten, daß
nur derjenige an Christus glaube, dem es geschenkt worden sei[1688].
In solcher Aussage liegt für ihn nur anscheinend eine Diskrepanz von
Gottes Alleinwirken und eines Menschen selbstverantwortlichem Verhalten der "Wahrheit Gottes" gegenüber. Nicht nach logischer Ge-
reimtheit trachtet er, sondern danach, die widersprüchlich erscheinenden Wirklichkeiten unverkürzt zur Geltung zu bringen. Insofern
äußert er auch, Gott wolle in seinem allmächtigen Können für "das,
was uns not tut", immer auch aus Glauben und im Gebet angegangen
werden[1689]. Er will bedacht haben, daß hier teils die himmlische
Weisheit zutiefst verborgen und die menschliche Schwäche zum Fassen
der Geheimnisse Gottes zu groß sei, teils es aber auch auf die unbedingt feste Standhaftigkeit des Herzens ankomme, die eine ganz hervorragende Seite am Glauben darstelle. Als entscheidende Vorgänge,
die einen Menschen hier zuinnerst zurechtbringen, legt er, durchaus
augustinisch gesprochen, dar die Erleuchtung und die Reinigung seiner "geistigen Sinne"[1690] und die Festigung des Herzens. Es bleibt
immer wieder bei den beiden dem diskursiven Denken widersprüchlich
erscheinenden Wirklichkeiten, daß ein Christ durch Gottes Willen,
und zwar mehr durch diesen als durch Gottes Vorherwissen und Vorher-
sehen, determiniert wird und gleichzeitig selbstverantworliches Per-
sonwesen bleibt[1691]. Die Inanspruchnahme eines Menschen durch die
Weise, reformatorisch zu glauben, sieht also folgendermaßen aus: das
Wort Gottes ist angesichts der erkenntnistheoretisch konzipierten
Weltentrücktheit Gottes einem "Spiegelbild"[1692] gleich, auf das der
Glaube angewiesen ist, um Gott in aller Besinnlichkeit zu erschau-
en[1693]. Verständlich wird hier, daß den Inbegriff der Glaubenser-
kenntnis die empfangene Gewißheit statt der Ergreifung des Heils
bildet, die Versiegelung der Herzen statt des Gedanken wälzenden
"Hirns"; kurz: echten Glauben zeichnet ein Ruhen voll standfester
Hoffnung aus[1694]. Hier obwaltet ein unvergessener Augustinismus.

Nun bedarf auch noch die vollmenschliche Subjektivität, die der
junge Reformator in seinen theologischen Denkansatz einbezieht, näheren Zusehens. Der Ausgang vom denkenden Selbstbewußtsein, den später Descartes nahm[1695], hat trotz gelegentlich geäußerter Vermutun-
gen keine unmittelbare Beziehung zu Calvins Denkstruktur. Sein Denk-

ansatz wird aus dem Grunde vor einer bewußtseins-theologischen Konzeption bewahrt, weil die von ihm gemeinte geistliche und theologische Existenz eines Christen im unaufgebbaren Gegenüber Gottes ihr ständiges Gegengewicht hat. Insofern kann er sagen: "Wir sind uns bei uns unter den Anklagen des Gewissens dessen bewußt", nicht so zu sein, wie wenn wir unsere Pflichten geziemenderweise wirklich erfüllt hätten[1696]. In dem bekannten Brief vom 12. Januar 1538 an Bucer beruft sich Calvin darauf, es "sei ihm wohl bewußt"[1697], von dem Herrn (Gott), seitdem er ein Wohlgefallen an dessen Wort zu kosten bekommen habe, nie so sehr verlassen worden zu sein, daß er nicht das nötige "fromme Empfinden"[1698] insonderheit für den Leib Christi im Sakrament zurückbehalten hätte[1699]. Gewiß, Calvin steht erkenntnistheoretisch durchaus auf der Schwelle zur Neuen Zeit; denn der Terminismus bestimmt die empirische Weise Calvins im Gewinnen geistlicher und theologischer Erkenntnisse, und hinzukommt die mit der Zeit zunehmende starke Hervorkehrung jener Individuation, die ein jeder Mensch als von Gott unmittelbar erschaffenes Einzelwesen darstellt. Ein schmaler Grat ist es, auf dem sich hier Calvins gesamte theologische Konzeption bewegt. Um so mehr fällt aber wiederum auch der theologisch kaum zu überschätzende Dienst ins Gewicht, den das reformatorisch verstandene Gewissen der ebenso reformatorischen Weise zu glauben tut: eine dynamische geistliche und theologische Realität macht sich hier bemerkbar, und das gerade in einem nie vernachlässigten Gegenüber Gottes. Ohne das Gewicht dieser freilich völlig ungleichartigen teils dialektisch, teils dialogisch bewegten Polarität zwischen Gott und einem in "unserer Weisheit" Existierenden zusamt der am lebendigen Wort der Hl. Schrift orientiert bleibenden Gottes- und Selbsterkenntnis wäre die Talfahrt in den religiösen Subjektivismus und den religiösen Individualismus unaufhaltsam. An ihr hinderte schon den jungen Reformator die ungewöhnliche Ausgewogenheit der theologischen Aussagen auf dem so schmalen Grat zwischen den gerade seine reformatorisch-augustinische Konzeption auszeichnenden Gefahren einerseits eines metaphysischen Agnostizismus und andererseits einer empirisch verhafteten Glaubenstheologie.

Was nun im Rahmen der vollmenschlichen Subjektivität eines geistlich und theologisch in "unserer Weisheit" Existierenden die Frage nach dem Dienst angeht, den das Gewissen ihm tut, so steht er in engster Verbindung zur Weise, reformatorisch zu glauben. Dem Reformator von 1536 zufolge meldet es sich unableitbar und unabweisbar, und zwar nur in etwa durch das jedem Menschen eingeborene Naturgesetz, legitim geschärft jedoch erst im Gegenüber des Wortes und Gesetzes Gottes unter der Wirkung seines Geistes. Weit davon entfernt, Richter des Menschen in seiner eigenen Brust zu sein, wird es vielmehr als Zeuge des unbestechlichen Gottes hingestellt. Es reagiert in der Richtung, daß das Eine nicht geschehen darf, das Andere hin-

gegen geschehen soll, ohne von sich aus über den jeweils geltenden
Inhalt etwas Schlüssiges sagen zu können. Einem Menschen auf dem Wege zum Glauben tut es, durch Gottes Urteil in dessen Wort gelenkt
und geschärft, zunächst den Dienst der Überführung von seiner Torheit, Ohnmacht und Unreinheit[1700] und gilt als der Ort, an dem ihm
zu seiner selbst Erkenntnis sein Versagen und Elend als schändlicher
Makel aufgedeckt wird und also das Gesetz und selbst Christus ihn
schuldig sprechen[1701]. Hier ist schon dem Calvin von 1536 kaum ein
Ausdruck zu stark[1702]. Reformatorischer Glaube wird, anthropologisch
gesehen, aus des Menschen Elend geboren. Dann aber geschieht es, daß
er mit "freiem", "gelöstem", "reinem" Gewissen das uns gewogene und
versöhnlich heitere Antlitz Gottes anzuschauen[1703] bekommt, des näheren aber durch den Glauben in den Stand der "christlichen Freiheit" versetzt wird[1704], und zwar aus des himmlischen Vaters Barmherzigkeit, Lindigkeit, Weitherzigkeit[1705] heraus und um des Sühne-
todes Christi willen[1706]. Über diesen Trost des Evangeliums hinaus
aber tut das Gewissen einem Gläubigen dann auch noch den letzten
Dienst: als "gutes" und "reines" Gewissen[1707] wird es zum urteilenden Begleiter der Denkungs- und Handlungsweisen, in denen sich ein
Wiedergeborener als in dem eigens von ihm zu verantwortenden Leben
bewegt und den Freimut gewinnt, sich auf Gott als den Mitwissenden
und Verzeihenden für sich zu berufen, und zwar so, daß er vor Gott
in der ihm geziemenden Demut, Unterwerfung und Anbetung erfunden
wird. Was die christliche Freiheit angeht, knüpft Calvin schon 1536
an Luther an. Hingegen verdankt er die Vorstellung von einem "guten"
und "reinen" Gewissen der Devotio moderna[1708], nach deren Richtlinien er in Montaigu erzogen worden war. Er verpflanzt sie in den reformatorischen Boden des forensisch-souveränen Heilsverständnisses.
Hier spielt das Gewissen seine Rolle nicht im Sinne der Auseinandersetzung eines Christen mit sich selbst, sondern einer solchen mit
Gott. Das reformatorische Heilsverständnis Calvins weiß von keinem
Angebot Gottes an den Menschen und darum auch von keinem Appell an
die menschliche Willensentscheidung, ein solches Gebot anzunehmen.
Der Weg zum Glauben führt vielmehr über das Zeugnis des Gewissens,
das sich, von Gott angerührt, gegen den Menschen wendet, ihn untröst-
lich beunruhigt und zu seinem Heil Christus in die Arme treibt. Auch
die allerersten Anfänge des Glaubens, der hier aufbricht, gehen allein aus der vorsehenden Initiative Gottes hervor. Eine aus dem Gegenüber Gottes und seines Wortes herausgeratende Berufung eines
Christen auf "sein" Gewissen kennt Calvin nicht.

Stellt sich solchergestalt das reformatorisch verstandene Gewissen für den Calvin schon von 1536 als der unabwendbare Begleiter aller polaren Beziehungen zwischen Gott und einem zu Glauben und Frömmigkeit wirksam Berufenen dar und damit auch als unvermeidlicher
Beziehungspunkt aller polaren Verhältnisse von Gottes- und Selbster-

kenntnis, so ist nun für denselben Calvin nach der Bedeutung zu fragen, die überhaupt der Subjektivität eines in "unserer Weisheit"
Existierenden in Calvins Konzeption zukommt. Vorab ist die Aufmerksamkeit auf die Rolle zu richten, die die menschliche "Seele"[1709]
hier spielt. Sie "wimmelt" nur so von "Krankheiten des Lasters",
weil sie "in einen Strudel des Verderbens und den Mangel an allem
Guten untergetaucht ist". Dieser ihr allseitiger[1710] Zustand aber
wurde herbeigeführt durch die Eingehörigkeit der menschlichen Natur
in den Sturz Adams, die Gott verhängte. Die so zwangsläufig weiter-
gereichte Schlechtigkeit, Verderbtheit und Begehrlichkeit der Menschen in ihrer Gesamtheit hat in der menschlichen Seele das "himmlische" Bild Gottes durch "Ansteckung" zerstört[1711]. Bestand doch
ursprünglich und zuinnerst beim Menschen als "Gut der Seele" deren
Gottähnlichkeit, heißt es 1543[1712]. Nun aber wohnt ihr "von Natur",
d. h. ihr als dem erlebnisfähigen Menschsein des Menschen eine Unfähigkeit der beiden Seelenvermögen[1713] des Denkens und Wollens zum
Guten inne, die nur durch den Hl. Geist oder die "besondere Gnadenhilfe" Gottes behoben wird; denn "der Hl. Geist hat es nicht mit jener "Natur", sondern mit der Wiedergeburt" zu tun[1714], von der her
sein Wirken verstanden werden muß. Wenn nämlich das Wort Gottes als
Samenkorn in eine Seele fällt, die vom Hl. Geist umgepflügt wurde,
dann wird es überreiche Frucht tragen. Ist es doch letztlich Gott
selbst, der die "äußeren Worte und Sakramente" von den Ohren her
in die Seele hinein überführt. Darum wird auch gerade ihr, im Unterschied vom Leib, um so mehr Eifer und Mühe geschuldet[1715], wie denn
auch ganz aus ihr heraus Gott geliebt werden soll[1716]. In ihr auch
geht die Aufrichtung zur Hoffnung, die Stärkung zur geistlichen Un-
besorgtheit[1717] und die Mitteilung ungezweifelter Zuversicht zum
ewigen Leben, auch durch das Mahl des Herrn, vor sich[1718].

Dreifach gefächert erscheint die menschliche Seele und damit auch
diejenige eines Christenmenschen bei Calvin: in Denken, Wollen und
eine weitere Dimension, die gerade bei Calvin gesondert in Betracht
gezogen werden muß.

Zunächst: was steuert dem jungen Reformator zufolge das Denkvermögen eines Menschen einesteils zu seinem Heil, andernteils zur Darstellung des christlichen Religionswesens in der Institutio bei? Allem dem gegenüber, was es mit Gott zu tun hat, erweist es sich, wie
oben schon ausgesprochen, als ohnmächtig. Zwar sind Unendlichkeit
und Ewigkeit, Majestät und Heiligkeit Aussagen von Gott, die auch
Calvin macht, und zwar ohne Rücksicht darauf, daß es sich bei ihnen
um keine Benennungen Gottes handelt, wie sie ihn als das "Prinzip
des Handelns" kennzeichnen. Insofern macht der junge Reformator, der
Tradition christlicher Theologie folgend, metaphysische Aussagen, auch
wenn er sie als solche nicht ausdrücklich kenntlich macht. Wohl aber
sind sie solche bei ihm ausdrucks- und sinngemäß, sei es der völ-

ligen Andersartigkeit Gottes der Schöpfung, sei es der unbedingten
Überlegenheit und Unantastbarkeit Gottes der sündigen Menschenwelt
gegenüber. Aber jeder denkerische Versuch, in Gottes transzendentes
Sein und seine verborgenen Dekrete einzubrechen, wird als frivol ge-
brandmarkt. Wenn Calvin das innere Wahrnehmungsvermögen[1719] von Mal
zu Mal "unter den Intellekt mit einbefaßt", so gibt er zu erkennen,
daß er ein Denken im Sinn hat, das sich der Offenbarung Gottes gegenüber ganz praktisch verhält. Auch mißt er dem Denken als der Tätigkeit der geistigen Sinne[1720] eines Menschen jenes Urteilsvermögen
seiner "Seele" bei, das auf Grund des Wahrgenommenen zwischen den
"Objekten" unterscheidet und sich auf das Billigen oder Mißbilli-
gen beschränkt[1721]. Sache des Intellektes ist also das reine Begut-
achten, nicht aber das wirkliche Ausführen. Den Intellekt hält Calvin für einen solchen "Anführer", dessen Aufgabe es ist, die "Seele" also ganz praktisch zu steuern[1722], ohne sie jedoch zum eigentlichen Handeln ausrüsten zu können.

Calvin beeilt sich, um kein Mißverständnis aufkommen zu lassen,
immer wieder auszuführen, es sei mit der Vernunft[1723] in Wirklichkeit so bestellt, daß sie blinder als die Maulwürfe ist, sobald es
sich um die Erkenntnis Gottes, um unser Heil und um die Weise frommer Lebensführung nach Gottes Gesetz und im Nachvollzug Christi
handelt[1724]. Die diesbezügliche Erkenntnis wird als entstellt gekennzeichnet[1725]; denn als Entkräftung des Denkens hat sie Schuld
am Abfall von Gott[1726] und versagt, gleich der Seele überhaupt, voller Ungehorsam dem geistlichen Gesetz Gottes gegenüber[1727]. So ist
auch von einem Christenmenschen zu sagen, daß seine geistigen Sinne
sehr wohl "von den Machenschaften des Mißtrauens geschüttelt" werden, weil bei ihm "in der Seele immer noch etwelcher Raum für solche Versuchungen" vorhanden ist[1728]. Wie aber "keine natürliche Erleuchtung der Seele zu einem geistlichen Einsichtvermögen ausreicht", so hilft zu dem hier in Frage kommenden geistlichen Verstehen[1729] allein die "besondere Erleuchtung" durch den Hl.
Geist[1730]. Eben durch sie kommt jenes wahrnehmende Erkennen zustande, das ein hervorragendes und unveräußerliches Merkmal der Weise,
reformatorisch zu glauben, darstellt[1731].

Was sodann nach Calvin den Willen des Menschen und seine Fähigkeit
angeht, den Willen Gottes, die Zehn Gebote und den Nachvollzug Christi auszuführen, so setzt er auch in diesem Stück anthropologisch
ein. Er weiß von der Unverlierbarkeit und der das volle Menschsein
des Menschen in seiner Seele integrierenden Bedeutung des menschlichen Willensvermögens. Mit dem menschlichen Denkvermögen ist es in
der menschlichen Seele da[1732]. Diese hält er unter den "christlichen Schriftstellern" für weit gefächert[1733]. Das Verständnis der
Sünde als bloßer Rauchwolke lehnt er ab[1734]. Statt dessen schickt
er sich an, Augustin als der großen Ausnahme zu folgen[1735]. Ihm ge-

genüber hält er Bernhard für dunkler. An der Schultheologie des Lombarden orientiert seine Polemik so, daß er jede menschliche Mitwirkung zum Heil bestreitet. Aber auch gegen die Täuferlehre grenzt er sich ab und hält den Stand der Unschuld als Menschenmöglichkeit für Anmaßung[1736]. Näher betrachtet folgt er anthropologisch einem Neu-scotismus. Der Reformator von 1539 rechnet die menschliche Fähigkeit zu freiem Handeln rein anthropologisch der menschlichen Willensentscheidung[1737] zu[1738]. Der Wille berücksichtigt den Wink, den der Intellekt gibt, und erwartet für die Vielfalt des Verlangens[1739], nach der der Wille sich jeweils ausstreckt, das Gutachten des abwägenden Denkens. Auf keinen Fall aber birgt dieses, wie Calvin von Mal zu Mal warnend ausspricht, Antrieb oder Kraft in sich selbst, das für gut Befundene auch zu verwirklichen. Ausschließlich der Wille hat es an sich, das ihm durch die urteilenden geistigen Sinne Vorgestellte weiter zu verfolgen, es also in die Tat umzusetzen oder anderes abratend Begutachtete zu verwerfen und vor ihm zu fliehen[1740]. Der hellenistische Intellektualismus und die theoretisierenden Vernünfteleien sind hier zu Grabe getragen. Ein neuer Voluntarismus hat Fuß gefaßt.

Das bedeutet für reformatorisch-augustinisches Denken nach c. 2 der Zweitausgabe der Institutio, daß nicht nur der Mensch ganz, sondern in hervorragendem Maße der Wille Sitz der Sünde ist[1741]. Hingegen ist Gottes heischender Wille "engelhafte Reinheit"[1742]. Um so mehr wird von Calvin erkannt, daß der Mensch zuinnerst, d. h. seine Seele[1743] z. B. Zorn und Haß "empfängt" und aus solcher Ansteckung heraus die Tat gebiert. Sünde ist für ihn, wie für einen Neuscotisten wie Major, Widersetzlichkeit und kein bloßer Mangel an Gutem. Die Willensdynamik, die man bei Augustin findet[1744], hat sich auch der junge Reformator zu eigen gemacht. Er hat teil am augustinischen Gnadenmonismus[1745], der nicht nur die Erwählung eines Menschen, sondern immer auch die Erneuerung seines Willens durch die Wiedergeburt bedeutet. Zieht man diesen Sachverhalt bei Calvin in Betracht, dann wird die Frage nach der Beziehung Calvins zu Bucer in den Fragen der Prädestination neu aufgerollt werden müssen. Zu diesem Sachverhalt gehört es aber, daß Calvin an der Verantwortung, die ein Mensch für seinen Christenstand trägt, nichts ausspart. Wieder einmal entscheidet auch hier nicht die logische Reimbarkeit hinsichtlich der polaren Beziehungen von Gott und der menschlichen "Seele", sondern die Wirklichkeit des Vorgehens Gottes mit einem sündigen Menschen und diejenige der Haftung eines solchen für sich selbst vor Gott. Theologisch ausschlaggebend aber ist jene Priorität Gottes in dieser Polarität, die besagt, daß "Erweckung"[1746], "Bekehrung"[1747] ausschließlich durch Gottes Kraft geschieht[1748]. Hier kommt die alleinige Ehre Gottes zu ihrem Recht, die sich in der schon bekannten "besonderen Gnade Gottes und geistlichen Wiedergeburt" oder in der "besonderen

Bewegung durch Gott"[1749] durchsetzt. Durch diese Gnadenhilfe wird
das "wirksame Wollen", die "unüberwindliche Kraft", das "unentwegte
Beharren", die "wirksame Anwandlung"[1750] der den Willen bewegenden
Affekte unserm Herzen mitgeteilt und wird dieses mit dem Vermögen
zu richtigem Handeln ausgestattet[1751]. Nicht den "sorbonnischen Sophisten" will Calvin folgen[1752], sondern der augustinischen Erkenntnis, daß "der menschliche Wille nicht durch die Freiheit zur Gnade
komme, sondern durch die Gnade zur Freiheit"[1753]. Als Sendung und
Aufgabe eines Gerechtfertigten und Wiedergeborenen wird von Calvin
seinem theologischen Grundverständnis nach die sich aufopfernde Hingabe des Lebens an Gott verstanden. Hält er auch die Gegenseitigkeitsbeziehungen von Rechtfertigung und christlichem Leben wohlaus-
gewogen beieinander, so ist doch sein Verständnis von "christlicher
Religion" und "unserer Weisheit" geflissentlich abgestellt auf die
unter der "väterlichen" Vergebung Gottes "in Christus" verbleibende
Bewährung in christlich-reformatorischem Handeln, Verhalten, Gebaren. Das sagt auch der Katechismus von 1545[1754].

   Trotz einer gewissen traditionellen Sympathie des jungen Reformators für die dichotomisch angelegte Psychologie[1755] der menschlichen Seele in Intellekt und Willen[1756] fällt die gleichzeitig als unaufgebbar behandelte Beteiligung der menschlichen Sensualität[1757] an
den geistlichen Vorgängen ohne weiteres auf, die zum Christsein eines Menschen gehören. Ein auf das göttliche Wort hin jeweils trotzen-
der "nackter" oder "kahler" Glaube wird von ihm nicht in Betracht gezogen. Hat und behält doch reformatorischer Heilsglaube Calvin zufolge "Fühlung" mit dem Gott der Barmherzigkeit und des Heils in Christus. Fühlen[1758] aber ist ein unmittelbares sich zur Geltung bringen-
des inneres Wahrnehmen, das in den Bahnen eines fühlsamen Erkennens
und Urteilens, eines immer auch hörsamen Gehorchens geht, das stets
neu "bedenkt", was, allein von Gott und seinem Wort her gesehen, uns
z. B. fehlt und deshalb Gegenstand unseres Erflehens sein muß[1759].
Über das Grundverhalten der christlichen Weisheit, sofern solches
Verhalten diese Bezeichnung mit Recht verdient, äußert sich Calvin
1539 schlüssig: "So lernen wir denn, aus der fühlsamen Wahrnehmung[1760] unserer eigenen Unwissenheit, Nichtigkeit, Hilflosigkeit,
Schwachheit, Schlechtigkeit, schließlich auch Verderbtheit heraus zu
erkennen, daß nirgendwo anders als in dem Herrn (Gott) das Licht der
wahren Weisheit seinen Ort hat..."[1761]. Die "Unmenge" der Sünden
geht manchmal sogar über unser Empfindungsvermögen hinaus[1762]. Doch
kräftiger noch bemächtigt sich unser in den Tiefen "unserer Seele"
ein ganz anderes Gewahr- und Innewerden, wenn nämlich der Hl. Geist
in uns "etwas von Hoffnung, Liebe, Glaube spüren" läßt[1763]. Da ist
es dann das Empfinden der Güte Gottes, das zum "Verlegen der gesamten Summe des Heils" in die durch Christi Gerechtigkeit verbürgte
und gnädig zugerechnete Gerechtigkeit Gottes führt[1764]. Vom Wieder-

geborenen aber gilt auch das andere, daß ein "frommes Herz" in sich
den Riß zwischen Fleisch und Geist und die Sündenreste, von denen
im übrigen auch Luther gelegentlich sprach, zu "empfinden" bekommt[1765]. Das ganze geistlich gesteuerte Wahrnehmen, von dem der
Glaube angetan ist[1766], wird sogar von jenem Gewahrwerden erfüllt,
daß die Kraft der Erwählung zu uns gelangt[1767]. Anders konnte hier
Luther entscheiden, wenn er Fühlen und Glauben "nicht beieinander"
stehen ließ[1768]. Aber in "unserer Weisheit" Calvins ist die Weise,
reformatorisch zu glauben, von vornherein angewandelt von der das
Wesen der menschlichen Person und ihrer Seele integrierenden Sensualität, von der Wirklichkeit einer einfach vorhandenen Erfahrung.

So gewiß es zutrifft, daß für den jungen Reformator geistliche Vorgänge das volle Menschsein eines Menschen auf eine irrationale Art
an sich beteiligen, so gewiß läßt er es bei dieser Irrationalität
wiederum auch nicht bewenden. Ihm lag ja doch immer auch daran, daß
die mit der Existenz eines Menschen in der reformatorisch-augustinisch verstandenen "christlichen Religion" unlösbar verbundene Glaubensgewißheit sich nicht auf sich selbst zurückziehen dürfe. Das muß
um so mehr hervorgehoben werden, als er gleichzeitig doch auch immer
beachtet haben will, daß die <u>Grundwirklichkeit aller geistlichen Vorgänge sich in der menschlichen Seele abspielt</u> und mit einem bewußten
und gewußten Erkennen, Einsehen, Erschauen, Erblicken, Gewahrwerden,
Wahrnehmen, Fühlen, Spüren, Innewerden, Innesein, dazu auch mit einem
"Bei-sich-selbst-Bedenken, Bei-sich-selbst-Feststellen, Bei-sich-
Überlegen", oder wie immer der Ausdruck heißen mag[1769], um der Wahrhaftigkeit willen mit dem in seiner Ganzheit betroffenen Gläubigen
und Frommen einhergehen muß. Wie denn aus demselben Grunde bei einem
von Gott beschlagnahmten Wiedergeborenen dessen Emotionalität durch
den Hl. Geist in Bewegung gesetzt werden muß, damit es bei einem solchen unter dem Antrieb der "Affekte" zu einer aufrichtigen sich aufopfernden Hingabe des Lebens an Gott kommt. Das volle Menschsein muß
erfaßt werden[1770]. Nur so ist auch die ganze Weise, reformatorisch
zu glauben, echte Glaubenszuversicht[1771], gewisse Überzeugung[1772]
voll sicherer Ruhe des Gemütes[1773], ist Glauben ein Ruhefinden[1774]
in der Barmherzigkeit Gottes[1775], und das nicht zuletzt beim Gebet[1776], ist er das "Kosten" der "Lieblichkeit Gottes"[1777] in Christus. Die <u>besondere Dimension der Seele, auf die Calvins Diktion aufmerksam macht</u> und die die Weise, reformatorisch zu glauben, in ein
besonderes Licht rückt, erscheint dann auch in dem Hinweis auf das
Sich-Lehnen[1778], Sich-Stützen[1779] auf Gott, das Hangen[1780] der Hoffnung an ihm, das Beruhenlassen[1781] aller Hoffnung und Zuversicht auf
Gott und Christus. Von dieser Dimension ist nicht zuletzt auch jener
Trost angewandelt[1782], der kraft der Vergebung der Sünden das volle
Menschsein eines Sünders[1783] erfaßt. Die Beteiligung der hier in Frage stehenden besonderen anthropologischen Dimension an allen geist-

lichen Vorgängen gehört für den jungen Reformator unabdingbar zur jeweiligen Dynamik des vollmenschlichen Wirklichwerdens der geistlichen und theologischen Existenz eines Christen. Die Unmittelbarkeit der das Fühlen in sich einbeziehenden Intuition und der ihrer selbst gewissen Evidenz geistlicher Vorgänge muß aber untergeordnet bleiben dem letztgültigen und lebendigen Wort Gottes, mit dem sich für Calvins Schriftverständnis Gott selbst identifiziert hat.

Noch in eine letzte Tiefe hinein lotet schon der werdende Reformator die Subjektivität eines Gläubigen im Gegenüber Gottes aus. Der Glaube wird als ein gewisser, unbedingt zuverlässiger "Besitz" des uns von Gott Verheißenen gekennzeichnet. Es heißt, daß wir schon all unser bloß geistiges Wahrnehmungs- und Fassungsvermögen tief unter uns lassen, unsern Scharfsinn aber über alles in der Welt hinaus- und hinaufrichten und so über uns selbst hinausdringen müssen. Denn: die Überzeugung von der Heilsverheißung Gottes bis hin zur "ewigen Erbschaft"[1784] und zur immer wieder erwähnten "Unsterblichkeit", wie Calvin das künftige Leben auch nennt, ist in den "Besitz"[1785] eines jeden in "unserer Weisheit" Existierenden übergegangen. Alle diese geistlichen Vorgänge aber treten ein kraft des Zuvorkommens des initiierenden Gottes; denn aus Freundlichkeit hat er uns Christus gegeben, ihn anzunehmen und zu "besitzen", damit wir aus dem Teilhaben an ihm "die doppelte Gnade empfingen", nämlich Versöhnung und Heiligung[1786]. Insofern nimmt es nicht wunder, daß für Calvin selbst die zuzurechnende Gerechtigkeit durch den Glauben geistlicher Besitz wird[1787]. Hierher gehören auch Redewendungen wie die, Christus teile mit uns die zuzurechnende Gerechtigkeit auf eine gewisse bewunderungswürdige Weise; oder: Gott gieße seine Kraft in uns hinüber[1788], wie es, sakramental ausgedrückt, heißt. Dabei ist die Weise zu glauben nicht die des rechtfertigenden, sondern des die Rechtfertigung und die effektive Lebenserneuerung zum geistlichen Besitz empfangenden Glaubens[1789]. Calvin setzt hier, seinem augustinischen Herkommen gemäß, den Akzent anders als Luther. Diesem nämlich liegt, wie er es gelegentlich zugespitzt ausdrückt, "bei weitem nicht so sehr am Leben wie an der Lehre". Der Glaube aber ist für ihn insofern ein großes und herrliches, ja, das allererste, höchste und edelste Werk, das eigentliche Nicht-Werk, als er das unbedingte Gegenteil aller Leistung und auch der geistlichen Selbstwahrnehmung eines Christenmenschen darstellt[1790]. Calvin seinerseits aber wehrt, Luther zurechtrückend, den Verdacht ab, "als ob wir alles auf den Glauben übertrügen und für Werke keinen Raum ließen"[1791]. Allem Anschein nach bedrängte den jungen Genfer Reformator die Frage nicht, ob ein Gläubiger und Frommer über den ihm zuteil gewordenen geistlichen Besitz verfügen könne oder dürfe. Er galt ihm als allein von Gott verliehen und ebenso als ein von Gott stets und ständig zu erwartender, zu wahrender, zu erflehender Besitz[1792].

Angeführte Literatur

Anrich, Gustav. Martin Butzer. 1914.
Althaus, Paul. Die Prinzipien der deutschen reformierten Dogmatik im Zeitalter der aristotelischen Scholastik. Leipzig 1914.
Auer, Albert. Reformation aus dem Ewigen. Augustinus, Franz von Assisi, Bonaventura, Luther. Salzburg 1955.
Ders. Johannes von Dambach und die Trostbücher vom 11. bis 16. Jahrhundert. Münster i. W. 1928.
Ders. Leidenstheologie des Mittelalters. Salzburg 1947.
Ders. Leidenstheologie des Spätmittelalters. St. Ottilien (Erzabtei) 1952.
Auer, Alfons. Die vollkommene Frömmigkeit des Christen. Nach dem Enchiridion militis Christiani des Erasmus von Rotterdam. Düsseldorf 1954.
Auer, Johannes. Die Entwicklung der Gnadenlehre in der Hochscholastik. 1. Bd.: Freiburg i. Br. 1942; 2. Bd.: Freiburg i. Br. 1951.
Aulén, Gustav. Glaube und Mystik. In "Zeitschr. f. syst. Theol. Heft 2". Gütersloh 1925.
Bach, Josef. Die Dogmengeschichte des Mittelalters vom christologischen Standpunkte oder die mittelalterliche Christologie vom 8. bis 16. Jahrhundert. 1. Teil: Wien 1873; 2. Teil: Wien 1875.
Baeumker, Clemens. Die europäische Philosophie des Mittelalters. In "Die Kultur der Gegenwart", herausgeg. von Paul Hinneberg, I, V. Berlin und Leipzig 1906².
Ders. Der Platonismus im Mittelalter. München 1916.
Barnikol, Ernst. Studien zur Geschichte der Brüder vom gemeinsamen Leben. Tübingen 1917.
Barth, Karl. Kirchliche Dogmatik. Band I,1-IV,4.Zürich 1952⁶-1967.
Ders. Evangelium und Gesetz. "Theol. Exist. heute, Heft 32". München 1935.
Barth, Peter. Die Erwählungslehre in Calvins Institutio von 1536. In "Theologische Aufsätze. Karl Barth zum 50. Geburtstag". München 1936.
Bauernfeind, Otto. 'Αρετή. In Theol. Wörterbuch zum N. T., Bd. 1". Stuttgart 1933/1949.
Bavinck, Herman. Johannes Calvijn. Kampen 1909.
Bavink, Bernhard. Das Weltbild der heutigen Naturwissenschaften und seine Beziehungen zur Philosophie und Religion. Iserlohn 1947.
Bernards, Matthäus. Flores Sancti Bernardi. In "Bernhard von Clairbaux, Mönch und Mystiker. Internationaler Bernhardkongreß, Mai 1953". Wiesbaden 1955.
Bernhart, Joseph. Die philosophische Mystik des Mittelalters von ihren antiken Ursprüngen bis zur Renaissance. München 1922.
Bertram, Adolf. Ζωή und βίος in der Septuaginta. In "Theol. Wörterbuch zum N. T., Bd. 2". Stuttgart 1935.
Beth, Karl. Johann Calvin als reformatorischer Systematiker. In "Zeitschrift für Theol. u. Kirche, 19. Jhrg. Heft 5". Tübingen 1909.
Blaser, Emil. Vom Gesetz in Calvins Predigten über den 119. Psalm. In "Das Wort sie sollen lassen stahn. Festschrift für Albert Schädelin". Bern 1950.
Bönig, Heinrich. Die katholische Enchiridienliteratur im Zeitalter der Glaubensspaltung. Freiburg 1940 (Diss.).
Boehmer, Heinrich. Loyola und die deutsche Mystik."Berichte ü.d. Verhandlungen d. Sächs. Akad. d. Wissenschaftenzu Leipzig. Bd. 73, Heft 1". Leipzig 1921.
Ders. Ignatius von Loyola. Herausgegeben von Hans Leube. Stuttgart 1941.

Boëthius, Anicius Manlius Torquatus Severinus. Trost der Philosophie. Deutsch von Karl Büchner. Mit einer Einführung von Friedrich Klingner. Wiesbaden o. J.
Bohatec, Josef. Budé und Calvin. Studien zur Gedankenwelt des französischen Frühhumanismus. Graz 1950.
Ders. Calvins Vorsehungslehre. In "Calvinstudien". Elberfeld 1909.
Ders. Die Entbundenheit der Herrscher vom Gesetz in der Staatslehre Calvins. In "Zwingliana. Beiträge zur Geschichte Zwinglis usw.", Bd. VI: Zürich 1934; Bd. VII: Zürich 1935.
Boisset, Jean. Justification et sanctification chez Calvin. In "Calvinus Theologus. Die Referate des Congrès Européen de recherches Calvinienne". Herausgegeben von W. H. Neuser. Neukirchen-Vluyn 1976.
Borchert, Ernst. Der Einfluß des Nominalismus auf die Christologie der Spätscholastik usw. in "Beiträge zur Geschichte der Philosophie und Theologie des Mittelalters", Bd. 35, Heft 4/5. Münster i. W. 1940.
van den Bosch, Johannes Willem. De ontwikkeling van Bucers Prädestinatiegedachten vóór her optreden van Calvijn. Amsterdam 1922 (Diss.).
Bring, Ragnar. Gesetz und Evangelium und der dritte Brauch des Gesetzes in der lutherischen Theologie. In "Zur Theologie Luthers. Aus der Arbeit der Luther-Agricola-Gesellschaft in Finnland, I". Helsinki 1943.
Ders. Das Verhältnis von Glauben und Werken in der lutherischen Theologie. München 1955.
Bruckmüller, Franz. Die Gotteslehre Wilhelms von Ockham. München 1911 (Diss.).
Brunner, Emil. Vom Werk des heiligen Geistes. 1935.
Brunner, Peter. Vom Glauben bei Calvin. Tübingen 1925.
Buber, Martin. Das Problem des Menschen. Heidelberg 1954.
Bultmann, Rudolf. Ζωή im griechischen Sprachgebrauch. Leben und Tod im A. T. Der Lebensbegriff des Judentums und des N. T. In "Theol. Wörterbuch zum N. T." 2. Bd. Stuttgart 1935: S. 833 ff., 844 ff., 856 ff.
Cantimori, Delio. Italienische Häretiker der Spätrenaissance. Deutsch von Werner Kaegi. Basel 1949.
Cathrein, Viktor. Recht, Naturrecht und positives Recht. Eine kritische Untersuchung der Grundbegriffe der Rechtsordnung. 1909[2].
Clemen, Otto. Johann Pupper von Goch. Leipzig 1896.
Conolly, James L. John Gerson. Leipzig 1896, Löwen 1928.
Cruel, R. Geschichte der deutschen Predigt im Mittelalter. Detmold 1879.
Dee, Simon Pieter. Het Geloofsbegrip van Calvijn. Kampen 1918.
Dilthey, Wilhelm. Weltanschauung und Analyse des Menschen seit Renaissance und Reformation. In "Gesammelte Schriften", 2. Bd. Leipzig und Berlin 1921.
Dittrich, Fr. Regesten und Briefe des Cardinals Gasparo Contarini. Braunsberg 1881.
Ebeling, Gerhard. Cognitio Dei et hominis. In "Geist und Geschichte der Reformation. Arbeiten zur Kirchengeschichte". Berlin 1966.
Eichler, Friedrich. De Imitatione Christi und vier andere Schriften. Herausgegeben, eingeleitet und übersetzt. München 1966.
Elert, Werner. Der christliche Glaube. Grundlinien der lutherischen Dogmatik. Berlin 1941[2].
Ellwein, Eduard. Martin Luther. Vorlesung über den Römerbrief 1515/1516. München 1957[4].
Eßer, Hans Helmut. Hat Calvin eine "leise modalisierende Trinitätslehre"?. In "Calvinus theologus. "Die Referate des Congrès de Recherches Calviniennes". Herausgegeben von W. H. Neuser. Neukirchen-Vluyn 1976.
Feckes, Karl. Die Stellung der nominalistischen Schule zur aktuellen Gnade. In "Römische Quartalschrift für christliche Altertumskunde und für Kirchengeschichte". Freiburg i. Br. 1925.
Ders. Gabriel Biel, der erste große Dogmatiker der Universität Tübingen in seiner wissenschaftlichen Bedeutung. In "Theologische Quartalschrift". Tübingen 1927.

Ders. Die religionsphilosophischen Bestrebungen des spätmittelalterlichen Nominalismus. In "Römische Quartalschrift usw". Freiburg i. Br. 1927.
Ders. Die Rechtfertigungslehre des Gabriel Biel und ihre Stellung innerhalb der nominalistischen Schule. Münster i. W. 1925.
Federhofer, Franz. Die Erkenntnislehre des Wilhelm von Ockham, insbesondere seine Lehre vom intuitiven und abstraktiven Erkennen. München 1924 (Diss.).
Felder, Hilarin. Die Ideale des hl. Franziskus von Assisi. Paderborn 1935.
Fendt, Leonhard. Die Heiligung bei Luther. In "Zur Theologie Luthers. Aus der Arbeit der Luther-Agricola-Gesellschaft in Finnland. 1. Bd." Helsinki 1943.
Feret, P. La faculté de théologie de Paris et ses docteurs les plus célèbres, moyen-âge. 4 Bde. Paris 1894/1897.
Finkenzeller, Josef. Offenbarung und Theologie nach der Lehre des Johannes Duns Skotus. Eine historische und systematische Untersuchung. In "Beiträge zur Geschichte der Philosophie und Theologie des Mittelalters, Bd. 38, Heft 5". Münster i. W. 1961.
Ganoczy, Alexandre. Le jeune Calvin. Genèse et évolution de sa vocation réformatrice. Wiesbaden 1966.
Gennrich, Paul. Studien zur paulinischen Heilsordnung. In "Theologische St. u. Kr., 71. Jahrgang". Gotha 1898.
Gilson, Etienne. Der Geist der mittelalterlichen Philosophie. Deutsche Fassung von Rainulf Schmücker. Wien 1950.
Ders. Die Geschichte der christlichen Philosophie bis auf Nicolaus von Cues. Deutsch von Ph. Börner. Paderborn, Wien, Zürich 1937.
Gloede, Günter. Zucht und Weite. Calvins Weg und Werk. Gießen und Basel 1938.
Godet, Marcel. La congregation de Montaigu (1490-1580). In "Bibliothèque de l'école des hautes études. Sciences historiques et philologiques". Paris 1912.
Göhler, Alfred. Calvins Lehre von der Heiligung. München 1934.
Goeters, J. E. Gerhard. Thomas von Kempen und Johannes Calvin. In "Thomas von Kempen. Beiträge zum 500. Todestag". Kempen-Ndrh. 1971.
Goumaz, Louis. La doctrine du salut d'après les commentaires de Jean Calvin sur le Nouveau Testament. Lausanne und Paris 1917.
Haas, Alois. Wege und Grenzen der mystischen Erfahrung nach der deutschen Mystik. In "Mystische Erfahrung". Freiburg 1976.
Haimerl, Franz Xaver. Mittelalterliche Frömmigkeit im Spiegel der Gebetbuchliteratur Süddeutschlands. In "Münchener theologische Studien, Abt. 1, Bd. 4". München 1952.
Harnack, Theodosius. Luthers Theologie mit bes. Beziehung auf seine Versöhnungs- und Erlösungslehre. 2 Bde. Neuausgabe München 1926-1927.
Hashagen, Justus. Die Devotio moderna in ihrer Einwirkung auf Humanismus, Reformation, Gegenreformation und spätere Richtungen. In "Zeitschr. f. Kirchengesch. Dritte Folge VI, 55. Bd." Stuttgart 1936.
Hauck, Friedrich. Ὀφείλημα usw. In "Theol. Wörterbuch z. N. T., Bd. 5". Stuttgart 1954.
Heimsoeth, Heinz. Die sechs großen Themen der abendländischen Metaphysik. c.J. 3. Aufl. Stuttgart.
Henning-Pflanz, Hans. Geschichte und Eschatologie bei Martin Luther. Stuttgart 1939.
Herrmann, W. Der Verkehr des Christen mit Gott. Stgt. &Bln. 1908[5,6].
Hesse, Franz. Mystische und biblisch-prophetische Transzendenzerfahrung. In "Mystische Erfahrung". Freiburg 1976.
Hessen, Johannes. Die Begründung der Erkenntnis nach dem hl. Augustinus. In "Beiträge zur Geschichte der Philosophie des Mittelalters, Bd. 19, Heft 1". Münster i. W. 1916.
Hirsch, Emanuel. Das Wesen des reformatorischen Christentums. Berlin 1963.
Ders. Die Theologie des Andreas Osiander und ihre geschichtlichen Voraussetzungen. Göttingen 1919.
Ders. Geschichte der neueren evangelischen Theologie, im Zusammenhang mit den allgemeinen Bewegungen des europäischen Denkens. Fünf Bände. Gütersloh 1949-1954.

Hoffmann, Georg. Die Lehre von der fides implicita. 2 Bde. Leipzig 1906.
Hünermann, Friedrich. Die Rechtfertigungslehre des Kardinals Gasparo Contarini. In "Theol. Quartalschrift". Tübingen 1921.
Huizinga, J. Der Herbst des Mittelalters. Studien über Lebens- und Geistesformen des 14. und 15. Jahrhunderts in Frankreich und den Niederlanden. Deutsch von J. Tolles Mönckeberg. München 1924.
Iserloh, Erwin. Gratia und donum, Rechtfertigung und Heiligung nach Luthers Schrift "Wider den Löwener Theologen Latomus" (1521). In "Studien zur Geschichte und Theologie der Reformation. Festschrift für Ernst Bizer". Herausgegeben von Luise Abramowski und J. F. G. Goeters. Neukirchen-Vluyn 1969.
Jacobs, Paul. Prädestination und Verantwortlichkeit bei Calvin. In "Beiträge zur Geschichte und Lehre der reformierten Kirche". Neukirchen, Kr. Moers 1937.
Jedin, Hubert. Kardinal Contarini als Kontroverstheologe. In "Katholisches Leben und Kämpfe im Zeitalter der Glaubensspaltung. Bd. 9". Münster i. W. 1949.
Joest, Wilfried. Gesetz und Freiheit. Das Problem des tertius usus legis bei Luther und die neutestamentliche Parainese. Göttingen 1951.
Kleutgen, Joseph. Die Philosophie der Vorzeit verteidigt. 2 Bde. Münster i. W. 1860-1863.
Köstlin, Julius. Calvins Institutio nach Form und Inhalt in ihrer geschichtlichen Entwicklung. In "Theol. St. u. Kr. Jg. 1868". 1868.
Ders. Julius. Luthers Theologie in ihrer geschichtlichen Entwicklung und ihrem inneren Zusammenhang usw. 2 Bde. 1863.
Kohls, Ernst-Wilhelm. Die Theologie des Erasmus. 2 Bde. Basel 1960.
Kolfhaus, Wilhelm. Christusgemeinschaft bei Johannes Calvin. In "Beiträge zur Geschichte und Lehre der reformierten Kirche". Neukirchen, Kr. Moers 1939.
Ders. Vom christlichen Leben nach Johannes Calvin. In "Beiträge zur Geschichte und Lehre der reformierten Kirche". Neukirchen, Kr. Moers 1949.
Kratz, Wolfgang. Erniedrigung und Erhöhung Jesu Christi im Zeugnis Calvins. Bonn 1958 (Diss.).
Kreck, Walter. Wort und Geist bei Calvin. In "Festschrift für Günther Dehn". Neukirchen, Kr. Moers 1957.
Kreiher, J. Die Erwählungslehre von Zwingli und Calvin in ihrem gegenseitigen Verhältnis dargestellt. In "Theol. St. u. Kr.". 1870.
Krogh-Tonning, Knud. Der letzte Scholastiker. Eine Apologie. Freiburg i. Br. 1904.
Krummacher, Friedrich Wilhelm. Gottfried Daniel Krummacher und die niederrheinische Erweckungsbewegung. 1935.
Krusche, Werner. Das Wirken des heiligen Geistes nach Calvin. Göttingen 1957.
Landgraf, A. M. Dogmengeschichte der Frühscholastik. Bd. I, 2. 1903.
Lang, August. Die Bekehrung Johannes Calvins. Leipzig 1897.
Ders. Johannes Calvin. Ein Lebensbild zu seinem 400. Geburtstag am 10. Juli 1909. In "Schriften des Vereins für Reformationsgeschichte". 1909.
Ders. Rechtfertigung und Heiligung. 1911.
Ders. Die Quellen der Institutio von 1536. In "Evangelische Theologie 1936, Heft 3". München 1936.
Ders. Der Evangelienkommentar Martin Bucers und die Grundzüge seiner Theologie. 1900.
Lange, H. Besprechung von M. Schüler, Prädestination usw. In "Theologische Revue, 34. Jg.". Münster i. W. 1935.
Laun, Justus Ferdinand. Thomas von Bradwardine, der Schüler Augustins und Lehrer Wiclifs. In "Zeitschr. f. K.gesch., Bd. 47, neue Folge X, 2. Heft". Stuttgart 1955-1956.
Lenz, Max. Briefwechsel Landgraf Philipp's des Großmütigen von Hessen mit Bucer. In "Publikationen der k. preußischen Staatsarchive. 1. Teil: Leipzig 1880; 2. Teil: 1887; 3. Teil". 1891.

Lezius, Friedrich. Zur Charakteristik des religiösen Standpunktes des Erasmus. Gütersloh 1895.

Liebner, Albert. Hugo von St. Victor und die theologischen Richtungen seiner Zeit. Leipzig 1832.

Linsemann, Franz Xaver. Gabriel Biel, der letzte Scholastiker, und der Nominalismus. In "Theol. Quartalschrift, 37. Jg.". Tübingen 1865.

Link, Wilhelm. Das Ringen Luthers um die Freiheit der Theologie von der Philosophie. München 1955.

Lippert, Peter. Vom Endlichen zum Unendlichen. Freiburg. Br. 1954[3].

Locher, Gottfried W. Reformation als Beharrung und Fortschritt. In "Congrès Européen de recherches Calviniennes. Herausgegeben von W. H. Neuser". Neukirchen-Vluyn 1976.

Lombardi, Franco. Die Geburt der modernen Welt. Titel der Originalausgabe: Naseita del mondo moderno. Berlin und Köln 1961.

Loofs, Friedrich. Leitfaden zum Studium der Dogmengeschichte. 1906[4].

Lütgert, Wilhelm. Calvins Lehre vom Schöpfer. In "Zeitschr. f. syst. Theol.". 1932.

Manser, Gallus Maria. Drei Zweifler am Kausalitätsprinzip im 14. Jh. In "Zeitschrift für Philosophie und spekulative Theologie. 27. Bd.". Paderborn 1912.

Marcel, Gabriel. Dialog und Erfahrung. Frankfurt a. M. 1969.

Martin, Gottfried. Ist Ockhams Relationstheorie Nominalismus? In "Franziskanische Studien. 32. Jahr". Münster i. W. 1950.

Meier, Gabriel. Die sieben freien Künste im Mittelalter. Einsiedeln, New-York, Cincinnati und St. Louis 1886/1887.

Meyer, Wilhelm. Die Anklagesätze des h. Bernhard gegen Abaelard. In "Nachrichten von der Königlichen Gesellschaft der Wissenschaften zu Göttingen. Philologisch-historische Klasse". Göttingen 1898.

Minges, Pathenius. Johannis Duns Scoti doctrina philosophica et exposita. Tomus II: Theologia specialis. Ad Claras aquas 1930.

Moltmann, Jürgen. Zur Bedeutung des Petrus Ramus für Philosophie und Theologie im Calvinismus. In "Zeitschr. f. Kirchengesch. 4. Folge VI, 68. Bd." Stuttgart 1957.

Ders. Erwählung und Beharrung der Gläubigen nach Calvin. In "Calvin-Studien". Herausgegeben von J. Moltmann. Neukirchen, Kr. Moers 1960.

Ders. Prädestination und Perseveranz. Geschichte und Bedeutung der reformierten Lehre "de perseverantia sanctorum". In "Beiträge zur Geschichte und Lehre der reformierten Kirche. Bd. 12". Neukirchen, Kr. Moers 1961.

Mühlen, Heribert. Sein und Person nach Johannes Duns Scotus. Beitrag zur Grundlegung einer Metaphysik der Person. In "Franziskanische Forschungen. 11. Heft". Werl/Westf. 1954.

Müller, Karl. Calvins Bekehrung. In "Nachrichten der Königlichen Gesellschaft der Wissenschaften zu Göttingen. Philologisch-historische Klasse". Göttingen 1905.

Müller-Freienfels, Richard. Bildungs- und Erziehungsgeschichte vom Mittelalter bis zum Ausgang der Aufklärung. Leipzig 1932.

Niesel, Wilhelm. Calvins Lehre vom Abendmahl. 1930.

Ders. Die Theologie Calvins. München 1957[2].

Oberman, Heiko Augustinus. Spätscholastik und Reformation. Der Herbst der mittelalterlichen Theologie. 1. Bd. Zürich 1965.

Ders. Werden und Wertung der Reformation. Vom Wegestreit zum Glaubenskampf = Spätscholastik und Reformation. 2. Bd. Tübingen 1977.

Ortega Y Gasset, José. Das Wesen geschichtlicher Krisen. Stuttgart 1951.

Otten, Heinz. Calvins theologische Anschauung von der Prädestination. München 1938.

Pannenberg, Wolfhart. Der Einfluß der Anfechtungserfahrung auf den Prädestinationsbegriff Luthers. In "Kerygma und Dogma. 3. Jg.". Göttingen 1937.

Pohlenz, Max. Die Stoa. Geschichte einer geistigen Bewegung. 1. Bd.: Göttingen 1948; 2. Bd. (Erläuterungen): Göttingen 1955.

Ders. Grundfragen der stoischen Philosophie. Göttingen 1940.

Rabbow, Paul. Antike Schriften über Seelenheilung und Seelenleitung. I: Die Therapie des Zorns. Leipzig und Berlin 1914.
Räcke, Günter. Gesetz und Evangelium bei Calvin. Mainz 1953 (Diss.).
Reuter, Karl. Wilhelm Amesius, der führende Theologe des erwachenden reformierten Pietismus. In "Beiträge zur Geschichte und Lehre der reformierten Kirche. 4. Bd.". Neukirchen, Kr. Moers 1940.
Ders. Das Grundverständnis der Theologie Calvins. Unter Einbeziehung ihrer geschichtlichen Abhängigkeiten. 1. Teil. In "Beiträge zur Geschichte und Lehre der reformierten Kirche. 15. Bd.". Neukirchen, Kr. Moers 1963.
Ries, Joseph. Das geistliche Leben in seinen Entwicklungsstufen nach der Lehre des hl. Bernhard. Freiburg i. Br. 1906.
Rieht, Otto. Grundbegriffe der stoischen Ethik. Eine traditionsgeschichtliche Untersuchung. Berlin 1933.
Ritschl, Albrecht. Die christliche Lehre von der Rechtfertigung und Versöhnung. 3 Bde. 1888 f.[3].
Ders. Geschichte des Pietismus. 3 Bde. 1880-1886.
Ritschl, Otto. Dogmengeschichte des Protestantismus, 3. Bd.: Die reformierte Theologie des 16. und 17. Jhs. in ihrer Entstehung und Entwicklung. 1926.
Ritter, Gerhard. Studien zur Spätscholastik II. Via antiqua und via moderna auf den deutschen Universitäten des 15. Jhs. In "Sitzungsberichte der Heidelberger Akademie der Wissenschaften. Philosophisch-historische Klasse. Jahrgang 1922, 7. Abhandlung". Heidelberg 1922.
Ders. Romantische und revolutionäre Elemente in der deutschen Theologie am Vorabend der Reformation. In "Forschungen und Fortschritte. Korrespondenzblatt der deutschen Wissenschaft und Technik. 3. Jahrg.". 1927.
Ders. Die kirchliche und staatliche Neugestaltung Europas im Jahrhundert der Reformation und der Glaubenskämpfe. In "Die neue Propyläen-Weltgeschichte. Herausgegeben von Willy Andreas". Berlin 1941.
Ders. Die Neugestaltung Europas im 16. Jahrhundert. Berlin 1950.
Rosenberg, Alfons. Der Mystiker Nikolaus von Flüe. In "Mystische Erfahrung". Freiburg 1976.
Rückert, Hanns. Die theologische Entwicklung Gasparo Contarinis. In "Arbeiten zur Kirchengeschichte, Bd. 6". Bonn 1926.
Ruler, van, Arnold Albert. Das Leben und das Werk Calvins. In "Calvin-Studien". Herausgegeben von Jürgen Moltmann. Neukirchen, Kr. Moers 1960.
Saxer, Ernst. Aberglaube, Heuchelei und Frömmigkeit. Eine Untersuchung zu Calvins reformatorischer Eigenart, Zürich 1970.
Schlingensiepen, Hermann. Erasmus als Exeget, auf Grund seiner Schriften zu Matthäus. In "Zeitschrift für Kirchengeschichte. 48. Bd. Neue Folge 11". 1929.
Ders. Die Auslegung der Bergpredigt bei Calvin. Berlin 1939 (Diss. Bonn 1927).
Schneckenburger, Matthias. Vergleichende Darstellung des lutherischen und reformierten Lehrbegriffs. 2 Bde. Herausgegeben von Gruber. 1855.
Schubert, von, Hans. Calvin. In "Meister der Politik. Eine weltgeschichtliche Reihe von Bildnissen. Herausgegeben von Erich Marcks und Karl Alexander von Müller. 1. Bd.". Stuttgart und Berlin 1922.
Schüler, Martin. Luthers Gottesbegriff nach seiner Schrift De servo arbitrio. In "Zeitschrift für Kirchengeschichte. 3. Folge, 55. Bd.". Stuttgart 1936.
Schützeichel, Heribert. Die Glaubenstheologie Calvins. Beiträge zur ökumenischen Theologie, Bd. 9. München 1972.
Schweizer, Alexander. Die protestantischen Zentraldogmen. 2 Bde. 1854/1856.
Seeberg, Reinhold. Die Theologie des Johannes Duns Scotus. In "Studien zur Geschichte der Kirche. 5. Bd.". Leipzig 1900.
Ders. Die Versöhnungslehre des Abälard und die Bekämpfung derselben durch den heiligen Bernhard. In "Mitteilungen und Nachrichten für die evangelische Kirche in Rußland. 44. Bd.". Riga 1888.

Ders, Lehrbuch der Dogmengeschichte, 4. Bd. Neudruck Darmstadt 1954.

Sellmaier, Josef. Humanitas christiana. Geschichte des deutschen Humanismus. München 1949.

Simon, M. Die Beziehungen zwischen Altem und Neuem Testament in der Schriftauslegung Calvins. In "Reformierte Kirchenzeitung 1932, Nr. 3-5".

Spijker, van't, Willem. Prädestination bei Bucer und Calvin. In "Calvinus theologu. Die Referate des Congrès Européen de rechersches Calviniennes. Herausgegeben von W. H. Neuser". Neukirchen-Vluyn 1976.

Sprenger, Paul. Das Rätsel um die Bekehrung Calvins. In "Beiträge zur Geschichte und Lehre der reformierten Kirche. 11. Bd.". Neukirchen, Kr. Moers 1960.

Stadtland, Tjarko. Rechtfertigung und Heiligung bei Calvin. In "Beiträge zur Geschichte und Lehre der reformierten Kirche, 32. Bd.". Neukirchen, Kr. Moers 1972.

Stadtland-Neumann, Hiltrud. Evangelische Radikalismen in der Sicht Calvins. Sein Verständnis der Bergpredigt und der Aussendungsrede (Matth. 10). In "Beiträge zur Geschichte und Lehre der reformierten Kirche. 24. Bd.". Neukirchen-Vluyn 1966.

Stählin, Friedrich. Humanismus und Reformation im bürgerlichen Raum. Leipzig 1936.

Städlin, Karl Friedrich. Geschichte der christlichen Moral seit dem Wiederaufleben der Wissenschaften. Göttingen 1808.

Steiger, Renate. Zum Begriff der Kontingenz im Nominalismus. In "Geist und Geschichte der Reformation. Arbeiten zur Kirchengeschichte". Berlin 1966.

Stein, Ludwig. Die Psychologie der Stoa. Berlin 1886.

Ders. Die Erkenntnistheorie der Stoa. Berlin 1888.

Strathmann, Hermann. Die Entstehung der Lehre Calvins von der Buße. In "Calvinstudien". Leipzig 1909.

Ders. Calvins Lehre von der Buße in ihrer späteren Gestalt. In "Theol. Stud. u. Kr., 82. Jahrg.". 1909.

Stupperich. Der Humanismus und die Wiedervereinigung der Konfessionen. In "Schriften des Vereins für Reformationsgeschichte, 53. Jahrg., Heft 2 (Nr. 160)". Leipzig 1936.

Ders. Die Kirche in Martin Bucers theologischer Entwicklung. In "Archiv für Reformationsgeschichte, Jahrg. 35". Leipzig 1938.

Ders. Der Ursprung des "Regensburger Buches" von 1541 und seine Rechtfertigungslehre. In "Archiv für Reformationsgeschichte", Jahrg. 35", 1938. Neudruck Vaduz 1964.

Ders. Martin Bucers Anschauungen von der Kirche. In "Zeitschrift für system. Theologie, 17. Jahrg.". 1940.

Ders. Schriftverständnis und Kirchenlehre bei Bucer und Gropper. In "Jahrbuch des Vereins für westfälische Kirchengeschichte, 43. Jahrg.". 1950.

Sudbrack, Josef. Das geistliche Gesicht der vier Bücher von der Nachfolge Christi. In "Thomas von Kempen. Beiträge zum 500. Todesjahr". Kempen 1971.

Thalhofer, Franz Xaver. Unterricht und Bildung im Mittelalter. München 1928.

Thudichum, Maurice Ch. A. Calvin als Pädagoge. Inauguraldissertation zur Erlangung der Doktorwürde der philosophischen Fakultät München. Genf 1915.

Tillich, Paul. Systematische Theologie. Bd. 1. Stuttgart 1955.

Ders. Der Protestantismus. Prinzip und Wirklichkeit. Stuttgart 1950.

Torrance, Thomas Forsyth. Calvins Lehre vom Menschen. Zürich 1951.

Ders. Kingdom and church. Edinburgh und London 1956.

Troeltsch, Ernst. Die Soziallehren der christlichen Kirchen und Gruppen. 1912.

Ders. Die Bedeutung des Protestantismus für die Entstehung der modernen Welt. In "Historische Zeitschrift 1924, 2. Beiheft". München und Berlin 1924.

Viénot, John. Histoire de la réforme francaise des origines de Nantes. 1926.
Vignaux, Paul. Justification et prédestination au 14. siècle. In "Bibliothèque de l'école des hautes études, Bd. 48". Paris 1934.
Weber, Hans Emil. Reformation, Orthodoxie und Rationalismus. Bd. I, 1 und 2: 1937; Bd. II 1951; unvollendet.
Weber, Max. Gesammelte Aufsätze zur Religionssoziologie, Bd. I-III. 1920-1921; I: 1947.
Weber, Otto. Grundlagen der Dogmatik. Neukirchen, Kr. Moers. Bd. 1: 1954; Bd. 2: 1962.
Wendel, Francois. Calvin. Sources et évolution de sa pensée religieuse. Paris 1950.
Ders. Calvin. Ursprung und Entwicklung seiner Theologie. Neukirchen-Vluyn 1968.
Werner, Karl. Der Augustinismus in der Scholastik des späten Mittelalters. Wien 1883.
Ders. Der Endausgang der mittelalterlichen Scholastik. Wien 1887.
Wernle, Paul. Der evangelische Glaube nach den Hauptschriften der der Reformatoren III: Calvin. 1919.
Ders. Johannes Calvin. Akademischer Vortrag. 1909.
Ders. Calvin und Basel bis zum Tode des Myconius. Basel 1909.
Wolf, Ernst. Die Christusverkündigung bei Luther. In "Beiheft 2 zur'Evangelischen Theologie'"." München 1936.
Ders. Libertas Christiana und libertas ecclesiae. In "Evangelische Theologie", Jahrg. 1949-1950, Heft 2-3. München 1949-1950.
Ders. Erwählung und Prädestinationsproblem. In "Theologische Existenz heute. Neue Folge Nr. 28". München 1951.
Ders. Reformatorische Botschaft und Humanismus. In Studien zur Geschichte und Theologie der Reformation. Festschrift für Ernst Bizer". Herausgegeben von Luise Abranowski und J. F. G. Goeters. Neukirchen-Vluyn 1969.
Wolf, Hans Heinrich. Die Einheit des Bundes. Das Verhältnis von Altem und Neuem Testament bei Calvin. In "Beiträge zur Geschichte und Lehre der reformierten Kirche". Neukirchen, Kr. Moers 1958.
Wühr, W. Das abendländische Bildungswesen im Mittelalter. 1950.
Wünsch, Georg. Die Bergpredigt bei Luther. 1920.
Ders. Gotteserfahrung und sittliche Tat bei Luther. 1924.
Zarncke, Lilly. Die exercitia spiritualia des Ignatius von Loyola in ihren geistesgeschichtlichen Zusammenhängen. In "Schriften des Vereins für Reformationsgeschichte. Jahrg. 49, Heft 1 (Nr. 151)". Leipzig 1931.
Zielinski. Cicero im Wandel der Jahrhunderte. Leipzig und Berlin 1908.

Johannis Calvini opera quae supersunt omnia. Voll 1-59. Ed. G. Baum,
E. Kunitz, E. Reus. Braunschweig 1869-1900. In "Corpus reformato-
rum" voll. 29-87.
Johannis Calvini opera selecta, 5 voll. Ed. P. Barth, G. Niesel,
D. Scheuner. München 1926-1952.
Johannes Calvin. Unterricht in der christlichen Religion. Institu-
tio religionis christianae. Nach der letzten Ausgabe übersetzt und
bearbeitet von Otto Weber. Neukirchen, Kr. Moers 1955.
Johannes Calvins Auslegung der Hl. Schrift, Neue Reihe. In Zusammen-
arbeit mit anderen herausgegeben von Otto Weber. Neukirchen, Kr.
Moers 1937 ff.
Supplementa Calviniana. Herausgegeben von Hanns Rückert. Neukirchen,
Kreis Moers 1936-1961, 1961 ff.
Günter Gloede. Mußte Reformation sein? Calvins Antwort an Kardinal
Sadoleto, übersetzt und eingeleitet. Göttingen 1954.
Johannes Calvin. Gebete zu den Vorlesungen über Jeremia und Hesekiel.
Übersetzt von Wilhelm Dahm. München 1935[2].
R. Schwarz. Calvins Lebenswerk in seinen Briefen, 2 Bde., 1909.
Neue Ausgabe: Neukirchen, Kr. Moers 1959 ff.

Amesius, Guilelmus. ...opera quae Latine scripsit omnia, in quin-
que volumina distributa. Amstelodami 1648.
Anselm von Canterbury. Cur Deus homo. Warum Gott Mensch geworden.
Lateinisch und deutsch. Besorgt und übersetzt von Franciscus Sale-
sius Schmitt. Darmstadt 1956.
Arnold, Gottfried. Unparteiische Kirchen- und Ketzerhistorie.
Frankfurt a. M. 1700.
Augustinus, Aurelius. MPL 32 sqq., vor allem 35 (Auslegung des Jo-
hannesevangeliums), 44 (Contra Julium Pelagium).
Bernhard von Clairvaux. Opera: MPL 182-183.
Biel, Gabriel. Collectorium sive epithome in Magistri sententias
libri IV. Lugduni 1514, zuletzt 1519 in Lyon.
Ders. Inventarium seu repertorium generale...super quattuor libris
sententiarum. Tübingen 1501.
Bonaventura, Johannes Fidanza. Collationes in Hexaemeron etc. In
"Bibliotheca Franciscana scholastica medii aevi", tomus VIII. Flo-
rentiae 1934.
Bucerus, Martinus. Enarrationes perpetuae in sacra quatuor evange-
lia. Basel 1536, auch 1530. Editio Perua 1562
Ders. Psalmorum libri quinque ad Hebraicam veritatem traducti etc.
1554.
Cordierius, Maturinus. De corrupto sermonis emendatione. Paris et
Etienne 1530.
Coronelus, Anthonius. Prima pars rosarii. S. a. (um 1500).
Ders. Secunda pars rosarii logices. Paris 1517.
Erasmus, Desiderius, von Rotterdam. Opera omnia. Editio J. Cleri-
cus. 11 voll. Leiden 1703-1706. Neudruck Hildesheim 1962. - Para-
phrasen zum Römerbrief. 1580 und 1520.
Ders. De libero arbitrio. Ed. Johannes von Walter. 1910.
Faber Stapulensis, Jacobus. Commentarii initiatorii in quatuor evan-
gelia. S. l. 1526.
Ders. Annotationes in epistolas divi Pauli. Parisiis 1512.
Hugo von St. Viktor. Opera: MPL 175-177.
Luther, Martin. Weimarer Ausgabe. Weimar 1883 ff.
Ders. Ausgewählte Werke. Herausgegeben von H. H. Borcherd und Georg
Merz. München 1948[3].
Ders. Kurt Aland. Lutherlexikon. Stuttgart 1957.

Gregorius Ariminensis. Super primum et secundum sententiarum. Reprint of the 1522 Edition. New York, Löwen, Paderbon 1955.
Ludolf von Sachsen. Vita Jesu Christi, ex evangelio et approbatis ab ecclesiae catholicae doctoribus sedule collecta. Editio novissima curante L. M. Rigolet. 4 Bde. Paris und Rom 1870.
Major, Johannes (John Mair). 1. In primum sententiarum. Parisiis 1509, 1519; 2. In secundum s. Parisiis 1510, 1519; 3. Super tertium s. Parisiis 1517; 4. Quartus s. Parisiis 1509. Leicht veränderte Ausgabe: 1530.
Ders. Quaestiones logicales, quatuor libri. Parisiis 1528.
Ders. Incli(y)tarum artium ac sacre pagine doctoris...Johannis majoris Scoti libri quos in artibus (!) in collegio montis acuti Parisius (sic!) regetando in lucem emisit...ex universis precedentibus exemplaribus reductis omni menda deligenter et fideliter correctis ...cum annotatiunculis de novo adjunctis...Hoc volumine igitur omnia ordine sequenti reperies...Lugduni 1516.
Ders. In quatuor evangelia expositiones etc. Parisiis 1529.
Pupper, Johann, von Goch. De libertate christiana. 1521 herausgegeben von Cornelius Grapheus. Neudruck in "Bibliotheca reformatoria Neerlandica" door S. Cramer en F. Pijper, Bd. VI. s'Gravenshage 1910.
Thomas, von Aquino. Summa theologica. Vollständige ungekürzte deutsch-lateinische Ausgabe. Übersetzt von Dominikanern und Benediktinern Deutschlands und Österreichs. Bd. 25 und 27: Salzburg und Leipzig 1934 f.; Bd. 26 und 28: Heidelberg, Graz, Wien, Köln 1956 f.
Thomas, (Hemerken) a Kempis. De imitatione Christi libri IV. Leipzig 1840. - Nach dieser Ausgabe wird zitiert.
Ders. Ausgabe von Karl Hirsche. Berlin 1891².
Ders. De imitatione Christi und vier andere Schriften. Lateinisch und deutsch. Herausgegeben, eingeleitet und übersetzt von Friedrich Eichler. München 1966.
Thomas, Bradwardinus. De causa Dei contra Pelagium. London 1618.
Zwingli, Huldrych. Ausgabe der Werke von Schuler-Schultheß. 1828 ff.
Ders. Ausgabe der Werke im "Corpus reformatorum", voll. 88 sqq., 1905 ff.
Seneca, Lucius Annaeus. Ad Neronem Caesarem de clementia commentarius. C. O. 5, 1-162.
Ders. De beata vita. Vom glückseligen Leben. Eine Auswahl aus seinen Schriften. Herausgegeben von Heinrich Schmidt. Eingeleitet von Jürgen Kroymann. Stuttgart 1956.
Ders. Ad Lucilium epistolarum moralium libri XX.

1. Der äußere Anlaß, mich mit Calvins Werdegang vom Scholaren bis zum jungen Reformator zu befassen, wurde durch das Buch von Alexandre Ganoczy "Le jeune Calvin. Genèse et évolution de sa vocation réformatrice", Wiesbaden 1966, gegeben. Andere Calvin-Studien brach ich ab, um mich dem hier noch weithin offenliegenden Forschungsbereich durch die nachfolgenden Beiträge zu widmen. Trotz des hier innegehaltenen Zusammenhangs beanspruchen sie keine Vollständigkeit, sondern tasten sich an eine vollständigere Erfassung des Grundverständnisses der Theologie Calvins überhaupt heran.
2. Meier, S. 10.
3. De off. II, 2, 5.
4. Thalhofer, S. 168.
5. Sellmann, S. 298.
6. 49, 325; 36, 483.
7. ...in gentibus profanis.
8. 23, 100.
9. Kohls I, S. 57, 59 f.
10. Reuter I, S. 57-59.
11. A. a. O., S. 29.
12. Ritter II, S. 90 Anm. 2; Reuter I, S. 59; Ganoczy, S. 38, 40.
13. Rudimenta: 5, 411, 404 (1539). Gloede, S. 44, übersetzt das Wort mit "Grundausbildung".
14. Cruel, S. 455.
15. Auch Obermann, Spätscholastik I, S. 192, kommt nach eingehenden Überlegungen dazu, Gregor so einzuschätzen.
16. S. Linsemann, S. 454 f.; dazu Klutgen III, S. 47.
17. Reuter I, S. 46-49.
18. 1, 56 sq.
19. Qualis und quis, nicht quid.
20. 1, 56:...certissime experiemur. Vgl. 1, 61.
21. 1, 56:...fide..., inque ea secure acquiescemus.
22. Reuter I, S. 46-49.
23. 1, 82.
24. Reuter I, s. 44.
25. Wie oft bedient sich hier Calvin des Begriffes sentire oder sensus. Beim späteren Calvin kann es gelegentlich vorkommen, daß er ihn statt fides braucht.
26. 1, 100: Der Gegensatz ist derjenige eines Willkürwollens Gottes.
27. 1. 216.
28. S. Quellenverzeichnis.
29. Reuter I, S. 42.
30. Gratia infusa = caritas; gratia = speciale Dei auxilium bei Bradwardine und den antipelagianischen Nominalisten. - Gratia = gratia gratum faciens = Tilgung des Schuldcharakters der Sünde bis auf den verbleibenden Rest eines Zunders der Sünde; gratia = acceptatio, acceptio.
31. Potentia absoluta.
32. Potentia ordinata.
33. Veritas.
34. 1, 57, 79:...nec mentiri nobis, nec fallere, nec irrita esse possit.
35. Virtutes, nicht proprietates.
36. Ordinatissimus, justissimus u. ä.
37. Reuter I, S. 144-148.
38. 1, 57.
39. 2, 395, 396: Operatio, actio, auch motus mit anderem Bedeutungs-

akzent als efficatio.
40. S. die eigentümliche Reihenfolge der Stücke des dritten Buches der Institutio in ihrer Endgestalt von 1559.
41. Bohatec hat durchaus zutreffend Calvin einen Theologen der Diagonale genannt. S. Vorsehungslehre, S. 440.
42. Acceptus.
43. Gratiosus.
44. 1, 48, sq., 49, 52, 53, 197.
45. 1, 49 u. o.
46. 1, 49.
47. 1, 27; vgl. 1, 45.
48. 1, 49, 53, 45; vgl. 1; 27.
49. 1, 197 sq.
50. Vgl. 1, 81.
51. Vgl. zum Vorangegangenen u. a. auch 1, 83, 89, 93.
52. 1, 73, 74; vgl. 1, 52.
53. 1, 52.
54. 1, 72, 73 sq., 76, 93, 94 u. ö.
55. 1, 73.
56. 1, 100: In summa: meminerimus, hanc divinae sapientiae esse doctrinam, quae voluit docuit, voluit autem quod necesse fuit. Vgl. 1, 49: Det ille quod jubet, et jubeat quod velit.
57. 1, 27:...qui ejus auxilium implorent. - Vgl. seine Wendung gegen den Mißbrauch der Redeweise "...Dei auxilio adjutos omnia posse": 1, 39.
58. 2, 190.
59. Arbitrium, nicht voluntas. Aber Calvin kann beide Begriffe als austauschbar behandeln, obwohl er arbitrium vorzieht. Voluntas leitet zum Begriff voluntarius über, der im Unterschied von coactio. psychologisch die "willentliche" Beteiligung eines Menschen an seinen Entscheidungen und Handlungen meint. Arbitrium bedeutet eigentlich die freie Willensentscheidung, nicht die Handlungsfreiheit.
60. S. O. S. III, 248 die Lesarten = 2, 190 (1539).
61. L. c.: vgl. auch 2, 189.
62. Gratia infusa, caritas infusa.
63. 2, 191 (1539).
64. Vgl. überhaupt die aus 1539 stammenden Teile der Institutio in O. S. III, 244 sqq.
65. Reuter I, S. 214 Anm. 132.
66. 2, 193.
67. Ex puris naturalibus.
68. S. O. S. III, p. 285, kr. App. e. Die Bezeichnung Occamismus hat allem Anschein nach "jub. correctore" ein merkwürdiges Schicksal erlitten. Der Gedanke, daß Calvin 1539 von Ockham nicht gewußt habe, ist wohl unhaltbar.
69. 1, 152:...faciendum quod in nobis est. S. auch 2, 220 u. ö.
70. 1, 81.
71. 1, 152, 45, 49, 28, 48, 29, 53; aus 1539 s. 2, 213, 211.
72. O. S. I, p. 14.
73. So zieht noch 1559 das Facit.
74. 1, 48.
75. 1, 59.
76. 1, 119.
77. 1, 36, 125.
78. 1, 154, 119; vgl. auch 1, 190.
79. 1, 115.
80. 1, 105.
81. 1, 122.
82. 1, 93.
83. 1, 143, 190, 189; MPL 35, 1958, 183, 811; vgl. auch 331, 332.
84. Virtus, vis.
85. 1, 122.
86. MPL 35, 1518, 6; MPL 183, 860 A.
87. Vegetare.
88. MPL 35, 1618, 6; 1643, 4.
89. MPL 35, 1614, 18; 1615, 19.

90. 1, 94:...vivat ac regnet; 1, 50:...viget ac regnat.
91. Beneficientiae gratiae: 1, 118. Vgl. 1, 190, 191.
92. 1, 72, 80.
93. 1, 111, 107.
94. Z. B. 1, 116, 142 und sehr oft.
95. MPL 183, 1082 B/C.
96. MPL 35, 1477, 5; 1549, 11; 1515, 16 sq.; vgl. 1603, 14 u. ö.;
    MPL 183, 332.
97. Reuter I, S. 187-207. Vgl. S. 192: "...mehr als verderbt". S.
    dazu auch Gilson, Der Geist usw. S. 139.
98. 1, 36. Weiter z. B. 49, 214, 102, 31 u. o.
99. MPL 35, 1481 sq.
100. MPL 183, 858 sq.
101. 1, 52, 73, 149; 2, 443 sq.; vgl. 1, 150.
102. 2, 443. S. dazu O. S. IV, p. 68 ann. 3.
103. Vegetare.
104. 1, 72, 44, 94.
105. Gilson, Christl. Phil., S. 326.
106. MPL 35, 1612, 12; 1611, 11.
107. L. c., 1611, 11; 1612, 12; 1515, 14-17.
108. L. c., 1614, 16-18; 1615, 20; 1643, 4; 1612 sq., 13; 1615, 15.
109. MPL 45, 1010 sq., 30.
110. Z. B. l. c. 1010 sq., 30; 1009, 27; 1004, 21; 996, 4.
111. Rudimenta.
112. 1, 68.
113. 1, 74, 60.
114. 1, 214; vgl. 1, 207.
115. 1, 42.
116. Vegetare.
117. 1, 123.
118. 1, 119, 121.
119. 1, 127.
120. Salvus.
121. 1, 110: Titus 3, 5.
122. Substantia.
123. So 1, 119-123.
124. S. Krusche, S. 267-270. Die hier beigebrachten Stellen und Zi-
     tate lassen z. T. deutlich erkennen, wie sehr heilsmächtiges
     Leben Christi Inbegriff des von Calvin eben solchergestalt be-
     jahten Substanzbegriffes ist.
125. 1, 72 sq., 80.
126. Studium pietatis.
127. 1, 52 = O. S. I, p. 64 sq.
128. So schon Bradwardine, D c D 511 D, 517 A ("in gratia constitu-
     tus") u. o.
129. 1, 99, 103, 212, 213.
130. Obedire, obedientia: 1, 92, 216, 222.
131. Obsequi: 1, 50; sequi: 1, 197.
132. 1, 30, 46, 220: Mandata exsequi.
133. 1, 55: Observationes mandatorum.
134. 1, 50.
135. Servire, servus: 1, 27, 42.
136. 1, 42.
137. Admonitio, hortatio, exhortatio, cohortari, stimulare: 1, 152,
     77, 111, 115, 116 sq., 150, 130.
138. 1, 54.
139. 1, 196.
140. S. Reuter I, S. 26.
141. In sent. I, 107, 3. In quat. Evv., fol. CCVI, 79 sqq. - S. Reu-
     ter I, S. 25-27.
142. In sent. IV, 209, 2 sq.
143. 1, 210, 206, 204-206.
144. 1, 29, 124.
145. 1, 50.
146. 1, 47, 49, 50.
147. 1, 46.
148. 1, 156, 148, 152, 110, 118.

149. 1, 118.
150. 1, 111, 115, 150.
151. 1, 49.
152. L. c.
153. 1, 47, 201, 203, 197.
154. Electio.
155. 2, 207.
156. 1, 94.
157. MPL 35, 1618, 6; 1516, 19; 1552, 14; 1643, 4; 1755, 6; 1548, 10; 1551, 14; 1552, 15: Intelligunt qui audiunt, credunt, ut intelligant (Anselm!), obediant ut vivant.
158. Mens.
159. Intellectus.
160. Zu mens in der Institutio von 1536 s. 1, 43, 94, 102 104, 95, 210, 217 u. o.
161. 1, 49, 50, 72, 73, 94 u. ö.
162. Z. B. 1, 83, 218.
163. Sensus, sentire: z. B. 1, 46, 47, 81, 82, 83, 90; vgl. im bösen Sinn 1, 28.
164. Affectus, afficere: z. B. 1, 50, 87, 95 u. o.
165. Cor, animus.
166. 1, 152, 27, 78.
167. Remissio, condonare, venia, parcere.
168. 1, 81, 96, 162.
169. Gratuita misericordia; liberalitas, liberaliter, gratuita voluntas: 1, 96, 48, 72, 78 u. o.
170. Clementia: 1, 27, 30, 63, 77, 86, 91 u. ö.
171. Clementer.
172. 1, 49.
173. 1, 66:...clementissimus Dominus.
174. Bonitas (oft), benevolentia (auch oft), benignitas, beneficientia: z. B. 1, 63, 86, 199.
175. Propitius: 1, 53, 63, 86; favens: 1, 63; facilis, facundia: 1, 30; lenitas: 1, 197, 228; mansuetudo, mansuetus: 1, 91, 77, 30; indulgens: 1, 30, 63, largitas: 1, 72.
176. Viscera: 1, 90 sq.
177. 1, 48, 63, 86, 198, 225 und sehr oft.
178. 1, 91; vgl. 1, 95.
179. Z. B. 1, 113.
180. Z. B. MPL 35, 1964, 8:...quod per litteram jubetur Spiritu adjuvante compleatur, et si quid minus fit, remittatur.
181. Pater familias: s. bei Calvin 1, 91.
182. 1, 42, 50, 87, 88, 90, 91; 5, 240, 241, 245 u. o.
183. Gustus, gustare.
184. Suavitas, suavis: z. B. 1, 31, 78, 90, 118 sq. u. ö.
185. 1, 31, 214, 78; 5, 239 (1537).
186. MPL 183, 814; ähnlich oft.
187. L. c. 332, 411:...pius affectus mentis.
188. Tranquillus.
189. Securus.
190. 1, 47, 99, 82 u. o.
191. 1, 82.
192. 1, 120.
193. 1, 197.
194. Alacritas.
195. Ardens amor.
196. 1, 197, 86. - Impetus.
197. 1, 53.
198. 1, 177.
199. Zur Predigttätigkeit im 15 Jh. und zu den verwendeten Predigtmitteln S. Cruel, S. 451-468.
200. Subita conversio: 31, 21.
201. Religio.
202. Sapientia.
203. Vgl. 48, 205.
204. 48, 202.
205. Eine Auseinandersetzung mit Ganoczy im einzelnen erübrigt sich,

wenn z. B. klar ist, daß der ontologische Ausgang, den er für die Erfassung des jungen Calvin nimmt, auf diesen gar nicht zutrifft. Sie führt zu Fehldeutungen.

206. Statt von Bekehrung wird in den vorliegenden Zusammenhängen lieber von Wende usw. gesprochen, um ein durch die Frömmigkeitsgeschichte der der Reformation folgenden Jahrhunderte sich nahelegendes Mißverständnis zu vermeiden. Dennoch gehört Calvin auf seine ganz besondere Art in diesen die ganze christliche Kirche immer wieder durchflutenden Strom neuplatonisch-mystischer Frömmigkeit hinein. Allein, er überläßt sich ihm nicht, sondern lenkt ihn kritisch.
207. Vgl. Reuter I, S. 37-49.
208. A. a. O., S. 132-154.
209. 48, 495.
210. Rudimenta: 5, 411. Für den Begriff vgl. auch 5, 392. Von ihm macht Calvin auch sonst Gebrauch.
211. Major, In sent. II: Widmung an Béda. S. weiter Reuter I, S. 20 f.
212. Prefatio zum Evangelienkommentar A a II.
213. Reuter I, S. 31 f. nebst Anmerkungen.
214. 5, 412.
215. 31, 21: zweimal.
216. Dankbar scheint S. 26 zu einem solchen Ergebnis zu kommen.
217. 5, 411.
218. So liest man es schon in der Praefatio zu den Paraphrasen des Erasmus: Clericus VII.
219. 5, 396, 411.
220. Docilitas. S. Sprenger, S. 52-66, 98 f.
221. 1, 148, 149; vgl. 1, 77.
222. Resipiscentia.
223. Schlingensiepen, S. 33.
224. 31, 21.
225. 9, 51.
226. 31, 21; 5, 412.
227. 5, 412.
228. 48, 491.
229. Forma, formari.
230. Scientia.
231. 48, 494; vgl. 5, 391, 292.
232. Sprenger, S. 63.
233. 48, 491.
234. L. c.
235. 36, 62.
236. 48, 203.
237. Subigere, subjicere, submittere, dejicere, se humiliare; auch subito mitigari: 48, 199.
238. 48, 493.
239. 48, 491.
240. 5, 412.
241. 31, 21.
242. 48, 203:...gubernationis divinae seriem. - Öfter auch: gradatim.
243. 31, 21; vgl. 46, 500, 938.
244. 48, 541.
245. 2, 399 sq.
246. Cursus.
247. 31, 21; 48, 202 sq.; vgl. 48, 541.
248. 48, 200.
249. Quaerere: 48, 202.
250. 48, 202.
251. 48, 200.
252. 48, 203.
253. Insignia Dei misericordia: 48, 199.
254. Benevolentia: 48, 193.
255. Gratuita favor: 48, 207.
256. 31, 21.
257. 48, 199, 202.
258. Vgl. 48, 200 mit 31, 21.
259. 48, 202.

260. 5, 388 (Antwort an Sadoleto).
261. Otium.
262. S. Anm. 261.
263. Ebenda.
264. 37, 227.
265. 48, 496.
266. Mens.
267. 5, 243.
268. Diese scheint Sprenger S. 4 höher zu veranschlagen, als es für Calvin zutrifft.
269. So Ganoczy, S. 298 ff.
270. Mens.
271. 48, 544, 492.
272. Otium.
273. Conversus.
274. 5, 270 sq., 275.
275. Suppl. Calv.: Hanns Rückert, J. C., Predigten über das zweite Buch Samuelis, S. 122.
276. Sprenger hat S. 28-33 zum ersten Mal auf diese Stelle aufmerksam gemacht und sie in dem hier folgenden Sinn ausgelegt.
277. S. den Choral "Jesus, meine Zuversicht usw.:"...ich, ich selbst, kein anderer nicht werd in seiner Liebe brennen."
278. Hierzu muß man sich die mancherlei Komparative vergegenwärtigen, z. B.: purior doctrina.
279. Conversio.
280. Poenitentia.
281. Resipiscentia.
282. 48, 544.
283. 48, 543.
284. MPL 182, 833 sqq.
285. L. c. 836 sq.
286. L. c. 182, 847, 841, 845, 839, 183, 795 B/C, 361 A:...qui jam poenitet, perfectae conversionis accipit formam; ferner 183, 935 B: Die Engel: gaudent in conversione et poenitentia peccatorum. Vgl. auch 182, 839, wo conversio und resipiscere zusammengebracht werden. S. weiter 183, 359 D, 360 D, 817 A-C, 821 D u. o., insbesondere 182, 833/834-856: De conversione ad Clericos sermo seu liber.
287. Z. B. I, 20, 5; II, 1, 6; III, 40, 2.
288. 38, 512.
289. So tun es O. S. IV, p. 58 ann. 1.
290. S. Reuter I, S. 28-31.
291. Poenitentia.
292. 2, 437 (1539) enthält im wesentlichen die Bestandteile von 1, 149.
293. Dieser Hinweis ist nicht anabaptistisch, sondern eschatologisch zu verstehen.
294. 1, 150.
295. So nicht Melanchthon, wie Calvin meint, sondern Bucer: O. S. III, p. 58 ann. 1.
296. 2, 436 (1539).
297. 2, 436 sq.
298. Resipiscentia: 2, 435, 438 u. o.
299. Reuter I, S. 202-206.
300. Mens.
301. Anima.
302. Cor, animus.
303. Voluntas, volutiones.
304. 2, 436 = 1, 148.
305. Gegen Strathmann, St. u. Kr., S. 446, 433 ff.
306. MPL 183, 837 B.
307. Z. B. III, 15, 2; 1, 2, 1; 8, 1.
308. Z. B. 6, 50; 2, 451. Vgl. ferner A. Ritschl, Rechtf. u. Vers.I[3], S. 213; Strathmann, Die Entstehung, S. 192; Kolfhaus, Vom christl. Leben, S. 172.
309. 2, 32, 446 (beide Stellen aus 1539).
310. 1, 150 = 2, 450 sq.; s. ferner 2, 446, 32; weiter vgl. Dan. 4,

37; 9, 7 u. o.; hinter Ez. 8, 6.
311. Affici, affectus.
312. Sentire, sensus.
313. Cogitationes.
314. Affectus.
315. 2, 439 sq. (1539).
316. Transformari, transformatio: eine der Mystik ganz geläufige Vorstellung, ein der von ihr durchzogenen Theologie ganz vertrauter Begriff. - Vgl. Deiformitas.
317. 2, 438 (1539).
318. 2, 437.
319. Poenitentia.
320. 2, 437 (1539).
321. 48, 111, 186, 543 (1559). Vor allem 1, 148.
322. 18, 13 sq.
323. 1, 149; 2, 434 sq., 434 sq., 436 sq. = 1, 170 sq. (s. z. dies. Stelle O. S. III, p. 58 ann. 1 et 59 ann. 2). S. auch 35, 515, 532; 47, 190; ferner 6, 50; 48, 462 sq.: Poenitentia est conversio ad Deum, quum nos totamque vitam nostram in ejus obsequium componimus. Fides autem, gratiae nobis in Christo exhibitae receptio est. - S. für die vorliegende Frage auch Strathmann, Die Entstehung, S. 231, der sich auf R. Seeberg und Fr. Loofs beruft, ferner S. 172. S. weiter Anm. 308.
324. Regeneratio, reformari, transformari, instaurari, instauratio, in integrum restitui, renovari, renovatio: 2, 436 (1536); 2, 440 (1539).
325. 2, 434 sqq. (1539/1543).
326. Die Mehrzahl nur in der Ausgabe von 1536.
327. 1, 30, 49, 50, 72, 75, 94, 197; auch 2, 639, 643 und sehr oft. Hier und sonst begegnen auch Vorstellungen wie per gradus, gradatim. S. 2, 440:...per continuos...profectus (1539).
328. 2, 440.
329. 2, 343 (1539).
330. 48, 202, 208.
331. 48, 541.
332. 5, 411; vgl. 5, 396.
333. Rudimenta.
334. 1. Sam. 15, 22.
335. 5, 392.
336. 48, 496.
337. 5, 247, 262, 253, 395 u. o.
338. 1, 119.
339. 1, 13 sq.; 5, 244 sqq.
340. 1, 9, 63; 5, 294.
341. ...grata pietate: 1, 63.
342. 1, 237, 244.
343. Legitimus, rite: 5, 247, 392.
344. Cultus.
345. 5, 391 sq.
346. 5, 270; vanitas: 1, 33; 5, 270 u. o.; simulacrum: 1, 33; 5, 253; idololatria: 1, 33; 5, 239 sqq. u. o.; ferner 1, 211; 5, 246.
347. Vgl. 5, 241, 244, 255, 248 u. o.
348. 5, 294.
349. 5, 298.
350. Paganitas: 1, 224.
351. Sacrosanctus.
352. Blasphemia: 5, 254.
353. 5, 262, 258, 264.
354. 5, 412; 2, 434: beide Stellen aus 1539.
355. Z. B. 5, 412 sq.; 250 sq.
356. 5, 250, 413.
357. 1, 215.
358. Zu dieser Bezeichnung s. Kohls I, S. 57, 59 ff.; II, s. v. affirmatio.
359. Immediate.
360. 1, 36, 210, 49.
361. 1, 104, 44.

362. 1, 195 u. o.
363. 1, 47, 81, 99, 30.
364. 43, 343.
365. 1, 42, 32; vgl. 5, 253 sq., 259.
366. Religio.
367. 5, 245, 247, 248: an du Chemin aus 1536.
368. 1, 32, 92.
369. Reuter I, S. 135.
370. 1, 34; 5, 394 sq.
371. Für diese so zutreffende Bezeichnung s. Kohls I, S. 95; II, S. 194.
372. S. die eingehende Untersuchung hierüber bei Krusche, S. 1-13.
373. Ζωή, nicht βίος.
374. MPL 35, 1379-1976.
375. L. c., 1478, 6; 1483, 14; 1486, 5 sq.
376. Medicina, remedium: 1, 152, 167, 148 u. ö.; sanare: 1, 153.
377. Vegetare: MPL 35, 1618, 6 u. ö. - Der Gebrauch von vegetare ebenso bei Calvin.
378. L. c.; vgl. 1613, 4.
379. L. c. 1591, 13; 1481, 20.
380. L. c. 1753 sq.; vgl. 1553, 16; 1647, 9; 1614, 16; 1046, 9.
381. Hinsichtlich des Johanneskommentars Augustins bedarf es der Hinweise nicht.
382. Cibus, pascere, alere, protectio: 1, 119, 130, 138, 112, 105, 118, 103, 119.
383. MPL 35, 1478, 6.
384. Jacobs, S. 86 f. - 1, 117.
385. MPL 35, 1840, 3.
386. 1, 103.
387. 1, 107.
388. MPL 35, 1646, 8 sq.; 1481, 12; 1644 sq.; 1615, 19.
389. Ex visceribus.
390. 2, 746, 748 sq.
391. Heidelb. Kat., Fr. 54.
392. Cooptare.
393. Princeps.
394. Fratres et consortes: 1, 74.
395. Certa persuasio...de ipsa veritate: 1, 106.
396. Veritas: 1, 106.
397. Fulcrum: 1, 73.
398. ...fide recumbimus...acquiescimus: 1, 74.
399. ...fide possidemus: 1, 74.
400. 1, 75.
401. 1, 77. - Zum Vorangegangenen s. überhaupt 1, 72-79.
402. 1, 141-195.
403. 5, 385-416.
404. Vis, virtus, gratia.
405. 1, 104.
406. Vgl. 1, 106, 107.
407. 1, 109.
408. Communicatio, Conjunctio, vinculum.
409. 5, 392; 1, 93, 194.
410. Vis, virtus, gratia.
411. Vegetare.
412. Zum Vorangegangenen s. 5, 391, 412; 1, 167, 110, 123; 5, 260; 1, 143; 5, 253; 1, 224; 5, 256; 1, 116, 107, 253 sq.
413. Z. B.: Effundere: 1, 94, 142; replere: 1, 161, 189.
414. 5, 413:...me in vitam tuam reciperem.
415. 1, 212, 215, 219.
416. 1, 204, 228; vgl. 5, 248 sq.
417. Humanitas.
418. 1, 228.
419. MPL 183, 331 A/B.
420. 2, 395 (1536).
421. 1, 144.
422. Utilitas.
423. MPL 183, 323 D.

424. 1, 72.
425. 1, 30.
426. 1, 80.
427. 1, 80, 72.
428. 1, 57; vgl. 1, 209.
429. 1, 12.
430. 1, 19.
431. Rudimenta: 1, 9.
432. Studium.
433. 1, 9, 14, 13, 42; 1, 196: Tota Christianorum vita quaedam pie-
     tatis meditatio...
434. Ev. komm. 1530: 81a; 1536: 753. - S. van den Bosch, S. 15.
435. 1, 9, 11.
436. Reuter I, S. 20 f., 32.
437. V. s. v. spiritualis et spiritus sanctus: MPL 183, 1295 sq.
438. Operari.
439. Afficere.
440. MPL 183, 325 A/B; 324 C; 391 B/C; 182, 246 D sqq.; 247 B; 183,
     332 B/C.
441. MPL 183, 1113 C.
442. Nativitas.
443. L. c. 410 B/C.
444. Conversatio spiritualis.
445. 1, 52, 73, 110.
446. 1, 49.
447. MPL 183, 411 B; 333 A, C; 334 A/C.
448. L. c. 1158 A/B. - 1, 94, 37, 49, 214.
449. Intelligentia.
450. Ähnlich auch Liebner, S. 51.
451. S. zum Vorangegangenen MPL. 183, 322 C; 247 B/C; 810 D sqq.;
     812 D; 813 C; 801 C sqq.; 859 C; 861 C; vgl. 324 A: Infundere,
     infusio.
452. S. Anm. 413.
453. Insufflare: z. B. 1, 161, 189.
454. D. h....aus Glauben die Lebensgerechtigkeit empfängt.
455. MPL 183, 392 B; 182, 247 B.
456. MPL 183, 411 C; vgl. 411 B; 182, 907 A sqq.
457. 1, 71 sq.
458. 5, 411.
459. In sent. III, 55, 3:...assensus verus, firmus et certus certitu-
     do ab objecto dependet: et firmitas ex parte actus oritur. hoc
     actum rexpicit in suo cognotato: sic quod fluctuationem ab ipso
     tollit: licet eadem res sit certitudo et firmitas. - 2, 417
     spricht auch Calvin dem Glauben als fiducia das fluctuari (1543)
     ab.
460. 1, 56.
461. S. u. a. 1, 79, 80, 48.
462. In sent. III, 55, 3. - 1, 80 sq.
463. Securus.
464. Possidere, possessio.
465. Experiri, experientia.
466. 1, 56, 27, 57, 72, 74, 91, 68, 47; 5, 405, 1, 97, 84; vgl. 5,
     411.
467. 1, 78, 73, 196, 80, 81, 57, 60, 74.
468. Mens, cor.
469. 5, 405 u. o.
470. 1, 72, 104.
471. 2, 399, (1539): Cognitio, cognoscere, agnoscere - Dazu intueri
     u. ä.
472. Coll. 5, 29 sq.; 8, 5; 18, 4 u. ö.
473. 1, 53; vgl. 5, 392, 397.
474. 1, 95....affectu et studio.
475. Vegetare, vivere.
476. 1, 42, 53, 72, 95, 87 sq., 50, 197; in melius proficere: z. B.
     1, 75; so auch Bernhard.
477. Vgl. MPL 183, 957 B1 Im. III, 15, 2; I, 2, 1; 8, 1.
478. 2, 438 (1539).

479. 2, 439.
480. Reuter I, 20 f., 31, 148.
481. Quiescere.
482. D. h.: in eine andere Gruppe des Zusammenlebens eines Magisters mit Scholaren.
483. Major durch Bêda und dessen auspicia: "ad magistrum nostrum Standoncum Mechlinianum adductus sum: quo nomine tibi non parum debeo. Magni enim estimavi atque estimo sub umbra talis ac tanti viri quiescere:...Et inter theologos quos tunc primum instituere ceperat: unum annum tecum militavi quo completo ad regentie...munus / in artibus et ad communitatem aliam...accersitus sum. Ubi quindecim annos sub ipso et te (Bêda) permansi. Vgl. Reuter I, S. 29.
484. Für das Voraufgehende s. In sent. I, 1, 3, 4; 1, 2; 1, 3; III, 56, 3, 4; 3, 2,; I, 6, 21; III, 55, 2, sq.; 56, 4; 53, 3.
485. Coll. 18, 4; 8, 5; 17, 25; 2, 3; 1, 18, 25.
486. Sentire, sensus.
487. 1, 47, 57, 74, 81, 90, 73 u. ö.
488. 1, 79, 80.
489. Certus, certitudo, securus, securitas, solidus.
490. Inniti, incumbere: 1, 57.
491. Quies, requies, requiescere acquiescere: z. B. 1, 13, 74, 57, 36, 56, 99.
492. 1, 47 sq.
493. Gustus, gustare: 1, 31, 78, 21, 214; 5, 411.
494. Suavitas, aves, delicatus: z. B. 1, 31, 78, 90, 127, 140.
495. De conscientia et ejus jure vel casibus: s. Reuter, Wilhelm Amesius, S. 21 f.
496. 1, 29 sq.; vgl. 1, 196.
497. 1, 196 sq.; 201. - Vgl. Reuter I, S. 202-206.
498. 1, 199, 36.
499. 1, 196 sq.
500. 1, 197 sq.
501. 2, 417 sq.
502. Enchiridion Christianae institutionis oder Institutio compendiaria doctrinae Christianae: in Köln erschienen.
503. Wie Anm. 502.
504. Dittrich, S. 133: "...Mi è poi capitata alle mani un altra opera fatta per un Giovine Calvino Luterano intitolata: Institutio religionis christianae di molta e mala erudizione, qual mi pare sia composta direttamente contra questo concilio, perchènon solamente tratta le medisime materie, ma ancora col medisimo ordine, cio esponendo il decalogo, la orazione dominicale ec., ma procede assai diversamente, et al guidizio mio sino al presente non è fatta opera alcune luterana più atta ad infettare le mente; tanto il buono è mescolato con quell suo feneno".
505. Brief Bucers an Philipp von Hessen vom 18. X. 1540: s. Lenz I, S. 217.
506. Brief Calvins an Farel vom 19. II. 1541.
507. 2, 417 (1543).
508. Otten, S. 121.
509. 2, 695.
510. 2, 417.
511. S. Anm. 459.
512. Stupperich, D. Hum., S. 121.
513. Lenz I, S. 42; für Erasmus s. Kohls I, S. 79, 95. - Stupperich, Der Urspr., S. 102; Rückert, D. theol. Entw., S. 101 Anm. 2; 84 Anm. 1.
514. Fiducia.
515. Kohls II, S. 117 Anm. 521 betr. Erasmus.
516. Innocentia: ein aus dem lateinischen Altertum herrührender katholischer, insbesondere erasmischer, aber auch calvinischer Begriff.
517. Jedin, S. 21; Stupperich, D. Hum., S. 114; Lenz I, S. 47.
518. Rückert, D. theol. Entw., S. 83.
519. Rückert, a. a. O., S. 99.
520. 2, 417 sq. (1543).

521. 2, 418 (1543).
522. Stupperich, a. a. O., S. 109 Anm. 1 f.
523. Verbum forense, Stupperich, S. 19.
524. Gratia gratos sibi facit: Lenz I, S. 46.
525. Imputatio: Rückert, a. a. O., S. 100.
526. Vivicatio.
527. Stupperich, D. Urspr., S. 92; ders., D. Hum., S. 16; Lenz I, S. 42 ff.
528. Lenz I, S. 52, 55; Stupperich, D. Hum., S. 112, 8.
529. Von Erasmus auch als innocentia oder justificatio repurgans bezeichnet: Stupperich, D. Hum., S. 10 f.: Cler. V, 325.
530. Stupperich, a. a. O., S. 111 f.; Jedin, S. 10 f.
531. Rückert, D. Entw., S. 89; Lenz I, S. 59 f.
532. Lenz I, S. 55 f.
533. Rückert, a. a. O., S. 83; Stupperich, D. Urspr., S. 111; ders., D. Hum., S. 116.
534. Lenz I, S. 66; Stupperich, D. Urspr., S. 112.
535. Innocentia.
536. Stupperich, D. Urspr., S. 112, 114; Rückert, D. Entw., S. 100; Lenz I, S. 59 f.
537. D. h. die Neubearbeitung des fünften Artikels des Regensburger Buches in der Gestalt von Thesen.
538. Accepta.
539. 1, 60.
540. Fidei certitudo im Unterschied von certa salvus.
541. 2, 417 sq. (1543).
542. 2, 418 (1543).
543. L. c.:...individuo societatis nexu nobis adhaeret.
544. Identität im Unterschied von Kontinuität.
545. L. c.
546. 2, 413 (1539): permixta.
547. 2, 417: mixta.
548. 2, 413 (1559).
549. 2, 419 (1543).
550. 2, 592 sq. (1539).
551. Niesel, D. Theol. C.s, S. 135.
552. S. Rückert, S. 87 f.; Stupperich, D. Kirche, S. 100; ders., D. Hum., S. 115 f.
553. 2, 402:...constituas; 1, 57: Atque ita non aliud est vera haec fides, quae demum christiana vocari potest, quam firma animi persuasio, qua nobiscum statuimus: tam certam esse Dei veritatem, ut non possit non praestare, quod se facturum sancto suo verbo recepit (Rom. 10).
554. 5, 411.
555. An Cicero sich anlehnende Sinngebung des "bene".
556. Formare.
557. 1, 30.
558. Koch, S. 85.
559. In sent. II, 47, 3:...licet voluntas non sit libera ad conformandum (sic!) se dictamini recto (libertatem voco sine speciali dei ope). Ipsa tamen est libera ad conformandum (sic!) se dictamini erroneo.
560. 2, 507 sqq. (meist 1539).
561. Vgl. 1, 12, 101, 102, 104, 107.
562. 1, 169:...levibus satisfaciunculis.
563. 1, 44, 45, 46, 171, 168.
564. 1, 46.
565. Clericus VII, 1083 F.
566. 1, 42 sq.
567. 1, 43:...necessariam obedientiam.
568. 1, 43 sq.
569. 1, 204, 226, 239; 5, 411.
570. 1, 66, 85.
571. 1, 166 sq.
572. Blaser, S. 70.
573. Vgl. Stadtland-Neumann und Schlingensiepen (Literaturverzeichnis).

574. 1, 48, 53, 54, 55; 5, 398.
575. 5, 398.
576. 1, 30, 44, 49, 50.
577. Vgl. u. a. 1, 197, 202, 223.
578. 1, 47: Liberatio, manumissio.
579. 5, 412 u. ö.
580. 1, 48, 54.
581. Blaser, S. 70.
582. 1, 54: Retributio; 1, 55: Remuneratio; 1, 55: Merces.
583. 1, 54.
584. Mandata.
585. Vgl. 1, 91.
586. 1, 46:...gratuita officia.
587. L. c.:...debita obsequia.
588. Justitiae.
589. 1, 46.
590. Reuter I, S. 12 nebst Anmerkungen.
591. 1, 197.
592. Innocentia.
593. Pohlenz I, S. 134 f.
594. A. a. O., S. 445-449.
595. Debere, oportere.
596. Studere, studium.
597. So auch Pohlenz I, S. 467 f.
598. Legislator: 1, 50, 209, 210, 287; auch 26, 434; 29, 113; 40,
     491; ferner 2, 294.
599. 2, 503 (1539).
600. 5, 27, 30: Creator, dominus, pater. So auch 2, 35, (1536/1539),
     267, 275; dann auch 24, 212; 36, 503.
601. S. Anm. 600.
602. Lindeboom, S. 160, erkennt im Biblizismus des Erasmus einen
     autonomen Zug seiner Gottesfurcht, auch hinsichtlich der Stel-
     lung zu den Konzilsbeschlüssen und den Aussagen der Kirche über
     das Abendmahl.
603. 1, 44.
604. Cicero, De nat. deor. II, 4, 12:...insculptum.
605. 1, 50.
606. 1, 209 sq.
607. Officiola.
608. 5, 309, 292.
609. 5, 278.
610. 1, 43; 2, 271, 285. - O. S. III, 349 ann. 1-5; 45, 175, 179 und
     öfter in der Auslegung der Bergpredigt. - 51. 70. - Goumaz,
     S. 152. - Reuter I, S. 77 f., 219 Anm. 326-329. - Schlingensie-
     pen, S. 12. - Koch, S. 68 Anm. 52. - Anders Räcke, S. 130: Weil
     die Bergpredigt "die neue Existenz in Christus" beschreiben will,
     "läßt sie sich nicht mit den von der Schöpfung her begründeten
     Geboten des Dekalogs identifizieren". Vgl. auch S. 6.
611. Doctor, magister: oft.
612. Reuter I, S. 202-206.
613. Mores.
614. 1, 30.
615. 2, 204.
616. Inst. II, c. VIII: Legis moralis explicatio; 1, 237; 2, 1106
     (1536).
617. S. Reuter I, 102-124.
618. In sent. III, 125, 3; 161, 3 sqq.; 162, 2.
619. 1, 28.
620. L. c. 125, 3 sq.
621. L. c. 125, 3; vgl. 161, 4.
622. 1, 220. Diesen ganzen Zusammenhang hat Schlingensiepen, S. 25,
     richtig empfunden.
623. 2, 271.
624. In sent. III, 123, 4-124, 3.
625. Holocaustum.
626. L. c. 164, 1.
627. Categorice (sic!).

628. L. c. 164, 1 sq.; 162, 2 sqq.; 163 sqq.; 163, 4.
629. Sempiturnus.
630. Fedus, auch pactum.
631. Aeternus.
632. L. c. 164, 1.
633. L. c. 163, 4.
634. L. c. 161, 4 sq.; 164, 1.
635. L. c. 163, 4; 164, 2.
636. 1, 228 sqq. (1539).
637. Schlingensiepen macht S. 26 Anm. 114 auf das bewegliche Denken Calvins aufmerksam, und zwar aus der Sicht seiner Auslegung der Bergpredigt heraus, und weist dafür auch auf die Erörterung der Gesetzesstücke im 2. bis 5. Buch Mose hin.
638. 1, 219.
639. Instituere (ciceronischer Fachausdruck), formare.
640. Mores.
641. 2, 621.
642. Imperium, ordinatio, principatus , potestas, virtus.
643. Bohatec, Budé, S. 328.
644. S. zum Verständnis der göttlichen Autorität bei Calvin überhaupt Bohatec, a. a. O., S. 328-337. Belegstellen S. 331 Anm. 31: 37, 210; 29, 635; 24, 209 (diese aus späterer Zeit).
645. 2, 275, 521; 6, 54; vgl. auch 2, 261; 25, 432 sq.; 45, 611.
646. S. aus späterer Zeit: 28, 627; 29, 111; 48, 165.
647. 5, 281.
648. So die Interpretation des ciceronianischen "bene".
649. Sent super I, 118, 3 sqq.; s. auch Feret, S. 490.
650. Ratio.
651. L. c. 118, 2 F sqq.; 3 J; 127, 4 P.
652. 2, 36-38; Pohlenz I, S. 468-470; Reuter I, S. 125-127.
653. Inst. I c. III.
654. L. c., c. IV.
655. Mandare, praecipere, mandata, praecepta.
656. 2, 156-167 (fast ganz aus Mectus. 1539). - Providere, eff.
657. Für die Beziehung von Gottes Heische- und Vorsehungswillen s. Major, In sent. I, 101, 2; Thomas von Bradwardine, De causa Dei, 286 C, 287 B, 293 B u. ö.; Zwingli, Schulerschultheß IV, S. 84-85, 104, 108, 112: Weil Gott über dem Gesetz steht, gelten Gesetze. die für uns bestimmt sind, nicht auch schon für Gott. Ein Mord, seinem Willen gemäß ausgeführt, ist kein Mord. S. für das Verständnis des vorliegenden Zusammenhangs betr. Gregor von Rimini, Johannes Major und Johannes Calvin Reuter I, S. 102-124.
658. 5, XXXII sq.
659. 5, 27; vgl. 5, 78, 149, 158.
660. Z. B. 5, 90.
661. 5, 70, 119, 145.
662. 5, 54; s. auch 5, 119, 78, 111.
663. Praefatio zu De clementia: 5, 7 sq.
664. Animus.
665. 5, 44.
666. 5, 24, 73, 79. - Von Pflicht spricht Seneca i, 14, Calvin in der Auslegung 5, 104 aber nicht, jedoch von officiose.
667. 5, 23...princeps quidem legibus solutus est: sed digna vox est majestate regnantis, legibus alligatum se. - S. auch Reuter I, S. 49, 47 f.
668. Summo jure: 5, 35, 57; vgl. 5, 119.
669. S. Anm. 668 und 670.
670. 5, 22, 23, 35, 57, 119.
671. Temperamentum, temperatura: 5, 43 u. ö.
672. 5, 31, 128 u. ö.
673. Die mediocritas inter extrema: 5, 152; vgl. 5, 37.
674. 5, 51; vgl. 5, 38; 5, 80: Die clementia des Augustus gegen Cinna als exemplum.
675. 5, 20.
676. 5, 84.
677. 5, 61.
678. Anscheinend hat sich Calvin im Bienenvolk noch nicht so ausge-

kannt, wie wir es heute tun.
679. 5, 122 sq., 124.
680. 5, 42, 90, 92 sq., 97, 55, 101, 104, 109, 110.
681. 5, 34, 33.
682. 5, 104.
683. Liberalius et magis ingenue.
684. Accepta.
685. 1, 198.
686. 5, 41, 51.
687. Civilitas.
688. Bonus.
689. 5, 84, 70; vgl. 5, 128.
690. 5, 40.
691. 5, 128.
692. Mansuetudo, mansuetus.
693. Tolerantia, patientia.
694. 5, 41, 87, 36, 149, 61, 23, 22.
695. Liberalitas.
696. Magnanimitas, magnus animus.
697. 5, 31, 32, 129 u. ö.; 5, 52, 129 u. ö.
698. Favor.
699. Propitius.
700. Facilitas, facilis.
701. Benevolentia = φιλανθρωπία: 5, 40.
702. Amor.
703. Indulgentia, venia. - 5, 23, 61, 100, 41, 24, 79 u. ö.
704. 1, 90 sq. - Indulgentissimus pater: 1, 198; Dei clementiam et
     vere paternam indulgentiam intueri: 2, 514 (1539); patris nostri
     clementiam: 2, 518 (1539). Weiterhin oft ähnlich.
705. Über die unterschiedliche Bedeutung von venia und remitere s. 5,
     160.
706. 5, 33, 34, 35, 36, 97, 98, 114, 119, 128, 134, 160.
707. 5, 130.
708. 2, 514 (1539):...justitiam ac lenitatem in Dei ferula conside-
     rando.
709. Liberalitas, liberaliter.
710. 5, 34.
711. Honestas.
712. Rectitudo. - Torrance verpaßt hier S. 36 das ohne die Stoa,
     etwa bei Cicero, nicht zu ermessende Verständnis von rectitudo.
713. De beata vita III, 1.
714. 1, 42, 43.
715. 2, 504 (1539).
716. 1, 238; 2, 510 sqq. (1539).
717. Pohlenz I, 111.
718. Zielinski, S. 133.
719. Pohlenz I, S. 205, 261.
720. Vgl. Hauck, S. 560.
721. So schon Cicero.
722. 2, 503 (1539).
723. Hauck, S. 562 f.: 'Οφείλημα und derivata.
724. A. a. O., S. 560.
725. Τὸ 'οφείλημα.
726. Τὸ καθῆκον.
727. MPL 183, 831 D:... officium humanitatis; 907 C:... officia
     caritatis. Ähnliches häufiger.
728. 2, 510 sq., 512 (1539).
729. S. für den späteren Calvin hinter Jer. 38, 13.
730. Gloede, S. 174 Anm. 93, findet nicht zu Unrecht, daß bei dieser
     "verstandesklaren Liebe" ein "Rest von Menschlichkeit" unbe-
     friedigt bleibt. Aber zu tadeln bleibt ihr normgerechter Pflich-
     charakter und ihre emotionale Bewegtheit als Forderung. - Boha-
     tec, Staat und Kirche, hat den Organismusgedanken bei Calvin
     zutreffend herausgearbeitet und ihn als den Ort der christ-
     lich zu nennenden Liebe herausgestellt. Aber er ist gleich-
     wohl der Ort der als Gesellschaftstugend zu kennzeichnenden
     Liebe, die in das christliche Denken hinein entlehnt wird. Die

eigentliche christliche Liebe ist Normgerechtheit gegen den Nächsten nach Maßgabe der zweiten Tafel des Gesetzes, erreicht aber nicht den Charakter der selbstvergessenen Liebe, obwohl sie um des vollen Menschseins des Menschen willen seine Emotionalität völlig in Anspruch nimmt. A. a. O. S. 437, 400, 390, 397, 437.

731. Auf die Reflektiertheit der Liebesübung bei Calvin haben schon aufmerksam gemacht Max Weber, Ges. Aufs. I, S. 98 ff., Troeltsch, S. 623, 636, 641 Anm. 1, Wünsch, S. 344, Wernle, D. ev. Gl. III, S. 329; dazu Bohatec, Calvin und das Recht, S. 35 ff., 54. Man wird aber dazu auch bedenken müssen, daß Calvin großes Gewicht auf die Freiwilligkeit des Liebe Übenden unter dem Antrieb des Hl. Geistes legt.

732. 2, 510 (1539).

733. 1, 197; 2, 511 sqq.

734. 1, 197 sq.

735. Clemens und derivata: 1, 30, 49, 91; facilis und derivata: 1, 30, 91; mansuetus und derivata: 1, 30, 91; indulgens und derivata: 1, 30, 198; propitius, favens: 1, 53, 64; liberalis: 1, 96, 198; benevolus, benevolens: 1, 63, 64. Außerdem kommen diese und ähnliche Benennungen noch wesentlich häufiger vor.

736. Perturbatio: ein stoischer Begriff; auch tribulatio u. ä.

737. Magnanimus homo.

738. 2, 520. – Handelt es sich um die Minimenkongregation oder einen anderen Observanten-Orden der Franziskaner? –

739. Sensus.

740. Humanitas.

741. 2, 521 (wie Anm. 738: 1539).

742. Aegritudo: z. B. 5, 156, 157; passiones: z. B. 1. c.; vitiosus, vitium: z. B. 5, 137. 156.

743. Das in der bernhardinisch-devoten Frömmigkeit so oft vorkommende perturbatio und perturbare ist stoischen Ursprunges. Vgl. Anm. 736.

744. Für Calvin: 2, 512, 513, 520 (alle aus 1539).

745. Constantia: 2, 516, 518 (beide aus 1539).

746. 2, 521 (1539).

747. 1, 52.

748. Contingentia.

749. Fortuita.

750. 1, 152.

751. 2, 522 (1539).

752. 2, 504, 502 (beide aus 1539).

753. 2, 524 (1539).

754. 1, 52, 55; 2, 507 (1539).

755. 2, 512 sqq. (1539).

756. Gegen Lobstein, S. 82 ff.

757. III, 56, 2; 37, 1, 4; IV, 7, 3; III, 32, 1; 54, 11; 1, 2; 37, 5; 10, 2; II, 9, 6; III, 56, 1; vgl. III, 7, 1; zu Franz von Assisi s. III, 50, 8.

758. 48, 160 (1539).

759. Beneplacitum: 1. c.

760. Seneca, De beata vita IV: Hilaritas continua et laetitia alta.

761. 1, 55; 2, 522 sq., 513, 517 sq., 520 sq. (alle aus 1539); s. überhaupt Inst. III c. 8. (1539).

762. 2, 520 (1539).

763. 1, 52, 55.

764. Aequanimitas.

765. Aequitas.

766. 2, 512 sq., 520 (1539).

767. Aequo et mansueto animo.

768. 48, 161 (1539).

769. Heinr. Schmidt, "Von der Gemütsruhe", S. 47; vgl. S. 57.

770. De beata vita VIII.

771. 48, 159 (1539): Gratuita adoptio; von ihr ist unabtrennbar das Kreuztragen.

772. Hier ist auch der Grund für Calvins "elastische Auslegungsmethode" eher zu suchen als bei Erasmus, wie es Bohatec, Budé,

S. 258 und 368, sowie Stadtland-Neumann, S. 76 tun.
773. 2, 512 (1539).
774. L. c.
775. Compensatio, retributio.
776. 1, 55. - 2, 520; 49, 161 (beide aus 1539). Vgl. zu dieser Frage auch Gennrich, S. 396 f., 429 f. Doch hält Calvin gleichzeitig an der gradatio fest.
777. 2, 520 (1539).
778. Pohlenz I, S. 408.
779. Später spricht er auch von dem stoisch-humanistischen bene beateque vivere.
780. Ep. ad Lucilium (Ausg. H. Schmidt), S. 189, 190; ad Serenum epp. 2, 15; de beata vita epp. 8, 12; ad. Luc. ep. 44 u. o.
781. S. A. Auer, Leidenstheologie, S. 10-14.
782. A. a. O., S. 45-51.
783. 1, 93, 98; weiter 2, 152, 518, 519, 520, 673, 161, 635, 674 (alle aus 1539).
784. Insignis. - 48, 201 (1539):...eximia consolatio.
785. Liberaliter.
786. Officium.
787. 1, 52, 54 sq.; 2, 515-520 (fast ganz aus 1539). - Zur Imitatio Christi s. auch Bohatec, Budé, S. 395, zu Thomas von Kempen Zarncke, S. 90 ff. Hier wäre auch Faber Stapulensis zu nennen.
788. Vgl. 48, 493 (1539):...filium Dei non modo nobiscum sed in nobis pati.
789. A. Ritschls Verwerfung der Mystik durch das pauschale Urteil als "prononcierter Stufe der katholischen Frömmigkeit" ist sowohl frömmigkeits-, als auch theologiegeschichtlich weder Luther noch Calvin gegenüber stichhaltig: Gesch. d. Piet., I, S. 28.
790. Acquiscere, quietus, quies, placidus, pax, otium, securitas, tranqillitas: 5, 26, 22, 41, 84, 87. - Tranquillitas = animi moderatio = quasi aequanimitas = securitas = pax.
791. Fama: 5, 111 sq.
792. 5, 17.
793. Constans, constantia.
794. 1, 36, 47.
795. Im. III, 37, 5; 23, 3; 58, 2; 34, 1; 35, 1, 2; 4, 5; 10, 2.
796. 1, 28, 52, 53, 98, 87, 88.
797. Im. III, 20, 3; 21, 3; 35, 2; 39, 3; 47, 4.
798. 1, 56, 60, 80, 57, 198, 215 u. o.
799. 5, 240.
800. 2, 403 (1539).
801. 1, 91; vgl. 1, 90.
802. 2, 438 (1539).
803. 1, 50.
804. Virtutes.
805. 1, 54, 53.
806. ...affecti.
807. 5, 245.
808. 1, 95:...affectu et studio.
809. 1, 95.
810. Vgl. dazu 1, 32, 44, 42 sq., 90, 91, 198.
811. Nur beispielhaft sei auf folgende Stellen für viele andere verwiesen: MPL 183, 838 B:...affectiones spirituales; 319 D:...inflammet affectum; 830 C: affectuosus; 306 B: Affectus = voluntas.
812. S. zum Vorangegangenen Stein, S. 285, 294 f.; Hessen, S. 16-19.
813. Stein, S. 292 f., 294, 299.
814. Pohlenz, Grundfragen, S. 82.
815. Pohlenz, a. a. O. 101; Stein, a. a. O.
816. Reuter I, S. 88-121; 125-127
817. Stein, S. 289.
818. 5, 396, 405.
819. Christiana religio,
820. 2, 81.

821. 1, 53, 28 sq., 23, 48; weiter 1, 51, 60, 81, 152. - 1, 162, 31, 128.
822. 1, 215: Non ex se sapit, non ex se cogitat quidpiam: nämlich die Braut Christi.
823. 1, 48.
824. Ex se ipso.
825. Concupiscentia.
826. 1, 29.
827. 1, 94, 81, 45, 113, 53, 152.
828. S. noch 1, 51, 41, 74.
829. Cogitare, cogitatio.
830. Cognoscere, notitia.
831. Intellegere, intelligentia.
832. Sapere.
833. Scire.
834. Voluntas, velle.
835. Perficere.
836. Super II sent. 94 3 J; 96, 2; 98, 4; 95, 2; 93, 1 A sq., 3 J sqq. - S. auch Vignaux, S. 155; Schüler, S. 116 f.
837. Super II sent. 102, 4 A.
838. Intentio.
839. Gratia habitualis, gratia gratum faciens: L. c. 100, 3 Q.
840. Recta ratio.
841. Appetitus voluntatis.
842. L. c. 93, 4 N; 95, 1 C; 100, 3 sqq.; 123, 4 Q; 125, 1 C, D; 2 H; 127 B/D; 128, 1 A; 93, 4 P; 124, 3 J; 93, 4 Q; 123, 4 Q; 93, 4 Q; 94, 1 A; 125, 3 J sqq./4 N; 98 C/99 A; 128, 4 N. - S. auch Vignaux, S. 154-165.
843. Dictamen.
844. In sent. II, 49, 1.
845. L. c. 47, 1, 2, 3; 49, 1, 2, 4.
846. Pactum.
847. L. c. IV, 112, 1:...secundum legem stipendia peccati mors.
848. L. c. IV, 113, 2:...ex natura rei.
849. L. c. IV, 112, 1; 113, 2 - Ebenso Feckes, Biel, S. 123. - Vgl. L. c. II, 46, 3, wonach durch eine Todsünde ein de condigno verdienstlicher Akt zu einem de congruo verdienstlichen werden kann; zitiert bei Dettloff, Die Entw., S. 352.
850. Feckes, Biel, S. 133 f.
851. Schüler, S. 188 f.
852. Summa theol. II d 1 q 109.
853. Major, In sent. II d 28 q 1.
854. Venalia - mortalia: Schüler, S. 165.
855. Vgl. Super II sent. 93, 3, 4 M sqq. und Vignaux, S. 160.
856. L. c. 92, 4; 94, 4 Q.
857. L. c. 97, 2.
858. Vignaux, S. 188; Schüler, S. 100.
859. Vignaux, S. 163 ff., 168.
860. Dettloff, Die Entw., S. 287.
861. Feckes, Biel, S. 133: In sent. II concl. 1-4 und propos. co-roll.; cf. I d 1 q 15.
862. 2, 190 (1539).
863. 1, 31, 51, 60, 48.
864. 1, 49.
865. 1, 49-51.
866. 1, 49; 5, 398.
867. 1, 43.
868. L. c.
869. 5, 413.
870. Das geschieht bei Räcke, S. 150, im Blick auf 2, 701.
871. 2, 73 (1539).
872. Liberaliter.
873. Fides, vor allem auch liberalitas.
874. Justitia = aequitas, auch = humanitas.
875. Vgl. Schlingensiepen, S. 25 Anm. 108, zur "goldenen Regel". Die aequitas = humanitas hat sich dem späteren Calvin oft genug mit der der göttlich gebotenen Gerechtigkeit eingehörigen und von

ihr geheischten Nächstenliebe verschwägert. Hier wäre Schl. zu
ergänzen.
876. S. vor Anm.
877. Reuter I, S. 102-121.
878. Innocentia. Ähnlich integritas; diese erläutert Howald, S. 182,
als "ohne Schuld und böse Gesinnung, Übermut und Leichtsinn".
879. S. hierzu außer Erasmus in seinen Paraphrasen auch Stupperich,
Der Ursprung, S. 99 Anm. 1.
880. Acceptatio divina: z. B. Ailli, In sent. I q IX, XII, XIV an 3:
bei Manser, S. 300.
881. Predigt über Hiob 9, 27-35: 33, 496.
882. 35, 727:..justice moyenne. - S. Räcke, S. 150 f.
883. 1, 157.
884. Judicium: z. B. 1, 73.
885. Ars (stoischer Begriff): 1, 51.
886. Integra justitia: 1, 47 sq.
887. Ingenium.
888. 2, 303.
889. 2, 303 sq. (1539).
890. Mores.
891. Sentire, cognoscere, agnoscere: empirische Ausdrucksweisen.
892. 2, 73 (1539).
893. 1, 52.
894. Principium.
895. Fundamentum.
896. Anima.
897. 2, 273 sq., 266 (beide Stellen aus 1539, teilweise aus 1536).
898. 1, 51, 52; 49, 110 (1539).
899. 49, 112 sq. (1539).
900. S. auch Dominicé, S. 165.
901. 1, 27 sq., 148.
902. 1, 49.
903. L. c.
904. 1, 47.
905. Arripere.
906. Ultor: 1, 50 und auch sonst.
907. Vindex: 1, 29.
908. Judicium.
909. 1, 50, 29.
910. Rectum, rectitudo: Begriffe der stoischen Lebensphilosophie.
911. S. auch 1, 42 sq., 32.
912. 1, 30.
913. Enarrationes, 1530, 154 v sq.: Is ergo pie, juste et sobrie
vivet, non quod lex ita mandet et poenam minetur secus viventi.
Sed quia cognita gratia optimi patris ultro avet, totum se ad
voluntatem ejus comparare. Hujusmodi jam spiritum ut per
Christum credentes accipiunt, at non soluti. - 153 r sq.: At
non sit lege Domini, quae vere dicitur, id est doctrinae
pietatis, per Christum soluti, sed illi recte demum consecrati
sumus.
914. Maledictio, damnatio.
915. Sensus: 1, 47.
916. 1, 50, 47.
917. Man muß das Imperfectum in "pungebat et mordebat" beachten: 1,
47.
918. Fiducia.
919. Ars: 1, 51.
920. L. c.
921. Praecipuum legis: 1, 43.
922. ...in proprium Legis finem: 2, 261.
923. Z. B. 1, 52; dann auch 49, 117.
924. ...perfectae...justitiae exemplar: 2, 205.
925. 49, 197. Zum Ausdruck "ratio vivendi" s. auch 8, 10, 12. "Vitae
ratio": 2, 200 (1539).
926. 5, 196: Pietatis meditatio.
927. Für Bernhard vgl. MPL 183, 610 B:...totius humilitatis summa

in eo videtur consistere, si voluntas nostra divinae, ut dignum est, subjecta sit voluntati. Vgl. 611 B/C; 688 B.
928. 1, 49.
929. Mores.
930. 1, 50.
931. Devovere. Vgl. Devotio (moderna).
932. 2, 505 sq.; vgl. 2, 503 (beide aus 1539); 2, 667 (1559).
933. 1, 52 sq.
934. 1, 49.
935. III, 59, 4; I, 1, 3.
936. 1, 72 sq., 80, 49; 5, 398.
937. 29, 503.
938. 49, 308; 52, 188.
939. 49, 234 (1539):...Domino consecratos.
940. 1, 180.
941. 1, 83, 87; vgl. 1, 90.
942. Innocentia.
943. 1, 54.
944. 1, 51.
945. 1, 55.
946. Gegen Wendel, S. 185. - Nach 49, 233 (Röm. 12, 1) weiß sich der werdende Reformator von der philosophischen Erörterung um des "Evangeliums" willen geschieden. Zudem rechnet er zum Gesetz die Nachfolge Christi, die Selbstverleugnung und das Kreuztragen: 1, 52 sq.
947. 1, 52.
948. 2, 434, 439 sq. (beide aus 1539).
949. ...de Christi fide.
950. 49, 232 sq. - Im übrigen vgl. zu Röm. 12, 1 auch 2, 505:...exhortandi argumentum (aus 1539).
951. 1, 51.
952. 1, 27 sq., 56 sq. Im Zusammenhang von 5, 214 auch: "confisa".
953. 2, 403, 398 sq.
954. 1, 12. Näheres 49, 238 sq.
955. 1, 30.
956. Clementia.
957. 1, 42 sq.; 5, 398 sq.
958. 1, 30.
959. Parere: z. B. 1, 31, 42 sq.; observatio; observationes = justitiae (Rechtssatzungen) Domini; observare: 1, 42, 43, 39, 45 u. ö.; aus 1539: 2, 239, 596, 597.
960. 1, 50...instando; 1, 46:...perpetua legis obedientia.
961. So Blaser, S. 70, über die Predigten Calvins zum 119. Psalm.
962. 2, 501 (1539).
963. Z. B. 2, 501-505 (1539).
964. 2, 505-509 (1539).
965. Zum Inbegriff der Hl. Schrift s. 1, 27, 29, 30, 34, 43, 48, 50, 54, 57, 60, 61, 73, 77, 83, 99, 148, 164, 171, 206, 208, 209, 210, 212, 214, 215, 216, 219, 221, 224; ferner 1, 33 sq., 55.
966. 5, 382.
967. 1, 42, 60, 219; 5, 409.
968. Mores. Z. B. 1, 28: Gottes mandata zulieb "morem gerere (ciceronianischer Ausdruck).
969. 5, 266; 2, 505 (1539).
970. Z. B. schon 1, 41.
971. Zur ganzen Mannigfaltigkeit dieses Begriffs s. Göhler, S. 62, 65, 68, 119 f. über die Institutio von 1536 hinaus.
972. Z. B. Seneca, De beata vita VIII.
973. Lex = unica bene vivendi regula.
974. Z. B. 2, 502 (1539); 8, 263.
975. Z. B. 1, 29, 46, 31; 49, 115.
976. Mandare, mandatum: z. B. 1, 31, 30, 42, 46, 40, 28.
977. 2, 597, 598, 596.
978. 2, 502 (1539).
979. 1, 196.
980. Restitutio.

981. Vgl. auch Lindeboom, S. 155, 154, 11, 17 f.
982. Vgl. u. a. 1, 29, 43; dazu 8, 263.
983. 1, 196.
984. 49, 235, 324 sq.
985. Die forensische Gerechtigkeit ist gemeint.
986. 1, 30.
987. 49, 36; auch 49, 347.
988. 1, 150.
989. 1, 49.
990. 1, 52.
991. 1, 52 sq.
992. 1, 52.
993. 1, 152; vgl. 1, 29, 30.
994. 1, 30, 52.
995. Recreatio, recreari.
996. Renovatio, renovari, reformatio, reformari.
997. Transformatio, transformari.
998. Nova vita.
999. Gegen Gloede, S. 39.
1000. 2, 138 (1559). - Zu den verschiedenen Wortbildungen mit re...
      s. Goehler, S. 21.
1001. Z. B. 49, 123.
1002. Vgl. Feret IV, S. 4; Villoslada, S. 87, 122 Anm. 27.
1003. Bernards, S. 192.
1004. Böhmer, S. 35 f., 41.
1005. Reuter I, S. 29.
1006. Z. B. MPL 183, 293 A.
1007. Z. B. 1. c. 361 A, 306 C und ähnlich öfter. Ferner Im. III,
      49, 4; 27, 3; IV, 4, 3.
1008. Con...
1009. 1, 52.
1010. 1, 50, 44.
1011. 1, 43.
1012. 1, 42, 53:...affectus bene agendi.
1013. 1, 71:...nobis ad patrem ductorem et directorem.
1014. ...non mediocrem.
1015. 1, 50.
1016. Virtus: 1, 104.
1017. 1, 30, 52; 5, 268, 398.
1018. S. Anm. 1016.
1019. 1, 49; dann 1539: 48, 144 u. ö.
1020. 40, 229; vgl. 28, 514, 562; 46, 39; 2, 723. Nur eingeschränkte
      Zustimmung verdient hier Bohatec, Budé, S. 393.
1021. Virtus, efficatia, efficax, efficaciter.
1022. Ductus.
1023. 1, 214, 43, 62, 72; 5, 412.
1024. Formare.
1025. 1, 125; 5, 266, 213, 94.
1026. Moltmann, Persev., S. 27 f. S. dazu Landgraf, S. 821.
1027. In sent. IV, 112, 1, 2 sq.
1028. Maledictio.
1029. 1, 197, 204, 203, 42, 50.
1030. Bring, S. 87, 55, 62, 65, 67 f., 86.
1031. 1, 52, 72.
1032. Zu Luther vgl. für das Vorangegangene Elert, S. 592 ff.;
      Bring, S. 50 ff., 56, 66, 91, 95; Fendt, S. 129 ff.; Städlin,
      S. 208 ff, 218; A. Ritschl, Rechtf. u. Vers. I, 190 ff.; Herr-
      mann, S. 255; Wünsch, Die Bergpredigt bei L., S. 50 Anm. 2;
      Luthardt, Die Ethik L.s; ders., Gesch. d. christl. Ethik;
      Thieme; Kattenbusch, Die Doppelschichtigkeit, S. 32 ff.
1033. 1, 128. - O. S. I, p. 147 ann.55.
1034. 1, 39: Mandatum VII.
1035. 1, 43; 9, 128.
1036. Sophistae.
1037. Vgl. 48, 130.
1038. 1, 44.

1039. 1, 44, 47.
1040. 48, 129 sq.
1041. Cor.
1042. 49, 131.
1043. 49, 111, 114; vor allem 49, 130.
1044. 1, 49:...quiddam imperfectum, quod nobis humilitatis argumentum praebet. - A. Lang, J. Calvin, S. 213 Anm. 146 und Doumergue II, S. 404 weisen auf das Geständnis der Ungeduld, Reizbarkeit und Heftigkeit des späteren Calvin hin: 9, 859 sqq., 887 sqq.
1045. Vgl. 1, 123.
1046. 1, 71.
1047. 1, 49.
1048. 1, 214.
1049. Gegen das Calvin-Verständnis P. Barths, Erw.lehre, S. 441.
1050. Bring, Ges. u. Evglm., S. 69, 92.
1051. Divisio.
1052. 49, 136; vgl. für den späteren Calvin z. B. 36, 596.
1053. Sentit.
1054. Experientia docente.
1055. 49, 128 sq., 131, 133.
1056. MPL 183, 323-334. Für den Hl Geist bei Bernhard s. weiter s. v. spiritualis et spiritus: col. 1296 sq.
1057. MPL 183, 859:...ducit...operationem.
1058. 1, 71 sq.
1059. So auch Hashagen, S. 524 f.
1060. Proprietas.
1061. Ζωή, nicht βίος. Bultmann, S. 864, macht darauf aufmerksam, daß der griechische Begriff βίος im N. T. nicht entwickelt worden sei.
1062. Vgl. Bultmann, S. 839: Ζωή ist bei Plotin gleichbedeutend mit 'ενέργεια und bedeutet "Aktualität" überhaupt.
1063. 1, 71.
1064. 49, 122.
1065. Actio, agere: 1, 80; 49, 129; vgl. 1, 72: Opus, auch operatio.
1066. 1, 71.
1067. 49, 123.
1068. 1, 72; ähnlich öfter.
1069. 1, 214; vgl. auch 1, 142.
1070. 2, 506 (1539).
1071. 1, 59.
1072. 1, 63, 64 u. o.
1073. S. Anm. 1062.
1074. 1, 72:...gratia ipsa.
1075. 1, 72.
1076. 1, 44, 60.
1077. Krusche, S. 9-11.
1078. Enarrationes, p. 360 (1536).
1079. Docere, doctrina, discipulus.
1080. Instituere, institutio: vornehmlich ciceronianische Ausdrücke. ■ 1, 43 (rura humi instiluendae vitae), 54, 5, 393 (ad pietatem instituere) u. o.; vgl. auch das refingere in 2, 671 (1539), dann auch das constituere und instaurare in 2, 139 (1539).
1081. Formare: 1, 9 (...rudimenta quaedam..., quibus formarentur ad veram pietatem).
1082. 1, 196.
1083. 1, 53.
1084. 1, 204 sq.; 5, 408 sq.; 1, 209.
1085. Mores: z. B. 5, 266.
1086. 1, 50.
1087. Nach Bohatec, C.s Lehre von Staat und Kirche: W.A. 40[1], S. 567 (1531, 1535); E. A. 16, 40.
1088. Joest, S. 62-78.
1089. C. R. 89. 646 sqq., 772.
1090. Excitare.
1091. Flagrum.
1092. S. Anm. 1080 und 1081.

1093. Conformitas z. B. als Liebesvereinigung der Seele mit dem Wort Gottes: MPL 183, 1182 B/C; 1193 C/D.
1094. Für die Begriffe conformare und conformis s. z. B. I, 1, 2; 25, 6; III, 54, 77. - Vgl. auch z. B. 2, 595 (1539), ferner 47, 343.
1095. 1, 9, 10; vor allem 1, 12.
1096. Stoischer Ausdruck; z. B. Ad Luc. 94:.. qui monet proderit. ergo si recta actio virtuti necessaria est, rectas autem actiones admonitio demonstrat, et admonitio necessaria est.
1097. 1, 34, 31.
1098. 1, 42.
1099. 1, 9 sq.
1100. 5, 244 (1536/37).
1101. 1, 30.
1102. Christiana religio.
1103. 5, 244.
1104. Maledictio.
1105. 1, 200, 199, 201; s. ferner 1, 198 sq., 204, 225 u. ö.
1106. Lingua.
1107. Der Begriff transfundere kommt schon vor bei Seneca: z. B. Ad Luc. epp. 6.
1108. Commercium.
1109. Mores.
1110. 1, 27:...sacrae doctrinae.
1111. 2, 504.
1112. Im. III, 54, 11.
1113. Cantimori, S. 450, 139.
1114. 5, 239-278.
1115. Fendt, S. 30, 28.
1116. 5, 240, 243, 244; vgl. 1, 52.
1117. 1, 52:...sequantur (nach Mt. 16, 25); nicht imitari.
1118. Hierzu s. schon Gregor von Rimini, Super II sent., p. 119 C sqq.:...lex...indicativa...imperativa.
1119. Vgl. 1, 77, 51.
1120. 1, 49.
1121. Ein schon stoischer Fachausdruck: rectum.
1122. 1, 53.
1123. 5, 391 sq.
1124. 5, 398 sq.
1125. 2, 393 sqq.
1126. 2, 434 sqq., 501 sqq.
1127. 2, 533 sqq., 531.
1128. 2, 534.
1129. 2, 625.
1130. 5, 393.
1131. Vgl. 2, 503 (1539).
1132. Argumentum ac materia.
1133. 1, 51, 55, 118.
1134. 1, 54.
1135. 1, 86.
1136. 1, 51, 54 (...in filios cooptati).
1137. 1, 30, 53; vgl. 1, 127; ferner z. B. 163, 53: ...Deum se propitium ac faventem suis operibus praebere: augustinischer Einfluß; 1, 31: suavitas und gustus: Einfluß der Mystik; vgl. besonders auch 1, 66:...clementissimus pater: Herkunft offenbar aus der Spätstoa eines Seneca.
1138. 1, 53.
1139. 1, 51.
1140. 2, 503.
1141. 1, 53:...ab affectu bene agendi; vgl. 1, 42.
1142. 1, 44.
1143. Cler. V, 537 D: bei Lezius, S. 17.
1144. Spieß, S. 57.
1145. Bohatec, Studien zur Gedankenwelt usw., S. 395, 405 ff.
1146. Im I, 23, 4; III, 39, 4; 56, 1: abnegatio. - II, 9, 6: patientia et abnegatio mei in voluntate Dei. - II, 10, 1; II c. 12:

De regia via sanctae crucis. - c. 32: De abnegatione sui et
abdicatione omnis cupiditatis. - I, 23, 6: Disce nunc mori
mundo et tuns incipias vivere cum Christo. - So ähnlich oft.
1147. Progressus, progredi, profectus, proficere, in melius proficere, meliores evadere etc., in dies magis magisque u. ä.: 1, 35,
49, 50, 61, 62, 72, 75, 77, 85, 87, 88, 93, 94, 103, 109, 192,
197. - 1, 50:...magis ac magis assidue.
1148. Studium: z. B. 1, 247; affectus studium: 1, 95.
1149. S. Göhler, S. 55 f. - 2, 504 sq.
1150. Gegen Müller-Freienfels, S. 45.
1151. Goeters, S. 91.
1152. MPL 182, 587 D/588 A.
1153. L. c. 224 B/C:... se ipso semper melior effici studens: 183,
759; 1115 A:...zelum pietatis; 820 B:...in melius semper pro-
ficiat; ferner 817 D; 820 B; 1123 B; 802 B; 924 B; 1027 A;
919 B; 796 B.
1154. L. c. 183, 745 D/746 A.
1155. L. c. 796 C/D; dazu 797 A; 182, 941 sqq.
1156. L. c. 862 D: Compunctio, devotio, poenitentiae labor, pietatis
opus, orationis studium, contemplationis otium, plenitudo
dilectionis.
1157. Opp. III, 1237 (bei Conolly, S. 250); II, 563 (ebenda S. 262);
III, 547 (ebenda S. 253).
1158. MPL 185, 240, 307.
1159. MPL 176, 768.
1160. Epp. 80, alias 81.
1161. Coll. 214.
1162. Epp. 20.
1163. Epp. 16.
1164. Epp. 6.
1165. Vgl. De beata vita 17, 20; ferner H. Schmidt, S. 174 f.
1166. Kohls I, S. 56.
1167. De corrupti etc., p. 378.
1168. Zarncke, S. 86, 47 f.
1169. Spiritualis profectus: Im. I, 16, 6; 22, 7; III, 7, 1; IV, 7,
3:...in melius proficiendi; vgl. weiter I, 11, 4 sqq.; 13, 2,
8; 17, 1; 19, 2; I, 21, 1; 27, 7; 25, 5 (exempla imitari); II,
5, 3; III, 39, 2; 43, 2, 4; 49, 1.
1170. L. c. III, 7, 1; I, 1, 1; III, 1,1; 20, 5; 19, 1; vgl. I, 11,
4.
1171. L. c. III, 37, 4; II, 12, 3; I, 23, 2; 11, 5; 23, 9; III, 1,1;
54, 17; ferner I, 21,1; 25, 11; III, 39, 1; II, 1, 8; 2, 2;
III, 55, 4; IV, 4, 5; I c. 11.
1172. L. c. III, 33, 1.
1173. Im. IV.
1174. Quies.
1175. Silentium.
1176. MPL 177, 812 C.
1177. L. c. 587 C; 799 D.
1178. L. c. 803 A.
1179. L. c. 056 D/057 A.
1180. L. c. 801 C; 859 B/C.
1181. L. c. 787 B sqq.; 505 C sqq.
1182. MPL 175, 438 C/D.
1183. L. c. 575 C: Crescere, proficere.
1184. MPL 177, 1222 C: Non enim intellexisses, nisi dilexisses, quia
dilectionis verbum erat, et non poterat nisi a diligente
intelligi. Etc.
1185. So auch Heimsoeth, Die sechs großen Themen, S. 215.
1186. Sequi, nicht imitari.
1187. 1, 52.
1188. Totus.
1189. 2, 515. - Zu Hugo von St. Viktor s. MPL 177, 587: Miles Christi
(= monachus); 841: Miles. - Zu Calvins Gebeten s. hint. Dan. 3,
7; 12, 12. Besonders charakteristisch: 8, 12 (im Text zitiert).
1190. 2, 518: De beata vita 15, 5.

1191. 2, 506 (1539):...Dominum (sc. Deum) praeeuntem; 2, 502:...sin-
gulas prosequatur virtutes.
1192. III, 50, 8.
1193. Felder, S. 404, stützt sich hier auf die eingehende Untersuchung P. Symphoriens über "L'influence spirituelle de saint
Bonaventura et l'imitation de Jésus-Christ: erschienen in
"Etudes franciscains XXXIII, 1921, S. 36-39, 235-255, 344-359,
433-467; XXXIV, 1922, S. 23-65, 158-194. - vgl. auch Felder,
S. 401.
1194. Z. B. 1, 150:...poenitentiam meditetur.
1195. Auer, Reformation, S. 21.
1196. 49, 199.
1197. 1, 78:...gradibus.
1198. 49, 160 sq.; vgl. 1, 73. - Zu gradus und gradatim vgl. auch 2,
426; 28, 546, 576; 50, 53; 42, 161.
1199. Esse, nosse, velle. - 1559 formuliert Calvin 2, 35 sq. u. ähnlich ö., daß es sich nicht um die ontologische Frage "Quid sit
Deus" handle, sondern um diejenige "Quis sit" oder "Qualis sit",
also um die, wie er sich in seinen Verhaltensweisen und deren
Bekundungen in der Hl. Schrift zu erkennen gibt und wozu sie
verpflichten.
1200. 1, 93; 2, 523 (1539).
1201. 1, 78; 2, 505 (1539):...in terreno hoc corporis carcere.
1202. Meditatio.
1203. 2, 523 sq. (1539).
1204. 1, 81, 82; 49, 199.
1205. MPL 183, 1064 C; 994 D; 870 D; 952 D.
1206. Studium.
1207. 1, 81 sq.; vgl. 1, 97; 2, 625. - Vor allem 1, 93 sq.; 2, 666
sqq.
1208. Studium, exercitatio.
1209. Heimsoeth, Die sechs großen Themen, S. 95.
1210. 1, 29:...nobis ipsi conscii sumus...; vgl. 1, 31:...pro certo
nobiscum statuimus.
1211. 1, 195-248.
1212. 1, 82.
1213. Gegen Torrance, S. 85, der Calvin im Sinn K. Barths mißver-
steht; s. auch S. 38, 82, 83.
1214. Die Praefatio in O. S. I, p. 15 erwähnt Hugo als dem Calvin
von 1536 schon bekannt.
1215. Vgl. auszugsweise Reuter I, S. 22-28; s. auch Heimsoeth,
a. a. O., S. 211 ff.
1216. Z. B. MPL 175, 936, 478.
1217. MPL 182 und 183 auf Schritt und Tritt.
1218. Experientia; experientia docet; experiri; experimento docuit:
1, 20, 61, 63 (evenire), 189; 5, 393. - Sensus, sentire:
z. B. 1, 81, 83, 90:...(von Gott:) paternae pietatis sensu. -
Auch der Gebrauch des Begriffs affectus gehört hierher.
1219. Fanatici.
1220. Zuletzt Stadtland-Neumann, S. 93 f. - 2, 504.
1221. 1, 47.
1222. Discordia.
1223. 49, 128-130; vgl. 49, 108.
1224. Gradus, gradatim.
1225. Virtus.
1226. 2, 503, 507 (beide aus 1539).
1227. 2, 503 sq., 510 (beide aus 1539); 2, 565 (1539): O. S. IV, p.
222 ann.1; 2, 690 (1539).
1228. Vivre honestement: Thudichum, S. 11; vgl. aber auch das "de
bien vivre et selon de Dieu" in den Genfer Ratsprotokollen,
vol. 29 fol. 109 v: Thudichum, S. 9 Anm. 3. - S. auch 1, 40. -
Vgl. Reuter I, S. 113 f. - Für Bernhard s. MPL 183, 1195 A-D:
Hier wird die honestas als Schmuck der Seele bezeichnet; l. c.
D:...definiatur: Mentis ingenuitas, sollicita servare cum
conscientia bona famae integritatem; s. weiter 1182 A u. ö.
1229. De off. I, 4, 13 u. o.
1230. Er schrieb ja eigens das Büchlein "Ad Gallionem de beata vita".

1231. Foelicitas.
1232. Felicitas: Koch, S. 108; dazu Stadtland-Neumann, S. 72.
1233. Bene beateque vivere.
1234. 5, 398:...in beatam vitam.
1235. 49, 13: Unicum felicitatis nostrae fundamentum.
1236. 5, 392; vgl. 2, 606 (1543) mit seinen Anklängen an Augustin
     (s. auch Pohlenz I, S. 454) und Thomas von Aquino: O. S. IV,
     p. 273 ann.2. - 1, 79, 31; so auch schon in anderem Zusammen-
     hang: 1, 55. - 2, 524 (1539).
1237. Vgl. Reuter, Amesius, S. 32, 41, 26 ff.: Bene vivere = Deo
     vivere. Dazu vgl. 6, 10:...nihil posse homini infoelicius
     contingere, quam Deo non vivere.
1238. 2, 487: eine Erweiterung der Gedanken von 1, 172 sq.
1239. 5, 392.
1240. 6, 10; ferner 2, 551, 598, 487, 576; vor allem aber 5, 398.
1241. 1, 52 sqq.
1242. 2, 41.
1243. 6, 10 (1545).
1244. 5, 392.
1245. 1, 79.
1246. Vgl. Schlingensiepen, S. 42.
1247. Albert Auer, Reformation, S. 21, 43 f., 48, 53-57.
1248. Exitus.
1249. Reditus.
1250. Kohls I, S. 179 ff.
1251. Für den späteren Calvin vgl. Moltmann, Präd. und Pers., S. 44:
     52, 9: Progressus gratiae; S. 43: 3, 106.
1252. Göhler, S. 59.
1253. MPL 177, 841: Militia, quies, glorificatio.
1254. Donec.
1255. Vgl. dieses oder so ähnlich ausgedrückte Ziel in so vielen der
     Gebete Calvins in seinen Vorlesungen. Sie sind enthalten in
     der Amsterdamer Ausgabe der Werke Calvins, in Auswahl bei
     W. Dahm, vor allem in der Übersetzung der Auslegung des Pro-
     pheten Ezechiel durch Ernst Kochs (Amstelodami 1667, Neukir-
     chen 1938).
1256. Meditatio.
1257. 2, 526 sq. (1539).
1258. Phaedon 64 A: O. S. I, p. 172.
1259. 1, 150.
1260. Plane: 1, 81.
1261. 1, 94, 75; 2, 505 (1539).
1262. 1, 73.
1263. 2, 527 (1539).
1264. Gegen Bohatec, St. u. Kr. usw., S. 305 f. Anm. 11: "...einen
     ins Unendliche gehenden progressus".
1265. 1, 49; 5, 391 u. ö.
1266. Vgl. 1, 150. - Für den Calvin von 1539 an s. 2, 434 sqq.
1267. Zu vgl. ist Maier, S. 31 f., der ausführt, daß auch der Neu-
     platonismus das Theater als Verführung zur Sinnlichkeit und
     Vergänglichkeit ablehnte. Auch Seneca, das Christentum und
     Calvin lehnten, so M., seit Tatian und Athenagoras sich gegen
     Theaterbesuch und Schauspiele auf.
1268. Ritter, Neugeb., S. 334.
1269. 5, 411: Rudimenta...quibus fueram initiatus.
1270. 1, 27.
1271. S. hierzu Hugo v. St. V. MPL 177, 587:...perfectus monachus et
     miles Christi. - Die mönchische Askese wurzelt im Neuplatonis-
     mus und ist auch durch Einflüsse der Stoa bedingt.
1272. Meta: 1, 197; 49, 136:...non ad metam pertingere...in cursu
     esse. - Scopus: 2, 504 sq. (1539); 49, 136.
1273. S. auch noch 1, 49.
1274. Vgl. 1, 197 sq.
1275. 1, 29-31, 53, 84, 224; 49, 135, 137.
1276. Agnoscere.
1277. Exhibere.
1278. Offerre.

1279. Offertorium.
1280. Videre: 1, 71; intueri: 1, 47, 57, 85 (ein intueri, acquiescere!) u. ö.
1281. 1, 150, 80, 214; 49, 119, 106.
1282. 1, 56; 1, 70 sq.
1283. Gustus: Einfluß der Mystik.
1284. Suavitas: wie Anm. 1283.
1285. 1, 31.
1286. 1, 47. - Zum Vorhergehenden s. im übrigen noch 1, 73 sq., 77, 66; weiter 1, 30 sq., 51, 71; 49, 9, 68, 62, 94, 135, 137, 140, 253, 162 (späterer Zusatz).
1287. 1, 73.
1288. 1, 100.
1289. 1, 63:...(Deum) propitium ac bene volentem: also zwei Wörter.
1290. S. 1, 72, 74, 94.
1291. Vgl. den Beinamen Jupiters ("optimus"). Im übrigen urspr. Djeu pater = griech. Ζεῦ πάτερ = der oberste Gott als Vater.
1292. Die hauptsächlichen adjectiva der Verhaltensweisen Gottes: Liberalis, facilis, clemens, mansuetus, indulgens, ignoscens, propitius, bonitas, paterna lenitas. - 1, 30, 48, 49, 53, 63, 90, 196, 198 u. o. - Die Charakterisierung Gottes als misericors bleibe hier außer Betracht, weil sie für Calvin zwar sehr wichtig ist, in der Stoa aber als Tugend eines Weisen und Herrschers meist wohl zugestanden wird (Cicero), hinsichtlich einer mit ihr verbundenen Anwandlung des Gemütes aber nicht.
1293. Accepti, gratiosi.
1294. Z. B. noch 1, 198, 90. S. auch Anm. 1292.
1295. 1, 27, 34.
1296. Potentia absoluta: 2, 700 (1559); absoluta voluntas: 2, 156 (1559).
1297. Potentia ordinata.
1298. Ebenfalls ordinatus, a, um.
1299. 1, 12, 90 sq. - Für den späteren Calvin s. Reuter I, S. 46 ff.
1300. Schon 1536 kennzeichnet Calvin die Kirche als den Ort, an dem die Erwählten bereits vor Erstellung der Welt erkoren und dann in Zeit und Welt auf das innigste miteinander vereint werden: 1, 72 sq.
1301. Vgl. Kreck, S. 29.
1302. 2, 534.
1303. 2, 700.
1304. L. c.
1305. Calvin beruft sich in diesem Zusammenhang auf Bernhard: MPL 182, 245 in O. S. IV ann.245.
1306. Z. B. 1, 73 sq.; 2, 533.
1307. 2, 552.
1308. Mediator: 1, 100; 2, 647, 555 (1543) unter Berufung auf Augustin; intercessio, intercedere: 2, 535, 552; 2, 693: medium = Mittel, Instrument (Vollstrecker) oder versöhnende Mitte zwischen zwei Extremen: so nach Aristoteles.
1309. 1, 72 sq.
1310. S. Anm. 1305.
1311. 2, 569 sq.
1312. 2, 569 sq. - S. u. a. für Bernhard MPL 183, 533 (2, 562 sq. aus 1543):...transitus est ab aeterna praedestinatione ad futuram gloriam; vor allem aber Bernhard, l. c., 1159 sq.: Die praedestinatio hat ihren Anfang ante tempora...secundum praedestinationem nunquam Ecclesia electorum (!) penes Deum non fuit. Weiteres s. s. v. Praedestinatio: col. 1283.
1313. 5, 409.
1314. Religio.
1315. 2, 533 (1539).
1316. Reuter I, S. 93.
1317. A. a. O., S. 95.
1318. Pohlenz, Grundfr., S. 98.
1319. ...imprimuntur.
1320. ...quasi adumbratas intelligentias animo ac mente conceperit.
1321. Vgl. Pohlenz, a. a. O.

1322. Pohlenz, Die Stoa I, S. 463, 437, 457.
1323. 5, 407; 1, 63; 5, 266.
1324. Näheres bei Reuter I, S. 93 f.
1325. 1, 241.
1326. 1, 32 sqq.; ähnlich oft.
1327. 5, 415 u. o.
1328. Christiana religio.
1329. Vita religiosa.
1330. Gegen Mittring, S. 442.
1331. Die letzte Zusammenfassung der reformatorischen Quellen für
     Calvins theologische Konzeption hat Ganoczy, S. 136-166, ge-
     geben. G. bleibt eine Antwort auf die Frage schuldig, woher
     der schon in der Erstausgabe der Institutio so streng durchge-
     führte Prädestinatianismus Calvins stammt. Seine Angaben über
     Calvin und seine theologischen Anfänge, etwa S. 363, 188-190
     sind zu allgemein. Bei der Frage nach den Beziehungen Calvins
     zur Sorbonne, die verneint werden, muß man gegenfragen, wo
     denn davon je geschrieben wurde. Sie sind in der Tat zu ver-
     neinen. Der Scholar Calvin besuchte das Collège de la Marche
     und das Collège de Montaigu. Ein bisher immer wieder, auch in
     Reuter I, gemachter Fehler besteht darin, daß man jeweils ein-
     fach voraussetzte, daß Calvin in Montaigu auch Theologie
     (Scholastik) studiert habe. Das vorliegende Buch (Reuter II)
     beschäftigt sich eingehend mit dieser Frage. - Es hat den An-
     schein, als habe G. nur das vierte Buch der Sentenzen Majors
     benutzt. Wenn das so ist, darf die Frage erhoben werden, warum
     die viel wichtigeren drei ersten Bücher nicht herangezogen
     wurden. - Zum Schluß: Zum jungen Calvin (und werdenden Refor-
     mator), wenn man denn schon versucht, seinen Werdegang mög-
     lichst vollständig zu erfassen, gehört eine viel umfassendere
     Berücksichtigung seines Bildungsweges, seines Aufenthaltes in
     der Artistenfakultät zu Montaigu, seiner Beziehungen zur
     Augustin-Renaissance und Augustin selbst, zur Stoa und römi-
     schen Rechtsphilosophie sowie zu den Quellen seiner Frömmig-
     keit samt deren Ausübung in Montaigu. Reuter II will ein Ver-
     such in den angedeuteten Richtungen sein.
1332. 1, 61.
1333. 5, 245; 1, 224. Auch später: 33, 619:...religio christiana a
     papistis corrupta.
1334. 1, 241; 5, 293, 295.
1335. 1, 82.
1336. Zu religio vera s. insofern u. a. 49, 195; 53, 454; 55, 397,
     148.
1337. 2, 40 (1539).
1338. 5, 276.
1339. 1, 224, 215; später auch 38, 612.
1340. 1, 224.
1341. 2, 700: tyrannica saevitia (Seneca) aus 1539; absoluta potentia
     (Ockham) aus 1559.
1342. 1, 12 sq · Vera religio...scripturis tradita.
1343. 1, 244.
1344. 5, 404: Ex ore Domini (= Dei).
1345. MPL 177, 295 A sq.
1346. 5, 416.
1347. 5, 395.
1348. 5, 405: Rudimenta.
1349. 5, 416.
1350. Gegen H. E. Weber I, 1 S. 227: "So bildet Calvin als Bahn-
     brecher der Orthodoxie, die bei Melanchthon sich anbahnende
     Doppelheit durch".
1351. 5, 404 sq.
1352. 5, 416.
1353. 1, 74: Verborum novitas; vgl. 1, 14 sq.
1354. 1, 212.
1355. L. c.
1356. 5, 393.
1357. 5, 405:...aliquem de media plebe indoctum.

1358. 1, 9.
1359. 1, 11, 23.
1360. Vgl. z. B. auch 1, 225.
1361. 1, 339, 343; vgl. 1, 319:...bona voluntas opus Deu est.
1362. 1, 9.
1363. Gustus: vgl. 5, 239 sq. (beim späteren Calvin öfter im positi-
      ven Sinn), conversio u. ä.
1364. Zur unitas ecclesiae s. 5, 409, 412, 416.
1365. 5, 388, 392; 1, 209.
1366. 1, 21.
1367. 5, 391 sq.
1368. 1, 472:...pia affectatio.
1369. 1, 82, 473.
1370. S. Reuter I, S. 78-87.
1371. 1, 27.
1372. 1, 125.
1373. Vgl. Lexikon f. Theol. u. Kirche, Bd. 10, Sp. 63: Freiburg i.
      Br. 1965.
1374. Vgl. z. B. Major, In sent. 1, 2, 2:...materia topica.
1375. O. S. I, p. 15.
1376. 5, 385:...excellens doctrina.
1377. 1, 180.
1378. 1, 162: Die summa evangelii ist plena virtutis ac potentiae.
1379. Cerni: 1, 57.
1380. Vgl. zu früher Gesagtem noch 1, 27:...certa fide constitutum
      habeamus.
1381. 1, 57: Evidentia, perspicuitas, praesentia, demonstratio.
1382. 5, 393.
1383. Redemptio.
1384. Blaser, S. 68 f.
1385. 5, 294.
1386. 1, 215, 117: Edocere.
1387. Docere, admonere, exhortari, stimulare: oft.
1388. Reuter I, S. 81.
1389. Z.B. 1, 163 sq., 86 sq.; 5, 394.
1390. Fallaciter: Die potentia absoluta Dei läßt aus erkenntnistheo-
      retischen Gründen die ständige Möglichkeit offen, daß Gott je-
      derzeit auch anders, also willkürlich, handeln und somit täu-
      schen kann: eine theoretische Annahme.
1391. Ein ganz seltener Fall, daß Calvin von den credentes und nicht
      von den fideles spricht.
1392. 1, 214.
1393. 5, 412.
1394. L. c.
1395. 1, 162; 5, 412.
1396. Certus ac firmus: oft.
1397. 5, 412.
1398. Diese Komparative kommen bei Calvin als Ausdruck der Sorge vor
      einem allerletzten Bruch von Mal zu Mal vor; hier 5, 292:
      purior doctrina.
1399. 1, 279; 2, 31.
1400. Summa.
1401. 1, 255/256:...si quas posthac scripturae enarrationes edidero.
1402. L. c.; aber auch 1, 195.
1403. 1, 19.
1404. 1, 64. - J. Major, In sent. III, 79, 4: "Sapientia...capiatur
      collective pro judiciis agibilium humanarum cum annexis ad illa
      judica...est circa deum et ejus effectum". - Im übrigen: die
      bis heute noch zuverlässigsten Angaben über Major finden sich
      bei Villoslada, S. 127-164. Kap. VI: El jefe de Monteagudo:
      Juan Mair.
1405. 1, 291.
1406. Mysteria Dei: z. B. 5, 283; ähnlich 1, 11 u. ö.
1407. Vgl. noch 34, 216 (1539).
1408. MPL 177, 580D/581A sqq. - S. auch O. S. I, S. 15.
1409. Incomprehensibilis.
1410. L. c. 586 A/B; 580 D; 581 A u. ö.

1411. Wie Anm. 1409.
1412. 1, 73 sq.
1413. 1, 36, 22.
1414. 33, 340. - 1, 291; 34, 216.
1415. Das Nähere hierzu für den späteren Calvin s. Reuter I, S. 133-136. - 1. 27.
1416. 1, 279.
1417. 1, 27.
1418. 1, 64. - Für den Voluntarismus bei Ockham vgl. Steiger, S. 40.
1419. 1, 64, 99, 100, 207 sq.; vgl. 1, 12; 5, 406.
1420. 1, 214.
1421. MPL 177, 764 B.
1422. Coll. 204. Vgl. Reuter I, S. 12.
1423. In sent. III, 80, 1:...sapientia...terio modo capitur pro notitia circa substantias altissimas: et a sensu remotissimas. Sie trägt den Charakter des habitus; s. 79, 3.
1424. 1, 214.
1425. 1, 100; 24, 216 (1539).
1426. S. u. a. 11, 179: Aus undurchsichtigen Umständen des Reichstages in Regensburg schreibt Calvin über die Aussichten des Religionsgesprächs, was für seine Begriffe hier auf dem Spiel steht:...im Artikel von der Rechtfertigung sei Gott "nihil... pretiosius quam coelestam illam sapientiam, quam nobis in evangelio revelavit, et eas animas, quas sacro filii sui sanguine redemit".
1427. 26, 131.
1428. 1, 208; vgl. 1, 56 sq.
1429. Bereits in caput VII der Zweitausgabe der Institutio (1, 801-830) erörtert Calvin Ähnlichkeit und Unterschied zwischen dem Alten und dem Neuen Testament. - 1, 802: "Patrum omnium foedus adeo substantia et re ipsa nihil a nostro differt, ut unum prorsus atque idem sit; administratio tamen variat". - In den capita VI bis IX der Letztausgabe der Institutio wird Notwendigkeit und Bedeutung der Schrift "als Führerin und Lehrerin (ad Deum)" und als des Inbegriffs der "gesamten Prinzipien der Frömmigkeit" (2, 60-88), als Quell, Maßstab und Ort der Findung der reformatorischen Interpretation des Heils und damit nicht zuletzt auch als der Schule der Hermeneutik der gültigen Beziehungen zwischen dem dreieinigen Gott und einem in der Glaubensgelehrsamkeit (doctrina fidei) Stehenden, wie er aus der Schrift lebt, erörtert.
1430. Sensus, sentire: wie so oft bei Calvin.
1431. 1, 355/356.
1432. 1, 27 sqq.
1433. 1, 427 sq.
1434. 1, 326. - Insbesondere bei "gewissen Philosophen", z. B. bei Cicero: O. S. III, p. 229 ann.1.
1435. Mens.
1436. 2, 36, 46, 47, 53 (alle aus 1539).
1437. 1, 323.
1438. Ars. - Vgl. auch Major, In sent. III, 79, 5
1439. 5, 391. - Rieht, S. 103 f.: Agathon...ist, was nützt...das Kalon ist der Wert, neben dem es keine anderen Werte gibt.
1440. Reuter I, S. 58 ff.; Sellmann, S. 294: Sapientia et eloquens pietas. Vgl. auch Stählin, S. 63-65, 63 Anm.
1441. 1, 305 sq.
1442. 1, 306; 2, 175, 177.
1443. 1, 338. S. auch Reuter I, S. 106, 107.
1444. ...qui...vel imbibuerunt, vel etiam degustarunt.
1445. 1, 287, 286 sq.
1446. 1, 325.
1447. Hierzu s. Reuter I, S. 16, 212 Anm., 41.
1448. O. S. I., p. 15; Heimsoeth, S. 103 sq.
1449. MPL 177, 559 B, 449 D, 502 C/D, 516, 515 D; 175, 179 D.
1450. Deiformitas.
1451. Ars.
1452. Coll. IX, 6, 8, 23; VIII, 8, 2; XIII, 13; VII, 13; IV, 16;

        I, 18, 11; V, 21; VII, 8; vor allem c. 2.
1453. MPL 176, 847 sq.
1454. Z. B. MPL 183, 695 B u. ö.: unter Beziehung auf Ps. 110, 10
      (Luther: Ps. 111, 10).
1455. S. das Register in MPL 183.
1456. L. c. 183, 859.
1457. Ein Kennzeichen für den Neuplatonismus in der frommen Theolo-
      gie und Erbauungsliteratur des Mittelalters.
1458. MPL 183, 871 B, 879 C, 882 A, C u. o.; s. auch 1014 C, 1162 C;
      vor allem 970 D:• diese Stelle erinnert teilweise an die "Offe-
      ne Schuld" in reformierten Gottesdienstordnungen. Näheres zu
      Bernhard im vorliegenden Zusammenhang s. Reuter I, S. 17-18.
1459. Im. I, 8, 1:...cum sapiente et timente (sc. corde) Deum age
      causam tuam. - Deo vivere: Im. II, 12, 14; III, 20, 5; 6, 10.
1460. Im. I, 2, 1; II, 12, 11; I, 24, 5; III, 34, 2; I, 1, 3; III,
      32, 4; I, 4, 2; I, 24, 5; II, 2, 11; III, 7, 3; 31, 2; 33, 1.
1461. Eichler, S. 17.
1462. Im. III, 45, 3: O quam bene sapuit sancta illa anima, quae
      dixit, sancta Agatha: Mens mea solidata est et in Christo
      fundata.
1463. Folgende Punkte sind hier zu bedenken.
      1. Es steht fest, daß Standonck Fraterherr war, ferner, daß
      Major aus der geistlichen Erziehung der den Brüdern naheste-
      henden Augustinerchorherren der Windesheimer Kongregation her-
      vorgegangen war. Dazu s. Villoslada, S. 87: "Que el Nominalis-
      mo de la época que histariamos estaba vivificado, como toda la
      congregación de Monteagudo, por el espíritu de la "Devotio
      moderna", no se puede poner en duda". Vgl. auch Bohatec, Budé,
      S. 242, 243 Anm. 12, wo auf Im. I, 2, 1 sq. aufmerksam ge-
      macht wird: hier werden, wie es Calvin, vor allem von 1539 an,
      ganz ähnlich tut, die Züge des Stolzes usw. als Inhalt erst
      der geistlichen Selbsterkenntnis aufgedeckt. B. will hier
      einen Einfluß des Erasmus sehen. Viel wahrscheinlicher ist,
      daß der entscheidende Einfluß der Devotio moderna auf den jun-
      gen Calvin während der Ausbildungszeit in der Artistenfakul-
      tät des Collège Montaigu stattfand. -
      2. Wie schwer für die Autorschaft und die Quellen der Imitatio
      auf die rechte Spur zu kommen ist, zeigt schon die ungewöhn-
      lich umfangreiche "Abhandlung über den Verfasser des Buches
      mit dem Titel 'Von der Nachfolge Christi', 1706 in Gerson,
      Opp. I, p. LIX-LXXXIV. Dazu s. Reuter I, S. 32 f. -
      3. Es ist geradezu eine Eigentümlichkeit der Erbauungslitera-
      tur aller Zeiten und von der Art der Imitatio, ihr literari-
      sches Zustandekommen durch Quellenbelege jeweils unbeantwor-
      tet zu lassen. So ausschließlich soll der geistlichen Aufer-
      bauung des Lesers gedient werden, nicht aber der Förderung
      des Wissens. S. hierzu Reuter I, S. 263 s. v. Thomas von
      Kempen, ferner Hashagen, S. 525: "Ein unzweifelhafter, für
      die Praxis der Seelsorge, der Propaganda und der Bekämpfung
      aller Feinde unschätzbarer...vor allem positiv entwicklungs-
      fähiger Grundgedanke des Christentums....Thomas von Kempen...".
      Vor allem aber ist Barnikol, S. 7 f., hier bemerkenswert. Er
      betrachtet es im Blick auf die Brüder vom gemeinsamen Leben
      auf deutschem Boden als "grundlegenden methodischen Fehler",
      die "tausenderlei Zufälligkeiten" außer Acht zu lassen, die
      es "mit Zahl, Umfang, Gesamteinschätzung der Br.bewegung zu
      tun haben". Dasselbe gilt auch für das Gebiet an Niederrhein
      und Maas und, man übersehe das nicht, für den Prediger Stan-
      donck aus Mecheln, sowie für den Theologen und Lehrer an der
      Artistenfakultät in Montaigu aus Schottland: Major. Die Brü-
      derbewegung hat "wenige direkte Spuren hinterlassen und selten
      den entsprechenden literarischen Niederschlag gefunden. Für
      die kritische Forschung schwer erschließbar und faßbar kann
      ihre Wirksamkeit darum weit eher unterschätzt werden... die
      historische Forschung muß von der einzelnen Größe ausgehen".
      So auch Oberman, Werden u. Wertung der Reformation, S. 57:

"Die Charakteristika dieser Bewegung verschieben sich nach Zeit und
Ort und sind somit nicht leicht in ein "Programm" zu fassen". Schließlich Krummacher, S. 64 Anm. 2 bestätigte schon vordem diesen Sachverhalt: "F. A. Kr. (Krummacher) an Fr. W. Kr., Bremen, den 28. 1. 1840:
"Es fällt mir eine Notiz bei, die ich meine in Theremins Abendstun-
den gelesen zu haben, wie nämlich (Johann) A(rndt) auch manches,
ohne seine Quelle zu nennen, aus älteren Mystikern in sein W(ahres)
Ch(ristenthum) aufgenommen habe...". Schließlich: "Das heilige Vater
Unser...vom Verfasser der "heiligen Passion". Herausgegeben vom
christlichen Vereine im nördlichen Deutschland. 1873 in Eisleben und
Leipzig". Der Bemerkung auf S. 2 "Die nachfolgenden Betrachtungen,
bei welchen die besten Auslegungen, bisweilen wörtlich, benutzt
sind..." folgt im Büchlein nicht ein einziges Mal ein Quellennachweis. - 4) Der Individualismus der Erbauungsliteratur fand am Ende
des M.a.s ein ungewöhnlich weites, geradezu unüberschaubares Feld
der Verbreitung. Klöster, vor allem der Franziskaner, einzelne Fromme, Konventikel, Unterrichtsanstalten der Brüder, Prediger aus ihren
Reihen (Standonck) und die Augustiner-Chorherren von Windesheim
(Major) haben nach ihr gegriffen. Bernhardinisch-devot und franziskanisch geprägte Frömmigkeit gehen vielfach ineinander über. Heinrich von Hern aus dem Brüderhaus Gouda trat in Rom in den Orden der
Franziskaner-Observanten ein: Pijper, S. 12. - 5) Wichtig für die
geistliche Atmosphäre, in der der Scholar Johannes Calvin in Montaigu gelebt hatte, ist der ihm und der Imitatio gemeinsam eigene
Wortschatz, in den sich auch stoische Elemente mischen. Einzelnes
kann hier nicht weiter verfolgt werden. Demselben Wortschatz begegnete Calvin dann auch vielfach bei Erasmus und bei Budé. Aber die
eigentliche Quelle ist Erasmus hier für Calvin ebensowenig, wie er
sich in der Frage nach dem freien Willen auch nicht mit ihm auseinan-
dersetzt, sondern den spätmittelalterlichen Antipelagianern folgt.
Eine fast zufällige Auswahl aus dem hier in Frage kommenden Sprach-
gut: Abnegatio et der., quiescere, acquiescere et der., contemnere
se ipsum etc., patientia, patientia tolerandi etc., humiliare et
der., crucem portare etc., aequanimitas, gratia spiritus sancti,
fragilis et der., se subjicere, subjectio, simplicitas, gustare et
der., tribulatio, tentatio, purgare, erudire, renovare et der., re-
nascentia, renasci, conversio, convertere, consolari et der., pro-
ficisci et der., procedere et der., sapire und sapientia, imitatio
Christi et Dei, formare, conformitas (p. e.) crucis Christi, calamitas, Dei suavitas, calamitas, miseria, pax (firma), securus, securitas; quanto (quisque plus sibi moritur), tanto (magis Deo vivere
incipitur) u. ä.; von Gott: ignoscere, indulgere et der., clemens et
der.; weiter frui (z. B. interna quiete), perseverare (z. B. constantia), innocentia, obedientia, sanctificare, fiducia in Deum, disci-
plina, cognoscere se, anxietas, vexari, infirmitas, justus et sanctus; bene, beate, juste, sancte vivere oder agere (z. B. omnia dis-
ponens in sapientia). In diesen Wortschatz ragen vor allem auch Augustin, Bonaventura und Bernhard hinein. Das weitere wäre hier gerade hinsichtlich Calvins noch zu untersuchen. - 6) Goeters trägt vorstehend genommen Analektkewunktwon nicht die nötige Rechnung: Thomas
von Kempen und Johannes Calvin, S. 88.
1464. 2, 52 sq (1539).
1465. Humilitas.
1466. 1, 323; 2, 194 sq.
1467. Feret IV, S. 4.
1468. Numen.
1469. 2, 246, 441, 516, 266, 516, 266, 916 (alle 1539); 2,418 (1543).
1470. 1, 305.
1471. 1, 305.
1472. Misera conditio.
1473. Conscientia.
1474. 1, 305.
1475. Ordinatum. Vgl. den Ockham'schen Begriff der potentia ordinata
       im Unterschied von dem der potentia absoluta.
1476. 1, 310.
1477. Sapientia.
1478. 5, 405.

1479. 2,517 (1539):Experimentum.
1480. Für das Voraufgegangene s. 2, 516, 559, 241, 564, 515, 565.
1481. Vgl. hier Bonaventura, Gregor von Rimini und Calvin selbst,
       der zu den erniedrigendsten Ausdrucksmitteln greift.
1482. 2, 557, 258, 700 sq., 507, 259 (alle 1539).
1483. Mens.
1484. 2, 426, 721 (beide 1539).
1485. 2, 721, 713, 426, 947, 425 sq. (alle 1539).
1486. Z. B. Intueri.
1487. Sentire.
1488. Via unitiva.
1489. Sentire.
1490. Gustare, gustus: z. B. 1, 270.
1491. 2, 428, 946, 425 sq., 714, 428 (alle 1539).
1492. 1, 338.
1493. 1, 359.
1494. 1, 9, 205; 5, 388, 389; 1, 214, 23. - Zu Gregor vgl. Oberman,
       Werden und Wertung, S. 132 f.
1495. 1, 305-372.
1496. Facultates: intellectus, mens - voluntas, affectus.
1497. 1, 337.
1498. 1, 85; vgl. 1, 99.
1499. 1, 314, 313, 329, 307; vgl. schon 1, 28.
1500. Z. B. 1, 324, 469, 371.
1501. Voluntas.
1502. Arbitrium.
1503. 1, 346.
1504. 1, 357.
1505. 1, 307: Calamitas.
1506. 1, 346, 307 u. ö.
1507. 1, 370; vgl. schon 1, 162.
1508. Depravare: 1, 133 u. ö.; 1, 307 sq.
1509. 1, 338.
1510. S. Anm. 1507.
1511. Qualitas.
1512. Substantia.
1513. Um 1300.
1514. 1, 1125.
1515. 1, 306, 316, 326, 314.
1516. 1, 318; 1, 371: homo semivivus.
1517. L. c.
1518. Diese sucht Calvin gewiß in den theologischen Fakultäten.
1519. 1, 345.
1520. 1, 309.
1521. 1, 340. - S. auch Reuter I, S. 36, 31, 61, 69, 70.
1522. De libertate christiana (bei Pijper), S. 277:...meritum Chri-
       sti transit ad electos suos imitatione suae ardentissimae
       charitatis. Doch lehnt Pupper den Gedanken der Mitwirkung im
       Sinne der "Modernen" ab.
1523. L. c., p. 70-72, insbesondere p. 71 sq.: Quod scientia philo-
       sophica est causa errandi circa supernaturalia.
1524. L. c., p. 93, 54, 234, 157 sq., 207, 80, 127 sq.
1525. 1, 27 sq., 159, 49 sq.; 5, 397; 1, 310, 308, 312.
1526. Vgl. 1, 329.
1527. 1, 305-306.
1528. 1, 328, 346, 335, 370, 341; vgl. auch 1, 338.
1529. Bernhard hält sich gern an den Übergang von der menschlichen
       Eigenliebe zur Gottesliebe, ohne den entgegengesetzten Trieb
       beider Arten von Liebe klarzustellen. Ähnliches gilt gelegent-
       lich von Pupper, z. B. a. a. O., S. 277.
1530. Motio: 1, 355.
1531. L. c.
1532. 1, 318.
1533. L. c.; 2, 32 (1539). - Vgl. Anm. 1494.
1534. Zum Vorangegangenen s. 1, 318, 321, 339, 342, 343, 346, 247,
       355, 368 etc.
1535. 1, 306.

1536. 1, 224; 2, 885.
1537. 1, 361.
1538. 1, 205; 34, 524; 36, 563; 38, 11, 50; 48, 234; 49, 497; 52,
12, 97; 55, 413; 33, 711; 35, 316; 48, 242.
1539. 29, 15; 25, 24.
1540. 33, 31.
1541. Doctrina.
1542. Arbitrium.
1543. Voluntas.
1544. 6, 10; schon 1, 271.
1545. Zu Gregor s. Oberman, Werden und Wertung, S. 89. - Stadtland,
S. 211. St. übersieht, daß die Struktur der theologischen Konzeption C.s noch etwas anderes ist als die Einteilung der Institutio. In dieser tritt jene mehr oder weniger kräftig hervor. Beide sind nicht gleichbedeutend. Es ist eine theologiegeschichtliche Aufgabe, die Struktur der Theologie Calvins,
also auch und gerade des späteren Reformators noch besser her-
auszuarbeiten und sie mit der Einteilung der jeweiligen Ausgabe der Institutio zu vergleichen. Die Erforschung der Theologie Calvins hat ihre eigentliche Aufgabe noch erst vor
sich.
1546. Für die biographischen Angaben dieser Zeit Calvins s. Wendel
(franz. und deutsch), S. 6 ff.; Dankbaar, S. 6 ff. und die
gute Übersicht auf S. 232. Für die Quellen der Institutio von
1536 s. O. S. I, p. 14 sq. Dazu Ganoczy, S. 136-166.
1547. Zur Übersicht über die Zweitausgabe der Institutio:
I. De cognitione Dei. II. De cognitione hominis, et libero
arbitrio. Ubi de peccato originali, de naturali hominis cor-
ruptione, de liberi arbitrii impotentia; item de gratia rege-
nerationis, et auxilio spiritus sancti disputatur. III. De
Lege etc. IV. De. fide. Ubi et symbolum, quod apostolicum vo-
cant, explicatur. V. De poenitentia. VI. De justificatione
fidei et meritis operum... VII. De similitudine ac differentia
veteris et novi testamenti. VIII. De praedestinatione et pro-
videntia Dei. IX. De oratione. X. De sacramentis. XI. De bap-
tismo. XII. De coena Domini. XIII. De libertate christiana.
XIV. De potestate ecclesiastica. XV. De politica administra-
tione. XVI. De quinque falsis sacramentis. XVII. De vita hominis.
1548. O. S. I, p. 15.
1549. Zu Eck und Gregor s. Oberman, Werden und Wertung, S. 88 Anm.
3, 93 Anm. 44.
1550. R. Seeberg, Artikel "Scholastik" in RE[3], XVII, S. 731 f.
1551. S. Anm. 1548.
1552. Deiformitas.
1553. Entelecheia.
1554. Calvin: z. B. evenire, eventus.
1555. 1, 12.
1556. Transfundere, transfluere, infundere, influere.
1557. Das vivere flиrьnо Im. III, 20, 21; Deo vivere. Vgl. III, 15,
15: Vivere...tibi.
1558. 1, 100 = 2, 676.
1559. So später im Schluß vieler Gebete Calvins.
1560. 2, 42; vgl. 2, 47, 48 (alle aus 1539).
1561. 2, 40. S. auch O. S. III, p. 40 ann. 1.
1562. Z. B. efficere.
1563. Z. B. evenire.
1564. D. h.: in scholastisch durchhechelten usw.
1565. 2, 120 (1543).
1566. L. c.
1567. 2, 40 (1539):...a vero Deo.
1568. Aeternitas = a se ipso principium habere; essentia: 2, 46, 47,
53 (alle aus 1539).
1569. 2, 73 (1539):...erga nos.
1570. 2, 177 (1539).
1571. 2, 55, 73 (1539).
1572. 2, 55; vgl. 2, 73 (beide 1539).

1573. 2, 53 sq., 45 (beide 1539).
1574. Legitimus: 2, 35; vgl. 2, 55: beide aus 1539.
1575. 2, 71 sq.; vgl. 2, 385: beide aus 1539.
1576. Fast immer ist dominus Herrschername Gottes, nicht aber Kenn-
      zeichnung des Herrseins Christi.
1577. Auch sermo Dei: 2, 402 (1539).
1578. Ratio.
1579. 2, 61 sqq.: in die Überschrift zu Inst. I c. VIII (1559) auf-
      genommen.
1580. 2, 61 sqq.
1581. 2, 60 sq. (1539).
1582. 2, 402: Intueri.
1583. 2, 61.
1584. 2, 410.
1585. L. c.
1586. L. c.
1587. 2, 410, 402.
1588. Deum credere veracem.
1589. 2, 402 (1539).
1590. 1, 57.
1591. 2, 426 (1539).
1592. Vgl. 2, 56.
1593. Sentire u. ä.
1594. 2, 40.
1595. 1, 57.
1596. 2, 198, 199 (beide 1539).
1597. 2, 54 (1559); 2, 40, 55, 56, 31 (alle aus 1539).
1598. 1, 79; 2, 402, 410, 426; vgl. 1, 211 = 2, 768.
1599. 2, 401.
1600. Z. B. 2, 754.
1601. Universalis.
1602. 2, 855 (1543).
1603. 2, 748, 754, 682, 687, 767, 755 (alle aus 1539); 2, 772, 852
      (beide aus 1543).
1604. E. Wolf, Ref. u. Botsch., S. 112.
1605. 2, 69 (1539).
1606. 2, 53: Diagnoscere; 2, 54: Discernere.
1607. E. Wolf, Ref. u. Botsch., S. 99: nach J. von Stakelberg, Hu-
      manistische Geisteswelt, Sidney 1956.
1608. I, 20, 2 (s. dazu Reuter I, S. 95, 246 Anm., 112-115; I, 11,
      3; 4, 2.
1609. Lex. f. Theol. u. Kirche, Freiburg 1959, 3. Bd., Sp. 981:
      Haptus et gustus.
1610. Tillich, Syst. Theol. I, S. 51.
1611. Diese Ausführungen von W. Lohff, Lex. usw. (Anm. 1609), S.982
      geben doch wohl die unabhängig voneinander zu Tage geförder-
      ten Ergebnisse von O. Ritschl III, S. 381, 382, 384 und Reu-
      ter, Amesius, S. 25 ff. und 150 ff. wieder.
1612. So reichte der Einfluß des heute zu Unrecht so sehr verkann-
      ten Major auch in die Artistenfakultät zu Montaigu hinein,
      zumal wenn sich ein Scholar ihm persönlich öffnete. Dieser
      Einfluß bleibt weithin unabhängig von der Frage, ob der junge
      Calvin zu den Füßen dessen gesessen haben mag, der doch nicht
      nur scholastische Theologie, sondern, wie seine einschlägigen
      Lehrbücher beweisen, auch die Künste lehrte.
1613. Tillich, A. a. O., S. 52.
1614. 1, 189.
1615. 1, 120, 189, 61; 1, 393 (1539).
1616. ...certissime experiemur: 1, 76; ä.ö.
1617. 48, 131, 202; 2, 556, 716 sq.
1618. Propositum de infinito. Z. B. in "Inclytarum etc.",
      p. CXLVIII sqq. und im ersten Buch des Sentenzenkommentars
      von 1509, p. 104, 4 sqq. (44. Distinktion). Näheres bei Reu-
      ter I, S. 133-136.
1619. 1, 27, 63.
1620. Z. B. Transfluere, influere u. ä. - Z. B. 1, 27.
1621. 1, 73:...erga nos.

1622. 2, 73; vgl. 2, 108 (beide aus 1539).
1623. Heimsoeth, S. 218.
1624. 2, 151 u. ö. (1539).
1625. 2, 147 (1539).
1626. 2, 152 (1539).
1627. 1, 23.
1628. Calvin kann auch die Sünde vorsehendlich eingetreten sein lassen.
1629. 1, 57.
1630. Agnoscere, cognoscere, intellegere, intueri, cernere.
1631. 1, 801-830.
1632. S. Jean Mouroux in "Sacramentum mundi". Theol. Lex. f. d. Praxis, Bd. 1, Sp 1126.
1633. W. A. 9, 51
1634. A. a. O. 10^{III}, 56.
1635. 1, 27, 63.
1636. MPL 176, 72, 412. - Zu Calvin vgl. späterhin 2, 113.
1637. O. S. I, p. 15.
1638. Summa theol. 26, 529, 53o.
1639. L. c. III q 26 a 1 resp. ad 2.
1640. Unire: l. c. III q 26 a 1 resp.
1641. L. c. III q 26 a 1 resp. ad 2.
1642. L. c. III q.es 16-34. Der Kommentar Hofmanns zu diesen Quästionen gibt sich biblischer als Thomas selbst.
1643. Cur Deus homo, I, S. Schmitt, S. 26.
1644. 1, 312.
1645. 55,94.
1646. 21, 45, 69, 127; 2, 342; 28, 168.
1647. Persona.
1648. 2, 481.
1649. Conciliatio und reconciliatio ist neben redemptio bei Calvin die aussagekräftigste Bezeichnung von Christi Heilandstum.
1650. S. auch Dominicé S. 196 ff.
1651. S. a. a. O.
1652. 1, 61, 519 u. ö.; dann auch z. B. 45, 69.
1653. Intercessor, advocatus, patronus: 1, 69, 84, 534.
1654. Kratz deutet diese"echte intercessio" als Fortwirkung des ein für allemal vollbrachten Heilsopfers. Dazu ist für den späteren Calvin zu vergleichen 47, 371; 55, 310, 685.
1655. S. Anm. 107.
1656. Christi Ämter werden 27, 453 genannt: Niesel, Die Theol. C.s, S. 117. Man kann aber die Christologie Calvins nicht in die drei Ämter zwängen, wie es Schroten, S. 230-479 tut.
1657. Z. B. 1, 70, 524, 535, 536.
1658. 1, 454.
1659. Restituere et der.: 1, 518 u. ö.; auch 45, 522 sq. Torrance hat in "Kingdom and church" die Verbindung von sacerdotium und regnum Christi überzeugend dargetan.
1660. 7 B 15, 54 sq.: Administratio, procuratio.
1661. Intercessor, patronus.
1662. 2, 384 (1539).
1663. Reuter I, S. 130 f. - Später ist 24, 373 ganz gelegentlich vom "prophetischen Amt des obersten Lehrers die Rede: Niesel, a. a. O., S. 117. - Inst. 1536: 1, 35, 38, 42, 54, 43, 64; vgl. 1, 70: den vor seiner Zeit verstorbenen "Geistern im Gefängnis" hat Christus die Kraft seiner Erlösung mit aller Deutlichkeit zu erkennen gegeben. - S. 1, 536.
1664. 50, 215 sq.
1665. 2, 113.
1666. Z. B. per ipsum: 55, 10; 47, 4.
1667. 1, 64.
1668. Das hat Schroten S. 132 f., 146-154 dargetan, während Kratz S. 158 diese Erkenntnis nicht gewinnt.
1669. 2, 111.
1670. 1, 71.
1671. 1, 69: Christi consortes ac paticipes.
1672. 1, 515 u. o.

1673. Hier irrt Stadtland, S. 54.
1674. 1, 79.
1675. 2, 275 (1539).
1676. 6, 10 = O. S. II, p. 75 sq. - Vgl. 1, 53, 63; 2, 149, 159
(beide aus 1539); 2, 146, 144: betr. singularis quaedam pro-
videntia und ...in eo...conservando et moderando quandam ac-
tionem (1539). - Ferner 2, 216 (1539):...a gratia praeveni-
tur...Dominum praevenire nolentem ut velit: volentem subsequi
ne frustra velit. - Schließlich: 2, 158 sq. (1539): Ergo Chri-
stianum pectus, quum certo certius persuasum sit, omnia Dei
dispensatione evenire, nihil fortuito contingere etc.
1677. S. auch 1, 455.
1678. 1, 456.
1679. L. c.: 2, 403. - Mens, cor, animus.
1680. 1, 56.
1681. 1, 466.
1682. 1, 456:...fidei ingenuum.
1683. 1, 56 sqq.
1684. 1, 455.
1685. 2, 409 sq. (1539).
1686. 1, 63; 2, 432.
1687. Paradoxotaton.
1688. 2, 426 (1539).
1689. 1, 82.
1690. Mens.
1691. S. z. B. 1, 865, 872, 873, 878.
1692. Instar, speculum.
1693. 1, 455:...intuatur et contempletur.
1694. 1, 469, 457, 453.
1695. Cogito, ergo sum.
1696. 1, 29.
1697. ...mihi probe conscius sum.
1698. 2, 40 (1539).
1699. 10, 139 sq., 143, 144.
1700. 1, 281.
1701. Vgl. 1, 28 u. o.; 1, 323, 306 sq., 331, 332, 359, 361, 368,
376 u. o.
1702. Für den späteren Calvin s. Reuter I, S. 190-198.
1703. Contemplare.
1704. 1, 195 sqq.
1705. Misericordia, lenitas, liberalitas.
1706. 1, 196 sq., 203; vgl. 1, 197, 199, 331.
1707. 1, 199, 200.
1708. Im. I, 2, 1; 8, 1; 21, 4; 24, 5; II, 2, 11; III, 7, 3; 31, 2.
S. auch, was die Imitatio im besonderen zur bona und pura
conscientia sagt: I, 2, 2; 3, 4; 23, 1; 24, 6; II, 21; 6, 1;
6,3; 31, 4; 36, 1; 50, 6; 53, 1.
1709. Anima.
1710. 1, 182:...omnes animae partes. - 2, 211 (1539).
1711. 2, 182, 183, 180 (alle 1536/1539).
1712. 2, 139.
1713. Facultates.
1714. 2, 211, 207, 208; vgl. 2, 994 (alle 1539).
1715. 2, 949, 948, 295 (alle 1539).
1716. 2, 442 (1543):...ex tota anima.
1717. Securitas.
1718. 2, 1033, 1005 (1539); 1, 124; 2, 125 (1543).
1719. Sensus.
1720. Mens.
1721. 2, 142 (1539).
1722. L. c.
1723. Ratio.
1724. 2, 200 (1539).
1725. 2, 183 (1539).
1726. 2, 211 (1539).
1727. 2, 271 (1536/1539).
1728. 2, 308 (1539).

1729. Sapere: 2, 202 (1539).
1730. 2, 201 sq. (1539).
1731. 2, 399: Non ingnoratione, sed in cognitione sita est fides.
Vgl. 2, 403 (1539).
1732. 2, 142 (1539).
1733. 1, 316 sq.
1734. 1, 313: Fumus.
1735. Z. B. 1, 317.
1736. 1, 350 sq.
1737. Arbitrii voluntas.
1738. 1, 333, 320, 321; 1, 317:...voluntatis facultas.
1739. Desideria, appetitus. - Im. IV, 9, 5:...pia desideria.
Wohl nicht von ungefähr schrieb Ph. J. Spener 1675 seine "Pia
desideria oder Herzliches Verlangen nach gottgefälliger Besserung der wahren Evangelischen Kirchen".
1740. 2, 142 (1539).
1741. 2, 209 (1539).
1742. 2, 271 (1536/1539).
1743. 2, 294, 280 (1539).
1744. Heimsoeth, S. 211, 213.
1745. 1, 458.
1746. Resurrectio.
1747. Conversio.
1748. Dei virtute.
1749. 1, 355, 318, 319.
1750. Efficaciter afficiendo.
1751. 1, 346, 318, 334, 368, 343.
1752. 1, 345.
1753. 1, 346.
1754. 6, 10.
1755. 1, 314.
1756. 1, 314 sq. S. die Auseinandersetzung mit Plato und Cicero:
1, 314, 316.
1757. Sentire: z. B. 1, 81, 82, 83, 90, 159, 197, 57 und sehr oft.
1758. Sentire, sensus.
1759. 1, 82, 83: Intelligere, inspicere, cogitare. - Vgl. 1, 727,
73 u. o.
1760. S. Anm. 1757 f.
1761. 2, 31 (1539).
1762. 1, 159.
1763. 1, 81; vgl. 1, 47; 1, 122:...obtusus sensus.
1764. 2, 547 (1539).
1765. 1, 459, 355, 800.
1766. Fidei sensus: 2, 547.
1767. 2, 714 (1539), 727; vgl. 1, 73.
1768. Z. B. W. A. III.
1769. Cognoscere, agnoscere, recognoscere, nosse, intueri, cernere,
cogitare, reputare, statuere: oft mit dem Zusatz apud se,
apud nos, nobiscum,...pro certo habere u. ä. oft.
1770. Auf dem ganzen Gebiet der Seelenlehre übten unter den Anti-
aristotelikern und Humanisten Laurentius Valla (1407 1457)
und vor allem Ludwig Vives (1452-1540) einen weitreichenden
Einfluß aus: Dilthey, S. 422, 423, 429. Er erfaßte auch Petrus
Ramus und reichte bis zu Wilhelm Perkins und Wilhelm Amesius
und über beide hinaus. Auch die Arminianer schätzten die ethischen Gedanken des Ramus.
1771. Fiducia.
1772. Firma persuasio.
1773. Securitas, securus.
1774. Acquiescentia, acquiescere, quies.
1775. 1, 31, 57, 56, 74, 78, 82 u. o.
1776. 1, 82.
1777. Gustare: 1, 78; dazu die suavitas Dei.
1778. Incumbere.
1779. Inniti.
1780. Pendere, haerere. Z. B. 1, 82.
1781. Reponere: 1, 56, 74.

1782. Consolatio.
1783. 1, 57, 82, 74, 56, 78.
1784. Obtinere haereditatem: z. B. 2, 548 (1539); auch sonst öfter.
1785. Possidere, obtinere: 1, 31, 56, 74 u. o.
1786. 1, 57, 74, 737; 2, 333 (1539) u. o.
1787. 1, 60.
1788. 2, 552 (1539).
1789. Accipere, percipere u. ä. oft.
1790. W. A. 24, 607; 16, 187 sq.
1791. 5, 397.
1792. 1, 279.